J'attends un enfant

Laurence PERNOUD

J'attends un enfant

édition 2016

Mis à jour sous la direction d'Agnès Grison

horay

Du même auteur, chez le même éditeur :
J'élève mon enfant
édition 2016

© EDITIONS HORAY 2016
5 allée de la 2° Division Blindée, 75015 Paris
ISBN 978-2-7058-0523-4
lpernoud@horay-editeur.fr

Sommaire

5 Avant la naissance : votre bébé et vous

6 Si vous attendez des jumeaux

7 Trois questions que vous vous posez

8 Les malaises courants

12 L'accouchement et la naissance

13 La douleur et l'accouchement

14 Comment préparer son accouchement

15 Votre enfant est né

16 Après la naissance : votre bébé et vous

17 Mémento pratique

Voici l'édition 2016 de *J'attends un enfant*, le « Laurence Pernoud », riche de l'expérience des années et des compétences d'aujourd'hui. Ce livre a été écrit pour vous, chers futurs parents, pour répondre à toutes les questions qui jaillissent dès le premier jour de la grossesse, parfois avant, dès le désir d'enfant

Comment un œuf, dont on peut à peine imaginer la taille, deviendra-t-il en neuf mois un bébé de trois kilos ? Quel est le processus de cette croissance prodigieuse qui ne se reproduira plus jamais au cours de la vie ? Quelles en sont les grandes étapes ? Comment le bébé se nourrit-il ? Que ressent-il ? Quelles précautions prendre pour lui assurer le meilleur développement ? Faut-il changer de mode de vie ? Et de façon de se nourrir ? Comment se déroule une grossesse ? Quand passer la première échographie ? La péridurale est-elle possible partout ? Comment être sûr que l'accouchement a bien commencé ? Et si notre bébé naissait prématurément ? ...

Les questions affluent, parfois aussi des inquiétudes. *J'attends un enfant* est là pour vous informer, vous rassurer, vous donner confiance dans vos capacités à attendre un enfant, à le mettre au monde, à devenir parents.

CHÈRE LECTRICE CHER LECTEUR

Laurence Pernoud était déjà très connue lorsque je l'ai rencontrée. Avoir eu l'idée d'écrire un livre s'adressant directement aux futurs parents, le faire dans un langage clair et chaleureux, tout en donnant une information rigoureuse, lui avait rapidement fait connaître le succès. *J'attends un enfant* puis *J'élève mon enfant* sont vite devenus la référence pour les parents. Ils le restent aujourd'hui.

Rencontrer Laurence Pernoud a été pour moi un grand événement. Lorsqu'elle m'a proposé de travailler avec elle, j'ai accepté sans hésiter. Cela a été le début d'une aventure passionnante qui se poursuit aujourd'hui. Laurence m'a aussitôt fait confiance et m'a peu à peu donné une place particulière au sein de l'équipe qu'elle rassemblait autour d'elle. Je suis devenue sa principale collaboratrice, « son bras droit », disait-elle. Ensemble, chaque année, nous mettions sur pied la nouvelle édition, décidions des sujets à traiter, discutions chaque nouveau chapitre jusqu'à ce qu'il ait pris sa forme définitive, recherchions des photos, etc. Ensemble, nous choisissions les nouveaux collaborateurs de notre équipe qui, au fil des années, s'est étoffée. Ensemble, nous répondions à l'abondant courrier des lecteurs, dont les témoignages et les suggestions ont enrichi notre expérience. Lorsqu'elle s'est peu à peu mise en retrait, Laurence a souhaité que je poursuive son œuvre, celle de toute une vie. Je continue aujourd'hui ce travail avec le même enthousiasme, le même plaisir, fidèle aux principes de qualité et de rigueur qui nous ont toujours animées.

Maintenant je vous laisse à votre lecture, en espérant que *J'attends un enfant* sera le compagnon de ces mois à venir. Une nouvelle vie vous attend : plus rien ne sera comme avant.

AGNÈS GRISON

La mise à jour régulière de *J'attends un enfant*, dans des domaines aussi variés que l'obstétrique, la psychologie, la diététique, le sport, la beauté, la législation, etc., représente un travail permanent de rencontres, de contacts, de lectures. Elle nécessite également le concours d'une équipe de spécialistes. Chacun d'entre eux, fier de participer à cet ouvrage, apporte son expérience, son dynamisme, ses compétences. Ce travail entraîne des discussions vives et enrichissantes : parler de la vie est une œuvre délicate, parler de l'avenir aussi. Voici l'équipe qui m'entoure et participe à la mise à jour annuelle.

Le docteur ANDRÉ BENBASSA, ancien chef de clinique au CHU de Grenoble, est le gynécologue obstétricien de *J'attends un enfant*. Il est membre du Collège National des Gynécologues Obstétriciens Français (CNGOF) et expert à la Haute Autorité de Santé (HAS). Le docteur André Benbassa fait profiter nos lecteurs de son expérience et de sa compétence et nous apprécions qu'il sache allier la confiance envers la médecine et une certaine réserve devant les risques d'une hypermédicalisation de la grossesse.

UNE ÉQUIPE

DANIELLE RAPOPORT, psychologue, ancienne titulaire de l'Assistance Publique-Hôpitaux de Paris, est présidente de l'association « Bien-traitance formation et recherches ». Elle collabore à *J'attends un enfant* depuis de nombreuses années et elle sait parler des situations psychologiques les plus délicates avec finesse et clarté.

MARIE-NOËLLE BABEL, sage-femme libérale, participe à un groupe d'accueil parents-enfants. Avec elle, nous avons approfondi différents sujets, comme l'entretien prénatal précoce, la contraception après l'accouchement, la décision des futures mères d'allaiter au sein ou au biberon.

SYLVIE MORIETTE est psychologue dans une maternité. Son implication dans l'accompagnement des femmes, de leur conjoint, de leur famille nous fait apprécier ses éclairages pertinents sur de nombreux sujets : le ressenti des futures mères face aux modifications de leur corps, le soutien qui peut être apporté lors des moments difficiles de la grossesse, le cheminement parfois délicat pour devenir parent, les transformations du couple, de la famille après une naissance, etc.

DOMINIQUE FAVIER, ancien cadre socio-éducatif à l'Assistance Publique-Hôpitaux de Paris, a rejoint notre équipe. Elle s'occupe avec rigueur et efficacité du Mémento pratique, chapitre si utile aux lecteurs.

BRIGITTE COUDRAY, diététicienne, sait concilier les bons principes alimentaires avec le plaisir de manger.

AUDE WEILL-RAYNAL, avocate, spécialisée en droit de la famille, a en charge toutes les questions juridiques qui peuvent intéresser les futurs parents.

Je remercie également pour leurs précieux avis :

le docteur MARC ALTHUSER, échographiste, qui nous a communiqué de très beaux documents

le docteur JEAN-LOUIS BENASSAYAG, gynécologue-obstétricien et échographiste, pour les superbes échographies sur la vie avant la naissance

le professeur T. BERRY BRAZELTON, pédiatre mondialement reconnu pour ses travaux sur la compétence du nouveau-né, les interactions parents-enfants et l'attachement précoce

le docteur NADIA BRUSCHWEILER-STERN, pédiatre et pédopsychiatre, spécialiste des relations précoces parents-enfants

AGNÈS BUCHET, sage-femme hospitalière

MARIE-CLAIRE BUSNEL, spécialiste de l'éveil sensoriel chez le fœtus et le bébé

STÉPHANIE CELLIER et DAMIEN ROBERT, pharmaciens

le docteur ODILE COTELLE, spécialiste en uro-dynamique et en rééducation périnéale

le docteur BERNADETTE DE GASQUET qui s'occupe particulièrement de positions d'accouchement ;

le docteur ALBERT GOLDBERG, gynécologue-obstétricien, spécialiste de l'haptonomie

le docteur ÉLISABETH ROBERT-GNANSIA, spécialiste des risques malformatifs, à propos de grossesse et environnement.

Cette année, je remercie particulièrement :

le docteur JEAN-LUC GLEIZES, anesthésiste-réanimateur, à propos de l'hypnose

le docteur ANNE-CÉCILE ZIMET, chirurgien-dentiste, pour ses conseils sur l'hygiène de la bouche et des dents pendant la grossesse.

La maquette de *J'attends un enfant* a été réalisée avec talent par PHILIPPE et NICOLAS MARCHAND qui ont su allier sens artistique et exigences professionnelles. Nous apprécions qu'ils aient donné à notre livre cette allure fraîche et colorée.

1

J'attends
un enfant

- De l'espoir à la certitude
- Si la grossesse tarde à venir
- C'est oui et tout va changer
  dans votre vie

28... 29... 30...

Deux, trois jours se sont déjà glissés depuis la date régulière. Vous comptez encore une fois, 28, 29, 30 ; c'est le calcul de l'espoir : suis-je vraiment enceinte ? Vous vivez ce moment d'incertitude avec intensité, tous les rêves sont permis.

Lorsque le désir sera devenu certitude, lorsque la première émotion sera passée, à peine le temps de savourer le bonheur réalisé, vous allez sûrement faire un autre calcul. Non plus en jours mais en mois cette fois : quand accoucherai-je ?

C'est ainsi que la plus belle histoire d'amour, le rêve qui prend forme, s'accompagne très vite de calculs et de prévisions dans d'autres domaines concernant la vie du bébé : à 4 semaines son cœur va se mettre à battre ; à 12 semaines vous le verrez à l'échographie ; à 4 mois ses mouvements vous réveilleront.

Et voici comment chiffres et émotions se mettent à dialoguer, mais c'est la vie ! Précisément c'est de la vie qu'il s'agit ; c'est la vie qui se prépare.

D'autres interrogations vont surgir : est-ce une fille, est-ce un garçon ? Et si c'était des jumeaux ?

Faut-il déjà s'inscrire à la maternité ?

Mais pour commencer ce chapitre, revenons à votre espoir de grossesse, à votre désir d'enfant.

De l'espoir à la certitude

Comment savoir si vous êtes vraiment enceinte ? Certains signes accompagnent le début de la grossesse : les voici, sans hiérarchie. Vous pouvez aussi faire un test qui vous donnera une réponse rapide.

LES SIGNES DE LA GROSSESSE

Le plus important, et en général le premier, est l'arrêt des règles, ou *aménorrhée* en terme médical. Mais ce signe n'a pas de valeur absolue. Même si vos règles ont un retard de deux ou trois jours, vous ne pouvez pas en conclure que vous êtes enceinte, vous pouvez seulement le présumer, à condition :
• que vous ayez un cycle régulier, tout en sachant qu'un retard de quelques jours peut se produire en dehors de toute grossesse
• que vous soyez en bonne santé. En effet certaines perturbations psychologiques ou médicales suffisent parfois à provoquer un retard de règles, simplement parce qu'il y a eu un retard d'ovulation
• que vous ne soyez pas dans des circonstances particulières telles que voyage, changement de climat, vacances, ou bien choc émotionnel, qui peuvent également perturber le cycle
• que vous soyez loin de la puberté et de la ménopause, périodes où les cycles sont souvent irréguliers.

Vous pourrez aussi remarquer certains symptômes ou malaises qui peuvent être présents et que l'on appelle les « signes sympathiques de grossesse » :

• simples nausées s'accompagnant parfois de vomissements bilieux au réveil, alimentaires dans la journée

• envie de dormir, notamment après les repas, envie de sieste, besoin de se coucher tôt

• manque d'appétit pour tous les aliments ou dégoût pour certains

• parfois, au contraire, augmentation de l'appétit ou goût très prononcé pour certains aliments

• modification de l'odorat : certaines odeurs deviennent insupportables, même s'il s'agit du parfum le plus raffiné

• sécrétion inhabituelle de salive

• aigreurs d'estomac, lourdeurs après les repas

• constipation

• envies fréquentes d'uriner

• augmentation précoce du volume des seins qui deviennent lourds, tendus, et souvent sensibles. L'aréole, partie brune et concentrique qui entoure le bout du sein, gonfle.

La présence de ces signes fait penser que le début de grossesse se passe bien. Et si ces signes sont très accentués, ils font évoquer une grossesse gémellaire que confirmera parfois l'échographie. Mais ces signes varient d'une femme à l'autre et la grossesse peut aussi débuter et se poursuivre sans qu'aucun de ces petits malaises n'apparaisse ; ou bien ceux-ci peuvent être si atténués qu'ils passeront inaperçus. Ce qui compte, c'est l'absence de règles à la date prévue.

UNE FEMME ENCEINTE N'A PAS DE RÈGLES
C'est vrai. Mais il peut arriver, quelques jours après la date théorique des règles (parfois même avant), que des saignements apparaissent. Ces saignements doivent alerter : ils peuvent être bénins mais ils peuvent aussi être le signe de complications (fausse couche ou grossesse extra-utérine, voir ces mots). Il est préférable de consulter le médecin ou la sage-femme.

LA CERTITUDE : LES TESTS DE GROSSESSE

Ces tests reposent sur la recherche d'une hormone sécrétée par l'œuf (donc caractéristique de la grossesse), hormone appelée *gonadotrophine chorionique* (ou βHCG). Le procédé de recherche est dit immunologique car il fait appel à des anticorps qui réagissent à la présence de cette hormone.

LES TESTS À FAIRE SOI-MÊME

Ces tests recherchent l'hormone βHCG dans les urines. Ils sont vendus sous forme de coffrets contenant tous les accessoires nécessaires. Ils ne peuvent servir qu'une seule fois ; mais certains sont vendus par boîte de deux, ce qui permet de recommencer le test quelques jours plus tard, en cas de doute. Ils peuvent être faits dès les premiers jours de retard.

Différentes marques existent. Les prix varient entre 5 et 10 €. Le mode d'emploi, très clair, est donné dans chaque coffret.

• Si **votre test est positif**, vous pouvez considérer avec quasi-certitude que vous êtes enceinte. Les fausses réponses positives sont très rares.

• Si **le test est négatif**, et surtout s'il a été effectué précocement, avec un retard de quelques jours seulement, attendez une semaine pour le refaire. Si après ce délai le test est toujours négatif, et si votre retard de règles se prolonge, il est préférable de consulter un médecin ou une sage-femme qui fera probablement faire un examen de laboratoire.

LES TESTS OU DOSAGES FAITS PAR LES LABORATOIRES

Ces tests, pratiqués sur le sang, permettent non seulement de détecter la présence d'hormone βHCG (comme les tests précédents pour les urines), mais aussi d'en doser la quantité. Ainsi, ils sont plus fiables que les tests à faire soi-même et donnent des résultats plus précoces. En plus ces tests permettent, en comparant les chiffres à des moyennes de préciser l'évolution normale ou non de la grossesse.

Ces tests pratiqués par les laboratoires sont remboursés par la Sécurité sociale quand ils sont prescrits par un médecin ou une sage-femme. Cette prescription doit être médicalement justifiée, sinon elle ne sera pas remboursée.

• Il y a enfin un moyen plus simple et plus rapide de connaître une grossesse à son début, mais il n'est possible que pour les femmes qui font très régulièrement leur courbe de température (p. 21). En effet, lorsqu'il y a grossesse, au lieu de baisser, la température reste haute. Et la persistance de la température haute au-delà de 15 à 20 jours, en l'absence de règles, est un signe précoce de grossesse. La montée de la température est liée à la sécrétion de progestérone par le corps jaune, qui apparaît dans l'ovaire après l'ovulation (chapitre 5).

L'HORMONE βHCG
L'hormone βHCG apparaît au tout début de la grossesse : elle est sécrétée par le trophoblaste – le futur placenta – dès que l'œuf s'implante dans la muqueuse utérine. Elle peut être dosée dans le sang dès le 10e-12e jour après la fécondation : c'est sa présence qui rend positifs les tests de grossesse. Son taux augmente jusqu'à 13 semaines – ce qui expliquerait les nausées du premier trimestre – pour diminuer ensuite.

IL EST IMPORTANT D'ÊTRE FIXÉE RAPIDEMENT

Il est mieux de savoir de bonne heure si vous êtes enceinte, car il y a des précautions à prendre pendant les trois premiers mois, ceux où l'embryon a le plus besoin d'être protégé car il est le plus vulnérable. En effet, tous les organes de votre bébé vont se former dans ces premiers mois de la grossesse. Il faut donc être particulièrement prudente pendant cette période, notamment vis-à-vis de la prise de médicaments : **tout ce qui n'est pas formellement indiqué est contre-indiqué**.

Si vous suivez un traitement, demandez au médecin si vous devez le poursuivre. Évitez de voir un malade contagieux. Ne faites pas de vaccination sans savoir si elle est permise. Si vous devez voyager, renseignez-vous sur d'éventuelles précautions sanitaires à prendre. Au cas où une radiographie vous serait prescrite, signalez que vous êtes peut-être enceinte. Ne mangez pas de viande crue ou peu cuite. Lavez bien les salades et les fruits. Évitez les fromages au lait cru. Vous verrez au cours des chapitres suivants le pourquoi de ces différentes recommandations.

> PAS D'ALCOOL, PAS DE TABAC
> DÈS QUE LA GROSSESSE EST
> ÉVOQUÉE : VOYEZ PAGES 38 ET 39.

Si la grossesse tarde à venir

Vous venez d'apprendre que vous n'êtes pas enceinte. Le retard de règles qui vous avait fait croire à une grossesse avait une autre cause, le plus souvent une ovulation tardive ou un cycle sans ovulation. Ceci est fréquent et banal et vos cycles, après ce petit incident, devraient normalement reprendre leur régularité.

Si vous êtes déçue de ne pas être enceinte, sachez que la survenue d'une grossesse est moins facile ou se fait attendre plus longtemps chez certaines femmes que chez d'autres. Faire enlever son stérilet, arrêter de prendre la pilule ne veut pas dire qu'on sera enceinte dès le cycle suivant. Cela signifie simplement que l'on se donne la possibilité de concevoir. Cette notion d'attente possible va certes à l'encontre de l'idée souvent répandue qu'une naissance se programme facilement mais les choses sont moins simples. « Un enfant si je veux, quand je veux », ce slogan qui a eu son heure de célébrité peut induire les couples en erreur et les déstabiliser : « J'ai passé l'agrégation sans problème, et je ne vais pas arriver à avoir un enfant ? »

L'impatience des couples à avoir un enfant dès qu'ils le souhaitent est certes compréhensible ; elle est d'ailleurs souvent d'autant plus grande que la période de non-désir a été plus longue. Elle est augmentée par les années qui passent : l'horloge biologique est là, les femmes savent que la possibilité de concevoir n'a qu'un temps.

Quand consulter ?

Lorsque la grossesse tarde à venir, il est conseillé de consulter après un an - un an et demi chez les femmes ayant moins de 30 ans, et après un an chez celles qui ont plus de 30 ans. Au cours de cette consultation, à laquelle vous vous rendrez accompagnée de votre conjoint, vous serez informés des facteurs possibles d'infertilité et des moyens et traitements pouvant y remédier.

QUELLES SONT LES CONDITIONS POUR QU'UNE GROSSESSE SURVIENNE ?

DES RAPPORTS SEXUELS

Cette première condition est évidente mais encore faut-il en avoir « régulièrement », ce qui dans le mode de vie actuel n'est pas toujours facile. Les conjoints sont souvent séparés professionnellement et la rencontre peut n'avoir lieu que les week-ends ; si, de plus, ces week-ends se trouvent placés après l'ovulation (schéma p. 21), la grossesse peut tarder à venir. C'est ce que l'on appelle des infécondités « sociales » par opposition aux infécondités « médicales » relevant, elles, d'une intervention médicale.

Que veut dire « régulièrement » ? Certainement pas une fois par mois mais pas non plus plusieurs fois par jour ! Car cette obsession de la grossesse qui tarde à venir et qui impose des rapports sexuels trop fréquents peut finir par lasser le conjoint et perturber la vie affective du couple. Disons qu'une sexualité « normale » (2 à 3 rapports par semaine) — c'est toutefois bien difficile de parler de norme dans ce domaine — devrait aboutir à une grossesse dans les 6 mois à venir pour au moins un quart des couples de moins de 30 ans. Il n'est cependant pas rare de devoir attendre un peu plus. Mais qui dit grossesse ne dit pas toujours accouchement : une fausse couche est possible et celle-ci est d'autant plus mal vécue que la grossesse était très attendue (p. 236).

UNE OVULATION RÉGULIÈRE

Cette condition est en général simple à vérifier. Si les règles surviennent régulièrement, par exemple entre 26/28 et 30/32 jours, il est pratiquement certain que l'ovulation fonctionne bien ; il n'est pas nécessaire de s'astreindre à faire des courbes de température pendant des mois ou de coûteux tests d'ovulation. En effet **lorsque les cycles sont réguliers, l'ovulation est le plus souvent régulière**.

Certaines femmes se rendent compte très naturellement du moment de l'ovulation : quelques heures, voire une journée avant, elles sentent nettement une douleur au moment où le follicule se rompt et où l'ovule est expulsé. La douleur peut être importante mais toujours brève : c'est le **syndrome ovulatoire**, parfois accompagné d'une goutte de sang.

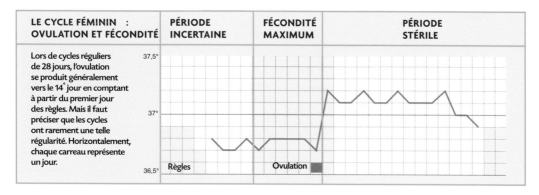

LE CYCLE FÉMININ : OVULATION ET FÉCONDITÉ	PÉRIODE INCERTAINE	FÉCONDITÉ MAXIMUM	PÉRIODE STÉRILE
Lors de cycles réguliers de 28 jours, l'ovulation se produit généralement vers le 14ᵉ jour en comptant à partir du premier jour des règles. Mais il faut préciser que les cycles ont rarement une telle régularité. Horizontalement, chaque carreau représente un jour. (37,5° / 37° / 36,5°)	Règles	Ovulation	

En cas de cycles irréguliers, les troubles de l'ovulation sont probables. Il pourra alors être utile de repérer le moment de l'ovulation.

• Le médecin vous conseillera peut-être de faire une **courbe de température** pour préciser s'il y a une ovulation et à quel moment elle se produit. Au cours du cycle, il y a une période de température basse puis une période de température haute : l'ovulation se produit au moment du décalage de la température (schéma ci-dessus).

• En cas d'un trouble évident de l'ovulation, le médecin prescrira des **dosages hormonaux** ; puis, selon les résultats, un traitement médical adapté .

• Les **tests d'ovulation** : il existe des tests vendus en pharmacie (entre 15 et 45 € les sept dosages) qui permettent de repérer soi-même l'ovulation. Leur principe est de déceler l'apparition dans les urines d'une hormone fabriquée par l'hypophyse (appelée en abrégé LH), chargée de déclencher l'ovulation qui a lieu 24 à 36 heures plus tard. Pratiquement, le mieux est de faire un test chaque jour dans la période qui précède l'ovulation. Dès que le test devient positif, vous savez que l'ovulation aura lieu dans les 24 à 36 heures.

Une notion méconnue : la fécondabilité

C'est la probabilité que l'ovule qui est « pondu » soit fécondable. Or cette probabilité diminue avec l'âge. Voyez la courbe ci-dessous : la fécondabilité est stable jusqu'à 30 ans puis diminue légèrement après 30 ans pour chuter fortement après 35 ans.

Plus on est jeune, plus on a des rapports sexuels réguliers, et plus ils ont lieu en **période fertile, c'est-à-dire avant l'ovulation**, plus il y de chances de grossesse. On considère qu'en l'absence d'intervention médicale, la majorité des femmes de moins de 30 ans auront dans l'année la grossesse désirée. Après 35 ans, ce sera moins facile.

Et pourtant le nombre de femmes désirant avoir un enfant au-delà de 30 ans augmente régulièrement. Elles sont alors confrontées à la force, presque à l'urgence de leur désir et à la difficulté à le réaliser. À vous qui avez dépassé la trentaine et qui souhaitez être enceinte, nous disons de ne pas attendre et de ne pas idéaliser le meilleur moment pour avoir un enfant : « Ce sera mieux plus tard, nous serons mieux installés », « Ma situation professionnelle sera meilleure », « Nous nous sentirons vraiment prêts à accueillir notre bébé ». Les chiffres sont là : plus l'âge avance, plus la fécondité diminue.

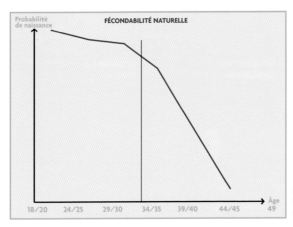

Comme le montre cette courbe, la fécondabilité (c'est-à-dire la probabilité de naissance) de la femme diminue après 30 ans et la baisse s'accentue après 35 ans

IL FAUT AUSSI QUE L'UTÉRUS ET LES TROMPES SOIENT FONCTIONNELS

En l'absence de grossesse antérieure, ceci est plus difficile à savoir sans un examen gynécologique complet, suivi d'examens complémentaires visant à apprécier le bon état de l'utérus et des trompes.
• Parmi ces examens, **l'hystérosalpingographie** occupe une place importante, au moins autant que l'échographie souvent demandée en premier. Elle consiste à injecter par le col un produit qui va rendre opaque la cavité utérine puis les trompes et permettre d'apprécier leur perméabilité – c'est-à-dire la possibilité de laisser pénétrer les spermatozoïdes. Si celles-ci sont obstruées ou peu perméables, à la suite par exemple d'infections gynécologiques ou d'une infection avec péritonite, comme une appendicite, la grossesse se fera attendre.
• Cet examen sera peut-être suivi par d'autres, comme l'**hystéroscopie** (afin d'avoir une vision de la cavité utérine), ou la **cœlioscopie** (qui nécessite une hospitalisation et qui est réalisée sous anesthésie générale). La cœlioscopie donne une vision complète de l'ensemble du bassin maternel. En cas d'anomalies sur les trompes, par exemple des adhérences, la cœlioscopie pourra en faire le diagnostic et en même temps les ôter. Cet examen ne se justifie que si l'infécondité ne relève pas des deux notions dont nous avons parlé précédemment (rapports sexuels et ovulation) ; et, surtout, cette cœlioscopie sera indiquée si le sperme ne présente pas d'anomalies (voir page suivante).

Enfin, seule la cœlioscopie pourra révéler une **endométriose**, qui semble de plus en plus fréquemment responsable d'une infertilité. L'endométriose est provoquée par la migration de fragments de la muqueuse utérine qui peuvent se fixer dans le bassin maternel, notamment au niveau des ovaires. À chaque cycle ensuite se développent des nodules, parfois des adhérences, qui entraînent des douleurs persistantes qui ne sont pas celles de l'ovulation, surtout au moment des règles, et des difficultés à devenir enceinte. En cas d'endométriose prouvée et d'une perturbation de la fécondité, il sera souvent préférable de consulter un gynécologue spécialisé en trouble de la reproduction.

ENFIN, LE SPERME NE DOIT PAS PRÉSENTER D'ANOMALIES

Ce n'est pas toujours le cas et c'est d'ailleurs aujourd'hui une des premières causes d'infertilité du couple, d'où la nécessité de consulter à deux. En effet toutes les études consacrées au sperme sont concordantes et montrent que le nombre de spermatozoïdes et leur qualité se sont dégradés depuis 50 ans. Probablement à cause d'un ensemble de facteurs : tabac, alcool, drogues, environnement (pollution industrielle, perturbateurs endocriniens, pesticides...), etc.

Pour ces raisons, le bilan d'une infertilité doit débuter par un spermogramme, bien avant de faire subir à la femme des examens complémentaires désagréables comme ceux évoqués plus haut. En cas d'anomalies du sperme, il n'y a malheureusement pas de traitement efficace et il faudra avoir recours à un médecin spécialiste de la reproduction.

Le krach de la spermatogénèse ?

En 1996, une enquête a montré qu'en 20 ans, la baisse du nombre de spermatozoïdes des Parisiens avoisinait les 40 %. Par sa précision, cette étude devint une référence mondiale. La même année, le Danemark créait un programme d'observation de la qualité du sperme. Les résultats étaient alarmants : un jeune Danois sur 5 avait une qualité spermatique suffisamment faible pour altérer sa fertilité ; les spermatozoïdes étaient moins nombreux, moins mobiles, certains étaient anormaux. En 2012, une étude réalisée en France sur plus de 26 000 hommes a fait état d'une diminution continue de la concentration en spermatozoïdes. Ainsi, la production de spermatozoïdes dans l'espèce humaine tend à fortement diminuer. Si la tendance se poursuit, c'est la capacité des populations à se reproduire qui sera en jeu.

ET SI LES CONDITIONS POUR QU'UNE GROSSESSE SURVIENNE SONT REMPLIES ?

Le bilan complet a montré que tout était normal : rapports sexuels, ovulation, utérus et trompes, sperme. Mais la grossesse continue à se faire attendre (2 ans, voire 3 ans) et l'âge avance. Certains couples choisissent alors de se tourner vers l'AMP (Assistance Médicale à la Procréation), tout en sachant que le recours à la médecine pour attendre un enfant est un long parcours (p. 107).

À qui conseiller une consultation avant la conception ?

Le désir d'enfant est un souhait personnel, intime, qui appartient au couple. Le projet de grossesse, son espoir de réalisation, font partie des événements naturels de leur vie et consulter un médecin à ce sujet ne leur apparaît pas nécessaire. Une consultation avant la conception pourra cependant être utile à certaines femmes souhaitant être enceintes ; elle sera l'occasion de s'assurer que la grossesse espérée ne va pas poser de problème pour leur santé et celle de leur futur bébé.

Dans quelles situations médicales est-il raisonnable de demander un avis et à qui s'adresser ?

Le gynécologue-obstétricien est le mieux placé pour donner cet avis. Vous pouvez le consulter sans courrier de votre médecin traitant. Dans certains cas particuliers, le gynécologue-obstétricien prendra l'avis de confrères spécialistes, comme un cardiologue, un diabétologue, un neurologue, un psychiatre, notamment si vous êtes hypertendue, diabétique, soignée pour épilepsie ou pour des troubles psychiatriques.

Si vous souffrez d'une de ces maladies, vous êtes sûrement au courant des risques que peut constituer la grossesse et il est particulièrement important de contrôler ou de modifier le traitement en cours ; il en est de même en cas de maladie de cœur. Mais ne modifiez pas ni n'interrompez votre traitement sans avis médical : c'est ce que font certaines femmes, craignant que leur traitement soit néfaste pour leur bébé si une grossesse survient.

• Il existe d'autres situations médicales dans lesquelles il est vivement recommandé d'avoir un avis médical, ce que les femmes ne savent pas toujours. C'est le cas de l'obésité, de l'asthme, des antécédents de thrombose, des affections de la glande thyroïde ou des maladies auto-immunes comme le lupus.

• Si vous avez déjà été enceinte et si vous avez eu des complications comme des fausses couches à répétition, la perte d'un bébé au cours de la grossesse ou au moment de la naissance, un accouchement prématuré, si vous avez eu une césarienne notamment à cause d'une pré-éclampsie : là encore il est souhaitable de consulter un obstétricien ; il en est de même si vous savez que vous avez une malformation utérine, ou si votre mère a pris du Distilbène.

• Par ailleurs, sachez qu'il existe des consultations de génétique dans les CHU (Centres Hospitalo-Universitaires, dans toutes les grandes villes) et que chaque fois qu'un risque génétique est connu dans la famille, il vous sera précisé le niveau de risque d'avoir la même maladie et si celle-ci peut être dépistée avant la naissance.

• Si vous fumez (tabac ou cannabis), s'il vous est difficile de ne pas boire d'alcool, n'hésitez pas à prendre contact avec une consultation de tabacologie ou d'addictologie afin de vous faire aider.

Tous ces motifs de consultation avant la conception sont traités dans ce livre à chaque maladie ou trouble évoqués ici.

C'est oui et tout va changer dans votre vie

« J'attends un enfant » : il est peu de mots qui ont autant de résonances dans l'esprit d'une femme. Dès le moment où elle découvre sa grossesse, des sentiments nombreux et contradictoires l'envahissent.

Ce n'est jamais tout simplement : « Je suis très heureuse » ou bien « Vraiment, ce n'était pas le moment. » À la joie se mêle la crainte devant l'inconnu, à une éventuelle surprise, ou déception, se mêle la fierté de devenir mère.

Et à ces différents sentiments s'ajoutent mêlés : la joie d'avoir un enfant de l'homme qu'on aime, l'émotion d'être en face d'un événement lourd de conséquences, l'excitation, car l'on devine que l'on ira de découverte en découverte, parfois le désarroi devant une situation inconnue si c'est un premier enfant, la curiosité de vivre à son tour l'aventure de la maternité, l'inquiétude de voir son corps changer. Mais, dans tous les cas, domine une certitude : rien ne sera plus comme avant.

« J'attends un enfant » : en entendant ces mots dits par sa femme, l'homme se sent ému et bouleversé. Il est soudainement confronté à un événement exceptionnel, sans avoir eu le temps de se préparer, sans avoir vécu dans son corps les signes annonciateurs de la grossesse. Cette forte émotion provoque souvent des sentiments mélangés : plaisir et déception, excitation et désarroi, fierté et inquiétude. Et lui aussi sait que maintenant une nouvelle vie l'attend. Voyez le chapitre 4 qui évoque le cheminement psychologique des futurs parents.

Il est difficile, même avec beaucoup d'imagination, de prévoir le bouleversement qu'amènera dans la vie d'une femme, dans la vie d'un couple, l'attente d'un enfant. Tout va dépendre du caractère de chacun, de sa personnalité, de ses préoccupations particulières. Les changements vont concerner aussi la vie quotidienne. C'est le moment où tous les couples se posent la question : « Qu'est-ce qui va changer dans la vie de tous les jours, qu'est-ce qui devrait changer ? » À cette question, nous répondons dans le chapitre suivant, où nous parlerons travail, voyage, sport, etc.

La grossesse n'est pas une maladie

Pendant ces neuf mois, vous allez vous rendre régulièrement à une consultation médicale, passer des échographies, faire des examens de laboratoire. Tout cela est fait pour s'assurer que votre grossesse évolue de façon naturelle, ce qui est le plus souvent le cas. Et vous serez informée des quelques précautions à prendre dans la vie de tous les jours pour protéger au mieux votre santé et celle de votre bébé.

Bien que cette surveillance soit nécessaire et indispensable, vous n'êtes pas « malade » parce que vous attendez un enfant. Il s'agit de prévenir des risques possibles, mais non certains, et de repérer des facteurs de vulnérabilité psychologique. Entourée d'appareils et de soins de plus en plus sophistiqués, la future maman pourrait se croire patiente d'un nouveau type : saine mais à soigner. Non, la grossesse n'est pas une maladie, elle est un état normal, physiologique, auquel l'organisme se prépare tous les mois . Vous le lirez au chapitre 5 : chaque mois, un ovule s'attend à rencontrer un spermatozoïde pour former l'œuf, la première cellule d'un nouvel être humain. Et dès le moment où l'œuf est formé, où l'enfant a été conçu, l'organisme se modifie ; mois après mois, le corps s'adapte à son nouvel état et se prépare à l'accouchement. C'est cela la grossesse, elle entre dans le processus normal de la vie d'une femme. Voyez le chapitre 2, concernant la vie quotidienne : il y a certes des précautions à prendre, vous serez parfois fatiguée, vous pourrez avoir envie de vous coucher plus tôt ; mais la vie ne s'arrête pas lorsqu'on est enceinte : on peut travailler, se déplacer, se divertir, faire du sport, etc.

Et si au cours des différents examens, le médecin, ou la sage-femme, constatait la présence ou la survenue d'éléments susceptibles d'avoir un retentissement sur vous-même ou votre bébé, il prendrait toutes les mesures qui conviennent afin que la grossesse se poursuive dans les meilleures conditions : échographies supplémentaires, examens particuliers, voire brève hospitalisation. Vous seriez alors surveillée plus étroitement et bénéficieriez d'une prise en charge particulière. Nous parlons de tout cela en détail au chapitre 9, *La surveillance médicale de la grossesse*.

VOUS SEREZ PEUT-ÊTRE INQUIÈTE

Passés l'effet de surprise et la première émotion, cette affirmation : « J'attends un enfant » va peu à peu se révéler comme une évidence, surtout lorsque vous sentirez les mouvements de votre bébé. Ces sensations particulières, votre ventre qui s'arrondit, vont vous pousser à imaginer votre enfant bien avant la réalité de sa naissance. Sera-t-il blond ou brun, aura-t-il les yeux bleus ou gris, ressemblera-t-il plus à sa maman ou à son papa, vous le verrez déjà dans vos bras, l'entourant de toute votre tendresse.

Lorsque la grossesse est désirée, la femme n'a aucune peine à se projeter quelques mois en avant, à s'imaginer dans son nouvel état de future maman. Ce qui peut entraîner des inquiétudes liées à la responsabilité d'attendre un enfant, au désir de faire le mieux possible pour lui. Et c'est légitime car dès le commencement de la grossesse, votre bébé a besoin de votre attention et de vos soins. Il va se développer progressivement, édifier son système neurologique, ses organes vitaux, ses os, ses muscles. C'est votre corps, par l'intermédiaire du placenta, qui lui fournit la nourriture et l'oxygène dont il a besoin. Mais certains microbes, certaines toxines peuvent traverser la barrière placentaire. C'est pour cela qu'il est important de savoir rapidement si on est enceinte afin de protéger au mieux son bébé.

QUAND ACCOUCHERAI-JE ?
SI C'EST LA QUESTION QUE VOUS VOUS POSEZ DÈS MAINTENANT, LISEZ LA PREMIÈRE PARTIE DU CHAPITRE 11, « DATE PRÉVUE ».

Voici quelques unes des préoccupations dont font souvent part les futures mères, surtout si c'est la première fois qu'elles sont enceintes :

« - Je suis devenue enceinte le premier mois après l'arrêt de la pilule.

- J'ai continué de faire de l'aérobic sans savoir que j'étais enceinte.

- J'ai, au cours d'une ou deux soirées, bu un peu trop d'alcool.

- J'ai continué de fumer pendant quelques jours.

- J'ai pris de l'aspirine pour un mal de tête ou de dos… »

Rassurez-vous. Aucun de ces éléments n'est dangereux en soi. Par contre, maintenant que vous vous savez enceinte, prenez les précautions dont nous parlons dans ce livre. *J'attends un enfant* a été écrit pour vous informer. Cette information est l'élément primordial de cet ouvrage, c'est elle qui saura le mieux vous rassurer. Cela ne nous empêchera pas de vous signaler, chemin faisant, les symptômes vraiment inquiétants et de vous alerter pour que, le cas échéant, vous preniez au sérieux tel signe qui vous aurait paru anodin. En revanche, chaque fois que vos craintes seront injustifiées, chaque fois que vous serez inquiète pour avoir cru un des préjugés qui entourent encore la grossesse, nous vous rassurerons.

Grâce à ce livre, nous l'espérons et le souhaitons, vous serez bien informée, alertée si nécessaire, rassurée à bon escient. C'est ainsi que vous aurez confiance en vous, en votre capacité à mener à bien cette tâche exceptionnelle : porter votre bébé et le mettre au monde.

Vous avez peut-être d'autres craintes : en devenant mère, saurez-vous préserver votre identité ? Cet enfant ne va-t-il pas submerger toutes vos occupations et préoccupations actuelles ? Et ces craintes peuvent être renforcées par l'entourage qui complaisamment répète : « Tu vas voir, ta vie va complètement changer. » C'est vrai et c'est faux. Oui, au début les tâches matérielles vont être envahissantes, mais après la période d'organisation, peu à peu, vous saurez les dominer ; et les progrès rapides et spectaculaires de votre bébé empêcheront toute routine de s'installer. En plus, avoir une nouvelle responsabilité peut vous permettre de vous affirmer, de vous épanouir, vous rendre plus indépendante de votre entourage.

DES CHIFFRES RASSURANTS
SACHEZ QUE 90 % DES GROSSESSES ÉVOLUENT NATURELLEMENT, SANS INCIDENT PARTICULIER ET QUE LA PLUPART (AUTOUR DE 93 %) SE POURSUIVENT HEUREUSEMENT JUSQU'AU TERME.

Profitez de vos mois de grossesse. Attendre un enfant est une aventure de maturité, une étape dans l'histoire d'une femme, dans une vie. C'est une attente riche de sensations nouvelles, de surprises, de projets, de rêveries.

2

La vie quotidienne

Qu'est-ce qui va changer dans votre vie ?

Psychologiquement, tout va changer, jour après jour, semaine après semaine. L'attente n'est au début qu'une idée, puis elle se précise et prend forme, puis mouvement. Et vos réactions suivent. Vous étiez une, vous commencez à vous sentir deux, vous imaginez votre vie à trois : le père, votre bébé et vous. Alors peu à peu, vous réalisez que tout sera désormais différent. Cette évolution psychologique est l'objet du chapitre 4.

Dans celui-ci, nous allons parler de la vie pratique, quotidienne, celle au sujet de laquelle vous vous posez les premières questions : travail, voyages, sports, beauté, etc. Vous allez voir que les changements, car il y en aura, seront le plus souvent progressifs ; ils dépendront de votre état de santé, de vos activités, de vos goûts. Ils dépendront aussi de votre bébé : il va se développer, prendre plus de place, se faire plus lourd, il est normal qu'une certaine fatigue s'ensuive, et que vous deviez modifier un peu votre façon de vivre.

Certaines grossesses nécessitent des précautions particulières, par exemple lorsqu'on attend des jumeaux (chapitre 6). Ou si la grossesse présente un risque (chapitre 9).

VOTRE TRAVAIL

Parlons d'abord du travail. Quelle incidence peut-il avoir sur l'avenir de la grossesse, donc sur celui de l'enfant ? C'est ce que plusieurs enquêtes ont étudié, voici leurs conclusions :

• effectué dans des conditions normales, le travail, qu'il soit fait à l'extérieur ou à domicile, ne nuit pas à la grossesse

• lorsqu'une femme travaille, elle est souvent plus à même de prendre sa santé en charge car dans son milieu professionnel, elle est mieux informée

• mais il y a certains facteurs qui augmentent les risques de prématurité, par exemple des conditions de travail particulièrement pénibles physiquement. De ce fait, de nombreuses dispositions ont été prises pour la protection des futures mères.

Si vous effectuez un travail fatigant, consultez le médecin du travail : celui-ci pourra demander à l'employeur un aménagement de poste, ou un changement temporaire, et/ou une réduction de la durée du travail. Si cela n'a pas été possible, adressez-vous à votre médecin traitant. Les médecins sont bien informés des risques que représentent des travaux particulièrement pénibles ; et, s'ils le jugent nécessaire, ils prescrivent un arrêt de travail.

Il en est de même pour le travail fait chez soi : son incidence sur le déroulement de la grossesse dépend des conditions dans lesquelles vit la future mère. Si elle est bien informée, bien suivie, et s'il le faut aidée, tout ira bien. Mais si elle vit dans de mauvaises conditions socio-économiques, elle risque d'avoir des difficultés à mener sa grossesse à terme. On ne peut donc établir l'équation travail = danger, ou travail = protection, tout dépend des circonstances. Mais regardons les choses de plus près.

SI VOUS AVEZ UNE ACTIVITÉ PROFESSIONNELLE

Si vous êtes salariée, vous savez probablement que la loi prévoit que vous pouvez prendre six semaines de repos avant la date prévue pour l'accouchement, et dix semaines après. Plus qu'une possibilité, ce repos est d'ailleurs une obligation pour recevoir les indemnités journalières. En fait, vous pouvez vous reposer moins longtemps, mais pour recevoir vos indemnités journalières, il faut vous arrêter au moins huit semaines en tout.

Ce temps de repos peut paraître court mais il est en général suffisant si votre grossesse se déroule bien et si votre travail est physiquement peu fatigant. Par contre, six semaines de repos avant l'accouchement sont insuffisantes dans certains cas et il appartiendra à votre médecin de prescrire un repos prénatal supplémentaire de deux semaines en cas d'*état pathologique*, ou même plus si votre état de santé le justifie.

Nous vous signalons dès maintenant (vous trouverez les détails chapitre 17) que si vous étiez malade et obligée d'interrompre votre travail, vous ne pourriez pas être licenciée, et vous seriez indemnisée par la Sécurité sociale au tarif maladie pour le temps de votre absence.

D'autres raisons indépendantes de la fatigue causée par un travail pénible entraînent un changement de poste pour tout ou partie de la grossesse :

- dès le début de la grossesse pour les femmes travaillant dans un laboratoire de radiologie médicale ou industrielle, à cause de l'exposition aux rayonnements
- également dès le début de la grossesse pour les femmes amenées à manipuler des produits chimiques, des toxiques ou des solvants ; la réglementation prévoit l'interdiction d'utiliser certains produits chimiques par les femmes enceintes. En outre, dans des situations de travail exposant à des substances cancérogènes, mutagènes ou toxiques pour la reproduction, il existe une obligation d'informer des effets que peuvent avoir ces substances : sur la fertilité, l'embryon, le fœtus et l'enfant (en cas d'allaitement) ;
- pendant les trois premiers mois de la grossesse, en cas d'épidémie de rubéole, pour les femmes que leur métier met en rapport avec des enfants, institutrices par exemple, si elles ont un sérodiagnostic négatif (c'est-à-dire si elles ne sont pas protégées contre la rubéole).

Si vous travaillez, vous trouverez d'autres précisions et renseignements pages 432-433.

À noter que les pères sont protégés contre le licenciement durant les 4 semaines qui suivent la naissance de leur enfant (sauf s'ils sont responsables d'une faute grave).

CONGÉ DE MATERNITÉ

IL EST POSSIBLE DE REPORTER UNE PARTIE DU CONGÉ PRÉNATAL SUR LE CONGÉ POSTNATAL. AU CHAPITRE 17, VOUS TROUVEREZ TOUS LES RENSEIGNEMENTS CONCERNANT LES CONGÉS AVANT ET APRÈS LA NAISSANCE.

QUESTIONS PRATIQUES

- QUAND DÉCLARER SA GROSSESSE ?
- QUAND PRÉVENIR SON EMPLOYEUR ?
- QUAND INSCRIRE BÉBÉ À LA CRÈCHE ?...
REPORTEZ-VOUS ÉGALEMENT AU CHAPITRE 17.

QUELQUES MOUVEMENTS DE DÉTENTE

Si vous travaillez de longs moments assise ou de longs moments debout, il est bien de prendre l'habitude, le plus souvent possible, de « casser » les tensions musculaires liées aux positions gardées un peu trop longtemps : station assise devant un ordinateur, station debout avec le bras en l'air, pour écrire au tableau.

Pour vous détendre, faites le mouvement qu'on fait spontanément le matin au réveil : étirez haut les bras au-dessus de la tête, ou bien, si cela n'est pas possible socialement, voici quelques exercices plus discrets :

• haussez les épaules en inspirant, tenez quelques secondes, puis relâchez en soupirant

• faites 2 ou 3 mouvements des épaules en rotation avant et arrière ou roulez « des mécaniques » 2 ou 3 fois

• faites 2 ou 3 « cercles de chevilles » ou flexions-extensions des chevilles pour faire circuler le sang dans les membres inférieurs.

Ce ne sont pas des exercices à faire en série de 10 ou de 20, mais simplement des mouvements de détente à faire de temps en temps.

> **COMBIEN Y A-T-IL DE FUTURES MÈRES QUI TRAVAILLENT ?**
> *D'après l'enquête de l'INSERM (2010), 67,2 % des femmes avaient un emploi à la fin de leur grossesse. 12,1 % étaient au chômage et 13,2 % se déclaraient femmes au foyer. Quant au niveau général des études faites par les mères, il continuait de s'améliorer.*

CHEZ VOUS

Vous aurez, comme toutes les femmes qui attendent un enfant, l'envie de tout ranger dans la maison, ce qui est nécessaire comme ce qui l'est moins ; la chambre où sera le berceau, mais les autres aussi, pour qu'en arrivant « il » trouve tout net, joli, bien soigné. C'est normal. Mais évitez les efforts excessifs. D'ailleurs, vous vous rendrez bien compte vous-même de vos limites. Et ne remuez pas vous-même la grosse commode aux tiroirs pleins à craquer, ne décidez pas à un mois de votre accouchement qu'il est indispensable de tapisser tout l'appartement (sur les travaux de bricolage et de peinture, voyez p. 37). Pensez à ces recommandations si vous êtes obligée de déménager, ce qui arrive souvent quand on attend un enfant. Essayez de déménager au milieu de votre grossesse, c'est-à-dire pendant la meilleure période, plutôt qu'à la fin.

Au cas où le médecin vous aurait prescrit de vous reposer, mais que vous n'ayez pas les moyens de vous faire aider pour les travaux ménagers ou les soins de vos enfants, demandez à l'assistante sociale de votre mairie si vous ne pouvez pas bénéficier d'une aide familiale ; elle vous donnera également la liste des associations qui pourraient vous aider.

LE SOMMEIL

Si vous le pouvez, dormez au moins huit heures. En fait, au début cela ne pose guère de problème : les premiers mois, une future maman a de grands besoins de sommeil.

Et si vous êtes chez vous, ou si dans votre travail vous avez la possibilité de vous reposer après le déjeuner : ôtez vos chaussures, posez vos pieds sur un coussin pour soulever vos jambes, et détendez-vous. Si vous êtes allongée, installez le coussin sous les pieds et les jambes, c'est plus confortable. Vous sentirez vous-même le bienfait de ce repos, de cette détente au milieu de la journée, surtout si vous avez de la peine à digérer, ou si vous avez une mauvaise circulation.

Vous pouvez dormir dans n'importe quelle position sans crainte d'écraser ou de gêner votre enfant. Il est bien à l'abri.

Si vous avez des insomnies en fin de grossesse, reportez-vous au paragraphe « Troubles du sommeil » (p. 200).

LES RELATIONS SEXUELLES

La première question que se posent en général les couples est la suivante : peut-on continuer à avoir des relations sexuelles pendant la grossesse ? C'est sans raison valable que l'on a, pendant longtemps, recommandé l'abstention. Rien n'a jamais justifié cette recommandation, si ce n'est les mythes qui entouraient la grossesse et plaçaient la femme enceinte en dehors de la vie.

Sauf contre-indications médicales précisées plus loin, il est normal de continuer à avoir des relations sexuelles pendant la grossesse, même si la sexualité est naturellement transformée pendant cette période.

En ce qui concerne les positions les plus confortables à ce moment de la vie, chaque couple trouvera lui-même celle qui convient le mieux à chaque âge de la grossesse, à la transformation du corps féminin, au désir de chacun.

Quant à la fréquence des rapports amoureux, là aussi il n'y a pas de règles, c'est une question vraiment personnelle, chaque couple y répondra selon son désir.

La visualisation régulière du bébé sur l'écran de l'échographie rend peut-être plus fréquente la crainte de lui faire mal, de le heurter lors d'un rapport sexuel. Que les parents se rassurent, le bébé ne risque rien. Redouter que le pénis puisse toucher l'enfant, craindre que des rapports fougueux puissent provoquer une fausse couche ou un accouchement, est une peur répandue, normale, mais non fondée : le bébé est bien protégé dans sa petite bulle, entouré du liquide amniotique qui l'isole du monde extérieur.

Certains parents sont mal à l'aise de la présence de ce bébé dont on leur a dit qu'il était déjà capable avant la naissance d'éprouver tant de sensations. Quel effet peut avoir sur l'enfant la relation amoureuse de ses parents ? Vous comprendrez que personne ne peut vraiment répondre à cette question. Naturellement, certains couples espacent leurs relations sexuelles lorsqu'ils ont constaté que le bébé semblait réagir fortement et que cela provoquait des contractions utérines, surtout au moment de l'orgasme. Ce qui semble essentiel, au-delà de la préoccupation pour le bébé, c'est que les relations se passent dans la douceur et le respect du corps maternel.

LES VARIATIONS DU DÉSIR

Les premiers mois, le corps s'adapte à son nouvel état. Certaines femmes enceintes se sentent aussitôt épanouies et elles vont vivre leur grossesse d'une façon sensuelle. D'autres ressentent une baisse de désir sexuel tant les sensations qu'elles éprouvent sont nouvelles : leur corps prend une valeur différente, mystérieuse ; le désir peut aussi diminuer si les femmes se sentent envahies par les malaises du début de grossesse, nausées, vomissements, fatigue. À cela s'ajoute parfois la culpabilité de ne pas répondre aux attentes de leur compagnon. Ce qui peut déboucher sur des alibis, ou des drames, selon le climat d'entente et d'amour du couple.

Pour le père, une fois passée la joie de l'annonce de sa paternité, commence en général une période de doute. Il peut s'inquiéter de cette baisse de désir chez sa femme : est-ce l'amorce d'un changement définitif dans leurs relations ? Certains se sentent rejetés, frustrés, en évaluant mal à l'avance la place que le bébé va prendre dans leur vie. L'homme peut également ressentir une baisse ou une absence de désir : blocage en face de ce corps différent, inquiétude devant les changements à venir...

Au deuxième trimestre, le bonheur à deux est en général retrouvé. Cet enfant qui va naître est le symbole de l'harmonie de leur couple, de leur épanouissement de femme et d'homme. La féminité, la

virilité sont comblés. Il y a aussi des couples qui apprécient cette période de leur vie sexuelle où ils n'ont pas à se préoccuper d'un moyen de contraception, quel qu'il soit. La période d'adaptation du début est passée, l'inquiétude qui parfois apparaît au troisième trimestre n'est pas encore présente. Cette période peut créer des liens très forts entre l'homme et la femme.

Certains hommes sont éblouis et impressionnés par la transformation du corps féminin : ils le trouvent beau, mystérieux, fascinant. L'homme est souvent séduit par ces seins épanouis. Et certaines femmes qui ont en temps normal de petits seins, les découvrent avec fierté, si beaux, si attirants.

À signaler que les bouts de seins sont souvent plus sensibles, certaines caresses peuvent devenir désagréables ; les seins augmentent de volume et peuvent gêner certains mouvements, certaines postures, s'ils sont comprimés. Si des sensations inattendues, ou des impressions inhabituelles surviennent, n'hésitez pas à en parler entre vous. Le dialogue dans un couple est essentiel pour que l'homme puisse comprendre ce qui se passe dans le corps de sa compagne et ne se sente pas rejeté.

Puis arrive le dernier trimestre, l'enfant prend plus de place, il bouge beaucoup ; l'activité sexuelle se ralentit en général, peut-être parce que la future mère est davantage centrée sur ce qu'elle vit à l'intérieur de son corps, attentive aux réactions de son bébé ; elle est peut-être tout simplement fatiguée.

Les couples amoureux trouvent alors d'autres mots, d'autres gestes qu'ils connaissaient déjà ou qu'ils découvrent ensemble. Cela devient souvent le temps des conversations amoureuses, des gestes tendres. « Avec ma femme nous réinventons le flirt », écrit un lecteur. Avec ce nouveau corps, l'homme et la femme découvrent de nouveaux rapports empreints de délicatesse.

Les femmes ne sont pas toutes épanouies pendant leur grossesse, certaines assument mal de voir leur corps se transformer. Elles ont peur que leur compagnon s'éloigne, que leur « gros ventre » lui déplaise. Cela arrive parfois, c'est une situation plus fréquente qu'on ne croit. « C'est injuste, écrit Florence, je porte notre enfant et il s'écarte de moi. »

Heureusement l'expérience montre que dans la plupart des cas le couple retrouve après la naissance un équilibre affectif et sexuel. Mais il faut parfois un peu de temps.

Y A-T-IL DES CONTRE-INDICATIONS AUX RAPPORTS SEXUELS ?

Voici les cas où les médecins conseillent la diminution ou même la suppression des rapports sexuels :
• au début de la grossesse, quand il y a eu des petits saignements (une échographie a sûrement été faite)
• en cas de placenta *prævia* (placenta bas inséré) et de saignements répétés.

Il est fréquent que des rapports sexuels, avec orgasme, provoquent des douleurs (comme celles des règles) qui sont en fait des contractions. Il n'y a pas à s'inquiéter.

Il peut arriver qu'après un rapport sexuel vous constatiez l'apparition de quelques gouttes de sang. Ceci est habituellement dû au fait que la grossesse rend le col de l'utérus plus fragile ; parlez-en au médecin, surtout si la perte de sang se prolonge ou se répète.

Une idée répandue est que l'activité sexuelle favorise le déclenchement du travail de l'accouchement. Des études récentes montrent qu'il n'en n'est rien.

BAINS ET DOUCHES

Pendant la grossesse, la transpiration est nettement augmentée. Un cinquième de l'élimination de l'eau se fait par les glandes sudoripares, celles qui sécrètent la sueur. Elles aident les reins qui ont fort à faire pour éliminer les déchets rejetés par la mère et l'enfant. Les bains ne sont pas contre-indiqués pendant la grossesse. Au contraire, ils ont une action sédative générale. Si vous avez de la peine à vous endormir, prenez votre bain le soir. Si vous transpirez beaucoup, salez l'eau de vos bains. La douche est plus stimulante qu'un bain. Pensez à mettre un petit tapis antidérapant dans le fond de la douche, ce n'est pas le moment de tomber.

LA TOILETTE INTIME

Les sécrétions vaginales sont souvent augmentées au cours de la grossesse, et les hémorroïdes ne sont pas rares ; il est conseillé dans ces cas de faire des toilettes locales à l'eau et au savon ordinaire, ou avec un savon gynécologique (savon liquide ou poudre à diluer, vendus en pharmacie). N'utilisez pas des produits acides qui sont trop agressifs pour la muqueuse vaginale. Et toujours pour respecter cette muqueuse, vous ferez une toilette externe, sans pénétrer à l'intérieur du vagin.

Les pertes blanches abondantes sont fréquentes. Si elles sont malodorantes, ou s'accompagnent de démangeaisons ou de brûlures, parlez-en au médecin (p. 196).

UN ENVIRONNEMENT SAIN

On parle beaucoup aujourd'hui des risques pour notre santé liés à l'environnement, qu'il s'agisse de l'alimentation, des produits de beauté ou de ménage, des appareils d'usage courant comme les téléphones mobiles, ordinateurs ou autres moyens électroniques de communication.

Quels sont les effets sur le développement de l'enfant de l'exposition à des éléments physiques ou chimiques pendant la grossesse et l'allaitement ? Les futurs parents se posent la question et les études sur ce sujet sont nombreuses, souvent contradictoires, parfois inquiétantes. Que faire dans ce contexte pour préserver au mieux la santé de votre bébé à venir ?

Certaines substances sont néfastes pour le développement du bébé, c'est aujourd'hui prouvé : il s'agit du tabac, de l'alcool et de toutes les drogues. Il faut vraiment éviter de consommer ces produits lorsqu'on attend un enfant. C'est un fait connu, et pourtant les futurs parents sont parfois plus inquiets de risques hypothétiques que de ceux-là bien établis.

Pour les expositions plus controversées, il convient de tenter de les éviter, en prenant garde cependant de ne pas exagérer les mesures de protection qui pourraient provoquer une anxiété inutile, ce qui n'est souhaitable ni pour vous-même ni pour votre bébé. Informer des risques potentiels est difficile : ne pas inquiéter inutilement tout en ne minimisant pas les risques éventuels. Voici ce qu'on peut dire aujourd'hui sur ces sujets.

DANS LA MAISON

Pour vivre dans un environnement sain, un geste simple, conseillé pour tous, est d'aérer son logement pendant 15 minutes chaque jour pour évacuer les odeurs, les polluants et l'humidité. De nombreux polluants sont en effet apparus dans les logements ces dernières années en raison de l'utilisation de nouveaux matériaux de construction, de nouvelles classes de détergents, et du fait de l'isolation de plus en plus efficace des bâtiments qui réduit la pénétration de l'air. Évitez autant que possible les aérosols, désodorisants d'ambiance, insecticides.

ENVIRONNEMENT ET SANTÉ
Voici quelques sites qui peuvent vous intéresser :
• Wecf France www.projetnesting.fr
• Agence de l'Environnement et de la Maîtrise de l'Énergie (Ademe)
www.ecocitoyens.ademe.fr/guides-pratiques
• Société française de santé environnement
www.sfse.org
• Agence nationale de sécurité sanitaire de l'alimentation, de l'environnement et du travail
www.anses.fr

Pour les produits d'entretien, respectez les doses d'utilisation prescrites et privilégiez les produits ayant les labels *Nature et Progrès, Écolabel européen, NF Environnement, Écocert.* Au-delà des labels, il existe aussi des alternatives aux produits industriels prêts à l'emploi. Ce sont les recettes traditionnelles, un peu oubliées et de nouveau appréciées ; elles sont basées sur l'utilisation d'ingrédients qui, bien utilisés, sont également moins nocifs pour l'environnement, et souvent moins onéreux : le vinaigre blanc nettoie, désinfecte, détartre ; le savon noir dégraisse ; le bicarbonate de soude nettoie et désodorise ; il y a aussi le savon de Marseille, etc.

Pour vous occuper de vos plantes d'intérieur ou de votre jardin, n'utilisez pas de pesticides.

BRICOLAGE ET PEINTURE

Vous êtes enceinte, ne faites pas vous-même de travaux de rénovation, éloignez-vous des peintures, vernis, colles et solvants. Ceci est encore plus important si vous décapez des peintures anciennes, susceptibles de contenir du plomb.

Les revêtements des murs, des sols (parquets, papiers peints, lambris...), le bois prétraité, l'agglo-méré ou le contreplaqué, présents dans les meubles ou les revêtements, les matériaux d'isolation (mousses isolantes, laines minérales...) peuvent diffuser des substances chimiques, parfois pendant plusieurs mois. Pour les panneaux en bois, recherchez la référence E0 indiquant l'absence de « for-maldéhyde », un solvant susceptible de passer dans la circulation générale lorsqu'il est inhalé.

Pour tous ces matériaux, prenez conseil auprès de votre fournisseur et préférez les produits label-lisés *NF environnement, Écolabel européen, Écocert*. Aérez au maximum les jours suivant la mise en place de ces matériaux, sans pénétrer vous-même dans les pièces rénovées.

ÉQUIPEMENTS ÉLECTRIQUES ET ÉLECTRONIQUES

Les ondes et champs électromagnétiques produits par les appareils dont nous sommes entourés quoti-diennement — téléphone mobile avec ses antennes relais, ordinateurs et wifi, téléviseurs, fours à micro-ondes et plaques de cuisson à induction — ont fait l'objet d'études et de débats souvent passionnés.

Aucun effet indésirable des champs électromagnétiques sur la grossesse n'a été mis en évidence. Le conseil dans ce domaine relève de la précaution en situation d'incertitude, et il est le même que pour la population dans son ensemble : évitez les excès. De façon générale, et plus particulièrement pendant la grossesse, limitez l'utilisation du téléphone mobile. Utilisez un kit mains libres, ou le haut-parleur, et ne placez pas le téléphone près de votre ventre, afin de protéger l'enfant à naître des ondes électromagnétiques, dont les effets restent difficiles à évaluer.

LES SOINS DE BEAUTÉ

Pendant la grossesse, réduisez autant que possible l'usage de lotions et de crèmes sur des plages de peau très étendues, ce qui augmente les doses de substances susceptibles de passer dans le sang, et donc du côté du fœtus ou dans le lait maternel. Nous parlons en détail des soins de beauté page 52.

AUTRES PRÉCAUTIONS

Voici quelques précautions supplémentaires à prendre dans votre vie quotidienne :
• évitez toute source de contamination éventuelle, c'est-à-dire abstenez-vous de rendre visite à des malades ayant une affection contagieuse
• méfiez-vous des chats qui peuvent transmettre la toxoplasmose (p. 246). Si vous n'êtes pas immu-nisée contre la toxoplasmose, vous n'êtes pas obligée de vous séparer de votre chat, mais demandez à quelqu'un de votre entourage de changer sa litière ou mettez des gants pour le faire ; le bac sera lavé à l'eau chaude avec un peu d'eau de Javel
• respectez bien les précautions alimentaires de base (lavage des mains, consommation ou conserva-tion de certains aliments, etc. pp. 71-72).

LES CIGARETTES

Il est important de s'arrêter de fumer lorsqu'on attend un enfant. L'Académie de médecine recom-mande cet arrêt dès que la grossesse est constatée. Les statistiques montrent en effet qu'il y a un rapport entre le poids de l'enfant à la naissance et le nombre de cigarettes fumées par une future mère ; le placenta fonctionne moins bien et la croissance du bébé en pâtit.

D'autre part, chez les grandes fumeuses (plus de 15 à 20 cigarettes), les accouchements prématurés sont deux fois plus fréquents. Des études récentes semblent montrer qu'il peut y avoir d'autres conséquences lorsqu'une femme enceinte fume beaucoup, en particulier une augmentation de certaines malformations et un retentissement sur le développement psychomoteur de l'enfant. L'emploi de patchs à la nicotine – pour aider à s'arrêter – est autorisé sous surveillance médicale.

C'est le bon moment pour suggérer à votre mari de s'arrêter lui aussi de fumer... Vous vous encouragerez mutuellement et votre bébé en profitera.

Et demandez également à votre entourage de ne pas fumer : on connait l'influence néfaste du tabagisme passif. La fumée des autres peut vous faire du mal à vous et à votre bébé.

Si vous ne réussissez pas à supprimer le tabac avec votre seule volonté, vous pourrez trouver de l'aide dans des consultations hospitalières spécialisées, qui aident à s'arrêter de fumer. Certaines maternités ont mis en place des consultations de tabacologie, assurées par des sages-femmes tabacologues Vous pouvez également contacter Tabac-Info-Service : par téléphone (39 89) ou internet www.tabac-info-service.fr.

Le tabac est également contre-indiqué au cours de l'allaitement : on trouve de la nicotine dans le sang des bébés allaités par des mères qui fument.

LE CANNABIS

Puisque le tabac est déconseillé aux futures mères, on comprend que le cannabis le soit aussi. Et même encore plus car cette drogue peut provoquer des troubles de type neuro-sensoriel chez le nouveau-né.

ET L'ALCOOL ?

L'alcool, comme le tabac, passe très vite dans le sang. Et l'alcool passe aussi dans le sang du bébé car le placenta ne lui fait pas barrage. Vous comprendrez qu'on ne doit pas boire d'alcool lorsqu'on attend un enfant. Dès que la grossesse est évoquée, il faut supprimer toute boisson alcoolisée, y compris le vin, le cidre, la bière.

Certaines femmes ont de la peine à accepter cette recommandation. Il n'y a pas si longtemps, la bière était conseillée

> **PAS D'ALCOOL PENDANT LA GROSSESSE**
> *Une mention figure sur les bouteilles de boissons alcoolisées (vin, bière, whisky, etc) qui informe du risque encouru à consommer de l'alcool pendant la grossesse.*

aux mamans qui allaitaient pour augmenter la production de lait (ce qui est faux) ; et les femmes enceintes aujourd'hui ont eu une mère qui pouvait boire de l'alcool, sans que cela n'inquiète personne. Tout cela laisse bien sûr des traces. Et l'entourage est parfois peu encourageant : « De mon temps, je buvais un peu de vin régulièrement et mes enfants ont tous été en bonne santé », « C'est mon anniversaire, tu ne vas pas refuser de boire un verre avec moi ? ».

Vous êtes inquiète d'avoir bu une coupe de champagne alors que vous ne saviez pas que vous étiez enceinte ? Rassurez-vous, mais à partir de maintenant il est raisonnable de ne plus consommer d'alcool, même de façon occasionnelle, car on ne connaît pas la dose minimale qui est toxique pour le bébé. Nous ne parlons pas ici de l'alcoolisme. C'est un sujet différent qui est traité page 258.

LES VOYAGES ET LES DÉPLACEMENTS

Pendant longtemps on a déconseillé aux femmes enceintes tout déplacement et tout voyage, notamment en voiture : celle-ci, disait-on, favorisait les fausses couches et autres accidents de la grossesse. Ce qui n'a pas été démontré. Cependant, il est bon de rappeler certains conseils.

Premier principe, de simple bon sens : on ne doit pas voyager avec une grossesse « à problèmes ». Car, dans ce cas, il vaut mieux ne pas trop s'éloigner de la maternité qu'on a choisie.

Second principe : il concerne le choix du moyen de transport. Ce ne sont pas tant les secousses – du train ou de la voiture – qui sont à craindre, que la fatigue. D'ailleurs les trains n'ont plus de secousses, et de toute manière, votre enfant est solidement accroché, vous ne risquez pas de le faire naître en le secouant.

En revanche, tout voyage fatigue (mal au dos, notamment). Il faut donc prendre le moyen de transport le moins fatigant : pour un long voyage, choisissez plutôt le train ou l'avion. De toute manière, après la 32ème semaine, il faut éviter de voyager, ce qui ne veut pas dire qu'il soit impossible de se déplacer.

EXAMINONS DE PLUS PRÈS QUELQUES MOYENS DE TRANSPORT

Voiture

Pour éviter la fatigue et les douleurs lombaires, si fréquentes, placez un coussin au creux du dos, faites des étapes courtes de 200 à 300 km, et arrêtez-vous de temps en temps cinq à dix minutes pour marcher et vous dégourdir les jambes. À part la fatigue que l'on peut diminuer en prenant ces précautions, la voiture présente un vrai danger : celui de l'accident. N'oubliez pas de mettre votre ceinture de sécurité. Encore faut-il pour qu'elle soit efficace :
• qu'elle soit correctement placée comme indiqué sur le dessin ci-dessous
• qu'il n'y ait aucun espace entre la ceinture et le corps, que la ceinture soit tendue en permanence.

Les statistiques montrent que la sécurité du passager est plus grande à l'arrière de la voiture, et bien sûr avec une ceinture. D'ailleurs la ceinture est obligatoire aussi bien à l'arrière qu'à l'avant.

Si vous conduisez, prenez ces éléments en considération :
• d'abord que les réflexes sont souvent un peu ralentis et l'attention émoussée au cours de la grossesse
• ensuite que, au moins dans les derniers mois, votre ventre vous gênera et rendra difficiles les mouvements rapides parfois nécessaires à la conduite.

Bateau

Partir, enceinte de 8 mois, pour faire le tour des îles grecques n'est guère raisonnable : pas de médecin sur le bateau, pas ou peu de médecin sur la petite île. Mais faire une promenade en bateau le week-end ne pose pas de problème. Quant à naviguer sur un voilier, on peut dire que si votre grossesse se passe bien, si vous n'avez aucun antécédent, si la croisière est courte et la météo favorable, le risque d'un accouchement accidentel est presque nul avant le 8e mois.

BIEN METTRE SA CEINTURE DE SÉCURITÉ

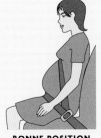

BONNE POSITION

MAUVAISE POSITION

Avion

Pour les longues distances c'est le moyen le plus recommandé car le moins fatigant. Jusqu'à quel moment est-il possible de voyager en avion lorsqu'on est enceinte ?

Si la grossesse se déroule sans complications, les médecins autorisent en général l'avion jusqu'à la 37ème semaine. Au-delà, la période de prématurité est dépassée et l'accouchement peut débuter à tout moment, donc pendant le voyage. Cela sera angoissant pour la future maman - et aussi pour l'équipage et les passagers - avec la possibilité d'accoucher à l'étranger dans un lieu insuffisamment équipé ; ou bien d'accoucher avec une équipe qui peut être mal à l'aise de prendre en charge une future maman qu'elle ne connaît pas, ou dont elle ne comprend pas la langue. Par ailleurs, le risque d'une phlébite est augmenté par la position assise prolongée. En cas de grossesse gémellaire, il vaut mieux ne pas prendre l'avion après la 32ème semaine.

Le voyage en avion est fortement déconseillé si la future maman a des antécédents d'accouchement prématuré, si elle souffre de maladie pulmonaire ou cardiaque, si elle a eu des saignements vaginaux.

Les compagnies aériennes n'ont pas les mêmes exigences vis-à-vis des femmes enceintes : Air France ne demande aucun accord médical, Lufthansa et American Airlines exigent un certificat médical pour pouvoir voyager le mois précédant l'accouchement.

Pendant le voyage

• Pour favoriser la circulation du sang dans les jambes, promenez-vous de temps en temps dans la cabine et portez des chaussettes de contention.
• Pour votre confort, portez des vêtements amples et légers et, si nécessaire, réchauffez-vous avec un châle ou une grande écharpe.
• Pensez à boire suffisamment car le degré d'humidité est faible à l'intérieur de l'avion.

Voyager outre-mer

Si vous vous rendez dans un pays où il faut prendre des précautions sanitaires, la plus grande prudence s'impose. Demandez conseil à votre médecin, ou au Centre de vaccinations situé dans l'hôpital le plus proche de votre domicile. En effet, les vaccinations, parfois nécessaires, peuvent être contre-indiquées (p. 224). Ensuite, le risque d'y contracter

> **IMPORTANT**
> PLUS ON S'APPROCHE DU TERME DE LA GROSSESSE, MOINS ON DOIT S'ÉLOIGNER DE LA MATERNITÉ.

certaines maladies infectieuses ou parasitaires est augmenté, ce risque se doublant du fait que leur traitement peut nécessiter la prise de médicaments contre-indiqués chez une femme enceinte.

Il s'agit en particulier du **paludisme** auquel les femmes enceintes sont particulièrement sensibles, et le restent d'ailleurs pendant deux à trois mois après l'accouchement : les médicaments préventifs varient selon les endroits où sévit la maladie, et certains sont tout à fait déconseillés pendant la grossesse. Si vous devez partir malgré tout, demandez conseil à votre médecin. Une fois sur place, n'hésitez pas à prendre un surcroît de précautions ; utilisez tous les moyens pour lutter contre les piqûres de moustiques : portez des vêtements amples, serrés aux poignets et aux chevilles, mettez sur la peau un produit qui repousse les moustiques, utilisez une moustiquaire imbibée d'un produit insecticide, etc. Contre les **autres maladies infectieuses et parasitaires**, prenez un certain nombre de précautions. Prenez régulièrement des douches. Ne marchez jamais pieds nus sur un sol humide.

Évitez les baignades en eau douce. Lavez-vous les mains avant les repas. Évitez glaçons, glaces et préférez toujours eau en bouteille et lait capsulé. Pelez les fruits. Évitez crudités et coquillages. Mangez viandes et poissons bien cuits.

Pour conclure, quel que soit le moyen de transport utilisé, on peut dire ceci :
• vous allez très bien, mais vous voulez aller loin, ne partez pas sans demander l'avis du médecin
• votre grossesse ne se déroule pas tout à fait normalement, parlez-en au médecin avant tout déplacement.

VOUS AVEZ BESOIN D'EXERCICE PHYSIQUE

Vous êtes peut-être de ces femmes qui ne font aucun sport, jamais de gymnastique, et qui n'ont pas l'habitude de marcher. Maintenant que vous êtes enceinte, c'est le moment de prendre l'habitude de faire au moins un peu d'exercice physique, et peut-être, ayant découvert comme c'est agréable de faire de la gymnastique et de marcher régulièrement ou d'aller à la piscine, continuerez-vous après la naissance de votre enfant. Car le minimum d'exercice dont vous avez besoin – et pour vous et pour votre enfant – vous le trouverez en marchant chaque jour, et en faisant tous les matins quelques mouvements.

La marche est le sport de la grossesse
Elle n'est jamais dangereuse, elle active la circulation, particulièrement dans les jambes, la respiration, le fonctionnement de l'intestin, souvent paresseux ; elle renforce la sangle abdominale. L'idéal est de pouvoir marcher tous les jours une bonne demi-heure, dans un endroit bien aéré, ce qui permet d'absorber plus facilement les 25 % d'oxygène supplémentaire dont la future mère a besoin. D'ailleurs marcher tous les jours est une recommandation faite aujourd'hui à tous, quel que soit l'âge.

Si la marche est excellente pendant la grossesse, elle n'a pas d'action sur le déclenchement de l'accouchement ; il ne sert à rien de vous forcer à marcher pour accoucher plus tôt, cela vous fatiguerait inutilement.

Des exercices bien choisis présentent un triple avantage :
• tout d'abord, ils facilitent le bon déroulement de la grossesse : circulation activée ; meilleure oxygénation ; bonne position du corps qui permet de porter l'enfant sans fatigue ; meilleur équilibre nerveux
• ensuite, ils préparent un accouchement plus facile et plus rapide par le raffermissement des muscles appelés à jouer un rôle important au cours de l'accouchement, et par l'assouplissement des articulations du bassin
• enfin, ils permettent aux différentes parties du corps de retrouver leur état normal plus rapidement après l'accouchement : ventre plat, taille fine, seins bien soutenus, etc.

Les exercices recommandés se divisent en trois catégories : exercices respiratoires, exercices proprement musculaires, exercices de relaxation (chapitre 14). Vous comprendrez mieux l'utilité de ceux qui sont destinés à préparer l'accouchement, quand vous saurez comment il se déroule et ce que vous aurez à faire. Si vous le souhaitez, vous pouvez commencer ces exercices dès le début de votre grossesse.

Tenez-vous en aux exercices décrits. Ils sont tout à fait suffisants. Il ne s'agit pas de vous transformer en athlète ni de faire de la musculation, mais de faciliter votre grossesse et votre accouche-

ment par quelques mouvements simples. En fin d'exercice, pensez à consacrer quelques minutes à la relaxation (p. 350) pour bien vous détendre. Il y a peu de contre-indications à cette activité physique modérée durant la grossesse.

Vous pouvez faire les exercices chez vous. Vous pouvez aussi les faire dans un groupe de préparation à la naissance ; c'est toujours intéressant et agréable de rencontrer d'autres futures mères.

LES SPORTS

Peut-on continuer à pratiquer un sport pendant la grossesse ? Cela dépend du sport envisagé, de votre entraînement, de la manière dont vous le pratiquez (avec mesure et pour le plaisir, ou bien intensément) et de votre état de santé. Il faut aussi tenir compte de ce fait : si vous vous blessez (entorse, fracture), vous serez gênée physiquement : l'immobilisation d'un membre (jambe ou bras) rend la vie encore plus compliquée en cas de grossesse.

Votre grossesse est normale, vous êtes sportive et entraînée : continuez à pratiquer un sport, sauf s'il est contre-indiqué pendant la grossesse (voir la liste ci-dessous), mais faites-le avec modération, en connaissant vos limites : tout excès peut être néfaste car il peut entraîner un risque d'hypoxie (manque d'oxygénation) chez le bébé. L'excès, c'est le surmenage, l'essoufflement et une femme enceinte se fatigue vite. En effet, dès le début de la grossesse, l'activité de base de l'organisme s'accroît de 10 % : le cœur augmente ses pulsations cardiaques, la femme consomme plus d'oxygène. La grossesse peut être assimilée à une activité sportive d'endurance. Tout surcroît d'activité physique s'ajoutera à cette augmentation de base et sera d'autant plus fatigant.

À cause de cette fatigue, et des risques qu'elle entraîne, les exercices et sports violents, notamment de compétition, seront interdits. D'une façon générale, les sports collectifs (volley, basket, etc.) sont contre-indiqués car il est difficile de limiter son effort quand on est au milieu d'un groupe. Et même si tout va bien, mieux vaut – à l'exception de la marche et de la natation – ne plus pratiquer de sport pendant la deuxième moitié de la grossesse. Ceci est d'autant plus recommandé qu'il s'agit d'un sport fatigant ou exposant au risque de fracture.

Mais si la grossesse n'est pas normale, le sport est déconseillé. Passons maintenant en revue quelques sports courants.

Danse classique, danse rythmique
Oui, tout à fait possible.

Équitation
Non, le risque de chute violente est trop grand.

Exercices en salle
Oui, on peut pratiquer des exercices en salle mais de façon mesurée : pas d'effort maximum et récupération rapide (moins de 15 mn) en fin d'exercice.

Golf
Excellent, puisqu'il concilie grand air et marche. Mais vous serez très vite gênée par votre ventre.

Jogging
Au premier trimestre, celles qui aiment le jogging peuvent le pratiquer mais avec modération : il ne faut jamais être exténuée.

Judo
Ce n'est pas le sport idéal pour une femme enceinte : sport violent, risques de chutes brutales, etc. Seules les femmes qui le pratiquent peuvent continuer au moins au début de la grossesse, en essayant de limiter les risques (mais cela semble difficile). Il ne faut certainement pas qu'une femme enceinte commence le judo quand elle n'en a jamais fait auparavant.

Natation
C'est, avec la marche, le meilleur sport pour la femme enceinte. Une femme sportive obligée de renoncer à un sport incompatible avec la grossesse, aura en nageant, la faculté de s'adonner à une activité physique, à la fois agréable et utile. Dans l'eau, une femme enceinte se sent plus légère. Plus légère, elle se détend plus facilement. D'autre part, la natation est un excellent exercice musculaire et respiratoire.

Pour ces raisons, la natation est bonne pour la future mère. Certaines séances de préparation à l'accouchement se font en piscine. Les futures mères qui ont eu l'occasion de participer à une telle préparation n'y ont trouvé que des avantages, notamment l'agrément de pratiquer dans l'eau plutôt que dans une salle les exercices de détente et de respiration (p. 356). Si la natation est bonne, comme pour les autres sports, pas d'excès, pas de compétition, pas de plongeon. Et préférez la natation sur le dos ou le crawl qui ne provoquent pas de douleurs lombaires.

Aquagym

Comme son nom l'indique, c'est une gymnastique qui se fait en milieu aquatique. Elle se répand de plus en plus, elle est tout à fait bénéfique pour les femmes enceintes ; elle comporte des exercices de respiration, de marche dans l'eau, des jeux de groupe (avec un ballon par exemple). Même les femmes qui ne savent pas nager peuvent pratiquer l'aquagym.

Patinage

Oui, si vous êtes une habituée, sinon vous risquez des chutes désagréables sur la glace.

Planche à voile

Elle est possible en début de grossesse mais sûrement pas le surf (et encore moins le kitesurf), trop dangereux.

Plongée sous-marine

Elle est contre-indiquée en raison du risque d'hypoxie (manque d'oxygène pour le bébé).

Randonnées en montagne

Oui, mais en évitant de faire trop de dénivelé en une journée, ainsi que d'évoluer en haute altitude. De l'ascension sportive, du rocher, de la varappe, non. Le risque à éviter (nous y reviendrons souvent), c'est la chute qui peut être grave car la grossesse modifie votre façon de vous déplacer.

Roller

Il peut être considéré, sinon comme un sport violent, du moins comme un sport à risque de chutes, avec ses conséquences en terme d'immobilisation d'un membre. De ce fait, il est déconseillé.

Scooter et moto

C'est possible comme moyen de déplacement mais pas en tant que sport à cause des risques d'accident.

Ski alpin

À déconseiller au-delà du 4e - 5e mois, sauf aux bonnes skieuses qui ne tombent pas.

Ski de fond

S'il s'agit de ski de fond de promenade, sa pratique ne pose pas de problème. En revanche, le ski de fond pratiqué intensément et de façon sportive n'est pas conseillé : risque d'être exténuée.

RASSUREZ-VOUS
Une chute dans la vie quotidienne, ou lors de la pratique d'un sport, n'entraîne en général aucune conséquence sur la santé de votre bébé. Celui-ci est bien protégé. Mais si vous êtes rhésus négatif, signalez-le sans tarder au médecin, vous pouvez avoir besoin d'une injection de gammaglobulines (p. 259).

Ski nautique
Non, comme tout sport mécanique. Risque de chute important.

Tennis
Oui, mais pour s'amuser seulement, pas pour la compétition.

Vélo
Le vélo est un sport actif, qui fait travailler de nombreux muscles, et qui est bon pour le muscle cardiaque. Mais quand on parle de vélo, il y a deux aspects complètement différents : d'un côté le vélo-tourisme pour se promener ; il n'est pas en cause sauf à la fin de la grossesse ; soyez prudente cependant car les pertes d'équilibre ne sont pas rares et la chute peut arriver. Et il y a le vélo-moyen de transport quotidien, au milieu des encombrements, qui comporte des risques à cause de la fréquence des accidents.

Quant au VTT, il est naturellement déconseillé : c'est un vélo qui est fait pour les terrains accidentés, il y a donc trop de risques de chute.

Yoga
C'est à la fois un sport et une excellente préparation à l'accouchement (p. 352).

LE SPORT EN PRATIQUE
• pour toutes les futures mères : supprimer les sports mécaniques (auto, moto, 4X4...) et ceux à haut risque de chute (VTT, roller, équitation...)
• pour les sportives : la modération est recommandée, pas d'effort maximum
• pour les non-sportives : une activité physique d'au moins 30 minutes, deux à trois fois par semaine, est souhaitable (marche, natation, gymnastique d'assouplissement, yoga...)

Vous le voyez, ce que l'on redoute dans certains sports, outre la fatigue qu'ils peuvent entraîner chez une femme enceinte, c'est le risque d'hypoxie (manque d'oxygène) pour le bébé si l'activité est pratiquée de façon trop intense. C'est aussi l'éventualité d'une chute : une femme enceinte est moins agile et moins stable, et peut tomber plus facilement. Il est exceptionnel qu'un choc direct et violent sur l'abdomen mette en danger la vie du bébé, ou puisse provoquer un accouchement prématuré. Mais qui dit chute, dit risque de lésions : entorse, fracture. Or, au cours de la grossesse, ces lésions mettent plus longtemps à se consolider.

EXPOSITIONS AU SOLEIL, SAUNAS
• Chaque année, les dermatologues mettent en garde contre les méfaits d'un excès de soleil. Malgré cela, le bronzage reste à la mode. Les futures mères ont pourtant des raisons supplémentaires de se méfier du soleil car il risque de faire apparaître le masque de grossesse et autres taches brunes (pp. 51-53). De plus, le soleil a une action néfaste sur les veines et peut accentuer d'éventuelles varices.
• Le sauna : l'élévation de température du corps qu'il provoque n'est bonne ni pour une femme enceinte, ni pour le bébé. En plus, une température très élevée est souvent inconfortable et mal supportée.

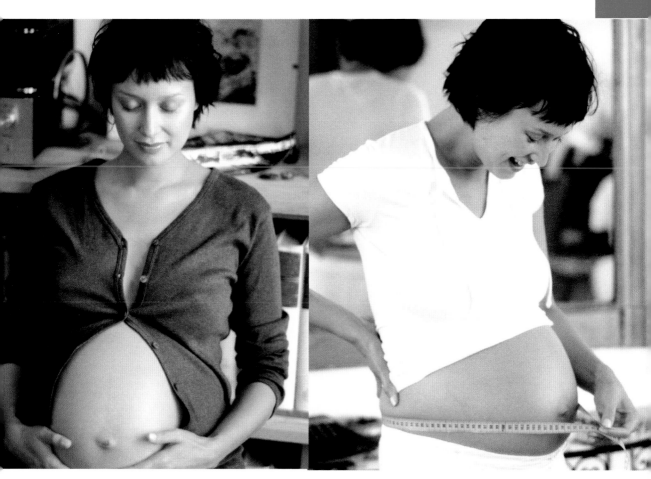

BELLE EN ATTENDANT UN BÉBÉ

Aujourd'hui, les futures mamans sont souvent à l'aise dans leur corps : elles ne prennent pas trop de poids, elles font de l'exercice physique. Elles ne cherchent pas à dissimuler leur ventre, elles aiment au contraire le souligner par une ceinture, une écharpe, un cache-coeur.

Mais d'autres femmes sont préoccupées par l'image que leur renvoie la glace. Elles ne s'y habituent pas. Elles n'arrivent pas à admettre ce corps qui change, changement qu'elles vivent comme une agression. Elles en veulent à l'enfant de les enlaidir, puis elles s'en veulent de lui en vouloir. Certaines ont peur que ce changement n'écarte leur compagnon.

Pour commencer ce chapitre, nous vous dirons quelques mots sur votre nouvelle silhouette et les vêtements qui s'y adapteront le mieux. Puis nous parlerons peau, visage, cheveux, etc. et de certaines précautions à prendre.

COMMENT S'HABILLER ?

Au début vous n'éprouverez peut-être pas le besoin de changer vos tenues habituelles : vous prenez peu de poids, votre silhouette se modifie peu. Seuls vos seins vont se développer, et souvent d'une façon importante. Aussi le premier achat à faire en début de grossesse, c'est un soutien-gorge bien enveloppant.

Bientôt, vous chercherez dans votre garde-robe, les tee-shirts les plus larges et les grands pulls confortables ; si vous achetez un chemisier, un haut, choisissez dès maintenant une ou deux tailles au-dessus de la vôtre. Les tuniques sont agréables à porter ainsi que les pulls ou robes avec petites fronces sous les seins. Les cache-cœur s'ajustent bien grâce à leur nœud plus ou moins serré. Ces vêtements auront l'avantage d'accompagner au jour le jour l'arrondi de votre ventre.

Dès la fin du premier trimestre, vous aurez envie d'aisance au niveau de la taille. Les jupes et pantalons à taille élastique s'adapteront facilement, ainsi que ceux dont la partie supérieure est faite dans un tissu souple, genre stretch.

Il viendra un moment où vous aurez peut-être envie d'aller dans des magasins spécialisés qui présentent toute une gamme de vêtements bien adaptés à votre nouvelle silhouette, notamment des jupes et pantalons réglables, des chemises, pulls, et robes. Vous y trouverez en plus de la lingerie, des collants, des maillots de bain. Certaines femmes regrettent d'ailleurs que la lingerie « future maman » ne soit pas plus raffinée.

Pantalons ? Robes ? Jupes ? Vous choisirez, bien sûr, selon vos goûts, votre silhouette, votre budget, la saison. En été, une tunique portée sur un débardeur, avec une jupe légère : voilà une tenue féminine et agréable. Variante : on remplace la jupe par un pantalon large, en tissu léger, genre lin.

Pour tous les jours, une robe en coton sans manche, assez courte, pas trop près du corps, se met facilement. Pour une petite sortie, on peut choisir une robe un peu moulante en tissu souple, comme du jersey. Et en toutes saisons, diverses combinaisons sont possibles : pantalon étroit, ou jupe droite, avec un haut un peu ample ; pantalon large avec un petit top ; jean et chemise, etc.

En faisant des essais devant une glace vous vous rendrez vite compte de ce qui vous va le mieux : court, long, ample, moulant ? Si vous hésitez, une amie saura vous conseiller.

Quelques suggestions

• Un cache-cœur, porté à même la peau, ou sur un petit haut, met en valeur le décolleté.

• Un gilet court et sans manches, porté sur une longue chemise, fait un joli effet en marquant la place de la taille.

• Égayez vos tenues avec des ceintures en jersey élastique qui soulignent le ventre, ou par des écharpes nouées.

• En fin de grossesse, s'il fait froid et humide, pensez à vous couvrir le ventre. Prévoyez un vêtement bien enveloppant (« doudoune », imperméable, parka). En demi-saison, un grand châle ou un « poncho » feront l'affaire.

Le maillot de bain

Il y a de ravissants maillots pour les futures mamans, bien adaptés à vos nouvelles formes. Vous pouvez aussi porter un maillot de bain « classique », deux-pièces ou une pièce, dans une plus grande taille pour être bien à l'aise. Pour un deux-pièces, choisissez-le avec un bon soutien-gorge et une culotte adaptée à votre ventre.

Les chaussures

Si vous avez l'habitude des talons, vous pouvez continuer à les porter, à condition que ces talons ne soient pas trop hauts. Et surtout qu'ils soient suffisamment larges (les talons fins, même peu élevés, sont mauvais pour le dos). Les chaussures à talons compensés sont agréables à porter, mais avec une semelle trop haute, l'équilibre est instable. Bien souvent, à partir du 5e mois, les futures mamans abandonnent les talons – ils leur font mal au dos – et préfèrent les chaussures plates.

Ce qu'il faut c'est que les chaussures soient confortables, car les jambes et le dos sont souvent fatigués par le poids de l'enfant ; elles doivent vous donner un bon équilibre, car la grossesse prédispose aux chutes ; être assez larges, car, en fin de grossesse, les pieds ont tendance à gonfler. Choisissez des chaussures faciles à enfiler : les derniers mois le ventre gêne et prive de souplesse, il peut être difficile de nouer des lacets ou d'attacher des brides. Des ballerines, ou des petites bottes à talon plat, sont souvent agréables à porter.

LES SEINS

Dans les seins, il n'y a aucun muscle qui puisse les empêcher de se dilater lorsqu'ils augmentent de volume, ou les soutenir lorsqu'ils deviennent trop lourds. Les muscles qui soutiennent les seins sont les pectoraux. Mettez-vous de profil devant une glace ; appuyez vos mains ouvertes l'une contre l'autre et pressez-les très fort : vous verrez vos seins remonter sous l'effet de la contraction des pectoraux. Vous comprendrez ainsi que si vous voulez conserver une jolie poitrine et l'empêcher de tomber, il faut :
• Porter un bon soutien-gorge.
• Se tenir bien droite, sans creuser le bas du dos, les épaules légèrement rejetées en arrière. Là aussi, regardez-vous dans une glace, et vous verrez que cette manière de se tenir met les seins en valeur. En plus cette attitude diminue la fatigue du dos ; certaines activités (travailler sur ordinateur, écrire au tableau noir, faire la vaisselle, etc.) provoquent des douleurs entre les omoplates, douleurs qui peuvent être largement atténuées par une bonne manière de se tenir.
• Faire travailler vos muscles pectoraux pour les rendre très fermes, puisque d'eux dépend la bonne tenue de vos seins. Plus ces muscles seront fermes, moins votre poitrine aura tendance à tomber. Vous trouverez au chapitre 14 les exercices à faire et page 145 un schéma sur le sein.

Peut-on, pendant la grossesse, préparer le bout des seins à l'allaitement ?

Ce n'est pas utile disent aujourd'hui les professionnels de l'allaitement : les bouts des seins s'adapteront à la succion du bébé. Et il est déconseillé de les durcir par des applications d'alcool, cela dessècherait trop la peau.

Certaines mamans sont déroutées par les sensations particulières qu'elles éprouvent lors des premières tétées. Leurs bouts de seins, habituellement bien au chaud, à l'abri dans un soutien-gorge douillet, se trouvent d'un jour à l'autre confrontés à la succion, c'est-à-dire aux tiraillements, aux étirements, à l'humidité. À cause de cela, des mamans arrêtent l'allaitement et le regrettent par la suite. Pour vous habituer à ces nouvelles sensations, vous pouvez tout simplement pendant le dernier trimestre de la grossesse, ôter votre soutien-gorge une à deux heures par jour : ainsi vous sentirez vos bouts de sein au contact de l'air ou du vêtement.

Vers la fin de la grossesse, les seins sécrètent parfois du colostrum, c'est-à-dire un liquide blanchâtre ou transparent, précurseur du lait. C'est normal et il n'y a rien de particulier à faire.

COMMENT BIEN SE TENIR ?   FIGURE 1   FIGURE 2   FIGURE 3   FIGURE 4

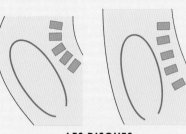

figure 1 : la femme se tient cambrée. le ventre est projeté en avant, les abdominaux et la peau du ventre sont très distendus.

figure 2 : la femme se tient droite. En basculant le bassin, la cambrure des reins est supprimée.

LES DISQUES

figure 3 : la femme se tient cambrée. Risque de douleurs lombaires.

figure 4 : la femme se tient droite. Les disques sont bien séparés les uns des autres.

LE VENTRE ET LA SILHOUETTE

Les futures mamans sont fières de montrer leur ventre – certaines sont déçues si on ne remarque pas qu'il s'arrondit . Mais elles se demandent aussi comment il va pouvoir redevenir plat et musclé, comment hanches, cuisses et fesses vont retrouver leurs formes.

• Le premier investissement beauté est d'acheter une balance, si on n'en a pas déjà une dans sa salle de bains. Ne pas trop grossir est en effet la meilleure manière de retrouver rapidement sa taille et ses formes.

• La deuxième, c'est de faire régulièrement des exercices : pendant la grossesse (p. 347) et après l'accouchement (p. 400).

• La troisième, c'est de prendre – ou de garder – l'habitude de bien se tenir, ce qui d'ailleurs est aussi efficace pour le confort que pour la silhouette.

Si vous cambrez les reins, votre ventre est projeté en avant, et les abdominaux et la peau du ventre sont très distendus (figure 1). Maintenant regardez la figure 2 (l'utérus a la même taille que celui que l'on voit sur la figure 1) : la femme se tient droite, bien grande, le ventre le plus effacé possible.

Comment y arriver ? En basculant le bassin ; cela supprime la cambrure des reins. Ce mouvement de bascule du bassin est important pendant la grossesse, pas simplement pour l'esthétique mais pour le confort. Vous trouverez au chapitre 14 des exercices à faire pour prendre l'habitude de basculer le bassin. D'ailleurs pratiquement toutes les préparations à la naissance incluent ces exercices.

UN COUSSIN DE RELAXATION

Il existe un coussin très pratique, à la fois ferme et confortable, genre polochon (photo p. 331). Pendant la grossesse, ce coussin permet de s'installer au mieux, en position assise ou couchée. Lors de l'allaitement, il aide à bien caler le dos. Certaines sages-femmes le conseillent même pendant l'accouchement.

Regardez maintenant la différence entre les figures 3 et 4 pour comprendre comment le confort dépend de la manière de se tenir. Dans la figure 4, la femme se tient droite (comme en figure 2) ; résultat : les disques entre les vertèbres de la colonne vertébrale sont bien séparés les uns des autres. Mais que se passe-t-il dans la figure 3 ? Les reins cambrés provoquent un pincement de la partie postérieure des disques intervertébraux, ce qui est source de douleurs lombaires et risque même de provoquer une sciatique. La préparation en piscine est particulièrement adaptée aux exercices pour assouplir le dos : la nage sur le dos, notamment le dos crawlé, est bénéfique. À l'inverse, la brasse, qui accentue la cambrure, est à éviter.

• En cas de douleurs, le port d'une petite **ceinture souple** de soutien lombaire (à acheter en pharmacie) est parfois conseillé par le médecin ou la sage-femme. Cette ceinture s'attache facilement avec du Velcro ; elle est remboursée sur prescription médicale ; elle ne doit pas être portée en permanence, mais chaque fois que vous risquez de surmener votre colonne vertébrale : voyages en voiture ou en avion, travaux ménagers, port d'objets lourds, etc. Cette ceinture peut se porter au-dessus des vêtements ; elle est donc facile à ôter et remettre plusieurs fois par jour sans se déshabiller.

LE VISAGE

Une femme soucieuse de l'image qu'elle donne sera plus réceptive aux « on-dit » ; et c'est curieux comme dans ce domaine de la beauté les préjugés sont restés tenaces. D'après eux, chez la future mère, « les dents se carient, les ongles se cassent, les taches marquent la peau du visage et du corps, les cheveux sont secs et après la naissance ils tombent » ! Il y a vraiment de quoi faire peur ! Vrai ? Faux ? Qui croire et que faire ? Parlons d'abord du visage.

Les futures mères ont souvent un éclat particulier : un teint frais, des yeux brillants. C'est sûrement dû à l'épanouissement intérieur, au bonheur, au plaisir d'attendre un enfant. Cela vient aussi du régime et du mode de vie conseillés pendant la grossesse : de bonnes nuits, de l'exercice, un régime alimentaire très sain, des vitamines, pas de cigarettes, pas d'alcool. C'est ce que l'on conseille en général à une femme qui veut avoir un joli teint.

Une peau normale, c'est-à-dire ferme, souple, fine de grain, veloutée au toucher, ne change pas au cours d'une grossesse normale. Et contrairement à une opinion répandue, la peau ne montre pas de tendance particulière à se dessécher.

LE MASQUE DE GROSSESSE
Parfois, vers le 4ᵉ ou le 6ᵉ mois, apparaissent sur le visage de petites taches brunes, qui peuvent être assez nombreuses pour former comme un masque : c'est le masque de grossesse. En général, après la naissance de l'enfant, les taches disparaissent. Mais ce n'est pas toujours vrai. Il faut donc tout faire pour éviter ce masque. Pour cela, une seule précaution, mais elle est indispensable : ne pas exposer son visage au soleil car le masque de grossesse ne se développe qu'à la faveur de modifications hormonales qui se produisent sous l'influence du soleil. À telle enseigne qu'une femme prenant la pilule et qui s'expose au soleil peut voir également des taches brunes apparaître, comme le masque des femmes enceintes, puisque la pilule est à base d'hormones. Donc, en été comme en hiver, n'exposez pas votre visage au soleil ou portez une casquette ou un grand chapeau.

LES SOINS DE BEAUTÉ

Prudence pendant la grossesse pour les soins de beauté ! Les effets indésirables, voire nocifs, de différents produits sur notre organisme, sont régulièrement évoqués. Et les futures mamans savent qu'il faut prendre des précautions pour protéger leur bébé en train de se développer : pas de médicaments sans avis médical, pas d'alcool, pas de tabac, pas de prise de poids excessive.

Aujourd'hui des études scientifiques attirent l'attention sur le risque possible provoqué par la présence de substances chimiques dans les cosmétiques, ces produits qu'on se met sur la peau ou les cheveux : certaines de ces substances pourraient être des « perturbateurs endocriniens », c'est-à-dire qu'elles pourraient avoir des effets indésirables sur le développement du futur bébé, notamment sur sa maturation sexuelle.

Pour limiter votre exposition, et donc celle de votre bébé, à ces substances, voici quelques conseils. Ils s'adressent aux futures mamans mais aussi à celles qui allaitent, car le développement génital de l'enfant se poursuit après la naissance.

Par précaution :
• utilisez le moins possible de produits cosmétiques, de lotions, et choisissez des produits non parfumés.
• préférez des produits cosmétiques labellisés *Cosmébio, Écocert, BDIH* ou *Nature et Progrès* par exemple, ne contenant pas certaines substances aux effets indésirables
• évitez le parfum
• ne vous colorez pas les cheveux (même avec des colorants naturels comme le henné)
• évitez les produits en sprays (déodorants par exemple)
• évitez les produits contenant des huiles essentielles même naturelles.

Vous le voyez, pendant la grossesse et l'allaitement, il est raisonnable de n'utiliser que ce qui est vraiment indispensable. Tous les produits cités ne présentent pas de risque prouvé, mais dans le doute il vaut mieux s'abstenir : c'est le fameux principe de précaution. Vous reprendrez vos habitudes de soins de beauté après la naissance.

LES PEAUX À PROBLÈMES

Chez les femmes à peau grasse ou franchement acnéique, l'évolution au cours de la grossesse est imprévisible. On peut assister à une amélioration, voire une disparition totale de l'acné mais aussi à une aggravation. Le problème est que beaucoup des médicaments efficaces sont interdits ou déconseillés pendant la grossesse. Il y a toutefois des traitements possibles, notamment externes. Le soleil est un faux ami de l'acné (rebond d'une poussée après une amélioration transitoire). Aucun régime alimentaire n'a d'efficacité. Heureusement l'acné lui-même ne peut avoir d'action sur le fœtus.

La séborrhée et l'acné sont des affections d'origine génétique ; certains **eczémas** commençant dans l'enfance, et qu'on appelle atopiques ou constitutionnels, sont également génétiques ; tout comme la peau grasse, ces eczémas peuvent, imprévisiblement, s'améliorer ou s'aggraver pendant la grossesse. Il en va de même d'une autre affection de la peau, le **psoriasis**, qui peut aussi bien s'étendre que disparaître subitement et dont les traitements les plus actifs (dérivé de la vitamine A, rayons ultraviolets, Puva-thérapie) sont formellement contre-indiqués pendant la grossesse.

LA PEAU DU CORPS

Parfois des taches comme celles qui constituent le masque de grossesse font leur apparition, notamment chez les femmes brunes à peau mate. Cette pigmentation peut se localiser à l'abdomen sous forme d'une raie brune médiane qui s'étend du nombril jusqu'à la région pubienne. Elle peut se localiser aussi sur les aréoles des mamelons. Cette pigmentation disparaîtra progressivement, mais parfois très lentement après l'accouchement. Comme pour le masque de grossesse, il faut éviter le soleil. À signaler l'apparition fréquente de grains de beauté ; certains disparaîtront après l'accouchement.

Les cicatrices peuvent se modifier : tantôt elles se pigmentent de façon anormale, tantôt elles deviennent épaisses, rougeâtres et plus ou moins sensibles. Ces modifications disparaissent peu à peu après l'accouchement.

Pendant la grossesse, la production d'une hormone, l'**œstradiol**, augmente considérablement. Or, cette hormone a la propriété de dilater les vaisseaux sanguins. Il peut en résulter des poussées congestives du visage, des varicosités des jambes accompagnées de varices, ou encore de petites dilatations capillaires rouge vif, à disposition étoilée et dénommées pour cette raison, *angiomes stellaires*. Ces angiomes apparaissent entre le 2e et le 5e mois. Il ne faut pas essayer d'intervenir car leur régression spontanée est habituelle dans les trois mois qui suivent l'accouchement.

LES VERGETURES

Ce sont de petites stries en forme de flammèches, de couleur rosée. Elles peuvent apparaître à partir du 5e mois de la grossesse, sur le ventre, les hanches, et les cuisses, mais parfois aussi sur les seins. Après l'accouchement, les vergetures deviennent peu à peu blanc nacré. Les vergetures sont dues à une destruction des fibres élastiques de la peau. On croit en général qu'elles n'apparaissent que chez les femmes, et que cette perte d'élasticité de l'épiderme est due à la distension mécanique de la peau pendant la grossesse. Or les vergetures ne sont pas rares chez les hommes, et la peau d'un adolescent ou d'une adolescente peut être distendue à l'extrême sans qu'apparaissent de vergetures.

On a tout lieu de croire que les vergetures sont dues à l'action de la cortisone sécrétée par les glandes surrénales. En effet, ces glandes sont particulièrement actives au troisième trimestre de la grossesse. Mais connaître le mécanisme probable de la formation des vergetures ne permet pas de les empêcher. Tout ce qu'on peut conseiller pour éviter leur développement, c'est de ne pas prendre trop de poids. En effet, l'action de la cortisone, responsable des vergetures, semble facilitée par la trop grande distension des tissus due à une prise de poids excessive.

Vous entendrez peut-être dire qu'on peut prévenir les vergetures en massant la peau avec différentes crèmes. Malheureusement, il n'y a guère de résultat à attendre de ces crèmes ; de plus, il est conseillé pendant la grossesse de réduire autant que possible l'usage de lotions et de crèmes sur des plages de peau très étendues. Quant à supprimer les vergetures constituées, on ne peut, hélas ! être plus optimiste : il est impossible de les supprimer, même par la chirurgie esthétique. Nul moyen ne peut rendre à la peau son élasticité.

Pour les vergetures, il semble raisonnable de retenir ceci : on ne peut les empêcher, ni les supprimer ; mais il y a quand même une certitude, c'est qu'une trop grosse prise de poids favorise leur développement.

LES CHEVEUX

Contrairement à ce que l'on croit parfois, la grossesse n'abîme pas les cheveux, au contraire : les femmes qui ont des cheveux ternes et un peu mous, les voient devenir plus souples et plus brillants, et la séborrhée s'atténue ou disparaît souvent pendant la grossesse : les cheveux sont moins gras et vous aurez besoin de les laver moins souvent.

Les soins des cheveux pendant la grossesse ne sont pas différents de ceux qu'on leur donne en général. Ainsi est-il recommandé d'employer des shampooings doux qui évitent de dégraisser trop brutalement le cuir chevelu ou de le dessécher au risque d'entraîner la formation de pellicules. C'est-à-dire que même si vous avez les cheveux gras, vous utiliserez des shampooings pour cheveux secs et fragiles. Par précaution, il est déconseillé de les colorer (p. 52).

Durant la grossesse, les influences hormonales se font également sentir au niveau de la chevelure. Pendant cette période, la phase de croissance des cheveux (dite « anagène ») s'allonge au détriment de la phase qui précède la chute (dite « télogène »). Il y a donc beaucoup moins de cheveux qui tombent et le volume de la chevelure augmente. Mais dès l'accouchement les taux élevés d'œstradiol circulant dans le sang s'effondrent, déterminant un passage brutal des cheveux anagènes en cheveux télogènes. Ce phénomène, qui peut concerner jusqu'à 50 % de la chevelure, provoque trois mois plus tard une chute de cheveux massive, parfois impressionnante. Aucun traitement n'y peut rien. Il est donc inutile de multiplier les piqûres ou autres remèdes. Dans les six mois qui vont suivre, tout va s'arranger spontanément, la chute s'arrêtera et la repousse s'effectuera. Mais comme un cheveu ne croît que d'un centimètre à un centimètre et demi par mois, il faut s'armer de patience.

Ayant perdu beaucoup de cheveux, des mamans nous ont signalé en avoir profité pour les faire couper. Cela a été du temps gagné (pas de séchage, facilité de coiffage) dans la période bien occupée de l'après-naissance et cela leur a permis d'attendre plus sereinement de retrouver le volume de leur chevelure.

La pousse des poils est accélérée pendant la grossesse (toujours à cause des modifications hormonales). Chez certaines femmes génétiquement prédisposées, il peut même se constituer une hyperpilosité, au niveau du visage en particulier, et singulièrement sur la lèvre supérieure. Cette hyperpilosité régresse spontanément après l'accouchement. Il ne faut surtout pas l'épiler à la pince, ou pire à la cire, car on risque alors de la voir s'installer au lieu de disparaître.

LES DENTS

La grossesse ne cause pas systématiquement de caries comme on le croit parfois mais elle peut fragiliser les dents. Elle entraîne un bouleversement hormonal et le parodonte - c'est-à-dire les gencives, les ligaments et les os qui entourent les dents - est particulièrement touché et devient plus sujet à l'inflammation. Les gencives saignent et gonflent plus facilement qu'à l'accoutumée en cas de brossage insuffisant : c'est la **gingivite**. Celle-ci peut s'aggraver et devenir une parodontite et s'accompagner d'abcès, de « déchaussement », de dent qui bouge.

Une élimination régulière de la plaque dentaire par le brossage permet de réduire l'action des bactéries responsables de l'inflammation. On observe parfois le développement de lésions plus impressionnantes, les **épulis** : ces tuméfactions rouges, siégeant entre deux dents, disparaitront après la naissance ou pourront être éliminées par le chirurgien-dentiste si elles s'avèrent trop gênantes.

Soins dentaires

Aucun soin dentaire n'est formellement contre-indiqué. Il convient toutefois d'informer le chirurgien-dentiste de votre grossesse ; il pourra, par précaution, retarder un traitement non urgent ou une radiographie (si besoin il utilisera un tablier de plomb placé sur votre abdomen pour stopper les rayons). Si une intervention importante était nécessaire, parlez-en à l'obstétricien. La période la plus adéquate pour réaliser les soins est le deuxième trimestre de grossesse. Le chirurgien-dentiste veillera à limiter les douleurs (anesthésie locale et antalgiques adaptés à votre état) et à éliminer tout foyer infectieux (soins des caries, du parodonte, voire extraction des dents trop abîmées).

> **L'EXAMEN DENTAIRE**
> *L'Assurance Maladie a mis en place un examen de prévention bucco-dentaire à destination des femmes enceintes. Celles-ci peuvent en bénéficier à compter du 4e mois de grossesse jusqu'au 12e jour après l'accouchement. Cet examen est pris en charge à 100 %. La future maman n'a pas à faire l'avance des frais. Un imprimé de prise en charge lui est adressé dès réception de la déclaration de grossesse (ameli-sante.fr).*

Quelques conseils pour garder de bonnes et belles dents

Une bonne hygiène de la bouche et des dents pendant la grossesse diminue les risques de carie et de gingivite de la maman et prévient la transmission de bactéries nocives à son bébé.

• Adoptez une alimentation saine et équilibrée, peu sucrée. Sans sucre, pas de carie ! Limitez les boissons sucrées (soda, thé glacé, jus de fruits) car elles sont également acides. Sucre et acide provoquent une déminéralisation des dents et augmentent le risque de carie.

• En cas de reflux ou vomissements, ne vous brossez pas les dents immédiatement après, au risque d'éliminer l'émail touché par les acides. Rincez-vous la bouche à l'eau, ou à l'aide d'un bain de bouche fluoré, ou mâchez une gomme sans sucre.

• Il est important de bien se brosser dents et gencives après chaque repas, au minimum 3 fois par jour, pendant 2 minutes. Choisissez une brosse à poils souples, un dentifrice à haute teneur en fluor (1 500ppm) et faible pouvoir abrasif (RDA 30-40), cette dernière mention n'est pas toujours indiquée sur l'étiquette. Ne pas utiliser de dentifrice blanchissant car très abrasif.

• Consultez un chirurgien-dentiste au moins une fois pendant votre grossesse, de préférence au début.

LES ONGLES

Les ongles friables et cassants sont souvent dus aux vernis, qu'ils soient colorés ou incolores. Pour savoir si c'est le vernis qui est responsable de la fragilité de l'ongle, il suffit d'en supprimer les applications pendant six mois, temps qu'il faut pour que l'ongle entier se renouvelle. Si au bout de cette période l'ongle a retrouvé sa vigueur, c'était bien la laque qui était responsable de la détérioration de l'ongle. D'ailleurs, toujours par précaution, il est conseillé de ne pas mettre de vernis pendant la grossesse car ils peuvent contenir certains composants à éviter.

3 Bien se nourrir

À la conception, l'œuf humain est si petit qu'on ne peut le voir à l'œil nu.

À la naissance, l'enfant pèse environ 3,3 kg, il mesure aux alentours de 50 cm.

Jamais plus, l'être humain ne connaîtra de croissance aussi prodigieuse.

Or ce qu'il lui faut pour prendre ces kilos et ces centimètres, pour bâtir ses os et ses muscles, l'enfant le puise dans le sang de sa mère : et le calcium et les protéines, et le fer et les vitamines, et les graisses et le phosphore, etc.

L'enfant a des besoins précis qu'il faut satisfaire, la future mère également. Porter un enfant représente pour son organisme un travail auquel participent tous ses organes. En outre, certaines parties de son corps se développent considérablement : les seins et l'utérus.

Enfin l'alimentation va contribuer à préparer l'allaitement.

Pour toutes ces raisons, on comprend pourquoi il est important de bien se nourrir lorsqu'on attend un bébé.

Faut-il manger plus ?

Faut-il manger plus ? Faut-il manger différemment lorsqu'on attend un enfant ? Nous parlerons d'abord de la quantité. C'est la première question que se posent, en général, les futures mères. Des générations ont vécu dans l'idée qu'il fallait manger pour deux ; aussitôt enceintes, les futures mères mettaient les bouchées doubles au risque de prendre trop de poids, ce qui était inutile et même dangereux. Puis, on a tellement attiré l'attention sur les dangers de cette suralimentation systématique qu'aujourd'hui certaines futures mères mangent très peu pour ne pas prendre trop de poids. Où est la juste mesure ? Avant de vous répondre, voici quelques précisions.

LE BESOIN D'ÉNERGIE : LES CALORIES

Notre corps ne peut fonctionner qu'avec un apport d'énergie. L'énergie, pour les voitures, c'est l'essence ; pour le corps humain, ce sont les calories apportées par les aliments. Certains aliments apportent peu de kilocalories (en abrégé kcal), d'autres dix ou cent fois plus. Vous en tiendrez compte si vous avez besoin de surveiller votre poids (tableau p. 70).

Nous avons tous besoin de calories pour assurer les fonctions vitales de notre corps (respiration, activité du cerveau, battements cardiaques...), la digestion des aliments, le maintien de la température du corps à 37°C et l'activité physique.

Les besoins énergétiques varient en fonction de l'âge, du sexe, de la corpulence, de l'activité physique. Par exemple, par jour : 1 900 kcal pour une femme sédentaire, 4 000 kcal pour un sportif de haut niveau. Si un individu ne consomme pas assez de calories pour couvrir ses besoins, il puise dans ses réserves de graisse et maigrit. S'il mange plus que ses besoins, il stocke l'excédent de calories et grossit.

Que se passe-t-il chez la femme enceinte ? Avant la grossesse, une femme d'activité moyenne a des besoins énergétiques d'environ 2 000 kcal par jour. Au cours de la grossesse, les besoins quotidiens augmentent progressivement :
• de 70 kcal par jour au 1er trimestre, soit l'équivalent d'un yaourt
• de 260 kcal par jour au 2ème trimestre, soit l'équivalent d'un yaourt, un fruit et une tranche de pain
• puis de 500 kcal par jour au dernier trimestre, soit l'équivalent d'un yaourt, un fruit, 3 tranches de pain, 1 œuf ou 50 g de viande, 150 g de légumes et féculents.
Les besoins énergétiques sont variables d'une femme à l'autre : le mieux est de se fier à son appétit et de n'intervenir qu'en cas de prise de poids insuffisante ou excessive.

DÉPENSE CALORIQUE HORAIRE D'UNE FEMME DE 60 KG, MESURANT 1,65 M
Durant le sommeil : 50 kcal
Regarder la TV : 65 kcal
Coudre : 78 kcal
Cuisiner : 90 kcal
Activité professionnelle (de bureau) : 120 kcal
Faire le ménage : 128 kcal
Marcher : 148 kcal
Courir : 350 kcal
(Source : Les apports nutritionnels conseillés pour la population française)

Quelques cas particuliers

S'il n'est pas nécessaire à une femme enceinte de manger beaucoup plus que d'habitude, il y a quelques cas où cela sera indispensable.
• Les besoins d'une **adolescente enceinte** sont plus élevés car c'est chez elle que le poids de naissance de l'enfant est le plus en rapport avec la prise de poids maternelle. Par ailleurs, l'apport supplémentaire de calcium, fer, folates et vitamine D sera systématique. Enfin, un aliment à base de lait sera consommé à chaque repas.
• Une femme attendant des **jumeaux** devra, à partir de la deuxième moitié de la grossesse, consommer plus d'aliments énergétiques et d'aliments riches en minéraux et vitamines.

COMBIEN DE REPAS PAR JOUR ?

Certaines femmes ont des périodes de fringales, d'autres au contraire manquent d'appétit, ont des nausées. Voici ce qui en général convient le mieux aux futures mères : prendre trois repas principaux (matin, midi et soir) et un goûter. Cette répartition des repas diminue les nausées en début de grossesse, ainsi que les sensations de pesanteur ou de gonflement après les repas. Le goûter permet d'éviter les fringales et les grignotages. Ne sautez pas le petit déjeuner, vous risqueriez de souffrir d'hypoglycémie en fin de matinée. Même si on travaille on peut emporter un yaourt, une pomme, une barre de céréales ou quelques biscuits, l'important est que la quantité et l'équilibre de la journée soient respectés. (Voyez quelques idées de menus p. 64 et pp. 66-67).

Que faut-il manger ?

La réponse est facile : de tout, ni trop ni trop peu ; ce qui est d'ailleurs conseillé à tous pour être en bonne santé. Et maintenant que vous attendez un enfant, c'est encore plus important. Si manger pour deux n'est pas vrai sur le plan de la quantité, c'est certes vrai sur le plan de la qualité. Autrement dit, manger pour deux, ce n'est pas manger deux fois plus, c'est manger deux fois mieux.

Mais qu'est-ce que se nourrir correctement ? C'est avoir une alimentation **équilibrée**, c'est manger **varié** et en **quantité suffisante**. L'alimentation doit être composée des principales catégories d'aliments afin d'apporter à l'organisme ce dont il a besoin : vitamines, protéines, calcium... Bien manger, c'est aussi préparer l'avenir : on sait aujourd'hui qu'une bonne alimentation de la future maman a une influence sur la santé de l'enfant et plus tard sur celle de l'adulte.

Voyons maintenant plus en détail les propriétés nutritionnelles des aliments.

LES ALIMENTS CONTENANT DES PROTÉINES (PROTIDES)

Les protéines fournissent le matériau de construction et d'entretien de l'organisme. En fin de grossesse, les besoins augmentent de 20 à 30 %. En pratique, il faut consommer tous les jours de la viande, ou du poisson, ou des œufs, et des produits laitiers, car ces aliments contiennent des protéines animales, donc de bonne qualité nutritionnelle.

VOICI DES EXEMPLES DE PORTIONS D'ALIMENTS RICHES EN PROTÉINES À CONSOMMER DANS UNE JOURNÉE ET À RÉPARTIR ENTRE LES DIFFÉRENTS REPAS
- *120 à 130 g de poisson ou de viande ou de volaille ou 2 gros œufs*
- *1 verre de lait à boire ou à utiliser dans une recette (riz au lait, purée...)*
- *1 yaourt*
- *une part de fromage de 20 à 30 g*

Le lait peut être remplacé par du fromage blanc ou du fromage râpé
Le fromage peut être remplacé par un laitage

LES ALIMENTS CONTENANT DES LIPIDES (OU GRAISSES)

Les graisses « transportent » certaines vitamines (A, D, E, K) et elles fournissent de l'énergie et des acides gras essentiels au développement du cerveau et des cellules nerveuses du bébé (les acides gras oméga 3). Il n'y a pas de « bonnes » ou de « mauvaises » graisses. En effet on sait aujourd'hui que les acides gras saturés, réputés « mauvais », peuvent exercer un rôle bénéfique pour la santé. Quant aux acides insaturés, dits « bons », ils doivent également être apportés de façon équilibrée sous peine de perdre leurs effets bénéfiques. Les principales sources de lipides sont les huiles, le beurre, les sauces, les charcuteries, les fruits oléagineux (noix, noisettes, cacahuètes, amandes), certains plats cuisinés, les pâtisseries. Il est donc nécessaire de varier les sources de lipides pour bénéficier de leurs atouts, par exemple vitamine A dans le beurre, oméga 3 dans les poissons gras et l'huile de colza.

LES ALIMENTS CONTENANT DES GLUCIDES (OU SUCRES)

Les aliments contenant des sucres dits **simples** sont à consommer pour le plaisir et avec modération : sucre, confitures, boissons sucrées, gâteaux et biscuits, etc. D'autres sucres, appelés **complexes** fournissent de l'énergie à la maman et au bébé : pain, pâtes, riz, légumes secs, pommes de terre, maïs. Ils sont à consommer à chaque repas tout au long de la grossesse.

Que penser des **édulcorants**, tels que l'aspartame, qui donnent un goût sucré aux aliments sans apporter les calories du sucre ? Aucune étude ne permet de dire aujourd'hui que les édulcorants, consommés en quantité limitée, sont nocifs pour le bébé à naître. Mais si vous souhaitez limiter votre consommation de sucre, mieux vaut essayer de se déshabituer du goût sucré. C'est souvent plus facile qu'on ne croit de prendre, par exemple, l'habitude de boire du thé sans sucre ou de manger un yaourt nature.

ALLERGIE
Si le papa, ou l'un des frères et sœurs de l'enfant, ou vous-même êtes allergique, votre bébé risque de l'être. Jusqu'à récemment, il était conseillé de supprimer l'arachide de l'alimentation de la maman pendant la grossesse pour diminuer le risque de survenue d'allergie chez le bébé. De nouvelles recherches ont montré que les exclusions alimentaires ne préviendraient pas le risque d'apparition d'allergie chez le bébé. En pratique, aucun aliment allergénique n'est à exclure pendant la grossesse (p. 256).

MINÉRAUX ET OLIGOÉLÉMENTS DE LA GROSSESSE
• Le calcium
Le rôle du calcium dans la formation du squelette et des dents du bébé est bien connu. Les aliments les plus riches sont le lait, les fromages, yaourts, etc. Pour satisfaire les besoins en calcium, il est nécessaire de consommer chaque jour trois produits à base de lait, par exemple un à chaque repas.

En cas de problème de poids, préférez les produits écrémés ou demi-écrémés. Si vous ne consommez pas de lait, mangez plus de laitages et choisissez les fromages les plus riches en calcium : emmental, gruyère, comté, cantal, beaufort.

• Le fer
Les aliments riches en fer sont les viandes (surtout boudin noir bien cuit et bœuf), les poissons, les volailles et les œufs. Il est nécessaire de manger chaque jour un de ces aliments car les besoins en fer sont fortement accrus pendant la grossesse, surtout les six derniers mois. Par ailleurs, une alimentation riche en vitamine C (fruits et légumes) augmente l'assimilation du fer ; et, au contraire, boire du thé pendant le repas empêche son absorption. En cas d'anémie, de régime végétarien, de grossesses rapprochées ou multiples, le médecin vous prescrira peut-être une supplémentation en fer.

• L'iode
La grossesse augmente les besoins en iode. Cet oligoélément - qui est un élément minéral nécessaire à l'organisme à l'état de traces, c'est-à-dire en très petites quantités – est indispensable au bon fonctionnement de la thyroïde et au développement du cerveau du bébé. On le trouve dans les poissons de mer, crustacés bien cuits, lait, yaourt et fromage blanc. Vous pouvez aussi cuisiner avec du sel enrichi en iode (voyez l'étiquette).

LES VITAMINES DE LA GROSSESSE
• Les folates (ou vitamine B9 ou acide folique)
Les folates interviennent notamment dans le développement du système nerveux et cérébral. Pendant la grossesse, les besoins en folates sont augmentés d'un tiers. Une carence en acide folique peut être responsable de diverses complications : anémie, retard de croissance intra-utérin, prématurité, et surtout malformations fœtales, notamment neurologiques. Une grossesse gémellaire, l'attente d'un second enfant (ou plus), l'adolescence, l'alcoolisme, le tabagisme, augmentent le risque de carence.

On trouve l'acide folique dans les légumes verts (salades, mâche, épinards, cresson, endives, choux, haricots verts, petits pois...), les fruits (melon, fraises, framboises...), les lentilles, les noix, le germe de blé, les fromages pasteurisés, la levure.

Un apport supplémentaire (400 ug /par jour) est vivement conseillé **avant** le début de la grossesse, et au moins deux mois avant. Mais on ne sait pas quand celle-ci va débuter, à part le cas des procréations médicalement assistées. Cet apport est recommandé pendant les premiers mois de la grossesse chez les femmes présentant un facteur de risque.

• La vitamine D

Cette vitamine permet au calcium d'être absorbé et de se fixer. Des apports suffisants en vitamine D permettent au bébé de se constituer des réserves nécessaires pour les premiers mois de vie. Or les aliments contiennent de très petites quantités de vitamine D ; on la trouve notamment dans les poissons gras, les laitages non écrémés, le jaune d'œuf. C'est principalement l'organisme qui fabrique lui-même cette vitamine sous l'action des rayons solaires sur la peau. La meilleure source de vitamine D est donc le grand air et le soleil (avec modération !). Exposer ses bras et ses jambes 10 à 15 minutes par jour suffit pour faire le plein de vitamine D.

La carence en vitamine D est très fréquente chez les femmes enceintes. C'est pourquoi les médecins prescrivent volontiers pendant la grossesse de la vitamine D, sous forme de médicament, notamment si vous devez accoucher au printemps.

Les autres vitamines (A, B, C, E, K) sont fournies par une alimentation équilibrée en variant les aliments.

Comment préserver les vitamines des fruits et des légumes ?

• Les fruits

Les consommer plutôt crus que cuits, les laver rapidement, ne pas les laisser tremper dans l'eau, les couper avec un couteau inoxydable, enfin les consommer aussitôt. Ne pas préparer les jus de fruits à l'avance. Si l'on fait des compotes, les cuire dans peu d'eau et peu longtemps, la perte en vitamines sera réduite.

• Les légumes

La perte des vitamines par la cuisson peut être réduite en les laissant tremper le moins longtemps possible, et en les faisant cuire dans peu d'eau, peu longtemps, et si possible dans leur peau. L'idéal est la cuisson à la vapeur, facile dans un autocuiseur, ou dans un « cuiseur-vapeur » électrique.

Contrairement à ce que l'on pense parfois, les fruits et les légumes en conserve ou surgelés ne sont pas moins riches en vitamines que les végétaux frais. En effet, les vitamines, très fragiles, sont en partie détruites en cas de stockage prolongé, et pendant les opérations d'épluchage, de trempage et de cuisson. Tandis que les légumes destinés à la surgélation et aux conserves sont traités rapidement dès la récolte, ce qui limite les pertes en vitamines. De plus le froid ne détruit pas les vitamines.

Bon à savoir : plus les fruits et légumes sont colorés, plus ils sont riches en vitamines.

LES ALIMENTS ISSUS DE L'AGRICULTURE BIOLOGIQUE

L'agriculture biologique (bio) est un mode de production visant à respecter la nature, l'environnement, les équilibres écologiques. Les agriculteurs doivent obéir à un cahier des charges rigoureux (non utilisation de produits chimiques de synthèse, respect du bien-être des animaux...). Un règlement européen en définit les principes.

Le logo européen — sur fond vert, une feuille dont les contours sont des petites étoiles —, ou le logo AB, mentionnés sur l'étiquette, garantissent que le produit alimentaire contient plus de

95 % d'ingrédients issus de l'agriculture bio. Les analyses réalisées sur ces produits montrent qu'ils apportent moins de résidus de pesticides que les produits non bio. En ce qui concerne les qualités nutritionnelles, la différence est moins nette, les produits bio ne sont globalement pas plus riches en vitamines ou en minéraux.

LE POINT SUR LES SUPPLÉMENTS (VITAMINES, MINÉRAUX) PENDANT LA GROSSESSE

Deux vitamines (acide folique et vitamine D) sont en général prescrites par le médecin. Les autres le sont selon chaque cas.

• Acide folique (B9)

La supplémentation en acide folique 4 à 8 semaines avant la grossesse et pendant les premiers mois est recommandée. Une alimentation riche en céréales et légumes verts l'est également.

• Vitamine D

Un complément est fortement recommandé car l'alimentation n'est en général pas suffisante pour couvrir les besoins pendant la grossesse, surtout si elle se déroule en hiver.

• Fer

La supplémentation systématique n'est pas justifiée. Par contre les carences en fer sont fréquentes ; le médecin les fera rechercher et donnera un traitement en conséquence.

• Autres suppléments

On trouve dans le commerce toutes sortes de compléments alimentaires à base de plantes, vitamines, minéraux... Il est déconseillé d'en prendre pendant la grossesse car leur intérêt n'a pas été démontré. Seule la supplémentation prescrite par le médecin est à suivre.

DÉJEUNER AU TRAVAIL

De plus en plus de femmes, et donc de futures mères, déjeunent en dehors de chez elles et souvent en moins d'une demi-heure. Supprimer ou trop réduire la pause-déjeuner est déconseillé. Voici quelques exemples pour arriver à manger équilibré et éviter quelques erreurs.

• Déjeuner d'un sandwich

Préférez le pain aux céréales ou bis plutôt que du pain blanc ou viennois ; le jambon, le poulet, le thon, le fromage, le bœuf, les œufs plutôt que la charcuterie. N'oubliez pas les légumes : tomates, salade, carottes, concombre, poivrons marinés.... Et pour finir, mangez un laitage et une compote sans sucres ajoutés ou un fruit, éventuellement une pâtisserie de temps en temps. En boisson, de l'eau ou du lait si vous ne prenez pas de laitage. Le dîner à base de légumes, fruits et yaourt compensera le déjeuner.

• Pâtes ou pizza ?

La pâte à pizza et les tagliatelles contiennent des glucides qui vont permettre de passer l'après-midi

sans avoir faim. Choisissez les garnitures composées de légumes (tomates, poivrons, aubergines, oignons...) et de fromage (chèvre, bleu...). Viande et poisson ne sont pas indispensables si la pizza est au parmesan ou à l'œuf. À éviter : l'excès de sauce de certaines préparations de pâtes et trop d'huile pimentée car même l'huile d'olive est riche en graisse.

• Une salade composée

Elle peut ne pas suffire : tout dépend de la taille de la salade et de sa composition. La salade doit contenir des féculents (pâtes, riz, pommes de terre, lentilles) pour être nourrissante et éviter d'avoir faim trop vite ; sinon, accompagnez-la de pain. Ajoutez-y des légumes, du fromage et de la viande ou du poisson, et éventuellement quelques noix, amandes ou fruits secs. Le tout assaisonné d'une vinaigrette à l'huile de colza ou de noix. Après la salade, le fromage peut être remplacé par un yaourt. Finissez le repas avec un fruit ou gardez-le pour l'après-midi.

• Manger une pomme et un yaourt

Un fruit et un laitage composent le menu d'un goûter pas celui d'un déjeuner, surtout pendant la grossesse. N'oubliez pas que vous devez nourrir aussi votre bébé. Un seul moyen : manger en quantité suffisante.

• Et le restaurant d'entreprise ?

C'est bien sûr la meilleure solution qui permet de déjeuner bien et relativement vite, en choisissant par exemple un plat accompagné d'une entrée ou d'un dessert. Privilégiez les crudités en entrée, le fruit ou le laitage en dessert, et mélangez légumes et féculents pour accompagner la viande ou le poisson.

VARIER, C'EST FACILE...

Avec une nourriture variée et suffisante, comprenant toutes les catégories d'aliments, ni votre bébé ni vous ne manquerez de rien. Ne faites pas des repas du genre : sardines, œufs, bifteck, fromage (trop riche), ou un repas du type : pamplemousse, épinards, poire (trop maigre) ; ou encore : salade de riz, gratin de spaghetti et bananes, c'est-à-dire un concentré de glucides.

Mangez de tout régulièrement, chaque jour : du poisson, des œufs, de la viande, des laitages (fromages, yaourts, lait), des fruits et des légumes, etc.

Voyez les menus des pages suivantes : ils apportent en quantité et en qualité tout ce qui est nécessaire. Inspirez-vous-en pour composer d'autres menus qui soient bien équilibrés. Les futures mamans ont parfois de la peine à digérer un plat de poisson, viande ou œuf au repas du soir. Si tel était le cas, remplacez-les de temps en temps par des légumes secs, et une portion supplémentaire de laitage ; vous aurez ainsi votre ration de protéines et de calcium. Vous savez maintenant ce qu'est une alimentation variée. Il est possible que si avant d'être enceinte vous aviez une alimentation déséquilibrée, vous découvriez aujourd'hui le plaisir de bien vous nourrir.

Des menus bien équilibrés

PETIT DÉJEUNER

Bol de thé	0
1 fruit	50
Pain viennois	160
Confiture (1 cuillère à soupe)	100
Beurre	80
1 yaourt	80
Calories	**470**

DÉJEUNER

Crudités en salade	100
avec vinaigrette à l'huile	
Cuisse de lapin moutarde	150
Purée de carottes	140
3 tranches de pain	160
Fruit cuit	70
Calories	**620**

GOÛTER

1 verre de lait + chocolat	110
2 tranches de pain d'épices	115
Calories	**225**

DÎNER

Jambon	80
Pâtes au beurre	200
Comté	110
Fruit	50
2 tranches de pain	110
Calories	**550**

POUR LA JOURNÉE

35 g de matières grasses	250
3 morceaux de sucre	80
Calories	**330**

Soit au total 2 195 Kcal

PETIT DÉJEUNER

Bol de café	0
Compote de fruits	70
Bol de céréales et fromage blanc	300
2 biscuits	100
Calories	**470**

DÉJEUNER

1 steack de 100 g	175
Brocolis	100
2 tranches de pain	110
Semoule au lait	180
Fruit cuit	70
Calories	**635**

GOÛTER

Yaourt à boire	150
Fruit	70
Calories	**220**

DÎNER

Pizza tomates et thon	380
Salade verte à l'huile	80
Comté	110
2 tranches de pain	110
Calories	**680**

POUR LA JOURNÉE

35 g de matières grasses	250
3 morceaux de sucre	80
Calories	**330**

Soit au total 2 335 Kcal

... pour les quatre saisons

PRINTEMPS

Déjeuner
Salade de pommes de terre
Saumon papillote
Gratin épinards
Fruit

Dîner
Salade de roquette
Tomates farcies et riz
Yaourt vanille
Fraises

ÉTÉ

Déjeuner
Poivrons marinés
Magret de canard
Pommes sautées
Petits-suisses
Cerises

Dîner
Gaspacho
Salade composée : tomates, emmental, semoule, fruits secs
Salade de fruits frais

AUTOMNE

Déjeuner
Céleri rémoulade
Steack haché
Pâtes au beurre
Cantal
Prunes

Dîner
Tarte aux champignons
Salade de mâche
Riz au lait
Poire cuite

HIVER

Déjeuner
Salade endives et noix
Saucisse grillée
Lentilles
Yaourt
Tarte aux pommes

Dîner
Soupe au vermicelle
Sardines à l'huile
Tartine de fromage frais
Pruneaux

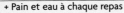

+ Pain et eau à chaque repas

• Les **régimes végétariens** ne sont pas toujours souhaitables pendant la grossesse, surtout s'ils excluent beaucoup d'aliments. Si vous supprimez uniquement la viande, il faudra veiller à consommer chaque jour du poisson et des œufs pour assurer les apports en protéines et surtout en fer et vitamine B12. Si vous avez exclu de votre alimentation la viande et le poisson, vous trouverez les protéines animales dans les œufs, le lait et ses dérivés et vous compléterez avec des protéines végétales en consommant à la fois des légumineuses et des céréales (blé, pâtes, riz...). En revanche, les apports en fer, en zinc, en vitamine B12, risquent d'être insuffisants, vous verrez avec votre médecin si vous avez besoin d'une supplémentation. Si vous craignez d'avoir une alimentation trop déséquilibrée, vous pouvez prendre conseil auprès d'un diététicien.

• Par contre les **régimes végétaliens** sont à proscrire, car ils excluent non seulement la viande, mais également tous les produits d'origine animale indispensables à la croissance, comme le lait, les œufs, le fromage. Ils sont vraiment dangereux et ils provoquent inévitablement des carences nutritionnelles. Il faudrait au moins le temps de la grossesse et de l'allaitement adopter un régime végétarien (avec œufs et produits laitiers).

LES DIFFICULTÉS D'UNE ALIMENTATION CORRECTE

Au début de la grossesse, les futures mères souffrent souvent de divers troubles digestifs : nausées, vomissements, maux d'estomac, etc., ou alors, elles n'ont pas faim ; parfois, au contraire, elles sont atteintes de boulimie. Ces divers troubles risquent d'empêcher un bon équilibre de l'alimentation.

Ainsi, par exemple, certaines femmes sujettes aux nausées, pour les éviter, suppriment les repas et grignotent des biscuits ou du chocolat. Le résultat c'est qu'elles grossissent sans s'être nourries convenablement. Heureusement, les divers troubles digestifs disparaissent, passé le premier trimestre. C'est cela qui explique que, au cours de ces trois premiers mois, certaines femmes aient pris 3 kg alors que d'autres en ont perdu autant.

En attendant :

• si vous avez peu d'appétit, mangez au moins des aliments vous apportant des protéines, du calcium et des vitamines

• si vous avez toujours faim, essayez de résister aux bonbons, gâteaux, ou biscuits : entre les repas, mangez un laitage, un œuf dur, une tranche de pain complet, un fruit, par exemple une pomme

• si vous avez des nausées, reportez-vous aux conseils donnés page 190.

POURQUOI IL NE FAUT PAS TROP MANGER

Trop manger, grossesse ou pas, aboutit à prendre trop de poids. Il n'est pas rare qu'une femme enceinte grossisse trop, soit parce qu'elle a plus d'appétit qu'avant, soit parce qu'elle pense que cette nourriture supplémentaire est nécessaire à son enfant.

Manger pour deux est une recommandation qui nous vient de siècles souvent défavorisés et qui n'a plus cours dans nos sociétés actuelles où nous avons plutôt tendance à avoir une nourriture trop riche. Or, une prise de poids excessive pendant la grossesse peut avoir des conséquences néfastes.

Elle favorise l'apparition de complications : diabète, hypertension artérielle, toxémie, etc. Une autre conséquence est que plus les tissus ont tendance à s'infiltrer anormalement d'eau et de graisse, plus ils perdront leur souplesse et leur élasticité naturelle ; cela peut perturber votre confort au cours de la grossesse et rendre l'accouchement moins facile. Enfin, et ce n'est pas négligeable, vous risquez de récupérer moins vite votre silhouette d'avant la grossesse.

Pour ne pas manger plus qu'il n'est nécessaire, vous avez un moyen simple : surveillez votre poids en vous pesant régulièrement une fois par semaine.

SURVEILLEZ VOTRE POIDS

Une future mère de corpulence normale prend en moyenne 10 à 12 kg pendant sa grossesse, 3 à 4 kg de plus pour des jumeaux. En moyenne, cela signifie que certaines femmes prendront 1 ou 2 kg en plus, d'autres en moins, cela dépendra de leur constitution, de leur poids avant la grossesse, de leur taille, de leur activité physique, etc. Par exemple, une femme obèse ne doit pas prendre plus de 6 à 7 kg, alors qu'une femme maigre doit en prendre de 12 à 18. Voyez le tableau ci-dessous.

Les trois premiers mois, le poids reste stable en général. Mais un certain nombre de femmes maigrissent au début de leur grossesse de 1 ou même 2 kg, surtout celles qui sont sujettes aux vomissements. Si c'est votre cas, ne vous en inquiétez pas : vous reprendrez du poids lorsque ceux-ci auront cessé. Ces kilos, vous les prendrez donc surtout à partir du 4e mois, à raison de 350 g par semaine environ. Si vous avez grossi de plus de 350 à 400 g par semaine, c'est que votre nourriture est trop riche, il faut donc la ramener à la normale. Pensez aussi au fait que l'appétit reste à peu près identique pendant toute la grossesse alors que les dépenses physiques diminuent progressivement.

SI VOUS AVEZ PRIS TROP DE POIDS

En regardant votre balance, vous constatez que vous avez pris trop de poids. Qu'allez-vous faire ? Surtout ne vous mettez pas à sauter des repas ou à calculer les calories avant de vous mettre à table, celles de la tranche de pain, du bifteck, du yaourt. Tout régime restrictif est formellement contre-indiqué pendant la grossesse sous peine d'entraîner des carences pour la maman et une sous-nutrition pour le bébé. Ce qu'il faut, c'est repérer les aliments gras et/ou sucrés afin d'en limiter la consommation ou de les éviter le temps de la grossesse.

• Pour diminuer les **apports en graisses** (sans les supprimer), il est conseillé de limiter les charcuteries, les viandes grasses, les matières grasses et d'éviter les plats cuisinés du commerce, les fritures, les chips, les cacahuètes, les viennoiseries.

• Il est également conseillé de réduire les **aliments très sucrés** comme les pâtisseries, les biscuits, les confiseries, le chocolat, le sucre ou le miel ajouté dans le thé, le café ou le yaourt. Quant aux sodas et jus de fruits du commerce, biscuits apéritifs et autres amuse-gueules, réservez-les pour une occasion particulière.

• Ce n'est pas un régime de famine, il vous reste pour vous nourrir :

- les entrées de crudités assaisonnées d'huile riche en oméga 3 (par exemple colza ou noix)

- les poissons et viandes cuits au four, en papillote, au gril, les œufs

- les fromages (à moins de 25 % de MG) et laitages (fromage blanc à moins de 10 % de MG, yaourt).

PRISE DE POIDS POSSIBLE EN FONCTION DE LA CORPULENCE AVANT LA GROSSESSE.

LA CORPULENCE SE MESURE AVEC L'INDICE DE MASSE CORPORELLE (IMC)*.

CORPULENCE AVANT LA GROSSESSE	PRISE DE POIDS POSSIBLE PENDANT LA GROSSESSE
IMC : 19,8	12,5 à 18 kg
IMC entre 19,8 et 26	11,5 à 16 kg
IMC entre 26 et 29	7 à 11,5 kg
IMC supérieur à 29	6 à 7 kg

*Pour calculer l'IMC, on divise le poids (en kilos) par la taille au carré (en mètre) ; soit : $\dfrac{\text{poids (kilos)}}{\text{taille (en mètre) x taille (en mètre)}}$

Par exemple, chez une femme de 1,65 m et 60 kg, l'IMC est de 22 ($60/1,65^2 = 22$).

VOUS PRENEZ TROP DE POIDS : CONSULTEZ CE TABLEAU

PORTIONS D'ALIMENTS	CALORIES POUR LA PORTION

Aliments à consommer en quantité raisonnable

1 bol de lait demi-écrémé	135
200 g de légumes (carottes, tomates, courgettes, choux, haricots verts...)	50 à 80
1 yaourt nature	65
100 g de fromage blanc à 20 % MG	80
1 fruit moyen ou 2 petits fruits	50 à 80
120 g de poisson maigre (cabillaud, carrelet, colin, lieu, limande, raie, merlu, merlan, lotte, truite, flétan)	75 à 130
120 g de poisson gras (anguille, hareng, maquereau, sardine, flétan, saumon)	150 à 220
200 g pommes de terre (au four, en purée, à la vapeur)	160
120 g poulet	150
2 œufs	150
120 g viande (bœuf, veau, filet porc, jambon blanc)	200 à 230
160 g pâtes cuites ou de riz cuit	180
1/4 de baguette (50 g)	130
1 cuillère à soupe d'huile	90
1 noisette de beurre	37
1 part de fromage (30 g)	80 à 120
40 g de céréales petit déjeuner	100 à 160

Aliments les plus caloriques

150 g poisson pané	350
150 g frites	400
50 g chips	210
1 cuillère à soupe de mayonnaise	105
1 tablette de chocolat (100 g)	550
1 cuillère à soupe de confiture	75
1 poignée de fruits secs (raisins, figues...)	130 (250 kcal pour 100 g)
1 poignée d'amandes, noisettes, noix	300 (600-700 kcal pour 100 g)
1 part de tarte aux fruits	360
1 muffin chocolat	250
1 part de quiche	340
1 part de pizza	200 à 300
1 barre chocolatée (60 g)	300
1 grand verre de soda, jus de fruit (200 ml)	90
1 sandwich au saucisson-beurre	530
1 tranche de pâté de foie	185
1 cuillère à soupe rase de sucre	40
100 g de biscuits au chocolat	450

• Consommez à chaque repas des légumes verts, des fruits, des féculents ou du pain, cela vous évitera d'avoir faim entre les repas. Le grignotage souvent composé de biscuits, confiseries peut en effet favoriser la prise de poids.

Le **tableau ci-contre** complètera ces informations en vous indiquant l'apport en calories des principaux aliments. Il vous permettra de comparer des portions d'aliments et de voir ceux qui sont plus ou moins énergétiques.

Si malgré ces conseils, vous continuez à prendre trop de poids, parlez-en au médecin ou consultez un diététicien.

POUR CELLES QUI NE PRENNENT PAS ASSEZ DE POIDS

Il n'y a pas que des femmes qui mangent trop pendant leur grossesse. Un certain nombre sont au contraire sous-alimentées, soit par coquetterie pour ne pas trop grossir, soit, hélas ! par manque de ressources. Ainsi voit-on des femmes minces, voire maigres, ne prendre que 6 kg pendant toute leur grossesse, même moins. Or des restrictions alimentaires importantes entraînent une insuffisance d'apport en énergie, des risques de carences en minéraux (calcium, fer, magnésium...), en vitamines et même en protéines. Cette sous-alimentation est dangereuse pour le bébé, qui risque de naître trop tôt, avec un retard de croissance ou de naître à terme avec un petit poids de naissance. Il y a aussi un risque plus lointain : des études montrent que l'enfant devenu adulte a plus de risques de maladies cardio-vasculaires.

Donc, pas de sous-alimentation systématique pour rester mince. Aujourd'hui, pour votre enfant, il faut vous nourrir suffisamment.

Si vous prenez peu de poids parce que vous avez un petit appétit, pensez à faire plusieurs petits repas dans la journée en multipliant les collations avec des laitages, des fruits, du pain et du fromage, du lait et des céréales enrichies, des flans aux œufs. N'hésitez pas à consulter un diététicien pour vous aider.

VOUS ÉTIEZ AU RÉGIME

Avant d'être enceinte, vous suiviez un régime pour perdre du poids. Ce genre de régime est en général déséquilibré (cure d'ananas, régime de protéines, etc.) et donc déconseillé pendant la grossesse. Votre alimentation doit apporter tout ce qui est nécessaire au développement de l'enfant : vitamines, minéraux, protéines mais aussi graisses. L'idéal est de faire 3 à 4 repas réguliers par jour. Pour ne pas prendre trop de poids (voir également p. 69), vous privilégierez les viandes maigres, les poissons et les œufs, les produits laitiers partiellement écrémés, les fruits (pas plus de 2 à 3 par jour car ils peuvent apporter trop de sucre et donc de calories) et les légumes, les crudités assaisonnées avec de l'huile de colza ou noix ou soja. Et pour faire face aux besoins en énergie, en vitamines B, en fibres, pensez aux céréales complètes.

LES ALIMENTS À ÉVITER OU À LIMITER

Les aliments contre-indiqués
• L'alcool, y compris le vin et la bière (p. 39)
• Les aliments et margarines enrichis au « stérol » ou « stanol » (pour faire baisser le cholestérol)
• Certains poissons : marlin, espadon, siki, car ces poissons accumulent davantage de toxiques. Cette recommandation concerne essentiellement les habitants de l'île de la Réunion
• Le foie.

Les aliments qui pourraient rendre malade ou provoquer une intoxication

• Gibier, viandes et poissons mal cuits ou crus

• Crustacés, moules, huîtres : il est parfois difficile d'être sûr de leur fraîcheur, et ils risquent de transmettre le virus de l'hépatite A (p. 250)

• Lait cru (non pasteurisé), fromages au lait cru, fromages à pâte molle (brie, camembert, reblochon, etc.). Ôtez la croûte des fromages (listériose p. 247)

• Rillettes, pâtés, foie gras et produits en gelée. Préférez les charcuteries préemballées et consommez-les rapidement après ouverture

• Graines germées crues (soja)

• Les aliments dérivés du soja (jus de soja, desserts, tofu...) ne peuvent être consommés qu'occasionnellement. En effet leur richesse en phyto-estrogènes pourrait avoir des conséquences néfastes sur la maturation sexuelle du bébé.

• Les boissons contenant de la caféine : café, thé, boissons énergisantes, certains sodas, sont à limiter. Par exemple, il est conseillé de ne pas boire plus de 3 tasses de café par jour.

Les aliments lourds à digérer dont il ne faut pas abuser

Fritures, ragoûts, charcuterie (à part le jambon)....

Les précautions à prendre

• Lavez soigneusement les légumes et les fruits destinés à être mangés crus

• Dans le réfrigérateur, protégez vos aliments en les plaçant dans des récipients fermés et propres. Séparez bien les produits crus des produits cuits. Nettoyez régulièrement votre réfrigérateur

• Les plats à base d'œuf sans cuisson (crèmes, pâtisseries, mayonnaise) doivent être préparés juste avant la consommation et ne doivent pas être gardés

• Pour éviter tout risque de toxoplasmose (p. 246), vous ne mangerez pas de viande crue, ni marinée, ni fumée. Vous ferez cuire à point toutes les viandes en particulier le mouton. Une température à cœur de 65° est nécessaire pour détruire tout germe, y compris des parasites comme le ténia.

• Se laver fréquemment les mains (qui peuvent transporter des germes dans les aliments).

LES BOISSONS

Pendant la grossesse, il faut boire suffisamment : environ 1,5 l de liquide par jour (c'est d'ailleurs la quantité recommandée pour tous les adultes). Vous-même et votre enfant avez besoin de liquide. Boire abondamment joue également un rôle dans la prévention des infections urinaires si fréquentes pendant la grossesse. N'ayez pas peur de boire et de « faire de la rétention d'eau ». À l'exception de certaines maladies, notamment cardiaques ou rénales, une prise de poids excessive pendant la grossesse correspond plus souvent à un stockage de graisses qu'à une rétention d'eau.

Que boire ?

• **L'eau.** On peut boire l'eau du robinet. Mais dans certaines villes elle contient trop de nitrates et est déconseillée aux femmes enceintes : renseignez-vous à la mairie, les services d'hygiène et de santé des communes font faire régulièrement des analyses de l'eau. Si l'eau de votre ville a un goût désagréable à cause des produits utilisés pour la désinfecter, quelques gouttes de citron la rendront plus agréable à boire.

Les eaux minérales sont toutes recommandables, à l'exception de certaines trop riches en sodium. L'Hépar est riche en magnésium et facilite le transit intestinal. Au début de la grossesse, quand existent des troubles digestifs, les eaux pétillantes facilitent la digestion.

• **Le thé et le café** sont des excitants pour vous et votre bébé, bien que leur tolérance varie beaucoup d'un individu à l'autre. N'en abusez cependant pas et buvez-les « légers » : 3 tasses de café maximum par jour, le thé éventuellement un peu plus car il est moins riche en caféine.

• **Les infusions** ont, selon leur composition, certaines vertus. La menthe et la verveine facilitent la digestion. Mais la menthe n'est pas recommandée à celles qui ont de la peine à s'endormir. Au contraire, le tilleul et la camomille facilitent le sommeil.

• **Les jus de fruits** apportent de l'eau, des glucides, pour certains des substances minérales et de la vitamine C. Mais ils contiennent plus de sucre que les jus de fruits pressés, ils sont donc à consommer avec modération.

• **Les boissons pétillantes** aromatisées aux fruits contiennent généralement peu de fruits et beaucoup de sucre. Elles sont déconseillées aux futures mères qui prennent trop de poids. Il en est de même de la limonade et des sodas.

• **Les jus de légumes** sont riches en vitamines. **Le bouillon de légumes** apporte des sels minéraux.

LES ENVIES

Vous aurez peut-être des envies. Il n'y a pas de raison de ne pas les satisfaire, à moins qu'elles ne concernent des aliments formellement contre-indiqués ou des aliments « excentriques », ce qui arrive. D'ailleurs, bien souvent, les envies correspondent à des besoins. Telle femme qui, avant sa grossesse, n'aimait pas la viande ou le lait, sentira un besoin impérieux de bifteck ou de grands verres de lait. Telle autre voudra de l'ananas alors qu'elle n'en mangeait jamais auparavant. Telle autre encore aura particulièrement envie de vinaigre. Les envies se fixent souvent sur les condiments, qui, en général, facilitent la digestion, mais dont il ne faut cependant pas abuser. Mais n'allez pas croire que s'il ne vous est pas possible de satisfaire l'envie qui vous semble irrésistible, cela puisse avoir une conséquence néfaste pour votre enfant. Il est évidemment faux qu'un enfant risque d'avoir un angiome (tache de vin) sous le seul prétexte que sa mère ait eu une envie non satisfaite d'un quelconque fruit rouge.

Ces envies alimentaires sont traditionnelles dans beaucoup de cultures. Tout l'entourage d'une femme enceinte a envie de la gâter, de la choyer, désire qu'elle soit bien, heureuse, afin que le bébé lui aussi soit bien. De son côté, une femme enceinte, au fond d'elle-même, a l'envie de se faire plaisir pendant la grossesse.

BIEN SE NOURRIR EN PRATIQUE
Bien se nourrir pendant la grossesse (et en dehors), c'est avoir une alimentation équilibrée, répartie en 4 repas quotidiens.
Privilégier :
• *viande, poisson, œufs pour les protéines, le fer et la vitamine B12*
• *lait, yaourts, fromages cuits et pasteurisés pour les protéines, le calcium et les oligoéléments*
• *tous les fruits et légumes pour les fibres, les vitamines et les folates*
• *pain, pâtes, riz, légumes secs pour les glucides*
• *et aussi beurre, huile, avec modération, pour les lipides et les vitamines.*
Éviter :
• *gibier, viande et poisson mal cuits et également crustacés, moules, huîtres et coquillages crus*
• *les charcuteries non préemballées ainsi que rillettes, pâté, foie gras*
• *tous les fromages au lait cru, les fromages à pâte molle*
Enfin, respecter la sécurité alimentaire : maintenir la chaîne de froid pour les denrées périssables à température ambiante ; ranger, régler le réfrigérateur et le nettoyer deux fois par mois avec une solution diluée d'eau de javel à 2 %.

4

Devenir mère
devenir père
Émotions et affectivité

J'attends un enfant… Vous vous posez aussitôt des questions pratiques et médicales. Mais, vous allez vite vous en rendre compte, c'est toute votre vie émotionnelle, celle de votre conjoint, qui vont évoluer, se transformer : vos joies, vos doutes, les liens à l'intérieur de votre couple, avec vos propres parents… Ce chapitre vous accompagne dans ce nouveau **cheminement psychologique.**

Attendre à deux

S'il est vrai que la future mère porte l'enfant dans son corps, psychologiquement, affectivement, intellectuellement, un enfant s'attend à deux. D'ailleurs les femmes souhaitent le plus souvent que leurs compagnons participent à la décision d'accueillir un enfant, s'intéressent au déroulement de la grossesse, à l'accouchement et aux soins du bébé dès la naissance. La plupart des pères se sentent aujourd'hui très concernés et beaucoup sont présents aux échographies, parfois aux consultations mensuelles, à la préparation à la naissance. Leur présence en salle d'accouchement est complètement naturelle depuis plus de 30 ans.

Mais pour que « attendre à deux » soit pleinement vrai, encore faut-il que chacun puisse ressentir et accueillir les émotions de l'autre. L'attente d'un enfant provoque chez la femme, comme chez l'homme, des questionnements, des remaniements psychologiques qui peuvent être déroutants. Contrairement aux idées reçues, la grossesse n'est pas seulement un moment de pur bonheur. Des souvenirs enfouis peuvent ressurgir, des émotions peuvent provoquer de la tristesse, les liens à sa mère, à son père, peuvent se modifier. L'équilibre du couple est parfois perturbé. Il n'est pas toujours facile de se comprendre : ce que chacun ressent, désire, n'est plus en harmonie, cela peut créer des tensions et des doutes. Dès le début de la grossesse, il est important que la mère et le père prennent le temps de parler ensemble, soient attentifs aux sentiments de l'autre.

DEVENIR MÈRE

Certaines femmes, en devenant enceintes, changent complètement. Chez d'autres, ni le caractère ni le comportement ne semblent apparemment modifiés. C'est pourquoi vous estimerez peut-être en lisant ce chapitre que nous avons trop insisté sur telle ou telle particularité de la future mère, ou au contraire que nous l'avons insuffisamment mise en valeur. La psychologie n'est pas une science exacte ; chaque femme a sa manière à elle de devenir mère, chaque femme vit une expérience singulière qui dépend de son histoire, de son caractère, de son éducation, de son entourage. Mais, d'une manière générale, la future mère traverse des états psychiques changeants au fil des mois. Cette évolution est si intimement liée aux transformations physiques qu'on a pris l'habitude de diviser la grossesse en trois trimestres, comme on la divise en trois trimestres du point de vue physiologique.

AU PREMIER TRIMESTRE : INCERTITUDE ET AMBIVALENCE DES SENTIMENTS

La période d'incertitude se réduit de plus en plus avec la précocité et la rapidité des tests. « Est-ce que je suis enceinte ? » Dès les premiers jours de retard, il suffit de quelques heures, parfois même de quelques minutes, pour avoir la réponse. Mais cela n'empêche pas que, même lorsqu'une femme sait qu'elle attend un enfant, elle a parfois de la peine à y croire (« Est-ce bien moi, est-ce bien vrai ? »). Souvent, elle n'en est vraiment convaincue que lorsqu'elle sent son enfant vivre en elle ou qu'elle a vu son « image » lors d'une échographie. C'est d'ailleurs le moment que le couple choisit pour annoncer la nouvelle et partager avec les aînés, ses parents, ses proches, la joie d'attendre un enfant.

Des sentiments contradictoires

Dans les premiers temps de la grossesse, même chez les femmes très heureuses d'être enceinte, la joie peut alterner avec des moments d'anxiété, de doutes, une irritabilité. Ce n'est pas encore la crainte de l'accouchement mais une sensation diffuse faite de plusieurs éléments : peur de l'inconnu (surtout pour un premier enfant), ignorance de « ce qui se passe », de cette vie intra-utérine, peur d'avoir un enfant anormal, inquiétude liée aux changements qui s'annoncent, interrogations sur ses capacités à devenir mère, peur de ne pas être à la hauteur, de décevoir, crainte que le conjoint ne s'éloigne pendant ces quelques mois, etc.

Désir de grossesse et désir d'enfant ne coïncident pas toujours. Une femme peut chercher avant tout à se prouver qu'elle peut devenir mère, se rassurer sur sa fertilité, son pouvoir de procréation, sans penser nécessairement à l'enfant. Et même si le désir d'enfant a été très présent, la grossesse peut être perturbante : attendre un enfant diffère vraiment de la volonté d'avoir un enfant. Cela explique les sentiments plus ou moins ambivalents que les futures mères éprouvent à l'égard du bébé qu'elles portent ; leur origine inconsciente est importante, nous en reparlerons plus loin.

Une autre crainte peut dominer le premier trimestre : celle d'un accident car les femmes savent que les fausses couches se produisent surtout au cours des trois premiers mois (c'est souvent pour cette raison que le couple attend pour annoncer la nouvelle à l'entourage). Écoutez cette mère : « Au début c'était la joie d'être enceinte. Puis j'ai eu quelques saignements et peur d'une fausse couche. Une échographie m'a heureusement montré que le bébé était bien vivant, je me suis sentie apaisée. J'avais l'impression que rien ne pourrait me sortir du bien-être que j'éprouvais.»

Un temps particulier

La période de la grossesse est parfois comparée à celle de l'adolescence, ce passage entre l'enfance et l'âge adulte. Devenir mère est un moment particulier, entre un « avant » et un «après » ; ce changement d'identité, accompagné de transformations corporelles, hormonales, psychiques, fait en effet penser à la période adolescente et au mal-être qui peut en découler. Voir son corps se transformer, prendre du poids, avoir des nausées, se sentir fatiguée, peut déstabiliser, déprécier l'image que la femme enceinte a d'elle-même. Les couples sont surpris, voire inquiets, des émotions qui surviennent. Les mères se sentent vulnérables, sans vraiment savoir pourquoi. « Je porte un enfant, donc la vie, et je ressens comme un malaise ; je ne sais pas ce qui m'arrive. », disent certaines femmes. On peut comprendre qu'attendre un enfant soit d'une telle importance, un tel enjeu, personnel, familial, social, que cet événement puisse être une source de fragilité. Il ne faut pas s'inquiéter, cet état est passager et se transforme le plus souvent en une expérience enrichissante qui fait mûrir et prépare le couple à devenir parents.

> **POUR EN SAVOIR PLUS**
> *À celles qui sont intéressées par l'expérience intérieure de la maternité, nous recommandons le livre de Monique Bydlowski, psychiatre, psychanalyste :* **Je rêve un enfant**, *Odile Jacob Poche. Ambivalence du désir d'enfant et du sentiment maternel, sensibilité et vulnérabilité des femmes enceintes, complexité du lien mère-fille, crise maturative de la grossesse, angoisse de l'accouchement, etc. : à travers ces différents thèmes, ce livre veut aider les futures mères à comprendre la richesse intérieure qu'elles vivent. L'auteur s'adresse aussi à celles qui ont des souvenirs douloureux de perte d'enfants avant la naissance, ou d'infertilité.*

Entre mère et fille

Lorsqu'elle attend un enfant, surtout au cours de la première grossesse, la femme est entraînée dans un mouvement d'identification à sa propre mère ; les liens, les échanges qu'elle a eus avec elle dans sa toute petite enfance, la chaleur, la tendresse, le dévouement dont elle a été entourée, tout ceci affleure plus ou moins à la conscience. Lorsque mère et fille s'entendent bien, leurs relations se transforment, s'approfondissent. Elles sont heureuses d'évoquer des souvenirs anciens, de regarder des photos. C'est en s'appuyant sur son histoire personnelle, sur ces relations précoces, que la future mère va développer les premiers liens avec son enfant. Les femmes qui n'ont pas de références maternelles positives, ou qui n'ont plus leur mère, s'inquiètent souvent de ne pas pouvoir être à la hauteur dans leur nouveau rôle. Si vous êtes dans cette situation, n'hésitez pas à demander de l'aide si vous en ressentez le besoin. Devenir parent est parfois complexe, jamais impossible. Sachez aussi que les mères disent souvent que les doutes éprouvés pendant la grossesse disparaissent après la naissance, lorsqu'elles s'occupent de leur bébé et prennent soin de lui.

Devenir mère, c'est aussi pour la femme se détacher de sa propre mère pour assumer les responsabilités qui découlent de son nouveau statut. Certaines grands-mères acceptent difficilement de s'effacer, de laisser plus de distance dans la relation avec leur fille ; elles maintiennent avec elle des rapports de proximité, voire de domination ou de rivalité. Ce qui peut provoquer des tensions. Les mères, ou belles-mères, trop interventionnistes sont souvent mal supportées par les futurs parents. Ainsi cette jeune femme agacée par tous les achats que sa mère fait pour le bébé ; ou cette belle-mère qui donne son point de vue sur tout, sans tenir compte du changement d'époque et de la capacité du couple à s'organiser.

Lorsqu'une mère voit sa fille devenir mère, il arrive que ce soit un passage pour elle aussi. Elle prend conscience de la force des liens qui existent entre sa fille et son compagnon et elle peut éprouver un sentiment d'abandon, d'exclusion. Cela d'autant plus fortement qu'elle sait que, pour elle, le temps de la maternité est dépassé. Être conscientes de ces ressentis permet de mieux se comprendre et de garder des limites, de part et d'autre, sans dramatiser.

Bien souvent, heureusement, la prochaine naissance rapproche mère et fille : plaisir d'avoir un petit-enfant, plaisir que sa fille puisse être mère à son tour, dans la continuité des générations ; bien des nouvelles grands-mères aiment offrir à leur fille un bijou pour marquer le nouveau lien qui les unit. De son côté, sa fille éprouve un sentiment de gratitude, elle sait qu'elle peut compter sur l'expérience et la bienveillance de sa mère.

Entre père et fille

La grossesse, avec la force des mouvements psychiques qu'elle suscite, fait souvent s'interroger la future mère sur les relations qu'elle a eues avec son père étant enfant, puis adolescente, une expérience de confiance ou au contraire des liens insuffisants. Le regard du père sur sa fille occupe une place importante dans la construction psychique et le passage de petite fille à jeune fille, puis femme et mère, comme s'il existait un lien entre la qualité de ce regard - valorisant ou peu gratifiant - et l'accomplissement de sa féminité et l'épanouissement de sa vie amoureuse. Le père sert de référence, plus ou moins consciente, dans les choix amoureux en tant qu'homme idéal ou au contraire non recommandable : « Je ne pourrai jamais vivre avec un homme comme mon père ».

Reconnaître que sa fille grandit, admettre qu'un homme puisse l'aimer, la trouver séduisante, attende un enfant avec elle, n'est pas facile pour certains pères. C'est accepter de voir sa fille s'éloigner, c'est se rendre compte que son rôle protecteur s'atténue, c'est aussi vieillir…

Certaines relations entre pères et filles sont naturellement simples et affectueuses. Chez d'autres, les liens peuvent se transformer, évoluer, s'ils prennent conscience d'un vécu émotionnel fort et arrivent à dépasser des ressentiments : le père peut exprimer à sa fille la fierté et la joie d'avoir grâce à elle un petit-enfant ; la future mère se sent confortée dans son nouveau statut de n'être plus seulement la fille de ses parents mais parent à son tour. C'est parfois en s'accordant avec l'homme qui partage sa vie que l'on se met à mieux comprendre son père et qu'on peut avoir avec lui un échange authentique.

POUR EN SAVOIR PLUS
Les filles et les pères, d'Alain Braconnier, Editions Odile Jacob Poche.

La première échographie

Il n'y a pas si longtemps, il fallait attendre neuf mois pour découvrir le sexe du bébé, connaître son poids et sa taille, être parfois confronté à une anomalie de développement. Aujourd'hui, l'échographie montre une réalité de l'enfant alors que la femme se sent à peine enceinte. La première échographie dévoile l'existence d'un être qui vit en elle et se développe lui-même. Cet examen peut être vécu comme une intrusion. « J'ai l'impression d'être transparente et d'exposer ce que j'ai de plus intime » disent certaines femmes. En voyant à l'intérieur de son corps la présence d'un enfant, même si c'est une image virtuelle (comme le dit Sylvain Missonnier), la mère éprouve un sentiment étrange. En même temps, cette échographie marque une étape importante dans la construction de la maternité, de la paternité. Elle confirme une vie intra-utérine avec un cœur qui bat ; l'attente d'un ressenti corporel marquant la présence de l'enfant prend sa source ici. Les premiers liens entre les parents et leur enfant se tissent.

TROP D'ÉCHOGRAPHIES
ou de plus en plus sophistiquées, comme celles en 3D, peuvent appauvrir le mystère de l'attente, la rêverie nécessaire à l'imaginaire, si importants dans l'établissement des premiers liens maman-bébé. Elles peuvent aussi inquiéter. C'est ce que disent des équipes de maternité, obstétriciens, sages-femmes, psychologues.

Des situations particulières

Lorsqu'une femme apprend qu'elle est enceinte après une expérience de fausse couche, d'interruption médicale, après la perte d'un bébé avant la naissance, elle peut avoir de la peine à vivre pleinement sa grossesse. Les couples sont heureux de cette nouvelle mais en même temps craignent un nouveau drame. Au cours des premiers mois, la femme vit sa grossesse avec une certaine distance, elle ne veut pas totalement y croire. Elle parle peu de son bébé, elle hésite à penser à lui. Le couple attend souvent plusieurs mois avant d'informer son entourage de la nouvelle grossesse tant le processus de paternité, de maternité, a été désorganisé par l'expérience précédente de perte périnatale. L'angoisse est présente à chaque examen qui est vécu comme une étape, un obstacle surmonté, dans un parcours difficile ; elle peut persister jusqu'à l'accouchement. La plupart des couples ne seront soulagés que lorsqu'ils verront à la naissance leur bébé bien portant. Pour rassurer la future mère, l'aider à se représenter cette grossesse comme singulière, le soutien de l'équipe de la maternité est particulièrement important.

D'autres femmes, bien qu'émues de se savoir enceintes, n'éprouvent pas de sentiment de bonheur, elles acceptent difficilement leur grossesse ; elles sont inquiètes des responsabilités à venir, surtout si celle-ci survient à un moment de grandes difficultés (financières, de logement, tensions dans le couple, etc.), parfois aussi sans raison apparente. Vous pouvez vous entretenir de ce qui vous préoccupe avec une personne de votre choix : médecin de famille, sage-femme, psychologue, assistante sociale. Vous vous sentirez moins seule. Parler est un acte difficile mais c'est souvent le moyen privilégié pour comprendre ce qui se passe, pour soulager un malaise et du coup avoir accès à l'émerveillement de cette prochaine naissance.

Être enceinte après un parcours d'AMP

En contournant les difficultés (ou l'impossibilité) à procréer naturellement, l'AMP (Assistance Médicale à la Procréation) donne aux couples confrontés à une infertilité la possibilité d'une grossesse. Mais cette quête d'enfant passe par une instrumentalisation médicale du corps de la femme qui laisse peu de place pour imaginer l'enfant et la grossesse n'est souvent attendue que pour vérifier le bon fonctionnement du corps. En cas d'échecs des tentatives, le désir d'enfant est renforcé et devient alors la nécessité d'avoir un enfant pour combler un manque, un sentiment de frustration, d'injustice. D'ailleurs le temps de la grossesse, les neuf mois de gestation sont souvent oubliés pour ne penser qu'à l'enfant à venir, à l'enjeu de la parentalité pour être enfin comme les autres couples.

Lorsque survient une grossesse après une AMP, les couples pensent plus ou moins consciemment être mieux préparés à l'arrivée d'un bébé, à cause de la longue attente, de leur désir si fort d'avoir un enfant et de devenir parents. Mais ils peuvent être plus vulnérables aux angoisses d'avoir un enfant malformé, prématuré. Et si la grossesse est une victoire en soi, le bébé à venir est souvent trop idéalisé, laissant les parents se confronter à une désillusion après la naissance, avec les pleurs, la mise en place des rythmes de sommeil, les petites difficultés d'alimentation.

C'est pourquoi, si votre grossesse fait suite à une AMP, il peut être très bénéfique d'avoir un soutien psychologique individuel ou en couple durant la grossesse et de parler de vos difficultés, vos doutes, vos peurs... aux professionnels de la périnatalité et de la petite enfance (médecins, sages-femmes, puéricultrices). Vous pourrez ainsi vous préparer le plus sereinement possible à votre nouveau rôle, non pas de parents parfaits mais de parents bienveillants, attentifs aux besoins de leur enfant.

LE DEUXIÈME TRIMESTRE EST CELUI DE L'ÉQUILIBRE

Il est possible d'essayer d'expliquer à un homme l'état d'esprit d'une future mère, mais il est difficile de lui décrire les sentiments d'une femme qui pour la première fois sent vivre en elle son enfant. L'émotion est forte, profonde. « J'ai vu battre son cœur, je l'ai entendu, j'étais émue mais un seul petit mouvement de son pied dans mon ventre m'a bouleversée », nous a écrit une lectrice. Avec ces premiers mouvements commence entre la mère et son enfant une relation qui se prolongera bien au-delà de la naissance, un lien singulier et mystérieux s'établit entre eux.

Ces premiers mouvements font prendre conscience de l'existence d'un être ayant une vie propre. Ils ont une grande importance pour toutes les femmes. Celles qui n'osaient montrer leur plaisir s'y abandonnent maintenant qu'elles sont sûres d'une présence. Et pour celles qui ont eu de la peine à accepter leur grossesse, la période des premiers mouvements est capitale. Souvent ce signal, venu de l'enfant lui-même, apaise leurs hésitations.

Bébé imaginaire, bébé imaginé

Selon les cultures, les familles, tout futur parent a un bébé imaginaire commun à cette histoire socio-culturelle, comme par exemple les représentations un peu schématiques des enfants données par la télévision, la publicité. Petit à petit, ce bébé imaginaire va faire sa place au bébé imaginé par la mère, par le père, en référence à leur propre histoire ; il s'agira de leur enfant, unique et singulier. Avec les premiers mouvements, l'échographie, la connaissance - ou non - du sexe, la mère imagine son bébé. Elle le fait ainsi exister et lui donne une place avant la naissance. Elle se concentre sur la grossesse, l'intérieur du nid utérin et son bébé. Elle apprécie la compagnie de femmes enceintes ou de mères avec qui elle peut partager émotions et préoccupations. La rêverie maternelle, paternelle, les inter-rogations sur le sexe de l'enfant, son prénom, son caractère, ses ressemblances, illustrent vraiment cette période.

Épanouissement...

Ce deuxième trimestre s'ouvre sous les meilleurs auspices. Les nausées disparaissent, le sommeil revient, l'appétit également. Vers 4-5 mois, la grossesse commence à se voir, mais elle n'est pas gênante. C'est souvent le moment que les femmes choisissent pour acheter quelques vêtements adaptés et ainsi se sentir plus à l'aise. Selon leurs goûts, leur personnalité, certaines chercheront plu- tôt à cacher leur ventre, d'autres aimeront le mettre en valeur avec un bandeau de couleur ou des tenues ajustées.

Pendant la grossesse, le corps de la mère se transforme pour accueillir son enfant. C'est tout le corps qui s'adapte au développement du bébé : le ventre s'arrondit, le poids change, les seins gonflent et deviennent fermes. Beaucoup de femmes craignent de n'être plus désirables aux yeux de leur conjoint. Arriver à s'accepter telle que l'on est pour le bien-être de son bébé aide à mieux vivre ces transforma-

COMMENT UNE FEMME DEVIENT-ELLE MÈRE ?
Par quelles étapes passe-t-elle pour acquérir sa nouvelle identité ? À ce sujet, Daniel Stern et Nadia Bruschweiler-Stern ont consacré tout un livre très intéressant : **La naissance d'une mère** *(Odile Jacob Poche).*

tions corporelles. En plus, il s'avère que beaucoup d'hommes trouvent leur femme attirante pendant la grossesse avec quelques rondeurs. Ils sont émus et attendris par la beauté de ce corps qui porte leur enfant.

... et hypersensibilité

La grossesse est une période de grande sensibilité qui peut se traduire par des humeurs chan-geantes, une irritabilité, de l'émotivité : « Quand je regarde un film, je peux pleurer même quand ce n'est pas triste... c'est incontrôlable. Ensuite nous en rions avec mon mari tellement c'est ridicule... ».

Les moindres gestes ou comportements, remarques ou questions autour de leur corps peuvent être mal interprétés ou susciter des émotions inhabituelles chez les femmes enceintes. Certaines supportent mal qu'une personne, pourtant de leur entourage, s'autorise à toucher leur ventre, sous prétexte par exemple que cela porte bonheur ; elles trou-vent ce geste indélicat, une intrusion dans une intimité que l'on ne veut pas nécessairement partager. Le regard des autres sur ses rondeurs peut produire une certaine gêne chez la future mère. Mais les regards peuvent aussi être chaleureux et empa-thiques. Aude vient d'annoncer sa toute nouvelle grossesse à

> **L'ENTRETIEN PRÉNATAL PRÉCOCE (EPP)**
> *L'EPP (p. 211) est fait pour vous aider à vivre au mieux votre grossesse et vous préparer à accueillir votre bébé.*
> *Il s'adresse aussi au futur père qui souhaite qu'on réponde à ses interrogations.*

ses collègues. Elle est étonnée, et touchée, de voir que dès le lendemain son siège habituel a été rem-placé par un fauteuil très confortable.

À la fin du second trimestre, le bébé commence à réagir au monde extérieur : il perçoit son envi-ronnement, la voix de ses parents, les sons, les émotions de sa mère, les caresses sur le ventre. La mère se sent disponible pour accueillir les premiers signes de vie de son bébé, c'est un temps propice à une rencontre intime prénatale. Il peut arriver que cette rencontre soit difficile, pour différentes raisons (grossesse compliquée, soucis personnels, etc.). Osez demander de l'aide aux professionnels qui vous accompagnent.

AU TROISIÈME TRIMESTRE : DU BÉBÉ IMAGINÉ AU BÉBÉ RÉEL

Au premier trimestre l'enfant était un espoir, puis une certitude ; au deuxième, il est devenu présence ; au troisième trimestre, la date de l'accouchement se rapproche, l'enfant monopolise les pensées, les intérêts, les préoccupations de la mère.

Tandis que les événements qui font la trame de la vie quotidienne paraissent la toucher de moins en moins au fur et à mesure que passent les semaines, la mère est attentive au moindre signe de développement de son bébé, à sa croissance, à sa position, à ses périodes de calme ou d'agitation. À partir de ses rêveries, de ses pensées, de la perception des mouvements, des images échographiques, la femme a peu à peu imaginé son bébé. Maintenant, elle lui attribue des qualités, l'intègre dans le cadre familial, fait des projets pour lui. Avec la naissance qui s'approche, l'enfant réel prend progressivement la place de l'enfant imaginé. La mère, le père, se préparent à accueillir leur bébé.

Les séances de préparation à la parentalité et à la naissance sont également utiles pour vous guider dans vos préoccupations maternelles, pour aider votre conjoint à les comprendre, éventuellement vous aider à dialoguer. C'est aussi un lieu qui permet de faire le lien entre les modifications corporelles, le développement du bébé et l'approche de l'accouchement ; et qui vous aidera à préparer l'allaitement si c'est votre intention, ou vous informera sur l'arrêt de la lactation si vous ne souhaitez pas allaiter.

La sage-femme ou le médecin remarquent parfois que la future mère reste très loin des préoccupations de l'accouchement, de l'arrivée du bébé, ou est au contraire envahie par des angoisses s'y rapportant. Ils proposeront à ces mères de rencontrer une psychologue de la maternité pour les aider à mieux reconnaître la réalité de leur enfant, ou apaiser leurs inquiétudes. .

Au cours du troisième trimestre, certaines mères deviennent moins performantes sur le plan intellectuel : elles ont de la peine à s'intéresser à leur travail, elles sont moins attentives, elles ont des défaillances de mémoire. Certaines femmes craignent de ne plus avoir les mêmes capacités lorsqu'elles reprendront leur travail. Qu'elles se rassurent : ces modifications n'ont rien à voir avec des pensées dépressives, ni avec une perte de compétence ; elles sont une adaptation transitoire aux soins nécessaires pour elle-même pendant la grossesse et pour le bébé ensuite. Le congé de maternité sert à se laisser aller à cette saine « préoccupation maternelle primaire » décrite par le psychanalyste D.W. Winnicott.

Les aînés

L'enfant bouge de plus en plus, même et surtout pendant le sommeil de sa mère et, par ses mouvements, il attire chaque jour un peu plus son attention. Cette présence rappelle les préparatifs à faire : un berceau à acheter, une layette à compléter, une préparation à l'accouchement à suivre. On dirait parfois que la future mère désire s'isoler, même de ceux qu'elle aime, ce que sentent bien les aînés. Tout enfant sachant que sa mère est enceinte est habité par des sentiments ambivalents, à la fois positifs et agressifs car il désire rester le seul, l'unique, pour ses parents. Les signes de régression de l'aîné traduisent cette inquiétude de perdre sa place privilégiée : les enfants cherchent à provoquer l'attention et le contact avec leur mère ; ils refusent de s'habiller, de manger seuls, ils exigent leur maman au coucher, ils l'appellent au cours de la nuit, ils mouillent de nouveau leur lit. Les enfants expriment ainsi leur crainte et c'est aux parents de les rassurer en leur montrant l'attachement qu'ils leurs portent, tout en parlant du bébé qui va naître comme d'un événement familial naturel. Nous en parlons en détail dans *J'élève mon enfant*.

Arrangez-vous pour venir aux échographies sans vos aînés, venez seule ou avec votre conjoint. L'échographie est un examen médical qui requiert toute l'attention du médecin. Et vous, vous avez besoin de vivre pleinement le temps de la découverte, de la rencontre avec votre bébé. De plus la salle d'examen, les appareils, peuvent être impressionnants pour un jeune enfant.

Dans une famille recomposée

C'est peut-être votre premier enfant, mais il y a un ou des aînés de votre conjoint. Ou au contraire, vous avez déjà l'expérience d'une grossesse, d'un accouchement, mais c'est le premier enfant pour votre mari. Dans une famille recomposée, les aînés ont besoin d'être rassurés sur l'amour que chacun des parents leur porte et sur le fait qu'ils ne sont pas responsables de la séparation. Le beau-parent peut avoir une place délicate en renforçant la nostalgie du couple parental. Il peut aussi apporter de la stabilité.

L'organisation de la vie matérielle avec les enfants d'un conjoint n'est pas toujours simple. Une femme enceinte a besoin de se reposer et le couple doit s'organiser ensemble pour qu'elle puisse le faire. La présence intermittente des enfants aînés peut être fatigante pour la mère et aussi stressante pour le père ou le beau-parent. Mais les moments où ils sont absents donnent l'impression d'attendre son premier enfant, dans le calme et la disponibilité au bébé à naître, en couple amoureux.

Cela peut être très rassurant pour celui qui découvre la grossesse de s'appuyer sur l'expérience de celui qui la connaît. Même pour une femme qui attend son premier enfant. Mais il peut aussi y avoir des craintes par rapport à cette expérience : « L'accouchement de sa première femme a été facile. J'ai peur qu'une complication survienne pour moi et qu'il m'en veuille », disait une future maman. Cette comparaison témoigne du besoin de réconfort de cette maman.

Rêves et cauchemars

Lorsqu'on attend un enfant on rêve beaucoup, souvent d'une manière très intense et en plus on s'en souvient (d'ailleurs tout au long de la grossesse, pas seulement à la fin). Des rêves de plénitude, d'enveloppement, d'eau ; mais ils se transforment parfois en cauchemars et peuvent être extrêmement violents, nous le signalons car c'est fréquent et cela inquiète. Il y a des mères qui craignent que ces rêves ne soient prémonitoires ; nous pouvons vraiment les rassurer, ce qui se passe est normal. Cette activité onirique est due à l'important remaniement psychologique de la grossesse ; il se passe la même chose dans toutes les périodes décisives de la vie, vous l'avez certainement observé, on rêve davantage. Ces rêves s'expliquent par ce que Monique Bydlowski appelle la **transparence psychique** de la femme enceinte. Pendant cette période, la mère revit avec intensité des événements qui ont traversé son enfance ; des souvenirs très anciens, jusque-là refoulés, affleurent à la conscience, émergent avec une facilité inhabituelle et se manifestent dans les rêves et cauchemars. Dans certaines maternités, les femmes enceintes peuvent avoir quelques entretiens avec un psychologue pour parler de ce qui les préoccupe : angoisses, phobies, cauchemars, etc., et y trouver un sens.

Les dernières semaines

La grossesse est une évolution et non pas une révolution. Qu'elle soit de tempérament actif, la future mère courra les magasins, voudra installer le coin du bébé ; qu'elle soit plus réservée, elle s'évadera dans ses rêveries. Mais dans les deux cas, ses pensées, ses préoccupations tourneront autour de l'enfant. Toutes les femmes essaient de se préparer mentalement à la naissance, en imaginant ce qui peut se passer, même s'il est bien sûr impossible de le savoir vraiment. Ces pensées sont utiles pour apaiser les appréhensions, les angoisses. Et ne vous contentez pas des récits, des expériences de vos proches, posez aussi des questions aux professionnels qui vous entourent, les sages-femmes, les obstétriciens : « On me dit que mon bébé est gros : va-t-il pouvoir passer ? », « Ma mère a un ventre tellement abimé par ses trois césariennes, j'ai peur pour moi ! ». Ne restez pas avec ces inquiétudes.

Le troisième trimestre est souvent un moment où les mères, malgré le poids du bébé, malgré sa présence encombrante, le portent avec un bonheur manifeste qui suscite encore plus l'empathie. Puis, à mesure que les semaines passent, que le bébé pèse plus lourd, que la future mère dort moins bien, est moins alerte, une certaine lassitude apparaît et, avec elle, le désir que maintenant les événements se précipitent. Certaines mères s'inquiètent d'en vouloir à leur bébé qui tarde à venir. Qu'elles se rassurent, c'est un sentiment normal. Les dernières semaines semblent alors plus longues que celles qui ont précédé. D'ailleurs, cette impatience a un avantage : elle estompe l'appréhension de l'accouchement qui persiste toujours plus ou moins. On peut se demander pourquoi cette crainte demeure si souvent présente aujourd'hui alors que les progrès médicaux devraient rassurer. Cette peur est sans doute liée à l'inconnu, à cette expérience singulière vécue comme un passage initiatique. « Est-ce que tout va bien se passer ? » interrogent les mères. « Mon bébé ne s'est pas retourné, le médecin parle d'une césarienne. Et moi qui voulais accoucher par voie basse. Je vais passer au bloc… sans mon mari… » Il faut ajouter que l'hypermédicalisation qui entoure souvent la naissance, les informations véhiculées par certaines émissions de télévision, ne rassurent pas les parents. Ne vous inquiétez pas, une femme qui accouche dans une maternité n'est jamais seule mais entourée d'une équipe qui veille sur elle et son bébé, sans oublier le futur père.

À la veille d'accoucher, la mère est souvent saisie d'une grande activité, d'une envie de rangements, de nettoyage, de mise en ordre, de déménagement de mobilier, énergie qui contraste avec la lassitude des jours précédents. Elle est comme « un oiseau qui prépare le nid pour son petit ». C'est signe que la naissance est proche. Les pères, eux aussi, préparent le nid en bricolant, en installant la chambre.

DES CHOIX À FAIRE, DES DÉCISIONS À PRENDRE

En plusieurs occasions, la future maman peut avoir à entendre les conseils et expériences des uns et des autres : sa mère « parce qu'elle l'a mise au monde » ; le médecin ou la sage-femme auréolés d'expérience, de technique et de pouvoir ; l'amie, une sœur qui a déjà eu des enfants, parce que « je suis de ta génération et pas de celle de ta mère ».

Ces conseils sont utiles. Avoir une famille, un entourage, qui vous soutient est un confort appréciable à tous points de vue. Mais ce souci de protection peut devenir pesant pour la future mère. Certaines femmes se disent fatiguées de ces bonnes intentions. Il est souhaitable que la société, la famille, les amis, gardent une bonne distance et n'exercent pas une forme de domination.

Lorsque vous serez bien renseignée sur ce qui se passe dans votre corps, bien au courant du développement de votre enfant, bien suivie par le médecin ou la sage-femme, c'est-à-dire assurée que du côté santé tout va bien, faites-vous confiance pour les décisions à prendre ; c'est d'abord vous qu'elles concernent. Qu'il s'agisse de votre désir – ou non – de connaître le sexe de l'enfant avant la naissance, de votre souhait – ou non – que votre conjoint assiste à l'accouchement, de votre désir – ou non – d'allaiter, de votre désir – ou non – de péridurale, renseignez-vous, écoutez les autres, discutez-en, mais qu'en dernier ressort ce soit votre choix qui l'emporte.

C'est vous qui êtes la plus impliquée dans cet événement, c'est de votre corps qu'il s'agit, c'est donc normal que ce soit d'abord à vous de choisir. Et c'est avec votre mari, votre compagnon, que vous aurez envie de partager les décisions.

FRAGILITÉ PSYCHOLOGIQUE OU ÉTAT DÉPRESSIF ?

Devenir mère amène à se poser des questions sur ses capacités à assumer ses nouvelles responsabilités, notamment lors d'une première grossesse. Chez certaines femmes, la grossesse peut même représenter une véritable épreuve physique et psychique. Cet événement entraîne des émotions, des sensations qui peuvent être constructives mais aussi sources d'angoisse, de craintes, de doutes.

Durant la grossesse, les femmes ressentent plus ou moins fortement diverses formes de manifestations anxieuses voire dépressives. D'autant plus qu'il est quasiment impossible de ne pas se sentir sensible, vulnérable, lorsqu'on attend un enfant.

Au premier trimestre, cette fragilité se manifeste par des changements rapides d'humeur, la femme enceinte passe par des moments d'anxiété, d'irritabilité qui peuvent exprimer la peur d'avoir un enfant anormal ou de le perdre. Au cours du deuxième trimestre, l'instabilité émotionnelle diminue souvent grâce aux mouvements du bébé et aux échographies qui rassurent la future mère. Au troisième trimestre, l'angoisse se fonde principalement sur la peur de l'accouchement.

Et il est courant que la grossesse fasse ressurgir des événements de son histoire, de son enfance (expériences du passé, liens avec sa mère, son père…) et aussi confronte la femme avec l'étrangeté de la transformation de son corps et avec les nouvelles sensations provoquées par les mouvements de son bébé.

Tout ce vécu émotionnel peut fragiliser mais il existe une différence entre ce qu'on peut appeler une « dépressivité », un état dépressif et une dépression. La « dépressivité » est une situation transitoire, c'est une adaptation provoquée par la grossesse et qui prépare mentalement la femme à l'accueil de son futur bébé. Un état dépressif peut être favorisé par des circonstances psychologiques ou un contexte médico-social (difficultés conjugales ou matérielles, rupture sociale ou familiale, événement survenu brutalement, grossesse à risques …). La dépression sévère témoigne d'un ensemble de défaillances et de grandes fragilités tant chez la femme que parfois dans son entourage. Le risque d'une dépression pendant la grossesse est de se poursuivre après la naissance et d'affecter les relations avec le bébé.

Ne pas s'isoler

Les symptômes de ce mal être sont ressentis plus ou moins intensément : fatigue, tristesse, sentiment de dévalorisation, troubles du sommeil, manque d'entrain, inquiétudes exagérées et intenses (crises de larmes) concernant l'enfant à venir, manifestations somatiques (perte d'appétit, mal au dos …). Les futures mères se demandent comment elles vont arriver à sortir de cet état de profond malaise, d'autant plus que les proches ne savent pas toujours comment les aider et prodiguent des conseils souvent inadaptés du genre : « Prends sur toi, pense à ton bébé, tu as tout pour être heureuse. » C'est justement ce qu'il ne faut pas dire : ce mal être prénatal est moins connu que le *baby-blues* ou la dépression du post-partum mais il est un signe de souffrance qui n'est pas à négliger.

Dès que cet état s'installe, il ne faut pas vous isoler mais demander de l'aide à l'équipe qui vous suit : assistée de psychologues, elle est formée pour vous soutenir si vous deviez traverser des moments difficiles, pour soulager votre souffrance et conseiller vos proches. Et lorsque ces difficultés seront dépassées, vous vous sentirez mieux, plus disponible pour vous occuper de votre enfant.

LA NAISSANCE D'UN PÈRE

Nous attendons un enfant... « J'ai appris cela un soir en rentrant. J'étais stupéfait. J'avais du mal à y croire. » Même lorsque la grossesse est prévue, attendue, l'homme est souvent surpris de l'annonce. « Moi, j'ai mis une semaine à le réaliser. Je ne cessais de dire à ma femme : en es-tu bien sûre ? » « J'ai été le premier à savoir. Ma femme était trop émue, elle m'a demandé de lire le résultat du test. »

ÉMOTIONS ET QUESTIONNEMENTS

Chez l'homme, le désir d'enfant s'exprime rarement spontanément. C'est souvent sa compagne qui en parle en premier et, s'il se sent prêt, l'homme adhère à ce projet d'enfant. Il arrive aussi que la femme repousse la décision et finalement accepte le souhait de son conjoint, notamment à cause de l'âge qui avance.

L'idée qu'il va avoir un enfant suscite chez l'homme de nombreux sentiments, souvent contradictoires, tant en ce qui le concerne que vis-à-vis de sa femme.

Tout d'abord il est heureux, très ému, même s'il n'ose pas trop le dire. Puis il est fier de savoir qu'il peut procréer : la découverte de la grossesse est généralement ressentie comme une confirmation de sa virilité. Il se sent renforcé dans sa valeur d'homme.

Futur père, il se rapproche de son père, il va devenir son égal et lui donner une nouvelle place, celle de grand-père. Veut-il lui ressembler ou s'éloigner de cette « figure paternelle » ? Une image valorisante lui donnera envie de s'en rapprocher. Mais il pourra aussi s'appuyer sur d'autres figures de pères : oncle, frère aîné, amis, etc. « Mon père était rigide, autoritaire. Lorsque nous avons attendu un enfant, j'ai aussitôt pensé à la famille d'un ami proche, à son père si chaleureux et si drôle ».

L'homme est conscient des transformations à venir : il va devenir un autre, un père. Sera-t-il à la hauteur ? Ces questionnements, ces doutes sont parfois renforcés par l'entourage, les amis qui préviennent : « Tu vas voir comme c'est difficile d'élever un enfant. » « La liberté c'est bien fini, adieu les sorties à l'improviste. » Mais d'autres trouvent les mots qui rassurent, ils savent transmettre les émotions éprouvées lors de la naissance de leur bébé et les joies qu'ils ont à s'occuper de leurs enfants.

La fierté d'un homme à l'idée d'avoir un enfant lui fait éprouver pour sa femme de l'admiration, de la reconnaissance, de la tendresse. Mais en même temps, cette femme qui va devenir mère lui semble tout à coup différente : il sent qu'elle devient une autre personne – il a raison d'ailleurs –, une personne qu'il lui faudra redécouvrir. L'irritabilité, la fragilité de sa compagne le surprennent, il peut redouter de se sentir envahi par l'émotion qu'elle ressent, le bébé à venir est au cœur des échanges.

À QUEL MOMENT L'HOMME SE SENT-IL PÈRE ?

Il y a des hommes qui se sentent pères dès le jour de la conception. Il y en a pour qui la révélation se produit lorsqu'ils entendent les bruits du cœur de leur bébé ou le jour de la première échographie. Il y en a qui découvrent la paternité en prenant pour la première fois leur enfant dans les bras. Il y en a enfin qui ne prennent vraiment conscience de leur paternité que plusieurs mois après la naissance. La paternité ne naît pas un jour précis, la naissance d'un père se fait par étapes. L'homme ne vit pas la grossesse dans son corps mais dans sa tête et dans son cœur ; ne pas sentir l'enfant se développer dans sa chair, mois après mois, ne l'empêche pas de se préparer à la paternité.

Un temps d'adaptation

Les liens amoureux se modifient, le désir sexuel change. Les hommes peuvent se sentir frustrés pour le présent et inquiets pour l'avenir. D'autres ont peur de faire mal au bébé lors de relations sexuelles. C'est une crainte non fondée (p. 34). Pourtant certains hommes restent réticents. Il est important que la mère et le père prennent le temps de parler entre eux, de s'exprimer sur l'évolution de leurs relations amoureuses, d'être à l'écoute de ce que chacun ressent.

Le père est parfois inquiet du lien privilégié qui se noue entre sa femme et leur bébé à naître, il craint de se sentir exclu. Certains hommes se réfugient dans leur vie professionnelle, un endroit où leur compétence est reconnue, où ils se sentent à l'aise et qui leur permet d'oublier un peu la grossesse et le bébé. Heureusement, malgré leur grande proximité avec l'enfant, bien souvent les futures mères ont l'intuition de ce sentiment et laissent le père prendre la place qu'il souhaite occuper.

Certains hommes s'inquiètent pour la santé de leur femme, souvent plus qu'elle-même dont toutes les préoccupations sont tournées en direction du bébé. Ils se sentent soit responsables soit impuissants de ce qui pourrait lui arriver.

Même s'il ne ressent pas ces craintes, le père se rend compte que matériellement la vie va changer : les projets ne seront plus à faire pour deux mais pour trois, certains deviendront même impossibles – au moins au début. Et l'homme se sent d'autant plus responsable de cette nouvelle organisation que souvent sa femme a besoin de son soutien, de son empathie, qu'il prenne des initiatives.

Les sentiments d'un futur père sont donc variés, et contradictoires en apparence : il a le sens de ses responsabilités nouvelles et il craint d'être mis à l'écart ; il se sent renforcé dans sa valeur d'homme en même temps qu'il a une impression d'inutilité vis-à-vis de sa femme ; il s'inquiète pour sa santé et parfois il a envie d'oublier qu'elle est enceinte ; devant sa compagne, il est comme intimidé tout en sentant qu'il prend de l'assurance, qu'il mûrit en étant bientôt père.

Ces réactions sont d'autant plus fortes qu'il s'agit d'un premier enfant, puisque tout est nouveau, tout est à découvrir. Au deuxième, au troisième enfant... les pères se sentent tout aussi concernés mais ils vivent cette période avec plus de sérénité.

Une période de vulnérabilité chez certains pères

Attendre un enfant est un tel bouleversement que certains hommes manifestent leur fragilité de différentes façons : troubles du sommeil, troubles digestifs, prise de poids. On sait aujourd'hui en écoutant les pères, notamment dans des groupes de paroles, que ce qu'ils ressentent est souvent méconnu car ils n'en font que rarement état spontanément. La plupart du temps ces troubles sont transitoires et tout rentre dans l'ordre lorsque le couple peut en parler et que chacun trouve sa place. Mais s'ils deviennent gênants pour la vie quotidienne il ne faut pas hésiter à en faire part à un professionnel. Dans certaines maternités les psychologues reçoivent également les futurs pères, avec ou sans leur compagne.

Une situation difficile : la détresse de l'homme à l'annonce de la grossesse

Cette annonce peut parfois faire « éclater » le couple et provoquer chez l'homme un départ soudain et précipité du domicile conjugal. Certains hommes peuvent plus tard dire qu'ils n'étaient pas prêts, ou qu'ils se sont sentis piégés et ont paniqué. D'autres hommes ont des histoires d'enfance doulou-reuses, les souvenirs d'un père violent ou pas affectueux, et ils refusent la paternité à cause de l'an-goisse de reproduire les mêmes gestes, les mêmes comportements.

LES FUTURS PÈRES ET LA GROSSESSE

L'annonce de la grossesse est le premier moment fort du futur père. Rapidement arrivent les ren-dez-vous médicaux, les recommandations alimentaires qu'il va partager avec sa compagne, quelques précautions à prendre qui modifient un peu la vie quotidienne.

Le premier et le début du deuxième trimestre semblent peu marquants pour certains pères, en dehors des échographies. La fin du deuxième trimestre, avec l'apparition des mouvements fœtaux, est plus significative. Les pères sont heureux de parler du contact physique qu'ils ont avec leur bébé en posant la main sur le ventre de leur femme : « Le soir, j'aimais câliner son ventre. La première fois que je l'ai fait, j'ai senti que cet enfant était à nous deux. » Les pères qui pratiquent l'haptonomie res-sentent encore plus cette relation particulière.

Au troisième trimestre, l'aspect matériel implique concrètement les pères : préparer la chambre, prendre plus en charge les tâches ménagères, organiser différemment la vie sociale, voir comment il sera possible d'emmener sa femme à la maternité, préparer le congé de paternité...

L'échographie

La première est souvent la plus importante pour l'homme, elle apporte du concret : « Ça officialise. À partir de là, j'ai commencé à faire des projets. » « C'est comme un rendez-vous avec mon bébé. C'est magique : on voit son enfant "en entier", on voit son coeur battre, on le voit bouger par de toutes petites secousses. J'en ai frissonné d'émotion. »

Découverte, satisfaction, étonnement, soulagement, joie, émerveillement, sont les mots qui reviennent lorsque les pères parlent des échographies. Ils ajoutent :

« - Le bébé devient plus visible, donc plus réel, plus présent... Enfin voir le bébé pour de vrai.

- Le premier regard sur mon enfant... On sent la vie.

- On connaît le sexe, les mensurations.. Je ne l'imaginais pas si développé pour 12 semaines.
- On comprend mieux l'évolution du bébé et les réactions de la maman... Cela permet de sortir du côté « flou » qu'est la grossesse pour un homme.
- Je suis encore plus heureux... Il vit déjà avec nous. »

Aller aux séances de préparation à la naissance ? Aux consultations ?

Les futurs pères ne participent pas tous de la même manière à la grossesse de leur femme. Certains la vivent vraiment avec elles. « J'ai vécu la grossesse de Carole du début jusqu'à la fin. Je demandais à partir plus tôt. Pour un peu, j'aurais arrêté de travailler en même temps qu'elle ! » Ces pères vont aux séances de préparation à la naissance : « J'ai manqué quelques séances à cause de mon travail et je l'ai regretté. Je trouve que les pères posent des questions pratiques que les mamans n'osent pas poser : quand aller à la maternité ? Est-ce qu'il faut appeler une ambulance ? Vers la fin de la grossesse, des parents sont venus nous raconter comment cela s'était passé pour eux, ce que nous avons fait par la suite aussi. » Les pères apprécient la visite de la maternité, ils aiment connaître le chemin de la salle de naissance, ils ont besoin de visualiser l'endroit.

Des pères suivent la préparation par femme interposée : « Ma femme me racontait en rentrant, comme ça j'étais prêt pour l'accouchement ». Mais d'autres ne peuvent ou n'ont pas envie de participer aux séances. C'est pour eux un endroit réservé aux femmes et il est vrai que certaines futures mères préfèrent y aller seules, rester entre elles. Certaines sages-femmes organisent une ou deux séances avec les pères, les autres séances sont réservées aux femmes. Dans certaines maternités il existe des groupes de paroles pour les futurs et nouveaux pères. Si ceux-ci ont envie de participer, ils doivent en parler et trouveront sûrement des lieux où ils seront les bienvenus.

Certains pères, peu nombreux, s'organisent pour être présents aux consultations mensuelles. Ils apprécient ce moment avec leur femme autour du bébé à naître, ils viennent prendre de ses nouvelles. Ils se renseignent sur son développement : quand vont-ils percevoir les premiers mouvements ? Quand le bébé va-t-il entendre ? Pourquoi ne s'est-il pas encore retourné ? Mais d'autres pères sont gênés d'être spectateur de l'examen vaginal, intime.

> **DÉJÀ PÈRE AVANT LA NAISSANCE**
> *C'est le titre du livre de Bernard This et Raymond Belaiche (Belin) : une rencontre entre un psychanalyste et un obstétricien pour permettre au père de prendre la place qui lui revient et d'entrer en relation avec son enfant avant la naissance.*

Les échographies, les consultations prénatales, les séances de préparation, l'haptonomie, aident l'homme à se représenter son enfant, à lui donner une réalité, à se sentir proche de lui, à se préparer à son nouveau rôle : il se sent père avant la naissance.

Les pères et l'accouchement

La question de la présence à l'accouchement se pose très tôt dans la grossesse chez certains hommes. Chez d'autres, ce sera un épisode de contractions au troisième trimestre qui les fera s'interroger. Et il y a les récits des amis, des collègues, qui parlent de la longueur de l'attente, de la sensation d'impuissance pendant les contractions, du sentiment d'être « dépassé » par la force montrée par leur femme, du bouleversement lors de l'arrivée du bébé. Mais qui témoignent aussi de leur fierté, de leur immense joie, d'avoir été là, tout simplement.

Lorsque le conjoint n'est pas présent lors de la césarienne (il ne le souhaite pas ou l'équipe médicale ne l'autorise pas), il se sent très seul. Les équipes sont conscientes de ce moment de solitude et s'efforcent de lui donner le plus tôt possible les premières nouvelles, puis de lui présenter son bébé.

La présence du père en salle de naissance n'est ni une évidence ni une obligation (p. 313). Vivre la période du travail, puis l'expulsion, avec la douleur, la vue du sang, peuvent heurter la sensibilité de certains hommes. C'est pourquoi le conjoint a parfois besoin d'être aidé pour préciser ses souhaits (présence en salle d'accouchement, coupe du cordon). Certaines femmes n'ont pas envie que leur mari assiste à l'accouchement. Elles veulent préserver leur intimité. C'est une pudeur compréhensible.

POUR AIDER VOTRE COMPAGNE PENDANT CES NEUF MOIS

Dès le début de la grossesse la future mère doit prendre des précautions alimentaires pour éviter la listériose (p. 247) et la toxoplasmose (p. 246) si elle n'est pas immunisée. Elle ne doit pas boire d'alcool ni fumer ni être dans une atmosphère enfumée. Cela signifie que les repas doivent être adaptés, ainsi que les achats et l'hygiène du réfrigérateur. C'est plus agréable lorsque le conjoint accepte les changements alimentaires, les anticipe lorsqu'il fait les courses et soutient sa femme dans les sorties pour éviter tabac et alcool.

Lorsque le déroulement de la grossesse impose du repos, une nouvelle organisation est à mettre en place pour s'occuper de la maison. « Avant 6 mois, j'étais spectateur ; quand Anne s'est retrouvée au lit avec des contractions, j'ai été tout à coup très impliqué, devant materner Anne pour qu'elle puisse materner le bébé. Je faisais tout. Cela faisait beaucoup. Mais c'était mon nouveau rôle. » La famille, les amis seront sollicités pour un peu d'aide. Il vous faudra parfois discuter avec votre compagne pour qu'elle accepte que la maison ne soit pas aussi bien tenue que lorsque vous êtes deux pour tout faire.

Il y a aussi la chambre à préparer, le matériel à acheter, à installer. La future mère préfère souvent que tout soit prêt très tôt, alors que le futur père, plus objectif, est moins pressé. Sachez que ce que vous préparez sera vécu par votre compagne comme un témoignage de l'intérêt que vous portez à l'arrivée de votre enfant, une participation à la construction de son nid. Lorsque la chambre est prête, c'est un souci de moins pour la maman.

Au troisième trimestre, la future mère est facilement essoufflée et la station debout peut être très désagréable pour les jambes et le dos. Il vaut mieux éviter les grandes marches, les visites aux musées ou expositions. Et pensez que la quasi-totalité de ses préoccupations sont tournées vers l'arrivée du bébé et que c'est normal. Si elle s'intéresse moins à vos activités, ce n'est pas qu'elle s'intéresse moins à vous. Au contraire, elle a besoin de vous, de votre attention. Elle peut craindre que vous vous détourniez d'elle et maintenant et après la naissance. Certaines femmes se sentent belles enceintes, d'autres se trouvent presque difformes ; le décalage du rythme de vie, des intérêts, leur font redouter d'être délaissées. Si votre femme vit dans cette crainte, une personne peut la réconforter : c'est vous. Quand on doute de soi, il suffit souvent de quelques mots pour reprendre confiance.

Écoutez ses peurs, rassurez-la. Les mots ont un pouvoir magique : ils peuvent inquiéter lorsque, par exemple, une amie raconte un accouchement difficile ; mais les mots peuvent aussi rassurer. Ces paroles, vous saurez les trouver. Si ses craintes persistent, demandez-lui d'en parler au médecin ou à la sage-femme qui suivent la grossesse. Pouvoir exprimer ses craintes, avoir des réponses permet souvent de s'apaiser.

En ce moment, chez votre femme, une force prodigieuse s'exerce. C'est la plus grande force qui existe dans la nature : celle qui est capable de faire se développer et naître un enfant ; aucune autre ne peut lui être comparée. Cela demande à la femme beaucoup d'énergie. Parfois elle en éprouve une certaine faiblesse, cela se comprend. Certaines femmes deviennent particulièrement sensibles ; une phrase mal comprise ou mal interprétée peut les impressionner. Cette future mère sort bouleversée du cabinet de son médecin et téléphone à une amie sage-femme lui disant qu'elle souhaite la voir tout de suite. Que s'était-il passé ? À la fin de l'examen, la gynécologue avait dit avec un air très sombre et les sourcils froncés :

« - Col long, fermé, postérieur.

- Mais c'est parfait, lui dit son amie, c'est que tout va bien.

- Alors pourquoi la gynécologue faisait-elle cette tête-là ?

- Elle pensait peut-être tout simplement à sa voiture qui était mal garée... »

DU COUPLE À LA FAMILLE

Aujourd'hui, le père a vraiment sa place auprès de sa femme pendant la grossesse. Bien que physiquement absent du processus biologique, il se sent très concerné psychologiquement et affectivement pendant cette période. La perspective de la naissance modifie l'équilibre du couple : le bébé prend de plus en plus de place dans les pensées et les préoccupations des parents. La naissance accentue cette évolution : l'enfant devient le centre de toutes les attentions. Les premières semaines, les premiers mois, la vie va tourner autour de lui. Les parents auront à s'adapter à son rythme, à ses besoins, ils n'auront plus beaucoup de temps à passer à deux, il va falloir s'organiser autrement.

Ce passage sera facilité par l'implication du père dans la vie du bébé. Le congé de paternité aide le papa à prendre une part active dans la mise en place d'un nouvel équilibre familial. Passer du temps avec son bébé, être proche de sa femme, s'occuper des autres enfants, favorisent son implication dans les soins et dans l'organisation de la maison. Plus le père s'occupera de son enfant, plus la mère aura du temps pour elle, plus elle pourra retrouver sa place de femme et exprimer ses besoins et ses envies. Cela l'aidera aussi à sortir de cette « préoccupation maternelle primaire » (selon l'expression de D.W. Winnicott dont nous avons déjà parlé) qui la concentre exclusivement sur son bébé. Une naissance renforce les liens à l'intérieur du couple, lui donne une autre dimension, un autre avenir.

PARENTS VULNÉRABLES
La façon dont un homme et une femme vivent l'attente de leur enfant dépend aussi d'événements extérieurs qui peuvent fragiliser (deuil, perte d'emploi, problème de logement ou financier, conflit ou instabilité dans le couple...). Dans ces situations de vulnérabilité, il est important de ne pas rester seul, d'en parler, par exemple au médecin, aux sages-femmes de la maternité ou de la PMI, à une assistante sociale, à une psychologue.

Si vous êtes seule

Lire ce qui précède vous aura peut-être donné un pincement au cœur. Attendre à deux ? Vous voudriez bien, mais le père n'est pas là. Il est peut-être parti avant de savoir que vous étiez enceinte, ou lorsque vous le lui avez annoncé. C'est au moment où l'homme prend conscience de la vie qui se prépare qu'il se sent parfois incapable de l'affronter.

Céline partage la vie d'un homme nettement plus âgé qu'elle ; elle aimerait un enfant mais Marc ne le souhaite pas : « Ce n'est plus de mon âge », lui dit-il chaque fois qu'ils abordent la question. Malgré cela, Céline attend un enfant, mais ne révèle sa grossesse qu'au 4e mois pour être sûre de pouvoir garder le bébé. Son compagnon se sent pris au piège, floué, et la quitte.

Il arrive qu'une femme choisisse délibérément d'avoir un enfant et de l'élever seule. Ce choix peut provenir du rejet volontaire d'une présence masculine. Ou bien la femme cherche « une compagnie » pour sa vie quotidienne, un but pour combler un manque d'amour ou une grande solitude Ou encore la femme souhaite avoir un enfant tant qu'elle peut encore procréer. Ce n'est pas facile de tourner la page, d'accepter de ne plus pouvoir porter et donner la vie.

RENSEIGNEMENTS PRATIQUES
Si vous êtes à la recherche d'une adresse ou d'une aide, vous trouverez des renseignements au chapitre 17.

Ces choix sont volontaires mais l'origine de ce désir d'enfant prend souvent sa source dans l'inconscient. Florence décide à 37 ans d'avoir un enfant. Elle rencontre un homme qui comble ce désir mais elle ne souhaite pas vivre avec lui. Le bébé naît, tout se passe bien. Ce n'est que quelques mois plus tard que Florence réagit d'une façon excessive, elle se sent très nerveuse, presque déprimée. Elle prend alors conscience que ce refus d'un homme et d'une vie en couple a des racines profondes. Il remonte à une déception amoureuse survenue il y a des années. Son ami l'a quittée du jour au lendemain sans qu'elle comprenne pourquoi. Ce sentiment d'avoir été abandonnée a été si fort que Florence n'est jamais arrivée à nouer une relation amoureuse satisfaisante avec aucun homme. Cette prise de conscience a été bénéfique pour Florence ; elle qui voyait dans son enfant la cause de sa dépression s'est alors détendue.

Dans certaines situations très difficiles, la femme ne se sent pas toujours capable d'élever l'enfant qu'elle attend. Elle souhaite le mettre au monde dans l'anonymat et qu'il soit ensuite confié pour être adopté. Voir pp. 325 et 447.

Qu'on ait choisi d'être seule pour élever son enfant, ou qu'on se retrouve seule, il est rare qu'il n'y ait pas de difficultés en chemin. D'autant plus que l'entourage n'est pas toujours tendre ni solidaire de ces mamans, comme si elles étaient seules responsables de cette situation. Ces réactions peuvent être accentuées par le fait qu'on sait aujourd'hui combien la présence du père est importante. Sonia, abandonnée au 4e mois de grossesse alors qu'elle et son compagnon avaient désiré ensemble leur enfant, nous écrit : « J'en arrive à culpabiliser car on nous dit partout que le papa est indispensable à l'équilibre d'un enfant. Pourtant ce n'est pas moi qui me suis mal conduite. »

Lorsqu'une femme se retrouve seule, elle risque de compenser l'absence de son ex-conjoint en développant avec l'enfant une relation trop protectrice qui peut devenir fusionnelle et le freiner dans l'acquisition de son autonomie. Il est important pour la mère de trouver quelqu'un à qui parler, en dehors de ses amis, de sa famille, une personne qui ne soit pas impliquée dans son histoire personnelle. Par exemple la sage-femme, la psychologue de la maternité, le médecin. L'entretien du 4e mois peut être un moment propice pour aborder ses difficultés, sa solitude et bénéficier d'un accompagnement adapté pendant la grossesse et après la naissance. Dans bien des cas, la famille et les amis apportent également un soutien affectueux et compréhensif, des aides matérielles.

Quelles que soient les circonstances, attendre un enfant est un événement si important qu'il peut être riche d'émotions et d'apprentissages, il est pour toutes les mères une étape de maturation.

LE PÈRE DE NAISSANCE

Le père compte pour l'enfant, même s'il n'est pas là. Si la mère a de cet homme une image traumatisante et dévalorisante, elle risque de projeter sur son enfant ses sentiments d'amertume, de frustration, de rejet. Or, il est important que la mère essaie de séparer son bébé de cette image négative, qu'elle favorise son développement en le préservant des conditions de la séparation. Car si au départ l'enfant est accablé par un passé douloureux, son développement pourrait s'en ressentir et la relation avec sa mère risque d'être perturbée. Tandis que si l'enfant est associé à des projets positifs et chaleureux, la vie de tous les jours sera plus facile.

Mais quelle que soit son image, et bien que physiquement absent, ce père devra prendre une place dans la vie de l'enfant ; cette place, c'est la mère qui la lui donnera en parlant de lui. Dire, comme certaines femmes, « Son père est mort » ou « Il n'a pas de père » est pour l'enfant une rupture de la filiation. Ce n'est pas toujours facile de parler à l'enfant de son père, mais si la mère n'y arrive pas, tôt ou tard, l'enfant le recherchera et il en voudra à sa mère de le lui avoir caché, quelles qu'aient été les circonstances. Dans la mesure du possible, essayez de garder un lien avec le père, votre enfant pourrait en avoir besoin pour se construire, développer sa personnalité. Sinon, gardez au moins une photo afin que l'enfant puisse avoir une image de son père. Mieux encore, une photo où figurent et son père et sa mère biologiques le confirmera dans l'idée qu'il est né de l'union de deux personnes qui s'aimaient.

La séparation, l'absence du père, engendrent souvent chez la mère d'intenses émotions, de l'angoisse que l'enfant peut percevoir. Ne restez pas seule : prenez contact avec des professionnels qui sont là pour vous aider, participez à des groupes de paroles de femmes ; non pas pour chercher à effacer une histoire douloureuse, mais pour apprendre à vivre avec elle, à la tenir à distance. Pouvoir parler de sa situation, échanger avec d'autres, permet de se libérer de fortes préoccupations souvent envahissantes. Et, finalement, « se décharger » favorise une meilleure relation avec son bébé et réciproquement.

Enfin, quel que soit votre cas, ne prenez pas de décisions hâtives (demander le divorce, déménager, aller vivre ailleurs). Il est certes important de préparer un départ ou une rupture, que vous connaissiez vos droits, par exemple les obligations financières du père, les aides que vous pouvez demander. Mais protégez-vous le plus possible en attendant de trouver des solutions appropriées à la situation. Essayez de ne pas vous laisser envahir par vos difficultés actuelles et profitez de ces moments précieux, de vos liens avec votre bébé.

« SI VOUS ÊTES SEULE »

C'est le titre de ce chapitre, mais en fait, vous ne le serez jamais vraiment. Jour après jour, votre bébé va vous accompagner. Si vous l'attendez, lui aussi vous attend, et même plus, il est là en vous, il vous sent près de lui, vous le sentez tout proche. En lisant certaines pages de ce livre, vous verrez à quel point le dialogue se noue très tôt, et comment, bien avant la naissance, un enfant et sa mère peuvent faire connaissance, et déjà s'aimer.

5

Avant la naissance : votre bébé et vous

Ce chapitre raconte **l'histoire de deux minuscules cellules**, à l'aube de la vie. Il fait le récit, mois après mois, du développement de l'enfant, bien blotti dans le corps de sa maman. Il montre comment l'organisme maternel s'adapte et se transforme pour accueillir le bébé et lui permettre de se développer. Il parle de cette vie mystérieuse et secrète que nous avons tous vécue avant la naissance mais dont nous n'avons plus de souvenirs.

À l'aube de la vie

Le début de la vie, ce sont des cellules qui se multiplient et se transforment mais, au départ, il y a une histoire d'amour. Cette histoire est multiple, variée, changeante, unique pour chaque couple tandis que la rencontre de deux cellules et ce qu'il en advient est la même, à quelques variantes près, pour tous. Et elle intéresse tous les futurs parents. La voici.

Pour que la vie se transmette, pour qu'un nouvel être soit formé, il faut que deux cellules, l'une venant de l'homme, le spermatozoïde, l'autre de la femme, l'ovule, se rencontrent. L'union de ces deux cellules forme un œuf de quelques centièmes de millimètre : l'œuf humain (ou embryon).

Cela semble simple aujourd'hui mais il a fallu des millénaires pour connaître ce que nous allons maintenant raconter : comment l'ovule et le spermatozoïde s'unissent pour former l'œuf humain : la conception ; comment cet œuf trouve dans l'organisme maternel un endroit confortable où il pourra se loger : la nidation ; et enfin comment pendant ces neuf mois, la grossesse, l'œuf se développera peu à peu, se nourrira, deviendra embryon, puis fœtus, puis nouveau-né, votre bébé.

Pour parler de l'aube de la vie, il faut entrer dans quelques précisions techniques, quelques détails scientifiques. C'est un chapitre à lire tranquillement mais nous pensons que cela vous intéressera, et vous étonnera, de connaître ces prémices de la vie.

LES DEUX CELLULES
QUI VONT TRANSMETTRE LA VIE

Cette histoire se passe dans ce qu'il y a de plus petit en nous : l'infiniment petit des cellules. Tout ce qui est vivant est composé de cellules de quelques millièmes de millimètre. Parmi ces milliards de cellules, certaines d'entre elles ont une fonction particulière : transmettre la vie. Ce sont les cellules reproductives, ou gamètes. Le gamète féminin est l'ovule. Le gamète masculin est le spermatozoïde.

L'OVULE

L'ovule, ou ovocyte, provient des ovaires qui sont les glandes sexuelles de la femme. Les ovaires sont situés dans le petit bassin, de part et d'autre de l'utérus (schémas 1 et 3). Les ovaires ont deux fonctions essentielles. La première est la sécrétion des hormones caractéristiques de la femme : les œstrogènes et la progestérone. La seconde est de produire, au cours de chaque cycle de 28 jours, un ovule : c'est l'ovulation. À la naissance, chaque petite fille possède un énorme stock d'ovules (environ 300 000). Seuls 400 à 500 seront utilisés (un par cycle) entre la puberté et la ménopause.

> OVULE, OVOCYTE
> LES DEUX MOTS SONT SYNONYMES.
> OVULE EST COURAMMENT
> EMPLOYÉ. LES MÉDECINS PARLENT
> PLUS FACILEMENT D'OVOCYTE.

Les deux ovaires ont la taille de grosses amandes et sous l'épaisseur de leur « écorce » se trouvent des petites structures : les follicules. Chaque mois, une hormone (l'hormone FSH) provoque le développement d'un follicule. La FSH agit sous l'effet d'une information qui part du cerveau et qui est transmise à l'ovaire, via l'hypophyse. L'hypophyse est cette glande située à la base du cerveau et qui commande toute l'activité hormonale (schéma 2). Ceci explique que les troubles de l'ovulation soient souvent liés à un dysfonctionnement temporaire plutôt qu'à une maladie ; en effet, de nombreux facteurs (environnement, stress, etc.) peuvent perturber les bonnes relations cerveau-hypophyse-ovaire.

Revenons au follicule qui mûrit. On l'appelle le follicule « dominant » (puisqu'il a dominé les autres follicules qui vont arrêter leur croissance et régresser) ; c'est celui qui contient l'ovule qui va être « pondu ». Ce mûrissement s'accompagne de la sécrétion d'**œstrogènes**.

Juste avant la « ponte » de l'ovule, le follicule a atteint sa taille maximum de 25 mm. Il est bien visible à l'échographie sous forme d'un petit « kyste ». C'est alors que sous l'effet d'une autre hormone, la LH, le follicule « dominant » va s'ouvrir à la surface de l'ovaire et libérer son contenu :

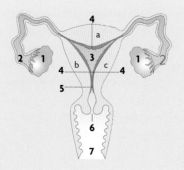

1. L'APPAREIL GÉNITAL DE LA FEMME
Les deux ovaires (1) (glandes de la taille d'une grosse amande), les deux trompes (2) aboutissant à la cavité utérine (3). En regardant ce schéma, on réalise que l'utérus est un muscle creux avec, au centre, cette cavité dont les parois (a, b, c) ont la propriété de se contracter. La face intérieure de l'utérus est tapissée par l'endomètre (4) qui desquame à chaque fin de cycle, ce sont les règles. Plus bas, le col de l'utérus et ses deux orifices, interne (5) et externe (6), se trouvent au fond du vagin (7).

2. LES HORMONES FÉMININES

• *La FSH provoque la croissance et la maturation du follicule, lequel sécrète des œstrogènes.*
• *La LH provoque l'ovulation, celle-ci est suivie de la sécrétion de progestérone par le corps jaune.*

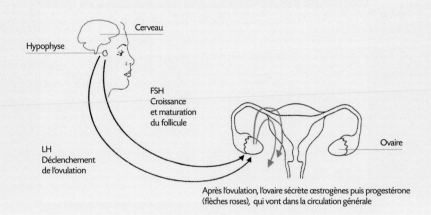

Cerveau

Hypophyse

FSH
Croissance
et maturation
du follicule

LH
Déclenchement
de l'ovulation

Ovaire

Après l'ovulation, l'ovaire sécrète œstrogènes puis progestérone (flèches roses), qui vont dans la circulation générale

le liquide folliculaire et l'ovule qui s'y trouvent. C'est **l'ovulation** qui se situe normalement entre le 13e et le 15e jour du cycle.

Le follicule va ensuite se transformer en un « corps jaune » (parce que sa couleur est jaune) et produire l'autre hormone féminine : la **progestérone**. Cette hormone augmente de quelques dixièmes de degrés la température du corps : c'est ce qui explique le décalage de température après l'ovulation (p. 21).

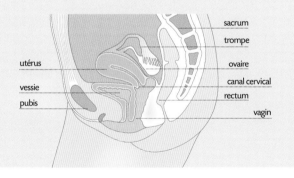

utérus

vessie

pubis

sacrum

trompe

ovaire

canal cervical

rectum

vagin

3. L'APPAREIL GÉNITAL VU DE PROFIL
Sur ce schéma, on voit bien que les trompes et les ovaires sont situés derrière l'utérus.

SUR LE CHEMIN DE LA CONCEPTION

Une fois libéré l'ovule est comme « happé » par les franges du pavillon de la trompe. Les trompes et les ovaires sont proches les unes des autres et se situent derrière l'utérus, dans ce que certains appellent « le puits de la fertilité » (schéma 3). Cela veut dire que la trompe gauche peut happer un ovule libéré par l'ovaire droit et inversement. Pour qu'il y ait fécondation naturelle, peu importe le côté où l'ovulation a lieu : ce qu'il faut, c'est au moins un ovaire et une trompe qui fonctionnent. Savoir cela peut rassurer sur leur fécondité les femmes dont un ovaire ou une trompe est lésé.

4. L'OVULE PRÊT À LA FÉCONDATION
Au centre, le noyau entouré du cytoplasme.
Autour, la zone pellucide entourée de quelques
cellules qui restent du follicule.

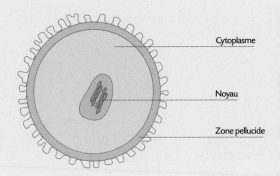

Cytoplasme

Noyau

Zone pellucide

Voici le premier acte achevé. Un ovule a été pondu ; il est prêt pour le deuxième acte, la **fécondation**. Engagé dans la trompe, l'ovule a devant lui au maximum vingt-quatre heures pour être fécondé par un spermatozoïde. Au-delà de ce délai, l'ovule dégénère et disparaît dans l'organisme.

LE SPERMATOZOÏDE PART À LA RENCONTRE DE L'OVULE

Pour qu'il y ait fécondation, il faut qu'un spermatozoïde, et un seul, pénètre l'ovule.

Le spermatozoïde provient des glandes sexuelles de l'homme : les testicules (schéma 5). Alors que la femme naît avec sa réserve d'ovules, chez l'homme le testicule ne commence à fabriquer les spermatozoïdes qu'à l'âge de la puberté. Cette production durera toute la vie et ne diminuera vraiment qu'à la vieillesse.

Le spermatozoïde est une des plus petites cellules humaines (schéma 6). Il se développe dans les tubes séminifères : des cellules vont subir une série de transformations successives pour devenir des spermatozoïdes aptes à féconder un ovule. Cette période de transformation s'étale sur 75 jours environ mais elle est ininterrompue, contrairement à la maturation de l'ovule qui a lieu une fois par mois.

Après leur formation dans les tubes séminifères, les spermatozoïdes vont parcourir un long trajet pour se masser ensuite dans les vésicules séminales situées de part et d'autre de la prostate.

Pendant ce trajet, le spermatozoïde a acquis ses deux caractères les plus importants : sa mobilité et son pouvoir fécondant. Lors de l'éjaculation, les spermatozoïdes sont dilués dans le sperme, sécrété par la prostate et les vésicules séminales. Ce liquide est indispensable à la survie des spermatozoïdes et il en facilite le transport.

Dans certains cas, la survie des spermatozoïdes peut atteindre presque 10 jours. Cela explique

5. L'APPAREIL GÉNITAL DE L'HOMME

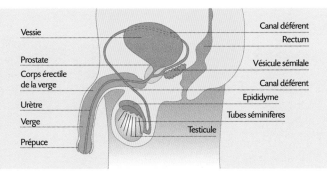

Vessie

Prostate

Corps érectile
de la verge

Urètre

Verge

Prépuce

Canal déférent

Rectum

Vésicule sémilale

Canal déférent

Epididyme

Tubes séminifères

Testicule

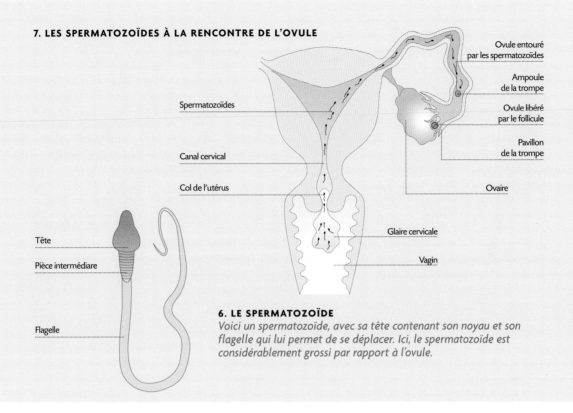

7. LES SPERMATOZOÏDES À LA RENCONTRE DE L'OVULE

Spermatozoïdes

Canal cervical

Col de l'utérus

Ovule entouré par les spermatozoïdes

Ampoule de la trompe

Ovule libéré par le follicule

Pavillon de la trompe

Ovaire

Glaire cervicale

Vagin

Tête

Pièce intermédiare

Flagelle

6. LE SPERMATOZOÏDE
Voici un spermatozoïde, avec sa tête contenant son noyau et son flagelle qui lui permet de se déplacer. Ici, le spermatozoïde est considérablement grossi par rapport à l'ovule.

qu'un rapport sexuel ayant lieu une semaine avant l'ovulation puisse être à l'origine d'une grossesse.

Une fois déposés dans le fond du vagin, les spermatozoïdes ont un long chemin à faire avant de rencontrer l'ovule : 25 cm soit 5 000 fois leur longueur. Par le col de l'utérus, et grâce à la glaire que sécrète le canal cervical, les spermatozoïdes vont remonter dans l'utérus, le traverser et s'engager dans les trompes.

C'est au niveau de l'ampoule de la trompe (schéma 7) que l'ovule et le spermatozoïde, ces deux cellules si différentes, et pourtant chargées de la même mission, vont pouvoir se rencontrer. Notons au passage que sur les 50 millions de spermatozoïdes produits lors de l'éjaculation, il n'en reste que quelques milliers pour se regrouper autour de l'ovule et **un seul** le fécondera.

UN SPERMATOZOÏDE PÉNÈTRE DANS L'OVULE : UN ŒUF EST NÉ

L'ovule se trouve dans la trompe, les spermatozoïdes l'entourent, comme attirés par un aimant ; frétillant, agitant leur flagelle, ils se collent contre l'ovule. Un seul va le pénétrer. C'est celui-là qui nous intéresse.

Il réussit à percer la membrane qui entoure l'ovule – la zone pellucide – en sécrétant des substances qui détruisent les tissus qu'il trouve devant lui. Quand il a pénétré dans l'ovule, le spermatozoïde perd son flagelle. Il ne reste plus que la tête qui gonfle et augmente de volume.

Dès ce moment, aucun des autres spermatozoïdes qui se trouvaient autour de l'ovule ne peut y pénétrer. Ils meurent progressivement sur place. Mais on verra plus loin que parfois deux spermatozoïdes fécondent deux ovules, ce qui donne naissance à des jumeaux ; ce sont des « faux jumeaux » (p. 151).

Pour sa part, l'ovule réagit à la pénétration du spermatozoïde. Il se rétracte en même temps que son noyau augmente de volume. Les deux noyaux vont à la rencontre l'un de l'autre. Cette rencontre se fait dans la région centrale de l'ovule. L'instant est décisif : les deux noyaux s'approchent, ils se touchent, ils fusionnent. L'œuf est formé, la première cellule d'un nouvel être humain est née. C'est le début de la vie.

LE VOYAGE DE L'ŒUF

La fécondation accomplie dans la trompe, l'œuf est entraîné lentement vers l'utérus où il va être accueilli, protégé, nourri. Il va faire en somme, en sens inverse, une partie du chemin parcouru par les spermatozoïdes (schéma 8).

Cette migration est assurée par un liquide sécrété par la trompe et par les cils vibratiles de la muqueuse, qui poussent l'œuf dans la bonne direction ; enfin par les contractions de la trompe. Ce voyage dure 3 à 4 jours.

Arrivé dans l'utérus, l'œuf ne se nide pas immédiatement : il va rester libre dans la cavité utérine pendant 3 jours, durant lesquels il subira d'importantes modifications. La nidation n'aura lieu qu'au 7e jour après la fécondation, c'est-à-dire 21 ou 22 jours après le début des dernières règles. Pendant cette période, l'œuf survivra grâce aux réserves accumulées dans l'ovule et surtout grâce aux sécrétions de la trompe et de l'utérus.

Ce voyage de l'œuf est parfois interrompu en cours de route. L'œuf se fixe dans la trompe elle-même. C'est une grossesse tubaire ou extra-utérine. Elle ne peut évoluer sans complication. Un traitement chirurgical, ou parfois médical, est alors nécessaire (p. 239).

LA MULTIPLICATION DES CELLULES

Pendant ces 7 jours de liberté, l'œuf se modifie considérablement.

La cellule initiale, née de l'union de l'ovule et du spermatozoïde, se divise en 2 à la 30e heure. Ces deux cellules en produisent 4 à la 50e heure, puis 8 à la 60e heure, et ainsi de suite suivant une progression géométrique. À son arrivée dans l'utérus, l'œuf en est au stade de 16 cellules. Vu au microscope, il a l'aspect d'une masse arrondie ressemblant à une mûre, d'où son nom de *morula* (mûre en latin).

Va alors se produire un phénomène très important pour la suite des événements. La division cellulaire se poursuit, mais alors que jusque-là toutes les cellules étaient semblables, elles commencent à se différencier. À la période de simple division, va maintenant succéder la période d'organisation. Voici comment elle commence.

À l'intérieur de l'œuf, les cellules du centre deviennent beaucoup plus grosses, elles se réunissent en une petite masse que l'on appelle le **bouton embryonnaire** parce que c'est lui qui va devenir embryon, nom que portera le futur bébé jusqu'à 2 mois révolus (après, on parlera de fœtus). Les cellules les plus externes s'aplatissent et sont refoulées à la périphérie de l'œuf. Un vide sépare le bouton embryonnaire de la couche extérieure sauf en un point où les deux parties restent soudées. Le vide va bientôt s'agrandir et former une cavité remplie de liquide.

Le plan du futur édifice est définitivement tracé ; il ne changera plus. Du bouton embryonnaire naîtra l'embryon ; des cellules extérieures, l'enveloppe qui entourera et protégera cet embryon. Cette enveloppe, c'est le **trophoblaste** qui deviendra le placenta grâce auquel l'enfant pourra se développer.

À ce stade, l'œuf mesure 0,25 mm. Il est maintenant capable de se nider. Mais voyons d'abord comment le « nid » s'est préparé à l'accueillir.

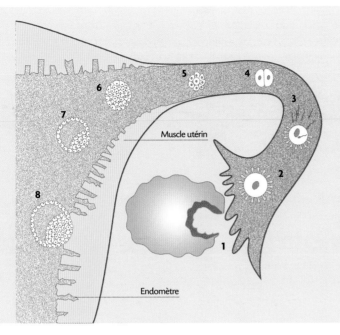

8. LE VOYAGE DE L'ŒUF
1- Follicule rompu. Ébauche de formation du corps jaune
2- Ovule entouré des cellules folliculeuses.
3- Ovule fécondé par un spermatozoïde. Les cellules folliculeuses sont éliminées.
4- Début de la division de l'œuf. Stade à 2 cellules.
5- Stade à 8 cellules.
6- Stade à 16 cellules (morula).
7- L'œuf se creuse d'une cavité (blastocyste).
8- Implantation dans la muqueuse utérine ou nidation.

Muscle utérin

Endomètre

LA NIDATION SE PRÉPARE

Après l'ovulation, le follicule qui contenait l'ovule s'est transformé en corps jaune. Son rôle est fondamental : il va continuer à fabriquer des œstrogènes, comme avant l'ovulation, mais également l'autre hormone, la progestérone. C'est la progestérone qui, associée aux œstrogènes, permet le développement du tissu qui tapisse l'intérieur de l'utérus ; ce tissu, c'est la muqueuse utérine ou endomètre. Très mince avant l'ovulation, la muqueuse s'épaissit considérablement dans la deuxième moitié du cycle, passant de 1 mm à 1 cm. Elle se creuse de nombreux replis. Ses vaisseaux sanguins sont beaucoup plus nombreux ; et les glandes qu'elle contient fabriquent en grande quantité un sucre, le glycogène, dont le rôle nutritif est important. Cette muqueuse, désormais appelée **caduque**, est maintenant prête à recevoir et nourrir l'œuf.

Si l'ovule n'a pas été fécondé, il dégénère. S'il a été fécondé mais que l'embryon arrête de se diviser, car son matériel génétique n'est pas adéquat, il ne peut y avoir de nidation, donc pas de grossesse. Le corps jaune régresse, la quantité d'hormones diminue, l'utérus se contracte, la muqueuse se détache de la paroi utérine dont les petits vaisseaux sanguins se rompent et saignent. L'ensemble s'évacue à travers l'utérus, dans le vagin, ce sont les règles. Aussitôt, la nature persévérante amorce un nouveau cycle de 28 jours.

Entre les règles et la grossesse, le lien apparaît : les règles signifient qu'il n'y a pas eu de grossesse, ou du moins que, malgré la fécondation, l'embryon n'avait pas toutes les qualités pour se nider et se développer. Seulement un faible pourcentage des ovulations donne lieu à une fécondation réussie, c'est-à-dire à une grossesse. Le plus souvent, soit l'ovule n'a pas été fécondé, soit l'embryon n'avait pas d'avenir et donc la nidation ne s'est pas faite. Au contraire, l'absence des règles signifie qu'il y a une grossesse.

Pendant ce temps, que s'est-il passé dans l'ovaire depuis l'ovulation ? Le corps jaune, qui s'est édifié sur la cicatrice laissée après le départ de l'ovule, s'est rapidement développé. Produisant une quantité considérable de progestérone, le corps jaune est le grand protecteur des premiers jours de l'œuf. C'est en effet la progestérone qui a empêché l'utérus de se contracter comme il le fait au moment des règles, ce qui aurait eu pour résultat d'expulser l'œuf qui vient de se nider. C'est la même hormone qui a subvenu en partie à la nutrition de l'œuf. Vers 2 mois, lorsque le corps jaune aura terminé son temps, le relais sera pris par le placenta, vous le verrez plus loin.

Une conclusion s'impose : le corps jaune de l'ovaire est indispensable à la survie de l'œuf. Pour maintenir en activité le corps jaune, le trophoblaste - futur placenta - sécrète une hormone appelée **hormone gonadotrophine chorionique** (ou βHCG) au moins pendant les premières semaines de grossesse. C'est la présence de cette hormone dans les urines et dans le sang, qui rend positifs les tests de grossesse.

L'ŒUF SE NIDE

C'est donc au 7e jour après la fécondation que l'œuf est prêt à se nider et que la muqueuse utérine est prête à le recevoir. L'œuf s'implante dans la muqueuse utérine, puis il y adhère fortement. À ce moment entre en jeu le trophoblaste ; il sécrète des ferments qui détruisent les cellules tapissant la cavité de l'utérus et creuse une sorte de nid dans la muqueuse. On peut dire alors que l'œuf « fait son nid ». Il s'engage dans l'espace ainsi creusé et se loge de plus en plus profondément dans l'épaisseur de la muqueuse. Au-dessus de lui, les tissus se rejoignent, la brèche se referme.

À la fin du 9e jour, l'œuf est logé, entièrement entouré par la muqueuse utérine dans laquelle il s'est enfoui. On appelle cette muqueuse caduque, car, après l'accouchement, elle sera éliminée avec le placenta.

Il faut maintenant que l'œuf se nourrisse. Le trophoblaste projette de petits filaments qui s'enfoncent dans la muqueuse utérine comme une plante envoie ses racines dans une bonne terre. Ces filaments envoient à l'embryon ce dont il a besoin.

L'œuf est maintenant fixé comme une greffe à l'organisme maternel. C'est là qu'il va se développer neuf mois durant (schéma 9). La grossesse ne commence véritablement qu'au moment de la nidation, celui où pour la première fois la mère protège et nourrit son enfant.

9. DE L'ŒUF À L'ENFANT

Sur ces quatre dessins, nous pouvons suivre la croissance de cet œuf que nous avons vu se nider en schéma 8. Le voici d'abord embryon à 6 semaines (a). Puis fœtus à 3 mois (b), 6 mois (c) et 9 mois (d). L'enfant est toujours représenté dans la même position. En réalité, il bouge fréquemment. Mais à 9 mois, à la veille de l'accouchement, il se présente, dans la majorité des cas, la tête en bas.

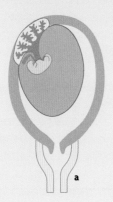  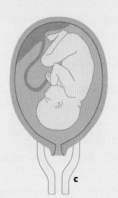 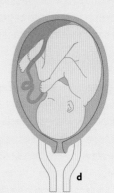

a   b   c   d

Au centre de l'œuf, l'embryon va croître à un rythme vertigineux. Cette croissance ne sera possible que parce que tout un système va se développer : ce système comprendra ce qu'on appelle les **annexes**, c'est-à-dire les membranes qui entourent l'œuf : l'amnios, le chorion et le trophoblaste (p.140).

L'ŒUF, UNE GREFFE TRÈS SPÉCIALE

Toute greffe est normalement rejetée au bout d'un certain temps. En effet, l'organisme receveur met en jeu un système de défense, qui a pour but d'éliminer ce corps étranger.

Or, pour l'organisme maternel, l'œuf peut être considéré comme une greffe étrangère puisqu'il contient, pour moitié, des cellules qui proviennent du père. L'œuf devrait donc être rejeté, d'autant qu'il se nide au plus intime des tissus maternels, et aucune grossesse ne devrait être possible. Il n'en est rien évidemment. Mieux encore, l'organisme maternel offre à l'œuf les meilleures conditions de protection et de développement. C'est donc une « tolérance paradoxale », il n'y a pas de rejet de cette greffe très spéciale.

Dans certaines situations, il arrive néanmoins que le mécanisme de tolérance de cette greffe ne fonctionne pas. L'œuf va alors être rejeté très rapidement. On parle de **fausse-couche d'origine immunologique** dont la caractéristique est de se reproduire chez certains couples à chaque grossesse, créant ainsi une véritable maladie abortive. On n'a malheureusement pas encore trouvé de traitement efficace pour prévenir ces échecs répétés, qui désespèrent les femmes qui y sont confrontées.

Le bon fonctionnement des mécanismes d'implantation de l'œuf est nécessaire à son développement et à sa croissance ultérieure. C'est ainsi que certaines maladies de la grossesse, comme la toxémie gravidique, ou certains troubles de la croissance, comme le retard de croissance intra-utérin, peuvent trouver leur origine dans ces **anomalies de l'implantation**.

LA FÉCONDATION *IN VITRO* ET AUTRES PROCRÉATIONS ASSISTÉES

Lorsque la fécondation ne parvient pas à se faire naturellement, le couple peut avoir recours à la médecine, c'est-à-dire à l'AMP (Assistance Médicale à la Procréation). Aujourd'hui, environ 5 % des femmes qui accouchent ont eu recours à ce type de traitement. Ce chiffre, qui augmente, est dû en partie au recul de l'âge du désir d'enfant. Les années passent, la fécondité diminue (p. 20 et suiv.) ; le couple se sent pressé par le temps, et il se tourne vers des pratiques médicales pour l'aider à concevoir. Parmi les techniques existantes, la fécondation *in vitro* est probablement la plus connue du grand public.

LA FÉCONDATION *IN VITRO* (FIV)

Cette technique a connu depuis ses débuts dans les années 1980 un extraordinaire développement. D'abord destinée aux femmes ayant des trompes définitivement bouchées, son application s'est progressivement étendue. On y a recours dans d'autres causes d'infertilité des couples, qu'elles soient féminines (endométriose, stérilité inexpliquée, anomalies de l'ovulation) ou masculines (sperme de qualité ou de quantité insuffisante). Les indications de FIV pour anomalies masculines ont aujourd'hui dépassé les indications pour anomalies féminines.

La fécondation *in vitro* a pour but d'assurer la rencontre entre l'ovocyte et le spermatozoïde en dehors de l'organisme. Elle se pratique dans des laboratoires agréés et en milieu hospitalier public ou privé.

Voyons maintenant le détail de cette méthode. Au-delà du langage froid de la technique, la fécondation *in vitro* est un moment intense dans la vie d'un couple. Avant de se lancer dans cette aventure, la femme et l'homme ont besoin de connaître le détail des différentes étapes ; ils savent que leur désir d'enfant les aidera à les franchir.

Bilan et traitement

Avant que ne débute la fécondation *in vitro* proprement dite, le médecin prescrit au couple un **bilan complet**.

Chez la femme, ce bilan comprend un examen clinique, une prise de sang pour connaître l'état hormonal et dépister certaines maladies, une hystérosalpingographie, c'est-à-dire une radiographie permettant de contrôler l'état de l'utérus et des trompes et parfois une cœlioscopie.

Chez l'homme, le bilan comprend une prise de sang pour connaître également l'état hormonal et dépister certaines maladies, une analyse du sperme (spermogramme et spermoculture) ; celle-ci permet de déterminer si le sperme est *a priori* apte à féconder un ovocyte et de vérifier qu'il ne présente pas d'infection. Pensez à parler au médecin de tout incident de santé ayant pu survenir dans les trois mois précédant la FIV (fièvre, asthénie générale, prise de médicaments...) car ils peuvent retentir sur la qualité du sperme.

Après ce bilan médical, le médecin va procéder à la **stimulation** des ovaires. La stimulation a pour but d'assurer le développement simultané de plusieurs follicules, et donc de pouvoir disposer de plusieurs ovocytes.

La stimulation proprement dite est assurée par un traitement hormonal : des injections de gonadotrophine. Ce traitement est contrôlé par des échographies et par des dosages hormonaux dans le sang, pour surveiller, entre autres, l'évolution du taux d'œstradiol (qui est l'œstrogène le plus important).

• Il est possible que l'ovaire réponde de façon excessive à cette stimulation. C'est le **syndrome d'hyperstimulation ovarienne**. Les premiers signes sont des douleurs dans le ventre, une augmentation du volume de l'abdomen avec parfois des nausées, des vomissements. Il est nécessaire de consulter rapidement le médecin. Une hospitalisation de quelques jours est parfois nécessaire. Parfois au contraire l'ovaire répond mal à la stimulation et, dans ce cas, il est préférable d'annuler la stimulation et de recommencer quelque temps après.

Lorsque les follicules ont atteint une taille suffisante et que le taux d'œstradiol est jugé satisfaisant, l'ovulation est déclenchée par une injection d'HCG (p. 106). L'heure de l'injection est importante à respecter car elle va déterminer celui de la **ponction** des follicules. Cette ponction est en effet réalisée environ 36 heures plus tard afin de recueillir les ovocytes contenus dans le liquide folliculaire que l'on aspire. Elle se fait par voie vaginale, sous contrôle échographique, avec anesthésie générale ou locale.

Au laboratoire

Les différentes étapes de la FIV se déroulent sur plusieurs jours.

Le matin de la ponction des ovocytes, un échantillon de sperme est collecté par masturbation ; il est traité en laboratoire afin de sélectionner les spermatozoïdes les plus résistants et les plus actifs. Ovocytes et spermatozoïdes sont alors mis en contact dans un incubateur. Si la fécondation a lieu, les ovocytes fécondés, ou embryons, seront transférés dans l'utérus après un temps de maturation de 2 à 3 jours (parfois 5 à 6 jours).

Le nombre d'embryons à transférer est décidé après discussion entre le médecin, le biologiste et le couple. Il est en général de deux embryons, mais actuellement la tendance est de ne transférer qu'un seul embryon de façon à éviter les grossesses multiples dont on sait qu'elles exposent au risque de prématurité. Lorsque la procédure a abouti à créer plusieurs embryons de bonne qualité, ces embryons pourront être congelés (cryopréservation) et transférés ultérieurement avec l'accord du couple.

L'embryon est transféré dans l'utérus à l'aide d'un cathéter fin et flexible le contenant. L'intervention est indolore et ne nécessite ni anesthésie, ni hospitalisation.

Vous resterez allongée une petite heure pour éviter d'éventuelles contractions utérines et vous pourrez ensuite reprendre vos activités habituelles. Il n'y a pas de précautions particulières à prendre par la suite.

Cette étape est souvent la plus stressante du traitement en raison de l'attente. Ces jours sont éprouvants, la femme est à l'affût des signes de grossesse. Même si elle sait que maintenant le processus lui échappe, qu'elle ne peut rien faire, elle ne peut s'empêcher de se demander « que faire pour que ça marche ».

Un dosage sanguin de HCG est réalisé environ 14 jours après le transfert pour détecter un début de grossesse. S'il y a grossesse, des dosages ultérieurs seront effectués de façon à en suivre l'évolution. La grossesse sera vraiment confirmée par une échographie réalisée environ un mois après le transfert.

Malgré l'omniprésence de la technique, l'émotion est là, très forte, lorsque le couple apprend qu'il va peut-être transmettre la vie.

Après la fécondation *in vitro*

Les grossesses extra-utérines, les fausses couches spontanées et les malformations ne sont pas plus nombreuses que lors d'une grossesse naturelle. Par contre le risque de **grossesse gémellaire** est réel si l'on transfère deux embryons.

Aujourd'hui, la seule solution pour limiter ces grossesses multiples consiste à ne **transférer qu'un seul embryon**, au prix évidemment d'une diminution du taux de grossesses obtenues. Touts les spécialistes des centres de *FIV* ont cet objectif de limiter les grossesses multiples dont le premier risque est la prématurité du bébé. Plus l'accouchement est **prématuré**, plus la mortalité périnatale est élevée et plus les risques de séquelles de l'enfant sont importants. Une grossesse multiple est une grossesse à risque. Il est important que la future maman soit bien suivie et qu'elle accouche dans une maternité équipée pour que les bébés puissent être pris en charge dans les meilleures conditions possibles (type II ou III) s'ils venaient à naître prématurément (p. 271).

Le taux de succès pour obtenir une grossesse après une fécondation in vitro est d'environ 40 % et le taux d'accouchement est d'environ 30 %, l'écart entre les deux chiffres s'explique par le fait que certaines grossesses s'interrompent spontanément.

Qu'est-ce que l'ICSI ?

Dans cette technique de fécondation *in vitro*, un seul spermatozoïde est injecté directement dans l'ovocyte en traversant la membrane pellucide. L'ICSI (Intra Cytoplasmic Sperm Injection) est en général proposée lorsque le nombre et la mobilité des spermatozoïdes ne permettent pas d'assurer une fécondation *in vitro* par la technique classique. L'ICSI est devenue aujourd'hui la méthode la plus utilisée en AMP car l'infertilité du couple est le plus souvent liée à une insuffisance du sperme. Elle peut également être utilisée en cas d'échec inexpliqué de la fécondation.

L'ICSI représente une avancée considérable dans la prise en charge des stérilités masculines qui auparavant, et dans les formes les plus sévères d'insuffisance de sperme, ne relevaient que du don de sperme, avec tout ce que cela comporte de difficultés psychologiques.

LE COUPLE ET L'AMP : UN PARCOURS ÉMOTIONNEL

La pratique de la FIV existe depuis plus de 30 ans et elle a toujours été très médiatisée. Cela peut donner l'impression que la technique s'est simplifiée et que les résultats sont toujours au rendez-vous. Mais lorsqu'ils recourent à la FIV, les couples se heurtent vite à la réalité. Les contraintes sont lourdes : examens à répétition, parfois pénibles, avec dates imposées. Les femmes peuvent se sentir comme des machines à fabriquer des ovocytes et les hommes du sperme. Et, stress supplémentaire, le temps presse : les couples qui consultent ont en moyenne autour de 35 ans et ils savent qu'au-delà la fertilité va diminuer rapidement.

Le parcours de la FIV est jalonné d'émotions intenses, de la crainte à l'espoir, de la déception à la joie. Être confronté à l'AMP est souvent une épreuve déstabilisante pour le couple qui éprouve des sentiments d'échec, d'impuissance, de culpabilité devant l'impossibilité de concevoir un enfant. Par ailleurs, l'homme est de plus en plus souvent en cause dans l'infertilité. Et pourtant c'est la femme qui subit les examens, les traitements par injection, les contrôles biologiques et échographiques. En fin de traitement, l'homme n'a qu'à donner son sperme au laboratoire (même si ce n'est pas simple pour lui). Certaines femmes vivent difficilement cette situation.

Il est important de se préparer au fait que, dans le couple, la femme et l'homme ne peuvent pas ressentir la même chose en même temps ou de manière semblable. Chacun fait face de façon différente aux difficultés de conception. En prendre conscience peut permettre d'éviter les malentendus, d'aborder les étapes à deux, de se rapprocher et de renforcer la relation. Parler, se parler encore, encore et toujours ! Le dialogue est la seule façon pour que chacun ne s'isole pas dans des non-dits préjudiciables à l'équilibre du couple dans ces moments délicats. Un soutien psychologique peut aider à transformer un parcours souvent long, parfois décourageant, en une aventure riche d'émotions vécues à deux.

LES AUTRES ASSISTANCES MÉDICALES À LA PROCRÉATION

L'insémination avec sperme du conjoint a pour but de déposer le sperme directement dans l'utérus pour augmenter les chances de rencontre entre le spermatozoïde et l'ovovyte. Cette technique est proposée dans certaines situations : anomalie de la qualité du sperme ou problèmes d'éjaculation ; anomalie de la glaire sécrétée par le col de l'utérus et pouvant faire obstacle au passage des

UNE LOI DE BIOÉTHIQUE
encadre strictement la pratique de l'AMP. Elle garantit une transparence, une information complète sur les chances de succès, sur les contraintes et les risques de cet acte, et sur les autres possibilités qui s'offrent en cas de stérilité. La loi impose au médecin de fournir toutes les informations concernant l'AMP. De son côté, le couple doit être soit marié, soit avoir 2 ans de vie commune ; il doit donner son consentement écrit à l'AMP et s'engager à informer le médecin de l'issue de la tentative. La fécondation in vitro ne peut être pratiquée que dans des centres clinique et biologique agréés, par des médecins et des biologistes agréés. L'agrément est donné par l'ABM (Agence de Biomédecine).

spermatozoïdes ; certains problèmes de stérilité inexpliquée. Ce traitement est souvent associé à une légère stimulation de l'ovulation, de façon à augmenter les chances de succès (plus il y a d'ovocytes produits en même temps, plus il y a de chances de grossesse). En revanche, le risque de grossesse multiple en est le corollaire, d'où un traitement qui doit être rigoureusement contrôlé. La surveillance du traitement se fait par des dosages hormonaux et des échographies. Les formalités administratives sont les mêmes que pour la fécondation *in vitro*.

Le recours à un **don de gamètes** (spermatozoïdes ou ovocytes) ne peut s'envisager que dans une situation de stérilité bien précise, lorsqu'il y a absence totale de gamètes. La demande du couple receveur doit être signée devant la justice (tribunal, notaire). Ces dons de gamètes sont anonymes et gratuits.

La gestion du **don de sperme** est confiée au CECOS (Centre d'Étude et de Conservation du Sperme) ; il en existe dans chaque grande ville ayant un Centre hospitalier universitaire (CHU). Le sperme, qui a été congelé puis décongelé, est inséminé dans le col de l'utérus par le médecin gynécologue au moment de l'ovulation. Ce geste est simple à effectuer.

En revanche, le **don d'ovocytes** n'est pas simple car la femme qui donne ses ovules, de façon anonyme et gratuite, doit subir tout le parcours FIV jusqu'à la ponction des ovocytes, ce qui est loin d'être anodin. C'est donc un esprit généreux qui préside à une telle décision, à ce « cadeau » à une femme inconnue. Cette technique reste encore, en France, longue à mettre en œuvre en raison de ces contraintes et de son caractère anonyme et gratuit. Aussi est-ce la raison pour laquelle bon nombre de couples se rendent à l'étranger, en Espagne ou en Belgique notamment, pays où les lois sont moins exigeantes qu'en France.

LA CONSERVATION DES OVOCYTES EN DÉBAT

Cette conservation est possible médicalement mais elle ne l'est pas pour convenance personnelle, pour pallier la diminution de la fécondité liée à l'âge. Cette conservation « sociétale » serait, pour certains, un progrès médical : elle serait un traitement efficace contre l'infertilité après 40 ans et permettrait aux couples d'éviter de recourir à un don d'ovocytes. D'autres y sont opposés : au-delà du fait que l'efficacité de cette méthode est incertaine, elle risque d'entretenir l'illusion de la normalité d'une grossesse tardive et de la possibilité de procréer sans limite d'âge.

ET LES FEMMES DE PLUS DE 43 ANS ?

Après cet âge, l'AMP n'est plus prise en charge par les organismes de Sécurité sociale car les chances de réussite sont minimes. En effet, la fécondabilité de la femme au-delà de 43 ans est très faible (schéma p. 22) et le risque de fausse couche très élevé. Les femmes de cet âge souhaitant recourir à l'AMP doivent se rendre à l'étranger pour bénéficier d'un don d'ovocytes, don qui n'est pas gratuit. L'ovocyte, prélevé chez une femme jeune, est fécondé *in vitro* par le sperme du mari. L'embryon est ensuite transféré dans l'utérus de la femme souhaitant être enceinte.

Mais les risques obstétricaux sont ceux liés à l'âge de la femme qui reçoit l'embryon. Et si deux embryons sont transférés, il faut faire attention au risque de jumeaux : une grossesse gémellaire est bien plus difficile à porter à 43 ans qu'à 20 ans.

Mois par mois
l'histoire de votre enfant

Un jour, au cours du 5ᵉ mois - parfois plus tôt, parfois plus tard - la future mère perçoit les mouvements de son enfant. Certaines disent qu'elles le sentent bouger ; d'autres parlent de caresses et d'autres encore de légers coups. C'est soudain une vie intense qui se révèle. Certes, la mère savait bien que le cœur de son enfant battait déjà. Elle le savait et elle l'avait peut-être déjà entendu grâce au stéthoscope à ultrasons, ou vu sur l'écran de l'échographe. Mais ce sont le plus souvent les mouvements qui font prendre conscience à la mère de la présence de son bébé. Ce sont également ces mouvements qui constituent un nouveau lien entre le père et son enfant, après les images vues à l'échographie.

Pourtant c'est bien avant qu'a commencé l'étonnante histoire de l'enfant pendant les neuf mois de sa vie intra-utérine. Période à nulle autre pareille car, à aucun moment de sa vie, un être humain ne subit de telles transformations. Cette histoire, la voici.

LE PREMIER MOIS DE VOTRE BÉBÉ

JUSQU'À 6 SEMAINES ET DEMIE D'AMÉNORRHÉE

Quelques semaines avant d'avoir un visage, un cœur, des membres, avant d'être un embryon, l'œuf voyage de la trompe jusqu'à l'utérus, tout en se divisant, pour arriver au stade « morula », petite

10. LA TAILLE RÉELLE DE L'EMBRYON

18 jours   25 jours   30 jours   60 jours

mûre. Il s'enfonce dans la muqueuse utérine, y fait son nid - c'est ce qu'on appelle la **nidation** - pour devenir un embryon. Nous en avons parlé au début de ce chapitre.

L'embryon est un disque minuscule (diamètre : 0,2 mm). Il se trouve au centre des grosses cellules de l'oeuf qui ont formé le **bouton embryonnaire**. Les cellules qui forment ce disque vont se répartir en trois couches – ectoderme, mésoderme, endoderme - qui chacune donnera naissance à un tissu spécifique d'où vont naître tous les organes de l'enfant.

En même temps apparaît une petite cavité qui va s'agrandir progressivement et qui occupera ulté-rieurement tout le volume de l'œuf : c'est la **cavité amniotique** où, dans quelque temps, flottera véritablement l'embryon. Le trophoblaste, futur placenta, se développe autour de la zone de nidation (schéma p. 136).

Dès le 20ᵉ jour apparaît le tube cardiaque (ébauche du futur cœur). Ce tube est formé par la fusion de deux vaisseaux sanguins ; s'il n'a pas encore la forme du cœur, il est déjà animé de contractions spasmodiques : il bat. Une circulation s'ébauche, elle est visible à l'échographie.

L'embryon a 3 semaines. Il a multiplié son diamètre par 100 et son volume par un million, ce qui signifie qu'il a doublé en moyenne chaque jour. Mais surtout il commence à prendre forme : le disque s'enroule sur lui-même, prend la forme d'un tube, puis les deux extrémités se rapprochent l'une de l'autre. À l'une des extrémités se dessine un renflement : c'est la future tête où va s'installer un rudi-mentaire cerveau. À l'autre bout, un deuxième renflement plus petit : le *bourgeon caudal*, correspon-dant au coccyx. Enfin, à la partie postérieure de l'embryon apparaissent les premières cellules sexuelles.

MOIS ET SEMAINES

Dans ce récit de la vie de l'enfant avant la naissance, vous trouverez deux séries de dates qui correspondent aux deux façons de calculer la durée de la grossesse :
*• soit en mois : on compte à partir du jour de la conception. On parle de **mois de grossesse***
*• soit en semaines : on compte à partir du premier jour des dernières règles. On parle de **semaines d'aménorrhée**.*
Entre ces dates – premier jour des dernières règles et conception – il s'est écoulé deux semaines. Cela explique le décalage entre les deux modes de calcul.
Dans ce chapitre, les informations sur le développement de votre bébé sont datées du jour de la conception, il s'agit de mois de grossesse. Mais, comme de nombreux examens sont prescrits en semaines d'aménorrhée, nous vous donnons l'équivalent en semaines. Par exemple, quand on vous demande de faire pratiquer une échographie à 22 semaines (d'aménorrhée), cela signifie que vous serez proche de la fin du 5ᵉ mois (qui se termine à 23 semaines et demie).
Page 268 vous trouverez un tableau sur la correspondance mois-semaines.

• Dès que l'œuf se nide, l'utérus change de forme. Il ne grossit pas encore mais s'arrondit et les seins commencent à augmenter de volume. Certaines femmes se sentent parfois nauséeuses et la tension artérielle se modifie, elle devient plus basse pour que l'utérus soit mieux irrigué. Elles perçoivent donc déjà ce début de grossesse. Mais d'autres femmes ne ressentent aucun signe jusqu'à la première échographie.

PREMIER MOIS, PREMIER BILAN
L'embryon mesure 5 mm. En avant, le renflement de la future tête fait un angle droit avec la partie dorsale. La place des yeux et des oreilles n'est encore marquée que par de simples épaississements. Sur le dos, on note l'alignement régulier des somites, futures vertèbres et côtes. La partie ventrale est partagée entre la volumineuse saillie de l'ébauche du cœur et la zone ombilicale par où l'embryon communique avec l'organisme maternel. En arrière on voit un petit appendice. Mais dans ce minuscule embryon, le cœur bat déjà.

LE DEUXIÈME MOIS

DE 6 SEMAINES ET DEMIE À 10 SEMAINES ET DEMIE

En quatre semaines, l'embryon va constituer l'ébauche des organes qui lui manquent encore.

Au début du 2e mois apparaissent les **membres**, les bras, puis les jambes. Puis le **visage** se dessine, d'abord ce ne sont que des emplacements : deux petites saillies pour les yeux, deux fossettes pour les oreilles, une seule ouverture pour la bouche et le nez.

Pendant ce temps, le système nerveux se développe. En avant, trois vésicules ébauchent le futur **cerveau**. L'appareil urinaire commence son développement. Le cœur et la circulation poursuivent le leur.

L'embryon a 5 semaines. Il a toujours la tête repliée en avant vers la grosse saillie que forme le cœur au milieu du ventre. Plus bas, pour la première fois, on voit le cordon ombilical. L'embryon mesure 7 à 8 mm.

Huit jours plus tard, il double sa taille : il mesure 15 mm. Mais cela ne se voit guère car il est toujours replié sur lui-même. La tête a augmenté de volume plus rapidement que le reste du corps. Les yeux qui étaient très écartés l'un de l'autre, presque sur les côtés de la tête, se rapprochent ; ils paraissent immenses car ils n'ont pas de paupières. Le front est bombé. Le nez est aplati. La bouche est énorme, mais les lèvres se dessinent. Dans les gencives naissent les germes des dents de lait.

En même temps l'embryon modifie son allure. La tête se redresse sur le tronc. Mais surtout les membres se développent. Ils s'allongent, ils s'élargissent, on peut les reconnaître. À leur extrémité, mains et pieds apparaissent comme de petites palettes où se dessinent cinq rayons, les futurs doigts et orteils. Les lignes de la paume des mains, de la plante des pieds sont déjà dessinées. Les membres, qui ont toujours l'air de gros bourgeons, s'allongent et s'élargissent. Les bras sont aussi longs que les jambes. On devine maintenant les plis du coude et du genou.

À l'intérieur de l'organisme, les transformations ne sont pas moins importantes. L'estomac et l'intestin prennent leur forme et leur disposition définitives. L'appareil respiratoire se développe, mais il reste encore à ce stade sans activité. Le cœur prend sa forme définitive et la circulation embryonnaire se complète. Le cerveau commence à ressembler à celui de l'adulte avec ses sillons et ses saillies (les circonvolutions). Dans tout le corps, des muscles se développent.

L'embryon a 7 semaines, un événement important se produit : l'ossification du squelette s'amorce. Elle se poursuivra pendant des années et ne sera complètement achevée qu'après la puberté.

• L'utérus a la taille d'une orange ; sa position le rapproche de la vessie et la future mère ressent plus fréquemment le besoin d'uriner.

L'EMBRYON A 8 SEMAINES
Il mesure 3 cm. Il pèse 11 g, moins qu'une lettre, et pourtant, dans ce minuscule corps dont la future mère ne soupçonne peut-être même pas encore l'existence, l'ébauche de tous les organes est formée. En deux mois, l'embryon a acquis tout ce qui lui donne sa qualité d'être humain. L'enfant va consacrer les sept mois qu'il a devant lui à fignoler le travail énorme qui vient de s'accomplir.

Deux mois pour le gros œuvre, sept mois pour le perfectionnement des ébauches, voilà pourquoi nous avons tant insisté pour que vous ayez le plus tôt possible la certitude que vous étiez enceinte : **cette période de deux mois – celle de l'embryogenèse – est particulièrement importante**. En effet, c'est celle où l'embryon est spécialement sensible aux agressions (tabac, alcool, infections, médicaments, par exemple), puisqu'elles risquent de perturber les processus normaux de formation des différents organes, et donc d'entraîner des malformations. Ces agressions restent d'ailleurs dangereuses jusqu'à la fin du 3e mois, au cours duquel certains organes achèvent leur formation.

LE TROISIÈME MOIS

DE 10 SEMAINES ET DEMIE À 15 SEMAINES

Fille ou garçon ? Tout se joue au moment où les noyaux de l'ovule et du spermatozoïde se rapprochent, fusionnent et forment un œuf. À ce moment-là, le sexe du futur enfant est fixé : il dépend du patrimoine génétique du spermatozoïde. Cela veut dire que dès la fécondation, l'œuf est programmé pour être un garçon ou une fille. Mais au cœur du noyau, le secret est bien gardé, à l'extérieur rien ne se voit. Fille ou garçon, tout semble pareil. Ce n'est qu'au début du 3e mois que les organes sexuels se différencient, et que l'appareil génital devient celui d'une femme ou celui d'un homme.

L'œuf prend maintenant toute la place dans la cavité utérine ; les membranes adhèrent aux parois de l'utérus : amnios à l'intérieur, chorion à l'extérieur et ce qui devient le placenta continue de s'épaissir et de se développer pour augmenter encore la surface d'échange avec le sang maternel. Le placenta se développe en même temps que le bébé, il devient mature puis vieillit jusqu'à ce que la naissance arrive et qu'il n'ait plus d'utilité.

Entre deux et trois mois le visage se dessine. C'est également au cours du 3e mois qu'apparaissent les cordes vocales. Elles ne fonctionnent pas pour autant et ne donnent pas de la voix au fœtus. Il ne poussera son premier cri qu'après la naissance, à l'air libre. Pendant ces six mois, les cordes vocales acquerront la consistance qui leur permettra de vibrer.

Dans le reste du corps, tout s'allonge mais les bras plus vite que les jambes ; les diverses parties se différencient : on distingue nettement l'avant-bras, le coude, les doigts dont l'extrémité se durcit pour former les ongles.

À l'intérieur de l'organisme, le foie s'est considérablement développé. Le rein définitif apparaît.

L'intestin s'allonge et s'enroule. L'ossification du squelette se poursuit par celle de la colonne vertébrale. Les muscles et articulations se développent. Le fœtus se met à bouger, oh ! bien faiblement, si peu même que sa mère ne s'en rend pas compte ; mais déjà il agite légèrement bras et jambes, serre les poings, tourne la tête, ouvre la bouche, avale, et s'exerce même à pratiquer les mouvements de la tétée !

Pour le médecin, l'auscultation des bruits du cœur est un examen de routine. Pour la mère, pour le père, c'est entendre pour la première fois battre le cœur de son enfant, c'est vraiment la première certitude d'une présence, l'enfant commence à prendre une réalité. C'est vers la 12e semaine que, grâce au stéthoscope à ultrasons, on peut entendre battre le cœur. C'est en général à cette période que l'on pratique la première échographie.

La première échographie

Pour tous les parents, elle a une signification particulière. Elle leur montre enfin leur enfant, c'est un moment de grande émotion. Cet enfant on l'imagine, on entend son cœur et tout d'un coup on le « voit », et peut-être plus frappant, plus troublant, on le voit bouger. De plus, les parents savent que cette première échographie, avec la mesure de la clarté nucale, sera un des éléments à la base du diagnostic prénatal, ce qui accroît l'émotion (p. 215).

Lors d'une échographie, les mots ont une place spéciale. Ce que dit, ou ne dit pas l'échographiste, aura tendance à être interprété par les parents et pas toujours dans un bon sens. « Il est petit », est entendu comme « il est trop petit ». « Il a une grosse tête » sera perçu comme « il a une anomalie ». Et si l'échographiste fait la grimace, simplement parce qu'il a de la peine à régler son appareil, ou à fixer un détail, les parents sont persuadés que cette grimace est en relation avec la santé de leur bébé.

Les parents doivent savoir que la séance d'échographie se passe en deux temps. Le premier est celui de l'investigation médicale : le médecin est entièrement concentré sur ce qu'il voit, mesure, évalue. Dans un deuxième temps, le médecin rend compte aux parents de ce qu'il a observé. Il est préférable que les futurs parents en soient avertis pour ne pas s'angoisser inutilement, et lorsqu'ils ont une inquiétude, qu'ils n'hésitent pas à l'exprimer.

Cela dit, les parents sont éblouis et émus de voir leur bébé, de « le surprendre dans son petit monde intérieur, secret et paisible », comme l'a écrit une lectrice. Voir le bébé installé calmement, confortablement, lui donne une réalité alors que le ventre de la maman s'est à peine arrondi et que les mouvements du bébé ne sont pas encore perceptibles. Les pères assistent en général à l'examen, l'échographie concrétise le bébé, la grossesse.

• L'utérus grossit et à 12 semaines il dépasse un peu la taille d'un pamplemousse. Le système digestif maternel devient quelquefois paresseux, les intestins sont vite irrités et peuvent vous obliger à modifier votre alimentation.

À LA FIN DU 3e MOIS

L'embryon change de nom et devient fœtus. Il pèse 45 g et mesure près de 10 cm. La longueur du bébé est calculée du sommet du crâne jusqu'à ses fesses. Il a fait un bond en avant : en quatre semaines, sa taille a triplé, son poids quadruplé. Son visage, ses bras, ses mains, ses jambes, ses pieds sont bien visibles, reconnaissables. Au cours des mois qui vont suivre, ce sont ses os qui subiront les modifications les plus importantes. Tout en se développant considérablement, le bébé changera peu dans son aspect extérieur.

AU COURS DU QUATRIÈME MOIS

DE 15 SEMAINES À 19 SEMAINES ET DEMIE

Au cours du 4ᵉ mois, la croissance est moins spectaculaire. Les risques de fausses couches ont pratiquement disparu. C'est une des périodes calmes de la grossesse. C'est sans doute un bon moment pour **annoncer à l'aîné** qu'il va avoir un petit frère ou une petite sœur, si ce n'est déjà fait. Dites-le lui simplement, tranquillement, sans trop de détails ni d'explications et, bien sûr, en associant le papa à cette information. Certains parents hésitent à en parler trop tôt craignant que l'enfant soit impatient et ne comprenne pas l'attente. Un jeune enfant peut très bien comprendre qu'un bébé mette du temps à grandir dans le petit nid préparé par ses parents. D'autant plus qu'à 3-4 ans, il a encore la mémoire de sa vie intra-utérine et des premiers mois après la naissance. Et l'aîné sent bien que quelque chose se prépare. Souvent les parents remarquent qu'il change d'attitude, devient parfois agressif avec sa mère, ou n'arrive plus à s'en séparer. Expliquer les changements, mettre des mots sur les émotions, calme les tensions.

Le bébé à naître prend peu à peu des proportions nouvelles. L'abdomen s'étant considérablement développé, la tête a l'air moins disproportionnée par rapport au reste du corps. La peau est si fine qu'elle laisse transparaître les petits vaisseaux. Elle est entièrement recouverte d'un fin duvet, le lanugo. Le cœur bat très vite, deux fois plus vite que chez l'adulte et cela continuera pendant plusieurs mois après la naissance.

Le foie commence à fonctionner. Les autres éléments du tube digestif également – vésicule, estomac – et dans l'intestin s'accumule une substance verte, le méconium, principalement formée par la bile que rejette la vésicule. Le rein fonctionne aussi, les urines se déversent dans le liquide amniotique qui s'épure au fur et à mesure. Sur la tête poussent les premiers cheveux.

• L'utérus arrive à peu près à l'ombilic. Il est possible que vous ayez de la peine à fermer votre pantalon ou votre jupe : le bassin s'est déjà élargi alors que vous n'avez pas encore pris de poids ou très peu.

• Au quatrième mois, c'est le moment de prendre rendez-vous pour l'entretien précoce (p. 211). C'est aussi la première séance de préparation à la naissance et à la parentalité qui fait le point sur vos besoins et les ressources locales pouvant y répondre.

LE CINQUIÈME MOIS

DE 19 SEMAINES ET DEMIE À 23 SEMAINES ET DEMIE

Le 5ᵉ mois a pour les parents une signification particulière. Pour la mère tout d'abord car elle sent enfin **bouger son enfant** ; ces mouvements qu'elle attendait avec impatience, curiosité, ou même appréhension, ces mouvements que l'enfant fait depuis longtemps mais qui étaient rarement perceptibles tant le bébé avait de place, la mère les ressent enfin (au début du 5ᵉ mois pour un premier enfant, au cours du 4ᵉ mois pour un deuxième). La mère fait parfois le lien entre les sensations de bulles qu'elle ressent et les mouvements qu'elle voit à l'écran pendant l'échographie.

Et pour le père, posant la main sur le ventre de sa femme, c'est le premier contact physique, charnel, avec son enfant. Pour beaucoup de pères, la perception des mouvements du bébé est une étape importante dans la découverte de son enfant et dans l'attachement qui peu à peu va le lier à lui. Le papa perçoit, en général, les mouvements de son bébé un mois après la maman.

L'enfant commence par donner une petite bourrade bien timide. Puis il s'enhardit, surtout lorsque sa mère est au repos, lançant bras et jambes. Au début ces mouvements ne sont pas du tout coordonnés, mais progressivement ils le deviennent. Peu à peu ces mouvements sont si fréquents que lorsqu'ils cessent, la mère le remarque, comme si quelque chose manquait en elle. Le remarquer est d'ailleurs utile car les mouvements de l'enfant sont témoins d'une bonne vitalité. Les mères se rendent vite compte que leur bébé bouge plus facilement la nuit, lorsqu'elles se reposent : l'utérus étant plus détendu, les mouvements de l'enfant sont plus aisés.

La vie d'un enfant avant la naissance est suivie tout au long de la grossesse. D'abord en écoutant battre le cœur. Puis, en mesurant la hauteur de l'utérus, le médecin ou la sage-femme apprécie le volume qu'occupe l'enfant ; si la progression de la hauteur de l'utérus est régulière, c'est bon signe. Et l'échographie permet de s'assurer que le développement de l'enfant se poursuit de façon harmonieuse.

La deuxième échographie se pratique vers la 22e semaine (p. 216). C'est en général au cours de cet examen que le médecin peut révéler le sexe du bébé : fille ou garçon ? Mais c'est aussi votre droit de garder la surprise pour le jour de l'accouchement. Encore faut-il en parler avant à l'échographiste afin qu'il ne divulgue pas le sexe durant son examen...

Au 5e mois, la peau de l'enfant est toujours très fine. Sur le crâne, les cheveux sont plus abondants. Au bout des doigts, les ongles sont là. Le fœtus s'exerce au mouvement de déglutition en absorbant du liquide amniotique qui l'entoure. On le voit parfois à l'échographie..

De leur côté les poumons poursuivent leur développement ; d'abord irréguliers, les « mouvements respiratoires » deviennent réguliers à partir de 8 mois environ. Comment expliquer les mouvements respiratoires du fœtus alors que ceux-ci mobilisent du liquide et non de l'air ? On suppose - mais ce n'est qu'une hypothèse - qu'il s'agit d'un simple entraînement à la vie aérienne.

• L'utérus continue de grossir, il s'élargit surtout. Votre silhouette commence à changer. Les articulations se relâchent, ce qui peut provoquer des douleurs articulaires.

À LA FIN DU 5e MOIS

Le bébé mesure maintenant 25 cm, 100 fois plus qu'à 4 semaines. Mais la grande période de croissance est terminée. Sa taille ne va que doubler jusqu'à la naissance. En revanche, dans le même temps, le poids va sextupler, puisqu'il passera des 500 g actuels aux 3 kg que pèse en général le bébé à terme.

LE SIXIÈME MOIS

DE 23 SEMAINES ET DEMIE À 28 SEMAINES

Le 6e mois est vraiment celui du **mouvement**, comme si le bébé exerçait ses forces. Il fait en moyenne 20 à 60 mouvements (bras, jambes, torsion du buste, etc.) par demi-heure. Il y a des variations au cours de la journée : la majorité semble remuer plus le soir quand la mère se repose. Certaines positions peuvent parfois déclencher les mouvements, par exemple jambes serrées ou genoux croisés. Certains bébés sont calmes et bougent peu. D'autres sont plus remuants. Mais rien ne permet actuellement d'établir un rapport entre la fréquence des mouvements avant la naissance et le « caractère » ultérieur de l'enfant après la naissance. Un fœtus « agité » ne sera pas forcément un enfant « nerveux ». Enfin le bébé a ses phases de sommeil durant lesquelles il bouge moins ou pas du tout.

La fréquence des mouvements varie aussi avec l'âge de la grossesse. Elle est plus élevée entre la 22e et la 38e semaine ; elle a tendance à diminuer 2 à 4 semaines avant l'accouchement, en partie parce que l'enfant a moins de place. La fréquence des mouvements est également influencée par l'état psychologique de la maman. On a pu constater qu'une forte émotion, qui provoquait une brusque décharge d'hormones, faisait aussitôt réagir le bébé.

À quoi cela sert-il d'étudier les mouvements de l'enfant ? À se rendre compte de sa vitalité : des mouvements actifs sont rassurants, toute diminution nette et prolongée peut inquiéter et **doit conduire à consulter**.

Le cerveau, quant à lui, continue à se développer. Le visage s'affine, les sourcils sont bien apparents, le dessin du nez plus ferme, les oreilles plus grandes, le cou plus dégagé.

Le **sommeil** est organisé en différents cycles. Durant la vie prénatale, c'est au cours de ce mois que cette alternance s'établit. Chez le fœtus, les cycles de veille-sommeil sont au nombre de quatre : sommeil calme ou agité, veille calme ou agitée. La plus grande partie du temps, le fœtus est en phase de sommeil agité. Petit à petit, la part de sommeil agité diminue et la part de sommeil calme augmente. A la naissance, on observe encore de longues plages de sommeil agité qui alternent rapidement avec des périodes de sommeil calme et d'éveil calme ou plus agité. C'est seulement à la fin du premier mois de vie, pour un enfant né à terme, que les cycles de veille-sommeil se structurent davantage et se stabilisent. Ces cycles ont pu être observés grâce à l'étude de la variabilité du rythme cardiaque et à l'échographie. On les a aussi étudiés chez le bébé prématuré par électro-encéphalogramme.

Lorsque le fœtus dort profondément, il est parfois difficile de le réveiller, que ce soit par le bruit ou par la palpation de l'abdomen maternel. Et on voit que lorsque l'enfant dort – ce qu'il fait 16 à 20 heures par jour –, il a déjà la position qu'il aura dans son berceau : le menton contre la poitrine ou la tête rejetée en arrière.

Le diaphragme s'agite avec des mouvements un peu brusques et sporadiques donnant à la mère l'impression que l'enfant a le hoquet. Au début, ce phénomène, qui apparaît vers 6 mois, inquiète souvent la future mère alors que c'est normal.

Avec la fréquence et la régularité des mouvements, la présence de votre bébé se fait plus forte. Vous imaginez l'avenir proche et, si vous devez reprendre votre travail à la fin du congé de maternité, vous pensez à la façon dont votre enfant va être accueilli. Dès que vous aurez la confirmation de l'inscription à la crèche, n'hésitez pas à vous rendre sur place. Cette « visite prénatale » permet aux parents de tisser des premiers liens avec ceux qui vont garder leur bébé. Elle permet aussi d'atténuer l'anxiété, souvent teintée de culpabilité, lors de la première séparation. Alors que s'il y a eu un premier contact, lorsque les parents viendront après la naissance pour confier leur bébé, chacun se reconnaîtra : un grand pas pour une adaptation apaisée aura été franchi. Pour les mêmes raisons, ne tardez pas trop pour chercher une assistante maternelle.

• Le développement de l'utérus est important au cours de ce mois, il atteint le bord des côtes et vos mouvements demandent une adaptation. Les séances de préparation comportent un travail corporel qui aide à celle-ci.

Et si le bébé naissait maintenant ?

Les chances de survie sans séquelles neuropsychiques sont extrêmement faibles avant 25 semaines d'aménorrhée. Faire naitre un bébé à ce terme, ou juste avant, est une lourde responsabilité. C'est pourquoi les médecins ne prennent pas leur décision sans la partager avec les parents.

À LA FIN DU 6ᵉ MOIS
L'enfant se tient les bras repliés sur la poitrine, et les genoux remontés sur le ventre. Il mesure 31 cm et pèse 1 000 g. Mais s'il naissait à cet âge, il serait un très grand prématuré.

LE SEPTIÈME MOIS : L'ÉVEIL DES SENS

DE 28 SEMAINES À 32 SEMAINES ET DEMIE

Jusqu'ici, nous avons parlé muscles et os, nous avons vu un visage se dessiner, des cheveux pousser, nous avons pesé ce bébé, nous l'avons mesuré. Au 7ᵉ mois, c'est un autre éveil, c'est « l'aube des sens ».

Cela fait maintenant plus de 30 ans que l'on sait que le bébé perçoit avant la naissance le goût du liquide amniotique, qu'il ressent avec sa peau, qu'il entend. Ces découvertes n'ont pas vraiment surpris les mères : depuis toujours elles savaient que l'enfant qu'elles attendaient avait des sensations, qu'il réagissait à des bruits, à la musique, à certains de leurs comportements. Mais ces croyances n'étaient pas étayées par la science et les mères n'étaient pas toujours écoutées. Et pourtant comment ne pas croire cette jeune femme qui, se trouvant dans une discothèque bruyante, au bout d'un moment a été obligée de sortir : « Il bougeait tellement… Ce n'était pas moi qui me sentais mal, c'était lui. » Quant aux berceuses, selon Françoise Loux, si elles plaisent c'est peut-être parce que le « nouveau-né retrouve la voix qu'il percevait avant la naissance… C'est en quelque sorte une voix extérieure, celle que l'enfant entendait avant sa naissance. »

L'audition

Desormais ces intuitions des mères, ces impressions sont devenues des certitudes scientifiques ; on sait maintenant que le **bébé entend**. Les chercheurs ne sont pas tous d'accord sur l'âge car il est difficile de tester un fœtus trop jeune. Mais, pour la majorité des études, c'est entre 5 mois 1/2 et 6 mois qu'on peut situer le début des réactions à une stimulation auditive.

Cette constatation des perceptions sensorielles du bébé, si elle n'a pas vraiment surpris la mère, a été pour le père un nouveau moyen d'entrer en relation avec le bébé. Beaucoup de pères parlent à leur enfant, lui chantent des chansons, cela leur permet de communiquer avec lui avant la naissance.

Qu'entend le bébé avant la naissance ? Toute une gamme de bruits et de sons. Mais, évidemment, le fœtus n'entend pas comme nous, les bruits lui arrivent quelque peu assourdis, filtrés par le liquide amniotique dans lequel il baigne ; en plus, il entend de nombreux bruits intérieurs (« borborygmes » intestinaux, battements cardiaques) qui traversent le placenta ou le cordon ombilical. Ces bruits intérieurs représentent probablement un environnement sonore auquel le fœtus est si habitué qu'il ne l'entend plus consciemment, comme le marin n'entend plus les vagues.

Par contre, les bruits extérieurs sont bien entendus, et représentent une riche stimulation. Entend-il mieux les sons graves ou les sons aigus ? Autrement dit, le bébé entend-il mieux la voix de son père ou celle de sa mère ? Les chercheurs ne sont pas d'accord sur ce point. Pour certains, c'est sûr, le bébé entend mieux les sons graves. D'autres chercheurs sont plus nuancés : si leurs travaux montrent que le bébé réagit plus à un son aigu, cela est peut-être dû à ce que, entendant plus de sons graves, il réagit mieux aux sons aigus, moins familiers. En fait, cette question est peu importante. Ce qu'il faut savoir, c'est qu'avant de naître le bébé entend et réagit à la plupart des *stimuli* venant de l'extérieur.

Des chercheurs ont démontré que le bébé différencie une voix féminine d'une voix masculine, une syllabe d'une autre et même deux mélodies différentes. Ils ont également démontré que, dès 8 mois, le bébé réagissait différemment à une comptine plusieurs fois répétée par la mère, et à une comptine inconnue. Il en est de même pour des morceaux de musique.

Et, après la naissance, le nouveau-né exprimera une préférence pour les bruits (musique ou voix) qu'il a entendus *in utero*. C'est pourquoi, dans certaines maternités, pour calmer les prématurés, et les réconforter, on leur fait entendre les battements du cœur de leur mère, enregistrés et amplifiés : le bébé reconnaissant ce bruit, se calme.

Quant à T.B. Brazelton, il a rapporté qu'un fœtus de 6-7 mois, non seulement réagissait à différents sons, mais qu'il était capable de se détourner des *stimuli* négatifs, et de faire attention aux *stimuli* positifs : une sonnerie de réveil le fait sursauter, mais si on la lui fait entendre plusieurs fois, il s'en détourne, et ne réagit plus ; le son d'une crécelle le fait se tourner vers ce bruit comme s'il attendait le prochain signal.

Comment sait-on que le fœtus entend ? Grâce au tococariographe (c'est l'appareil qui mesure le rythme cardiaque du fœtus), par les mains posées sur le ventre, et par l'échographie. On observe qu'à l'écoute de ces différents bruits, le cœur du bébé bat plus vite, que l'enfant sursaute, qu'il s'agite, qu'il change de position.

Les autres sens

Ce qu'on a du mal à croire, c'est que le bébé puisse être sensible à une **impression visuelle**. Pourtant, si après avoir repéré la tête de l'enfant par échographie, on dirige une forte lumière sur le ventre de la mère, que fait le bébé ? Il sursaute, ou simplement son rythme cardiaque s'accélère. Seules de rares observations de réactions visuelles ont été effectuées avec une lumière froide, c'est-à-dire excluant les effets de la chaleur associés aux sources lumineuses habituelles. Une accélération du cœur du fœtus a été observée à l'allumage d'une lumière introduite *in vitro* lors d'une amnioscopie.

Les **goûts** et les **odeurs**, étroitement liés, se développent dès la vie intra-utérine. D'après des observations chez les bébés prématurés, on sait que le système gustatif est fonctionnel avant la naissance. C'est l'alimentation de la mère qui parfume le liquide amniotique : des études ont montré que le nouveau-né, dès la naissance, est attiré par l'odeur de l'anis ou du curry que sa mère a mangé pendant la grossesse. Il est capable de garder en mémoire des expériences de saveurs et d'odeurs du temps où il était dans l'utérus. C'est ainsi qu'il reconnaîtra et sera attiré par l'odeur du lait maternel à la naissance, également influencé par l'alimentation de sa maman. Les stimulations olfactives et gustatives répétées pendant la grossesse contribuent à la familiarisation des odeurs et des saveurs par le bébé à naître et au développement des goûts chez l'enfant.

En conclusion, les sens du bébé se mettent peu à peu tous en place à partir du 6e mois et sont efficaces dès le 8e mois. Ils vont continuer à se développer, à s'affiner, après la naissance.

L'échographie montre également la continuité entre la vie avant la naissance et la vie après la naissance. Dans le ventre maternel, le bébé s'exerce à différents gestes : resserrer le pouce et l'index, bouger les mains et les orteils, toucher le cordon. Si on a la chance d'être là au bon moment, on peut voir le bébé sucer son pouce. Et bien des nouveau-nés arrivent au monde avec un pouce tout irrité d'avoir été sucé.

C'est à la fin de ce mois (vers 32 semaines d'aménorrhée, p. 216) qu'est en général pratiquée la troisième échographie.

• L'utérus se développe proportionnellement moins que le mois précédent mais le bébé le remplit de plus en plus et monter les escaliers devient un véritable exercice physique. Vous vous essoufflez rapidement. Vous ressentez facilement un malaise si vous restez allongée sur le dos : allongez-vous sur le côté, vous serez mieux.

À 7 MOIS
Le bébé pèse 1 700 g et mesure 40 cm. S'il naissait, il aurait maintenant toutes ses chances de survie, avec parfois certaines séquelles. L'enfant de cet âge est certes viable – et bien des prématurés le prouvent – mais il est encore fragile : il n'a pas le poids et surtout la maturité nécessaires pour s'adapter facilement et rapidement au monde extérieur. Cette maturité, il va l'acquérir au cours des deux derniers mois. Plus l'enfant est proche du terme, plus il est prêt à s'adapter à sa nouvelle vie. S'il naît à cette période, il sera transféré dans une maternité de type II ou III, à moins qu'il y soit déjà car sa maman y aura accouché.

LE HUITIÈME MOIS : IL SE FAIT UNE BEAUTÉ

DE 32 SEMAINES ET DEMIE À 36 SEMAINES ET DEMIE

Votre bébé dort, s'agite, répond à vos sollicitations, à la voix de son père ; il prend de plus en plus de place dans vos pensées et dans les préoccupations au quotidien.

C'est seulement vers le 8e mois que s'achève la maturation du poumon. Celui-ci est formé de multiples petites alvéoles où circule l'air que nous respirons. Chez le bébé au 8e mois, ces alvéoles, entourées de tout un réseau de vaisseaux, sont prêtes à fonctionner. C'est à cette époque qu'apparaît une substance graisseuse (appelée surfactant) qui enduit chacune de ces alvéoles et empêche le poumon de se rétracter complètement après chaque inspiration. En l'absence de surfactant, le bébé a de quoi respirer, mais pas parfaitement, et ceci d'autant plus qu'on est loin du terme de la grossesse. Ceci explique les problèmes de certains prématurés.

Le cœur continue de battre à un rythme élevé, 120 à 140 battements par minute. Il a sa forme et son aspect définitifs mais la circulation ne s'y fait pas encore tout à fait comme après la naissance, notamment parce que le sang fœtal ne s'oxygène pas au niveau des poumons, mais grâce à l'oxygène que lui apporte le cordon ombilical. Certaines communications existent encore (par exemple entre les parties droite et gauche du cœur), elles ne se fermeront qu'après la naissance.

La naissance approche, l'enfant se fait une beauté. La graisse tend la peau ; les rides disparaissent ;

les contours s'arrondissent, la peau devient plus épaisse ; le fin duvet qui la recouvrait disparaît peu à peu et il est remplacé par un enduit, le *vernix caseosa*.

C'est généralement au cours du 8ᵉ mois (mais parfois avant) que l'enfant prend sa position définitive pour l'accouchement. L'utérus ayant la forme d'une poire renversée, l'enfant cherche à s'adapter le mieux possible à l'espace dont il dispose. C'est pourquoi, dans la plupart des cas (95 % au moins) il va se placer de façon que la partie la plus volumineuse de son corps, c'est-à-dire le siège, se retrouve dans le fond de l'utérus. L'enfant sera donc tête en bas et le dos plus souvent à gauche qu'à droite. Ainsi, lors de la naissance, c'est la tête qui va se présenter la première. On dit qu'il s'agit d'une **présentation du sommet**. Mais dans certains cas, notamment lorsque l'utérus manque d'ampleur, c'est la tête qui se cale dans le fond de l'utérus. C'est alors le siège qui sort le premier lors de l'accouchement. C'est une **présentation du siège**. Dans ce cas, l'équipe médicale, avec une version par manœuvres externes (p. 294), essaiera de basculer l'enfant pour qu'il se présente par la tête. Très rarement enfin, le bébé se met complètement en travers : c'est une **présentation transversale** qui n'est pas compatible avec un accouchement normal, elle nécessite le recours à la césarienne (schémas pp. 293-294).

C'est au cours de l'examen du 8ᵉ mois que le médecin sera en mesure d'établir un pronostic sur l'accouchement et notamment si, selon lui, l'accouchement pourrait avoir lieu naturellement ou si au contraire il faudrait envisager une césarienne.

• Vous êtes en général en congé de maternité (il commence à 35 semaines d'aménorrhée révolues). Si votre grossesse se déroule sans fatigue importante et si votre état de santé et le développement du bébé le permettent, vous pouvez continuer de travailler une, deux ou trois semaines - une attestation du médecin ou de la sage-femme est nécessaire - et reporter ce congé prénatal non pris après l'accouchement (p. 434). Mais le congé de maternité est aussi un temps qui permet de rêver, de s'imprégner des sensations de la présence du bébé et de la fin de la grossesse.

C'est également la période où les questions concernant l'accouchement, les soins au bébé et le retour à la maison se posent. Les séances de préparation à la naissance et à la parentalité ont pour objectif d'y répondre et d'organiser les contacts pour l'après naissance. Les caisses de Sécurité sociale développent le PRADO, qui est une prise en charge lors du retour à domicile (p. 281). Certains services de maternité et de PMI (protection maternelle et infantile) organisent des rencontres avant la naissance, par exemple sur les soins au bébé, l'allaitement. N'hésitez pas à vous renseigner.

À LA FIN DU 8ᵉ MOIS
L'enfant pèse en moyenne 2 400 g et mesure 45 cm. C'est le mois du « fignolage ». Ses mouvements deviennent plus coordonnés et plus doux. À partir de 32 semaines, et jusqu'à 36 semaines, la naissance peut avoir lieu dans une maternité de type II : le bébé n'a normalement plus besoin d'un service de réanimation mais il doit séjourner en néonatalogie pour terminer sa maturation dans les meilleures conditions.

LE NEUVIÈME MOIS : LE JOUR SE LÈVE

DE 36 SEMAINES ET DEMIE À 41 SEMAINES

L'enfant va consacrer les dernières semaines à prendre des forces et du poids, 20 à 30 g par jour, et à grandir. Sa tête grossit peu. C'est surtout son ventre, ses cuisses, ses bras qui s'étoffent. Ce sont des parties molles qui ne gêneront pas sa progression hors du bassin maternel et lors de l'accouchement.

Le bébé remue encore beaucoup au début du mois, mais il n'est pas rare que ces mouvements soient moins perceptibles dans les semaines qui précèdent la naissance, tout simplement par manque de place. Mais malgré cela il continue à bouger, comme le sent la maman et comme elle doit le sentir. **Un bébé doit toujours bouger, plus ou moins, mais il doit bouger**.

Le fin duvet qui recouvrait le bébé est maintenant presque entièrement tombé, mais il peut persister après la naissance, notamment sur la nuque et les épaules. L'enduit sébacé qui recouvrait la peau est également en train de disparaître.

Le crâne n'est pas entièrement ossifié. Entre les os persistent des espaces fibreux que l'on appelle les fontanelles. Il en existe deux : l'une en forme de losange, en avant, au-dessus du front, l'autre triangulaire, en arrière, au niveau de l'occiput. Ce sont des espaces souples qui permettent à la tête du bébé de se modeler et de s'adapter au bassin de sa mère lors de l'accouchement. Elles servent aussi de points de repère à la sage-femme pour reconnaître la position du bébé. Elles ne se fermeront que plusieurs mois après la naissance.

LA SURVEILLANCE MÉDICALE
Vous passez chaque mois une consultation qui permet de vérifier le développement de votre bébé et de surveiller votre santé. Certains examens ont lieu à des étapes bien précises. Vous les retrouverez pages 207 et suivantes et dans le tableau pages 231-232.

Tout au long du neuvième mois, chaque organe évolue vers plus de maturité. Le système nerveux évolue aussi : il y a plus de sommeil calme, plus d'éveil calme. Le placenta commence à vieillir : les échanges entre la mère et l'enfant sont moins bons, le placenta joue moins son rôle de filtre. À la fin du 9ème mois, il fonctionne moins bien et il sera temps que l'accouchement se déclenche et que le bébé se sépare de son placenta. Ne vous inquiétez pas, l'état du placenta est surveillé au moindre doute par l'échographie, le doppler, le monitoring.

• Chez la mère, les articulations qui relient les os entre eux se relâchent, ce qui élargit le bassin de quelques millimètres et facilitera l'accouchement. Cela est parfois désagréable (pp. 198 et 291). L'utérus mesure 32 à 33 cm et les positions deviennent difficiles à trouver pour dormir comme pour se déplacer. Les jambes peuvent être lourdes et la station debout est pénible. Vous vous sentez moins disponible pour les tâches quotidiennes et le travail intellectuel. C'est un signe d'adaptation à l'arrivée du bébé. Vous retrouverez toutes vos facultés quelques mois après l'accouchement, lorsque vous serez prête pour la reprise du travail.

Beaucoup de mamans trouvent ce neuvième mois bien long et inconfortable. Elles sont partagées entre l'impatience de voir leur bébé, de s'en occuper et la crainte de l'accouchement, l'appréhension de la première rencontre, l'organisation à mettre en place après la naissance. C'est souvent dans ce dernier mois que le stress apparaît, que les questions sur le moment de partir à la maternité, sur l'épisiotomie, la péridurale se posent concrètement. Il est donc important de rester en contact avec le médecin et/ou la sage-femme qui vous suit ou vous prépare.

À LA FIN DU 9ᵉ MOIS
L'enfant est prêt à naître, le plus souvent tête en bas, bras et jambes repliés sur le ventre. En moyenne, il pèse 3 000 à 3 300 g, et mesure 50 cm. Il est maintenant prêt à aborder le monde extérieur.

C'est au chapitre 16 que vous verrez les premières réactions, l'aspect et le développement du nouveau-né. En venant au monde, des modifications importantes s'opèrent en quelques heures dans l'organisme de l'enfant pour qu'il puisse s'adapter au milieu dans lequel il est brusquement plongé.

Images de la vie avant la naissance

Dans ces images de la vie avant la naissance, l'âge du bébé est indiqué en semaines d'aménorrhée (sur la correspondance semaines d'aménorrhée et mois de grossesse, voir pp. 113 et 268).

LES EMBRYONS

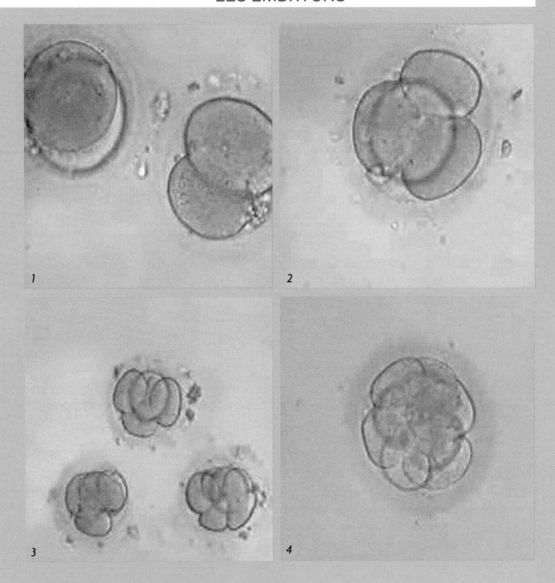

Les étapes des premiers jours après la fécondation :
1- L'œuf se divise en deux cellules (sur cette image 2 embryons de 2 cellules).
2- Embryon de 4 cellules au 2ᵉ jour.
3- Embryons au 3ᵉ jour. Celui en bas à droite a 6 cellules.
4- Embryon au 5ᵉ jour de plusieurs dizaines de cellules (appelé blastocyste).

Page de droite
5. L'embryon à 8 semaines : on commence à apercevoir l'ébauche de ses membres.
6. Le fœtus à 20 semaines : on distingue bien les mains et les jambes repliées.

EMBRYON ET FŒTUS

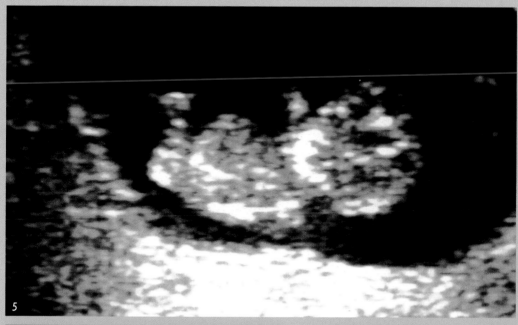

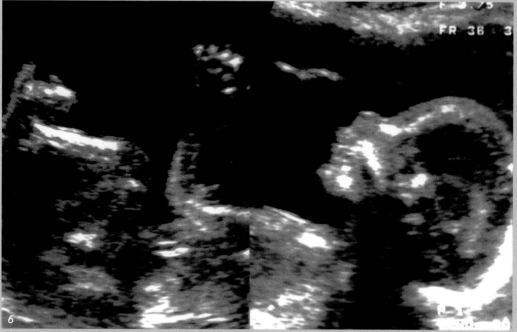

LES JUMEAUX

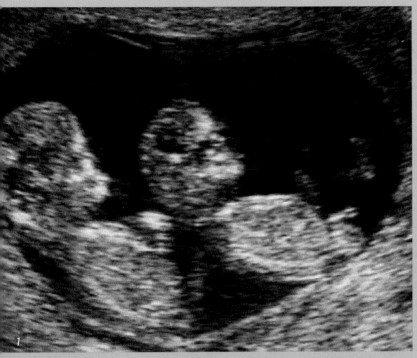

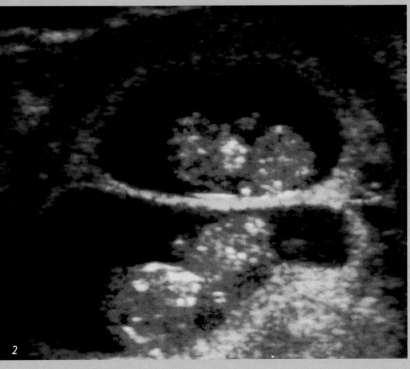

1. Une grossesse gémellaire
de 12 semaines. Les deux embryons
sont dans la même poche.
Ce sont de vrais jumeaux
(monozygotes), donc du même sexe.

2. Une grossesse gémellaire
de 9 semaines, mais les embryons
sont dans des poches distinctes.
Ce sont des faux jumeaux
(dizygotes).

3. Clarté nucale
La clarté nucale est mesurée lors de
la première échographie et elle
permet d'évaluer le risque de
trisomie 21 (p. 215). Sur ce cliché, la
clarté (ou épaisseur) nucale est
mesurée entre les deux croix.

4. Longueur tête-fesses
Cette mesure est faite
systématiquement lors des
échographies précoces pour
apprécier la taille de l'enfant.

QUELQUES MESURES

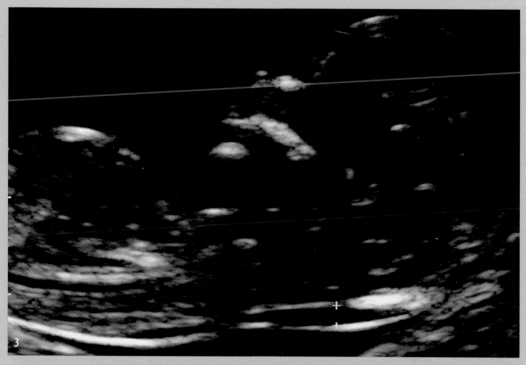

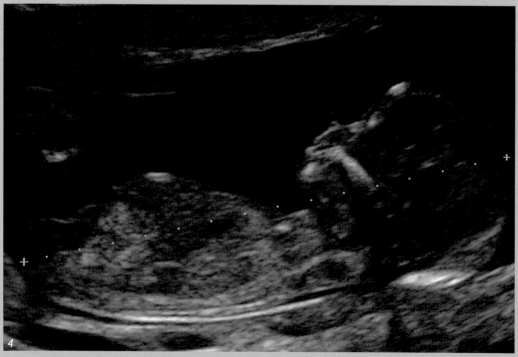

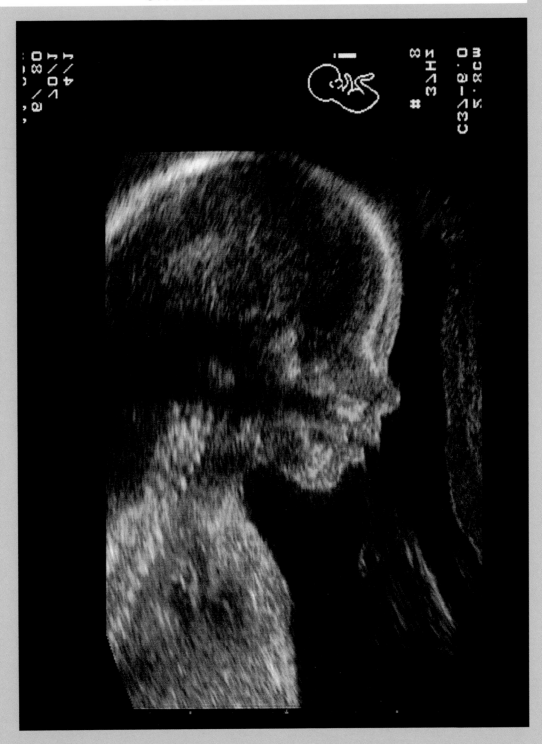

LE SEXE DU BÉBÉ

Sur ces échographies, le sexe du bébé est bien identifiable.

1. Le sexe d'un petit garçon
2. Le sexe d'une petite fille

Ces images montrent nettement le sexe de l'enfant à naître. Mais celui-ci n'est pas toujours aussi visible, cela dépend de la manière dont se tient le bébé. De toute façon, si vous souhaitez attendre le jour de la naissance pour avoir le plaisir de la découverte du sexe de votre enfant, pensez à le dire au médecin.

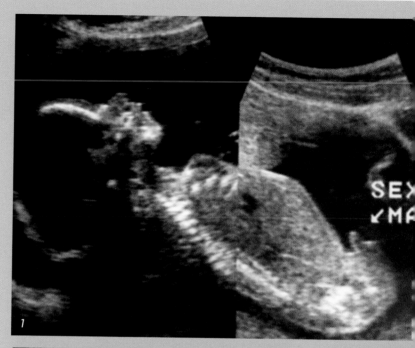

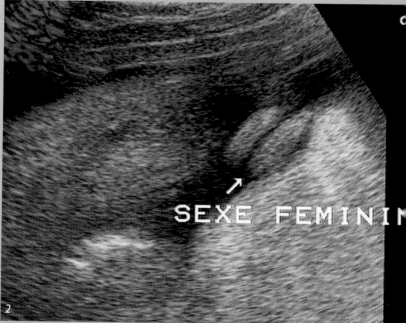

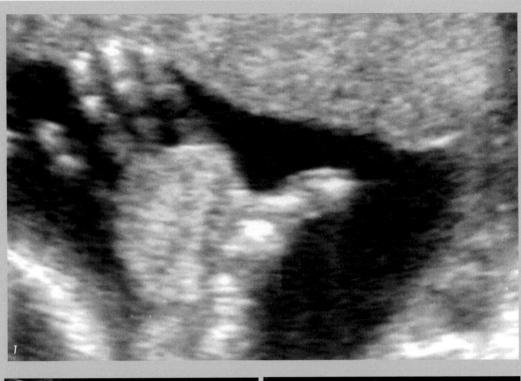

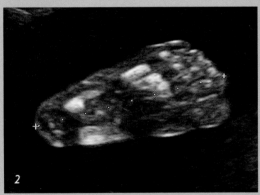

DE PROFIL ET DE FACE

1. À 18 semaines, les phalanges sont distinctes.

2. Le pied (32 semaines)

3. La mesure du fémur chez un bébé de 21 semaines.

4. Le bébé suce son pouce : une échographie pas très fréquente.

5. Malgré les paupières encore fermées, le regard se devine.

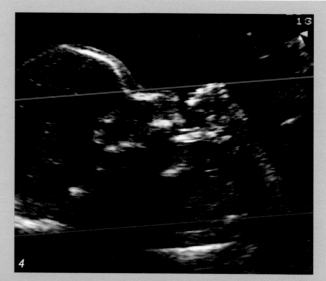

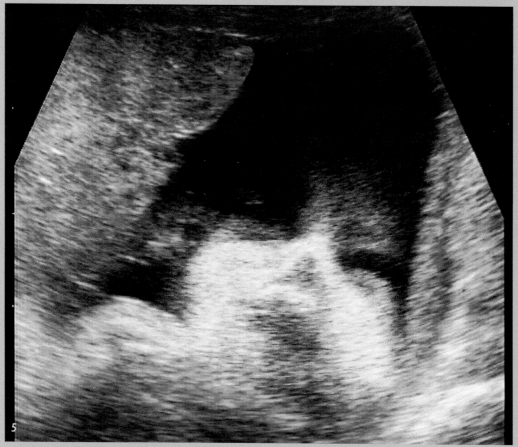

LES DOPPLERS

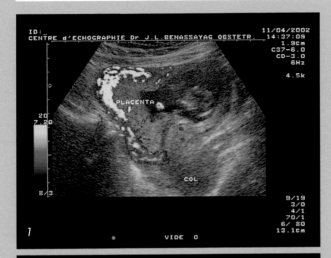

1

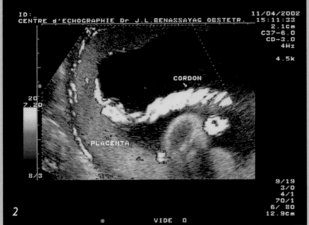

3

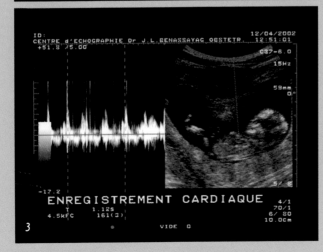

2

L'ÉCHOGRAPHE EST UN APPAREIL QUI UTILISE DIFFÉRENTES TECHNIQUES D'IMAGERIE. PARMI CES TECHNIQUES, IL Y A LES DOPPLERS. IL EXISTE DIFFÉRENTS TYPES DE DOPPLERS : ÉNERGIE COULEUR, CODE COULEUR, PULSÉ, ETC.

1 et 2. Il s'agit d'un doppler énergie couleur : c'est une technique qui permet de voir et de mesurer la quantité de sang qui circule dans un organe. Grâce au doppler énergie couleur, on peut vérifier si le placenta est bien implanté ou si au contraire un décollement ou une baisse du flux sanguin menace la grossesse.

3. Il s'agit d'un doppler pulsé qui permet « d'ausculter » l'endroit choisi par le médecin, et ainsi d'écouter le cœur du bébé et de prendre son rythme. Dans le cas d'une grossesse multiple (jumeaux, triplés) il est ainsi possible d'écouter le cœur de chacun des bébés séparément.

Comment votre enfant vit en vous

Nous mangeons par la bouche, nous respirons par le nez et les poumons. Pour des raisons évidentes, le fœtus ne peut en faire autant. Il devra attendre de naître pour s'alimenter et respirer à notre manière. Pour le moment, c'est de sa mère qu'il reçoit la nourriture et l'oxygène dont il a besoin pour se développer. Ces échanges mère-enfant sont possibles grâce à un système relativement complexe que l'on appelle les « annexes » de l'œuf. Ces organes annexes sont transitoires. Ils n'existent que pendant la grossesse, ils seront éliminés après la naissance.

Ces annexes comprennent le *placenta*, le *cordon ombilical*, les *membranes de l'œuf*. Placenta et cordon se complètent, mais chacun a son rôle bien précis. Le premier puise dans le sang maternel les matières premières et l'oxygène nécessaires au fœtus, le deuxième les lui apporte. Après la naissance, le placenta est expulsé, c'est la délivrance. Quant aux membranes, ce sont elles qui forment le sac à l'intérieur duquel se trouvent l'œuf et le liquide amniotique.

Pour mieux vous faire comprendre ce que sont les annexes, il est nécessaire de faire un bref retour en arrière. Lors de la nidation, vous l'avez vu (p. 106 et suiv.), l'œuf a complètement pénétré dans la muqueuse utérine. Celle-ci prend alors le nom de caduque car elle sera éliminée après l'accouchement. Sur les schémas de la page suivante vous pouvez voir que la caduque tapisse toute la cavité utérine, y compris la zone où va se nider l'œuf.

11. LE TROPHOBLASTE

va former le placenta en profondeur, et dans l'épaisseur de la paroi utérine. À la périphérie de l'œuf, il va prendre le nom de chorion. *La cavité amniotique, où « flotte » l'embryon, va occuper peu à peu toute la cavité de l'utérus.*

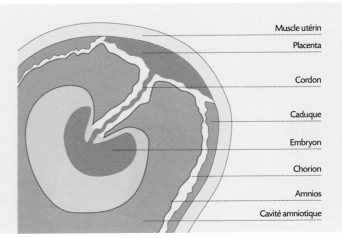

Muscle utérin

Placenta

Cordon

Caduque

Embryon

Chorion

Amnios

Cavité amniotique

Au niveau de la zone où l'œuf s'est implanté, le **trophoblaste** comprend deux régions distinctes. L'une profonde, qui, pénétrant dans la muqueuse utérine et érodant ses vaisseaux, établit un contact avec la circulation maternelle pour y puiser les aliments nécessaires au développement de l'embryon. C'est l'ébauche du placenta. L'autre partie du trophoblaste (schéma 11) se trouve à la périphérie de l'œuf et prend le nom de chorion. L'œuf qui, en se développant, fait de plus en plus saillie dans la cavité de l'utérus, se trouve alors recouvert de deux couches de tissus : la **caduque** et le **chorion**.

Parallèlement est apparue dans le bouton embryonnaire une cavité remplie d'un peu de liquide : la cavité amniotique qui est limitée par une membrane appelée **amnios**.

Rapidement, cette cavité va se remplir de liquide. Elle va augmenter de volume et prendre une place de plus en plus grande dans la cavité utérine qu'elle va finir par occuper complètement vers la 10ᵉ semaine. La membrane qui la limite, l'amnios, va donc s'accoler au chorion et à la caduque. Ils vont former ce que l'on appelle les membranes de l'œuf.

En même temps, l'embryon, qui augmente de volume, s'est écarté de la zone d'implantation. Il s'éloigne progressivement de la paroi utérine et ne lui reste attaché, au niveau du placenta, que par un pédicule entouré par l'amnios : c'est le futur cordon ombilical.

Entrons maintenant dans le détail.

LE PLACENTA

En latin, placenta veut dire « gâteau ». À la fin de la grossesse le placenta ressemble en effet à un gros gâteau spongieux dont le diamètre est de 20 cm en moyenne, et de 2 à 3 cm d'épaisseur.

Voici comment se constitue le placenta. Lorsque l'œuf se nide, le trophoblaste s'insinue dans la muqueuse utérine et détruit la paroi des vaisseaux maternels où il peut puiser les aliments dont l'œuf a besoin pour se développer.

Très vite, cette machinerie élémentaire devient insuffisante pour les besoins de l'embryon qui se développe à grande vitesse. L'organisme maternel et l'œuf se mettent alors à édifier une petite centrale : le placenta. Le trophoblaste envoie de multiples petits filaments dans la muqueuse.

En quelques semaines ces filaments grossissent, s'organisent, et forment ce que l'on appelle les

12. ÉCHANGES MÈRE-ENFANT AU NIVEAU DU PLACENTA

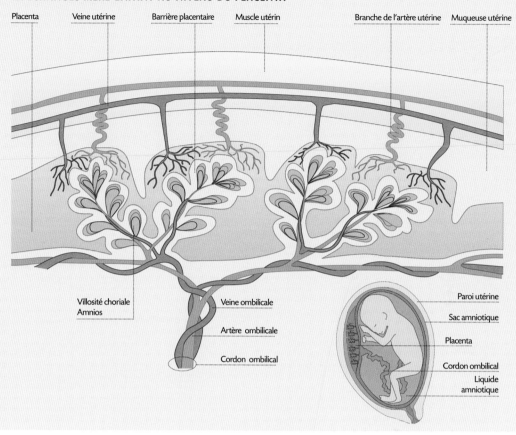

Placenta   Veine utérine   Barrière placentaire   Muscle utérin   Branche de l'artère utérine   Muqueuse utérine

Villosité choriale
Amnios

Veine ombilicale

Artère ombilicale

Cordon ombilical

Paroi utérine

Sac amniotique

Placenta

Cordon ombilical
Liquide amniotique

villosités du placenta. Vous pouvez les imaginer comme des arbres dont le tronc se divise en branches principales, elles-mêmes divisées en branches secondaires. Celles-ci se hérissent de bourgeons multiples où les villosités se terminent comme des touffes au nombre de plusieurs dizaines. Il existe ainsi 15 à 33 gros troncs qui, par divisions successives, vont aboutir à des milliers de villosités terminales. C'est au niveau de ces dernières que vont se faire les échanges entre la mère et l'enfant.

Ces villosités baignent, au niveau de l'utérus, dans une sorte de petit lac sanguin qui représente la partie maternelle du placenta. Dans ce lac sanguin circule le sang de la mère. Dans les villosités circule le sang de l'enfant, apporté par le cordon ombilical.

Ainsi le sang de la mère et celui de l'enfant se rencontrent au niveau du placenta, mais ils sont séparés par la paroi de la villosité à travers laquelle vont se faire les échanges mère-enfant. Cette paroi est d'ailleurs de plus en plus mince au cours de la grossesse, comme pour favoriser les échanges au fur et à mesure que les besoins du fœtus augmentent. Récemment encore, on considérait comme impossible le « mélange », du sang maternel et du sang fœtal. Mais maintenant on a la certitude que des cellules fœtales passent dans la circulation maternelle (on en retrouve environ 500 000 après trois mois de grossesse) et peuvent y rester plus de vingt ans. De même, des cellules maternelles passent dans la circulation fœtale. Pour autant, on ne peut pas dire que les deux sangs se mélangent vraiment.

• Le premier rôle du placenta est donc celui d'une véritable **usine nutritive**. C'est à travers la membrane qui limite les villosités que le sang fœtal puise son oxygène. Le placenta est le véritable poumon fœtal.

En ce qui concerne l'eau, elle passe facilement à travers le placenta (3,5 l à l'heure à 35 semaines) ainsi que la plupart des sels minéraux.

En ce qui concerne les matières premières, c'est-à-dire les aliments, les choses sont plus complexes. Glucides, lipides, protides passent facilement. Les autres, le placenta doit d'abord les transformer avant de les assimiler. C'est là qu'on retrouve la notion d'usine, usine d'ailleurs prévoyante : dès qu'il y a abondance de nourriture, elle fait des stocks. L'usine se double alors d'un magasin dans lequel le fœtus puise en cas de besoin.

• Le second rôle du placenta est celui d'un **filtre** qui arrête certains éléments et en laisse passer d'autres. De nombreux médicaments passent ce filtre ; parfois c'est un bien mais parfois un mal car certains sont néfastes pour l'enfant. La plupart des virus ou certains parasites, tel le toxoplasme, traversent le placenta ainsi que l'alcool, le tabac et toutes les drogues.

• Usine nutritive, filtre, le placenta est aussi une source très importante d'**hormones**. Tout d'abord l'hormone gonadotrophine chorionique (ßHCG) dont la présence dans le sang maternel signe la grossesse (p. 19). La production de ßHCG augmente rapidement jusqu'à 13 semaines pour décroître ensuite. Peut-être cette hormone est-elle en partie responsable des nausées du début de grossesse ? Celles-ci sont en effet plus fréquentes lors d'une grossesse gémellaire et, dans ce cas, le placenta est plus important. Le placenta fabrique également des quantités croissantes d'œstrogènes et de progestérone, indispensables au bon déroulement de la grossesse.

PLACENTA, RITES ET SYMBOLES

Dans les sociétés primitives, ou chez nous il n'y a pas si longtemps, les coutumes faisaient une place à part aux organes éliminés lors de l'accouchement. Alors que le cordon ombilical et les membranes amniotiques étaient précieusement conservés pour accompagner l'enfant comme porte-bonheur, le placenta était éliminé, caché, ou transformé pour servir ailleurs. On l'enterrait pour fertiliser le sol, on le jetait à l'eau pour nourrir les poissons (comme en Allemagne au XVIᵉ siècle) ; dans les pays nordiques, on le brûlait et sa cendre était considérée comme médicament ou poison, selon les cas.

Parfois, on gardait le placenta tel quel et, placé sous le lit d'un couple stérile, ou trempé dans le bain d'une femme stérile, il était censé rompre la malédiction. Mais dans la plupart des cas, on l'écartait de l'enfant et presque toujours, c'était pour le dissoudre, le disséminer. Un peu comme si l'on avait cherché à l'oublier.

Il n'y a pas si longtemps le placenta était conservé à la maternité dans un congélateur et il était récupéré par des sociétés qui l'utilisaient pour fabriquer des produits dermatologiques ou cosmétologiques. Aujourd'hui, cet usage est interdit à cause du risque de transmission de maladies virales connues ou inconnues et les placentas ne sont plus conservés.

LE CORDON OMBILICAL

Le placenta est relié au fœtus par le cordon ombilical. Ce cordon est une sorte de tige gélatineuse, arrondie, blanchâtre, luisante, qui unit le fœtus au placenta. Il mesure 50 à 60 cm, mais il existe des cordons plus courts ou plus longs, mesurant jusqu'à 1,50 m. L'épaisseur du cordon est de 1,5 à 2 cm.

Le cordon ombilical est formé en grande partie par les cellules de l'amnios, l'une des membranes qui recouvre l'enfant. À chaque extrémité du cordon, l'amnios, qui forme la gaine (ou la paroi) du cordon, se confond du côté fœtal avec la peau de l'abdomen, et du côté placentaire avec l'amnios qui recouvre le placenta. Le cordon est un vrai pipe-line. Il contient une veine et deux artères ; la veine amène au fœtus de la nourriture et l'oxygène prélevés et transformés par le placenta dans le sang maternel. Les artères ramènent les déchets (gaz carbonique, urée, etc.) au placenta, lequel les déverse dans la circulation générale maternelle.

Le cordon est solide et élastique (il supporte des tractions de l'ordre de 5 à 6 kg) et il se laisse difficilement comprimer, heureusement, car sinon le transport sanguin risquerait d'être perturbé. Le cordon est très souple, ce qui permet au fœtus tous les mouvements possibles.

Après la naissance de l'enfant, la section du cordon (qui est indolore pour la mère et pour l'enfant) rompt définitivement les liens entre la circulation maternelle et celle de l'enfant qui devient complètement autonome. La circulation dans le cordon s'interrompt d'elle-même car les artères se contractent ; ainsi, au bout de peu de temps, même si on coupait le cordon sans le lier, il ne saignerait pas. Ce n'est pas la section du cordon qui interrompt les échanges, c'est le cordon lui-même qui arrête de fonctionner.

Ce qui reste du cordon au niveau de l'abdomen de l'enfant tombe quelques jours après la naissance, et laisse une cicatrice indélébile qui persistera toute la vie : le nombril ou ombilic.

« Il n'a pas coupé le cordon. » « Elle se regarde le nombril. » « Il se prend pour le nombril du monde. » Comme le placenta, le cordon – et le nombril – sont devenus des symboles au-delà du rôle qu'ils ont joué pendant la grossesse.

CORDON OMBILICAL, CELLULES SOUCHES ET SANG PLACENTAIRE

Le sang placentaire est issu du placenta. Il est prélevé au niveau du cordon ombilical, d'où l'appellation souvent rencontrée de « sang du cordon ». Ce sang a la caractéristique d'être riche en cellules souches dont certaines peuvent traiter des maladies sanguines, comme les leucémies, mais également des maladies génétiques, comme les drépanocytoses, et peut-être même d'autres maladies plus rares, qui sont actuellement objets de recherches. Ces cellules souches ont en effet la capacité de régénérer le système sanguin et immunitaire contenu dans la moelle osseuse.

En France, le don de sang placentaire est anonyme et gratuit, comme d'ailleurs tous les dons dans notre pays (organes, sang, sperme, etc.). Seuls quelques centres sont habilités à procéder au recueil et à la conservation du « sang du cordon » (www.agencebiomedecine.fr). Après accord de la maman, le sang est prélevé après l'accouchement (80 à 100 ml) et avant la délivrance. Ce recueil ne modifie en rien le déroulement naturel de l'accouchement.

Il existe également, en Europe et ailleurs, des sociétés privées, dont certaines sont reconnues par les autorités de santé, qui conservent du sang placentaire ; soit pour un usage privé, c'est-à-dire « familial » mais aussi pour un usage «solidaire », c'est-à-dire susceptible d'être répertorié dans un registre international des donneurs. Ce recueil à des fins privées n'est ni gratuit ni anonyme et ces banques privées sont interdites en France. Pour le moment, il faut retenir qu'il n'y a pas d'application reconnue de conservation du sang placentaire pour soi et que son intérêt réside dans les greffes allogéniques (receveur et donneur différents), notamment dans certaines maladies du sang.

LE LIQUIDE AMNIOTIQUE ET LES ENVELOPPES DE L'ŒUF

Nourri par le placenta, ravitaillé par le cordon ombilical, le fœtus est protégé par ses enveloppes : au milieu, il flotte dans le liquide amniotique comme un poisson dans l'eau.

Nous avons déjà parlé des enveloppes, appelées aussi membranes (le **chorion, la caduque, l'amnios**), et de la façon dont elles s'étaient constituées (pp. 135-136) ; leur place respective apparaît sur le schéma ci-dessous.

Du **liquide amniotique**, il y a peu et beaucoup à dire. Sur ses origines, on sait peu de choses, mais on pense qu'il a plusieurs sources. Tout d'abord, le fœtus lui-même qui le sécrète par la peau (jusqu'à 20 semaines), par le cordon (à partir de 18 semaines), par les poumons, enfin et surtout par la vessie. Une autre partie du liquide semble venir de l'organisme maternel en passant à travers les membranes de l'œuf, ces dernières en sécrètent d'ailleurs elles-mêmes.

La quantité de liquide amniotique varie : 20 cm³ à la 7ᵉ semaine, 300 à 400 cm³ à la 20ᵉ semaine, 1 l en moyenne à terme. Quand la grossesse dépasse le terme, la quantité de liquide diminue progressivement.

Le liquide amniotique est clair, transparent, blanchâtre, d'odeur fade. Il est composé d'eau, à 97 %. Il contient toutes les substances que l'on trouve dans le sang. On y trouve aussi des cellules éliminées par la peau et les muqueuses du bébé, des poils et des fragments de matière sébacée qui forment des grumeaux.

Le liquide amniotique n'est pas une eau stagnante, comme celle d'une mare. Il est perpétuellement renouvelé et, à la fin de la grossesse, il l'est toutes les 3 heures. Ceci veut dire que non seulement du liquide est sécrété en permanence, mais également qu'en permanence il est absorbé pour être remplacé. Le bébé absorbe du liquide par la peau, il en avale beaucoup : au voisinage du terme, en moyenne 450 à 500 cm³ par jour. Une partie de ce liquide filtre à travers les reins et reforme de l'urine fœtale que le bébé rejette régulièrement. Une autre partie est absorbée par l'intestin, gagne la circulation fœtale et, par l'intermédiaire du placenta, retourne à l'organisme maternel.

À quoi sert le liquide amniotique ?

D'abord, il protège le bébé contre les traumatismes extérieurs en formant autour de lui une sorte de matelas. Il lui permet de se mouvoir facilement à l'intérieur de l'utérus et maintient une température égale. Enfin, il apporte chaque jour à l'enfant une certaine quantité d'eau et de sels minéraux. À la fin de la grossesse, il facilite ce que l'on appelle l'accommodation ; l'enfant cherche à trouver sa meilleure position pour que l'accouchement se déroule le plus facilement possible. Au cours de l'accouchement, le liquide amniotique s'accumule au pôle inférieur de l'œuf pour former la poche des eaux qui aide le col à se dilater (schémas p. 287). Après la rupture des membranes (qu'elle soit spontanée – c'est la perte des eaux – ou provoquée par la sage-femme), le liquide amniotique s'écoule à l'extérieur et sert à lubrifier les voies génitales, donc à faciliter l'accouchement. En fait, pour important qu'il soit,

13. LES MEMBRANES DE L'ŒUF

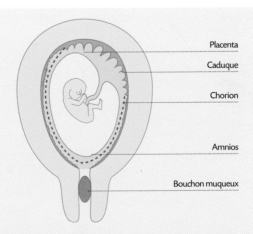

Placenta

Caduque

Chorion

Amnios

Bouchon muqueux

le rôle mécanique du liquide n'est certainement pas le seul. Mais nos connaissances dans ce domaine ne sont pas encore très grandes. Ainsi, on pense que le liquide contient des substances utiles à la croissance fœtale, d'autres seraient susceptibles de tuer certains microbes, d'autres encore agiraient sur les contractions utérines.

Ce qui est certain, c'est que le liquide amniotique est un lieu bien vivant, une zone permanente d'échanges entre la mère et l'enfant. Enfin, et ce n'est pas son moindre intérêt, le liquide amniotique permet des examens dont le rôle va croissant dans la surveillance médicale de certaines grossesses : il s'agit essentiellement de *l'amniocentèse* (p. 182).

TROP OU PAS ASSEZ DE LIQUIDE AMNIOTIQUE
*Il existe des anomalies d'abondance de liquide amniotique (0,5 à 3 % des grossesses). En excès, c'est l'**hydramnios**. Il peut être d'origine maternelle (diabète, incompatibilité sanguine) ou fœtale (malformation, grossesse gémellaire). Il peut être aigu, obligeant à interrompre la grossesse ; ou chronique : le risque est alors celui d'un accouchement prématuré.*
*Quand le liquide amniotique est en quantité insuffisante, on parle d'**oligoamnios** ; il est souvent associé à une anomalie du développement ou une malformation fœtale (notamment de l'appareil urinaire).*

LE BÉBÉ AVANT LA NAISSANCE ET SON MILIEU

Comme vous l'avez vu, c'est dans un milieu particulier que se développe l'enfant : il est bien à l'abri dans l'organisme de sa mère, il est protégé contre les chocs et les traumatismes par la double enveloppe de l'utérus maternel et du liquide amniotique. Pour combler ses besoins qui sont considérables puisque sa croissance se fait à un rythme qui ne sera plus jamais atteint au cours de sa vie, l'usine placentaire travaille pour lui en permanence en filtrant, en transformant, en stockant les aliments indispensables. Le bébé reçoit ces aliments, de même que l'oxygène, par l'intermédiaire de ce véritable pipe-line qu'est le cordon ombilical. C'est également le placenta qui forme une barrière protectrice (malheureusement incomplète) contre certaines agressions chimiques et infectieuses.

COURBE DE POIDS DU BÉBÉ AVANT LA NAISSANCE
L'augmentation moyenne quotidienne du poids est de 5 g à la 2ᵉ semaine, 10 g à la 21ᵉ, 20 g à la 29ᵉ et 35 g à la 37ᵉ semaine.

Est-ce à dire que le bébé est un être totalement passif, subissant sa croissance sans y participer activement ? C'est ce que l'on a cru pendant longtemps. Or nous savons maintenant qu'il n'en est rien, et que l'enfant est capable de « traiter » lui-même un certain nombre de matériaux fournis par la mère. Il le fait selon un programme de développement génétique très précis, en s'équipant progressivement d'un certain nombre de substances nécessaires.

C'est le cas des **enzymes**. Ce sont des substances chimiques (plus exactement des protéines) qui sont chargées de provoquer, de permettre ou d'entretenir les milliers de réactions chimiques qui se produisent dans l'organisme et sans lesquelles la vie ne pourrait se poursuivre. À chaque réaction correspond un enzyme particulier. Et les milliers d'enzymes nécessaires, le bébé va les produire lui-même et les utiliser au fur et à mesure de ses besoins.

C'est ainsi, par exemple, que grâce à ses propres enzymes l'enfant va utiliser le sucre (le glucose) que lui fournit le placenta à partir de la circulation maternelle. Ce sucre constitue sa nourriture essentielle, mais il va s'en servir un peu différemment de ce que fait un adulte. Il n'a pas à dépenser d'énergie pour maintenir sa température constante : la « thermorégulation » est assurée par la circulation fœto-placentaire. D'autre part, toujours au contraire de l'adulte, le bébé avant la naissance a des dépenses musculaires réduites (il fait peu d'efforts et il dépense peu d'énergie puisque ses mouvements se font dans l'eau) ; aussi, la majeure partie du sucre, le bébé va l'utiliser de deux façons : transformation en protéines dont le besoin est très grand pour la croissance ; stockage en fin de grossesse pour constituer les réserves qui serviront, après la naissance, pendant la période d'adaptation à l'alimentation.

De même qu'il a ses propres enzymes, l'enfant a ses propres **hormones**, ces substances fabriquées par des glandes (dites glandes endocrines). Elles transmettent des ordres à certains organes (différents selon l'hormone) possédant des récepteurs sensibles à l'hormone en question et chargés d'exécuter les ordres transmis. Par exemple, l'hypophyse sécrète des hormones qui commandent l'activité de l'ovaire.

Chez le bébé, un certain nombre d'hormones semble jouer un rôle dans la croissance. Ce sont : l'hormone de croissance sécrétée par l'hypophyse, les hormones sécrétées par la glande thyroïde et celles fabriquées par la glande surrénale qui est particulièrement volumineuse au cours de la vie intra-utérine (d'ailleurs cette glande surrénale fœtale paraît jouer un rôle important dans le déclenchement de l'accouchement). De même, c'est grâce à l'insuline fabriquée par le pancréas fœtal que le glucose peut être transformé en graisse. Les parathyroïdes président au métabolisme du calcium, important pour l'ossification du squelette.

Enfin, même s'il est encore vulnérable, comme en témoignent les agressions dont il peut être victime, qu'elles soient chimiques ou infectieuses, l'enfant commence à élaborer ses moyens de défense, son « système immunitaire ».

Pour résumer, produire ses enzymes et ses propres hormones, transformer du sucre en protéines et le stocker en partie pour l'après-naissance, élaborer son système immunitaire, voici le « travail » propre au bébé.

Avant de conclure, nous voudrions vous faire remarquer les difficultés évidentes qu'il y a à étudier les différents métabolismes de l'enfant avant la naissance dans l'espèce humaine. Dans ce complexe qui associe mère-enfant-placenta, il est souvent difficile de préciser ce qui revient à l'un ou aux autres. Ceci explique que nous sachions encore peu de choses dans ce domaine. Pourtant, nous en savons suffisamment pour affirmer que l'enfant ne subit pas sa croissance de façon passive. Parler d'autonomie serait exagéré, il est étroitement dépendant de sa mère pour l'apport de tous les matériaux nécessaires, et les difficultés rencontrées par certains prématurés prouvent que l'indépendance ne doit pas survenir trop tôt. En revanche, dire que l'enfant collabore à sa propre croissance selon un programme précis est tout à fait conforme à la réalité.

Nous venons de voir le cas le plus fréquent, celui où un spermatozoïde féconde un ovule, et où, de la fusion de leur noyau, résulte un œuf humain, première cellule d'un homme ou d'une femme. Mais parfois il arrive que deux ou plusieurs enfants se développent ensemble dans l'utérus. Au sujet des jumeaux et des naissances multiples, reportez-vous au chapitre 6.

Comment votre corps devient maternel

Vous avez vu par quelles étapes un point invisible à l'œil nu devenait en neuf mois un enfant de plus de trois kilos. Vous allez lire maintenant comment, pendant ce temps, le corps de sa mère se transforme jour après jour.

Pour une femme, voir son ventre se tendre et se gonfler, et sentir sous sa main cette vie qui naît est émouvant. Mais découvrir ce qui se passe en elle est aussi impressionnant. D'abord se produit ce phénomène étonnant : non seulement la mère ne rejette pas cet œuf, mais elle va le protéger, le nourrir, fournir tous les matériaux nécessaires à son développement. Puis elle va organiser la vie à deux, faire face à la nécessité d'alimenter deux cœurs, etc.

Pour remplir ces tâches, le corps maternel subit des modifications : anatomiques, physiologiques ou chimiques, visibles et invisibles, majeures ou mineures. La grossesse a une répercussion sur tous les organes, toutes les fonctions, tous les tissus de la mère, sans parler des répercussions sur son état psychologique et sur son moral.

Cette adaptation de l'organisme se fait selon quatre grands axes :
• Tout d'abord l'enfant grandit, d'où augmentation du volume de l'utérus avec ses conséquences.
• En même temps les seins se développent : ils se préparent pour l'allaitement.
• La future mère assurant pendant la grossesse la nutrition de deux êtres, elle-même et le bébé, la plupart de ses fonctions physiologiques en sont modifiées.
• Puis, surtout en fin de grossesse, l'organisme maternel se prépare pour l'accouchement.

AUGMENTATION DU VOLUME DE L'UTÉRUS

Avant la conception, l'utérus, qu'on peut comparer à une figue fraîche, pèse 50 g, mesure 65 mm de haut, 45 mm de large et a une capacité de 2 à 3 cm³.

Dès le début de la grossesse, l'utérus commence à augmenter de volume, mais cette augmentation ne devient visible de l'extérieur qu'entre le 4e et le 5e mois, selon les femmes. Au 2e mois, l'utérus a la grosseur d'une orange. Au 3e mois, on peut le sentir au-dessus du pubis. Au 4e mois, sa hauteur atteint le milieu de la distance qui sépare l'ombilic (ou nombril) du pubis. Au 5e mois 1/2, il atteint l'ombilic. Au 7e mois, il le dépasse de 4 ou 5 cm et monte de plus en plus dans la cavité abdominale. Au 8e mois, il est situé entre la pointe du sternum et l'ombilic (schéma ci-dessous).

L'utérus atteint son point culminant à terme. Parfois, cependant, vous pourrez avoir l'impression, deux à trois semaines avant l'accouchement, que l'utérus se met à redescendre. La pression abdominale est diminuée, la respiration plus facile, vous vous sentez comme allégée. C'est le signe que l'enfant « descend » et que la naissance approche.

À terme, l'utérus pèse 1 200 à 1 500 g. Il a une capacité de 4 à 5 l. Sa hauteur est de 32 à 33 cm et sa largeur de 24 à 25 cm. Ces chiffres sont évidemment des chiffres moyens qui peuvent varier suivant les femmes, et d'une grossesse à l'autre chez une même femme. Cependant ils servent de points de repère pour apprécier l'âge d'une grossesse et surveiller son évolution.

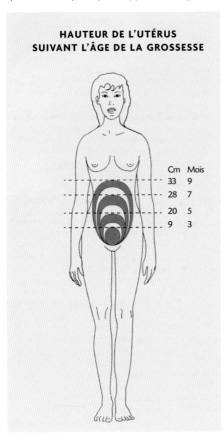

HAUTEUR DE L'UTÉRUS SUIVANT L'ÂGE DE LA GROSSESSE

Cm	Mois
33	9
28	7
20	5
9	3

La place qu'il lui faut, l'utérus la gagne sur l'extérieur, comme c'est visible, mais en même temps sur l'intérieur, où, en augmentant de volume, il refoule et comprime les organes qui l'entourent : estomac, intestins, vessie, etc.

En général, l'augmentation du volume de l'utérus se poursuit sans inconvénient grâce à l'élasticité des parois abdominales qui se laissent distendre, et les organes s'adaptent bien à leur nouvelle situation. On a cru longtemps que beaucoup de troubles de la grossesse (difficulté à respirer, constipation, nausées et varices) étaient dus à la compression. Celle-ci n'explique pas tout car beaucoup de ces troubles apparaissent dès le début de la grossesse alors que l'utérus est encore peu développé.

Aussi pense-t-on aujourd'hui que ces troubles sont dus, en grande partie, à l'action des hormones de grossesse sur certains organes. Il faut mettre à part les envies fréquentes d'uriner (surtout à la fin de la grossesse) qui paraissent bien en rapport avec une compression de la vessie. De même, les malaises de type syncope qu'éprouvent certaines femmes quand elles se couchent sur le dos sont en rapport avec une compression de la veine cave. Il suffit alors de s'étendre sur le côté gauche (la veine cave est à droite) pour que le malaise disparaisse.

L'attitude de la future mère se modifie au fur et à mesure que l'utérus augmente de volume : ses reins se creusent, sa taille se cambre. Elle a tendance à se rejeter en arrière pour contrebalancer le poids qui la tire en avant. Sa silhouette est d'ailleurs différente suivant l'état de sa paroi abdominale : si ses muscles sont fermes, ils forment une bonne sangle qui soutient l'utérus et l'empêche de tomber en avant. Si au contraire ses muscles sont relâchés, la paroi abdominale distendue n'offre qu'une faible résistance à la pression de l'utérus qui tombe en avant. On peut lutter contre cette tendance en basculant le bassin (exercice p. 348) de façon à se tenir le moins cambrée possible. Cela soulagera les muscles abdominaux qui seront moins distendus ; cela soulagera aussi le dos à la hauteur des reins (p. 90).

PRÉPARATION À L'ALLAITEMENT

Tout au long de la grossesse, les seins se préparent à remplir leur fonction, qui est de sécréter le lait dont se nourrira le nouveau-né. Dès le premier mois, les seins se mettent à gonfler, ils augmentent de volume et deviennent plus lourds. Ils sont parfois le siège de picotements et d'élancements douloureux. Quelques semaines plus tard, le mamelon devient plus saillant : la région plus foncée, pigmentée, qui l'entoure – l'aréole primitive – est bombée. Sur cette aréole apparaissent, vers la 8e semaine, de petites saillies : les tubercules de Montgomery. Ce sont des glandes sébacées qui s'hypertrophient et constituent des glandes mammaires rudimentaires. Ces modifications des seins permettent d'étayer un diagnostic de grossesse.

À partir du 4e mois, on pourrait faire jaillir du mamelon un liquide jaune orangé, épais, précurseur du lait, le **colostrum**. Vers le 5e mois, autour de l'aréole primitive apparaissent quelquefois des taches brunes qui forment une aréole secondaire. À l'intérieur des seins, les glandes qui fabriquent le lait, qui sont presque inexistantes en dehors de la grossesse, se multiplient et augmentent de volume, de même que le réseau des canaux qui conduiront le lait des glandes vers le mamelon. Pour alimenter cette région en pleine activité, les vaisseaux sanguins s'élargissent : c'est pourquoi les veines sont parfois très apparentes au cours de la grossesse.

En même temps, les mamelons augmentent de volume. Les seins sont prêts à allaiter dès le début du deuxième trimestre. Dès la première tétée, le bébé profite du colostrum qui, en quelques jours, se transforme et devient du lait. La sécrétion du colostrum et du lait dépend d'une hormone hypophysaire, la prolactine. La prolactine est sécrétée tout au long de la grossesse mais elle reste inactive tant que le placenta est en place. L'expulsion du placenta après l'accouchement et la stimulation du mamelon déclenchent son action.

SEIN ET ALLAITEMENT
• *Le lait est fabriqué dans les acini glandulaires.*
• *Le lait est évacué par les canaux galactophores.*

Muscles pectoraux
Tissu sous-cutané
Tissu adipeux
Lobule glandulaire (acini)
Orifices des canaux galactophores
Mamelon
Canal galactophore

MODIFICATIONS DES FONCTIONS DE L'ORGANISME

L'augmentation de volume de l'utérus et des seins est la modification la plus visible de l'organisme durant la grossesse. Il y en a d'autres qui, pour n'être pas aussi évidentes, n'en sont pas moins importantes. Ce sont celles qui concernent les fonctions essentielles de l'organisme : **digestion, circulation, respiration.**

Le cœur et la circulation sont les premiers concernés. Ils doivent faire face au travail supplémentaire créé par l'apparition de la circulation mère-enfant au niveau du placenta ; il y a ainsi une augmentation de 40 % de la quantité totale de sang circulant ; le cœur bat plus vite (15 pulsations en moyenne de plus par minute) ; il débite davantage : presque 5,5 l au lieu de 4 par minute. En un mot, le cœur travaille plus.

Une femme enceinte ne respire pas plus vite qu'une autre mais elle fait passer, à chaque respiration, une quantité plus importante d'air dans ses poumons et elle consomme plus d'oxygène (10 à 15 %). Ceci, joint au déplacement du diaphragme, qui est repoussé progressivement vers le haut par l'utérus, peut expliquer la sensation d'essoufflement que ressentent certaines femmes à la fin de la grossesse. Les reins, dont le rôle est de filtrer le sang pour en éliminer dans les urines les éléments inutiles et certains déchets, voient leur travail s'accroître puisque la quantité de sang circulant chez la femme enceinte est notablement augmentée (voyez plus haut).

Par contre, les hormones de grossesse – notamment la progestérone – ont pour effet de ralentir certaines fonctions, ce qui est bénéfique au niveau de l'utérus, puisqu'ainsi elles l'empêchent de se contracter. C'est moins bénéfique quand il s'agit de l'appareil digestif, estomac, intestin, vésicule, mais cela explique des troubles fréquents : lenteurs et difficultés de digestion, constipation, etc. Il se passe la même chose au niveau de la vessie et des uretères, qui conduisent l'urine des reins à la vessie, ce qui explique en partie la relative fréquence des infections urinaires.

LE CORPS SE PRÉPARE À L'ACCOUCHEMENT

Pour que l'enfant puisse naître, il faudra que l'utérus, qui est un muscle, se contracte, et que l'enfant franchisse successivement le col de l'utérus qui, en temps normal, est un canal filiforme plus étroit qu'une paille à soda, puis le vagin.

Ce chemin que suivra le bébé pour naître traverse le bassin de part en part, bassin constitué par des os naturellement rigides mais aussi par des articulations et des ligaments qui vont s'assouplir. Vous lirez d'ailleurs au chapitre 12 le mécanisme de l'accouchement. Tout au long de la grossesse ces différents organes vont se préparer à l'accouchement.

Le bassin
Les articulations qui relient les os entre eux se relâchent, ce qui élargit le bassin de quelques millimètres ; cela peut être douloureux en fin de grossesse (dessins du bassin pp. 289 et suivantes).

L'utérus
Ses fibres deviennent quinze à vingt fois plus longues. En même temps, elles deviennent plus larges. Ces modifications rendront l'utérus plus élastique, elles lui permettront de se contracter plus facilement et

donc de mieux jouer son rôle de « moteur » pour ouvrir le col et pousser l'enfant en avant. La circulation sanguine au niveau de l'utérus augmente considérablement. Le col de l'utérus, qui, avant la grossesse, était dur et fibreux, s'amollit et devient souple. À terme on dit qu'il est « mûr ». Il pourra ainsi s'ouvrir sans difficultés.

Le vagin

Au cours de la grossesse, il se transforme complètement ; et à la fin de la grossesse, il n'a rien à voir avec un vagin de femme qui n'est pas enceinte. Il s'allonge, s'élargit, ses parois deviennent de plus en plus souples et extensibles, plissées comme un accordéon. En fin de grossesse, le vagin est prêt à laisser passer la tête de l'enfant, alors qu'il n'en serait pas question neuf mois plus tôt. C'est un point important à signaler, il faut le répéter souvent, presque toutes les femmes craignent que la tête et le corps de l'enfant ne puissent pas passer par le vagin « qui est trop petit ». Cette inquiétude est bien normale.

En même temps, les sécrétions vaginales sont nettement augmentées ainsi que l'acidité du vagin. Les sécrétions favorisent le développement des champignons responsables de fréquentes vaginites chez la femme enceinte, mais cette hyperacidité représente un excellent barrage contre de nombreux microbes. Le bouchon muqueux qui apparaît en fin de grossesse au niveau du col en forme un second, les membranes de l'œuf un troisième.

LE RÔLE DES HORMONES

L'évolution de la grossesse est dominée par l'action des hormones qui, pendant neuf mois, ont une activité intense. Après avoir, comme chaque mois, provoqué l'ovulation et préparé l'utérus à accueillir l'œuf, les hormones ovariennes vont permettre le transport de l'œuf et son implantation ; elles empêcheront aussi l'utérus de l'expulser lorsqu'il sera nidé.

Au début de la grossesse, les hormones sont produites par le corps jaune. Ensuite, lorsque des quantités de plus en plus importantes deviennent nécessaires, elles sont fabriquées par le placenta, véritable usine hormonale de la grossesse, qui va la prendre en charge jusqu'à son terme.

Ce ne sont pas seulement les glandes endocrines sexuelles qui ont une activité accrue durant la grossesse : les autres, le pancréas, la thyroïde, les surrénales fonctionnent également davantage.

Enfin, au cours de la grossesse, de nouvelles hormones apparaissent : l'ocytocine, qui joue un rôle dans le déclenchement de l'accouchement, et la prolactine qui déterminera la lactation.

L'action conjuguée de ces différentes hormones, ordonnatrices des grands événements de la grossesse, règle la plupart des changements qui surviennent pendant ces neuf mois. En particulier, elles stimulent l'édification des tissus de l'utérus en pleine croissance, elles président à la mobilisation des réserves de la mère auxquelles fait appel le fœtus, elles règlent la délicate chimie des échanges nutritifs si importants pour la croissance de l'enfant, elles sont responsables de l'augmentation du poids de la mère, elles permettent aux glandes mammaires de se développer, etc. Et c'est pourquoi l'un des moyens de surveiller le bon déroulement de la grossesse est de doser les hormones.

6

Si vous attendez des jumeaux

« Est-ce que j'attends des jumeaux ? »

C'est une des questions les plus souvent posées par les futures mamans lors de leur première échographie. En effet, la première échographie, à condition qu'elle ne soit pas faite trop tôt, peut donner la réponse.

Certains parents sont comblés d'attendre deux enfants en même temps. En général, ils approchent de la quarantaine, ils ont suivi des traitements contre l'infertilité et sont ravis de cette nouvelle. D'autres couples, surtout s'ils ont déjà des enfants, éprouvent un choc en découvrant un deuxième cœur qui bat sur l'écran de l'échographe. Mais, la première émotion passée, le plus souvent ils se réjouissent bien vite de cette double naissance. Comment sont conçus les vrais et les faux jumeaux ? Quels sont les différents types de grossesses gémellaires ? Y-a-t-il des précautions particulières à prendre lorsqu'on attend des jumeaux ? Comment se passe la naissance ? Ce chapitre répond à toutes ces questions.

La conception des jumeaux

Attendre des jumeaux est un phénomène relativement rare dans l'espèce humaine : on l'observe dans environ 1 % des cas. On peut dire schématiquement, bien que la réalité soit plus complexe, qu'il existe deux grandes variétés de grossesses gémellaires.

LES « FAUX JUMEAUX » (LA GROSSESSE DIZYGOTE)

« Dizygote » est un terme compliqué en apparence qui devient simple lorsqu'on connaît le sens du mot *zygote* qui signifie *œuf* ; et *di* parce qu'il y a *deux* œufs. Les grossesses dizygotes sont dues à la fécondation de deux ovules différents par deux spermatozoïdes différents au cours d'un même cycle, ce qui donne deux œufs. Elles aboutissent à la naissance de jumeaux dizygotes ou « faux jumeaux ».

Différents facteurs peuvent jouer sur la fréquence des grossesses dizygotes

• La fréquence varie avec l'âge maternel atteignant un pic à 37 ans, puis diminuant ensuite.

• La fréquence augmente également avec le nombre de grossesses antérieures, et cela indépendamment de l'âge de la mère.

• Il y a des facteurs génétiques : les jumelles ont plus de jumeaux que la population générale et, par ailleurs, il existe des familles où on retrouve des jumeaux à toutes les générations.

• L'origine ethnique joue un rôle. La gémellité est rare en Asie, beaucoup plus fréquente en Afrique, au Sud du Sahara ; les Européens occupent une place intermédiaire.

• La nutrition peut avoir une influence dans les situations extrêmes, telles que les famines : le taux de jumeaux dizygotes peut décroitre.

• Les saisons jouent un rôle incontestable avec un pic de naissances gémellaires dizygotes en juillet/août et une baisse pendant l'hiver.

• Enfin, on assiste depuis 40 ans à une très forte augmentation du nombre de grossesses gémellaires. Celle-ci est due pour un tiers à l'augmentation de l'âge des femmes lors de la première grossesse (autour de 30 ans aujourd'hui) ; les deux autres tiers sont liés aux traitements de l'infertilité (induction d'ovulation ou fécondation *in vitro*). Ces traitements sont basés, le plus souvent, sur la maturation simultanée de plusieurs ovules et on comprend alors que deux ou trois ovules puissent être fécondés par des spermatozoïdes.

La nidation des grossesses gémellaires dizygotes ne diffère pas de ce qu'elle est pour les grossesses uniques. Chaque œuf a ses propres annexes : les membranes (amnios et chorion) et le placenta sont distincts. Il n'y a pas de communication entre les vaisseaux des deux fœtus. Chacun a sa propre circulation. Les jumeaux dizygotes vont donc se développer ensemble, mais séparément.

À la naissance, les deux bébés peuvent se ressembler, mais pas plus que les frères et sœurs

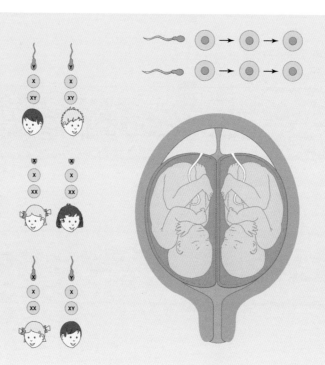

«FAUX JUMEAUX» (JUMEAUX DIZYGOTES)
Deux spermatozoïdes fécondent deux ovules. Les jumeaux dizygotes peuvent être soit deux garçons, soit deux filles, soit un garçon et une fille, mais dans les trois cas ils ne se ressemblent pas plus que des frères et sœurs.

habituels. Ils peuvent être de sexes différents. Ceci est tout à fait normal puisque les jumeaux dizygotes, issus de deux œufs distincts, ont reçu un patrimoine héréditaire aussi différent que celui de frères et de sœurs nés à plusieurs années d'écart.

LES « VRAIS JUMEAUX » (LA GROSSESSE MONOZYGOTE)

Dans ce cas, un seul ovule est fécondé par un seul spermatozoïde donnant un œuf unique (monozygote : *mono* pour un et *zygote* pour œuf). Cet œuf unique va se diviser ensuite en deux œufs qui vont se développer donnant deux fœtus génétiquement identiques : ils ont les mêmes chromosomes et les mêmes gènes. Par définition, ils ont toujours le même sexe. Ce sont des jumeaux monozygotes ou «vrais jumeaux».

À la naissance, les jumeaux monozygotes sont, selon la formule classique, « le même individu tiré à deux exemplaires » ou encore «copié-collé». En fait, ce n'est pas tout à fait juste. Bien souvent, ils ont plusieurs centaines de grammes de différence et leur position dans l'utérus a pu apporter des petites modifications à la forme de leur corps ou de leur tête qui les rendent faciles à différencier. Même si au début les parents peuvent avoir une légère hésitation, à partir d'un mois de vie, ils feront toujours la différence entre leurs deux enfants ; mais il est possible que l'entourage (amis, grands-parents) éprouve des difficultés à les différencier.

La grossesse monozygote provient de la division d'un œuf produit par la fécondation d'un ovule par un spermatozoïde. Cette division peut survenir lorsqu'un événement fragilise l'œuf. Ce phénomène semble en particulier lié au vieillissement de l'ovule. Dans ce cas, la femme présente un cycle prolongé,

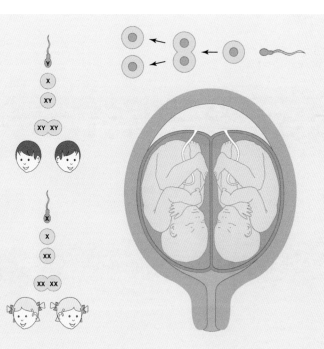

«VRAIS JUMEAUX» (JUMEAUX MONOZYGOTES)
Un spermatozoïde féconde un ovule, cet œuf unique se partage en deux. C'est ainsi que sont conçus les jumeaux monozygotes, toujours du même sexe, soit deux garçons, soit deux filles, d'une grande ressemblance.

avec une ovulation retardée et une fécondation tardive. Cette particularité de cycles plutôt longs et irréguliers ne se retrouve pas chez les femmes attendant des jumeaux dizygotes.

La fréquence des jumeaux monozygotes est remarquablement stable : 0,3 à 0,5 % des naissances. Elle ne varie ni avec l'origine ethnique, ni avec le nombre d'enfants, ni avec l'hérédité. L'âge joue un rôle inversé par rapport aux grossesses dizygotes. C'est aux âges extrêmes, chez les très jeunes femmes et les femmes au delà de 40 ans que cette fragilité de l'œuf se rencontre et donc que la fréquence des grossesses monozygotes augmente.

• Pour les parents, il existe donc deux variétés de grossesses gémellaires : dizygotes (« faux jumeaux ») et monozygotes (« vrais jumeaux »). D'ailleurs, lorsqu'ils seront plus grands, les jumeaux s'intéresseront fortement à cette question qui est en relation avec leur identité. Mais, pour le suivi de la grossesse, c'est une distinction qui n'a pas d'intérêt, en général l'obstétricien ne vous en parlera pas. Pour les médecins, et donc pour la surveillance de la grossesse, la distinction importante provient du « type placentaire » qui divise les grossesses gémellaires en trois variétés.

UN POINT IMPORTANT : LE TYPE PLACENTAIRE

Il nous faut donner une explication un peu technique et employer des mots qui peuvent paraître abstraits (bichoriale, monochoriale, biamniotique, monoamniotique). Mais, si vous attendez des jumeaux, ce sont des expressions que vous lirez fréquemment sur les compte-rendus d'examens. De plus, vous allez voir que ce sont des notions assez faciles à comprendre.

Le type placentaire désigne la façon dont sont organisées ce qu'on appelle les annexes du fœtus (placenta, chorion, amnios, p. 136). Pour une bonne surveillance de la grossesse, il est important de connaître à quel type placentaire (*chorionicité* en terme médical) elle appartient : nous en parlons plus loin, certaines grossesses ont besoin d'un suivi plus attentif. Dès la première échographie, celle au cours de laquelle vous avez appris que vous attendiez des jumeaux, vous serez informée du type placentaire car celui-ci doit être inscrit dans le compte-rendu que fait l'échographiste.

• Le cas le plus fréquent (70 %) est celui des grossesses *bichoriales-biamniotiques* (BCBA) ; la cloison qui sépare les jumeaux est épaisse (il existe un signe du lambda, schéma ci-dessous) car elle est

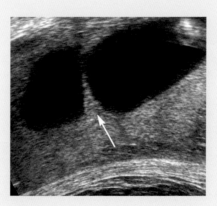

LE SIGNE DU LAMBDA
Ce signe, marqué par la flèche blanche, a la forme de la lettre grecque lambda (λ). Il est visible lors de l'échographie de la 12ᵉ semaine.

composée de quatre feuillets : deux de ces feuillets s'appellent amnios, deux s'appellent chorion ; bichoriale-biamniotique signifie qu'il y a deux chorions et deux amnios.

• Dans 28 % des cas, il y a un seul placenta et la cloison est fine car constituée de deux feuillets (deux amnios) : il s'agit d'une grossesse *monochoriale-biamniotique* (MCBA).

• Dans 2 % des cas, il y a un seul placenta et pas de cloison : c'est une grossesse *monochoriale-mono-amniotique* (MCMA).

Les grossesses monochoriales (qu'elles soient biamniotiques ou monoamniotiques) sont des grossesses monozygotes (vrais jumeaux) ; les enfants sont donc toujours du même sexe.

Pourquoi cette distinction est-elle importante ?

Parce que la grossesse monochoriale doit être plus surveillée. En effet, dans ce cas, il peut y avoir une communication entre les deux circulations placentaires. La survenue d'un déséquilibre circulatoire au niveau des vaisseaux sanguins peut être à l'origine du **syndrome transfuseur-transfusé** : un des jumeaux reçoit alors du sang qui provient de l'autre enfant. Le premier, qui est le jumeau transfusé, présente un afflux de sang important au niveau des reins et il va produire beaucoup d'urine, donc de liquide amniotique, ce qui va entraîner une grosse vessie et un excès de liquide amniotique. À l'inverse, le deuxième jumeau, qui est le jumeau transfuseur, va recevoir peu de sang au niveau des reins ce qui va entraîner une vessie constamment vide et un manque de liquide amniotique (oligo- amnios).

Autrefois, quand aucune possibilité de traitement n'existait, la grossesse se terminait dans 90 % des cas par une fausse couche provoquée par l'hydramnios (excès de liquide amniotique). L'évolution de ces grossesses a été transformée par la mise au point d'un traitement très spécialisé, au laser, qui s'effectue dans de rares centres. Pour le moment, en France, le centre de référence est l'hôpital Necker à Paris.

À noter : le syndrome transfuseur-transfusé est une complication relativement rare.

J'attends des jumeaux

Vous venez d'apprendre que vous attendez des jumeaux. Selon votre situation, cette nouvelle est une surprise... attendue ou une réelle surprise.

• Si vous avez bénéficié d'un traitement contre la stérilité, vous aviez été prévenue de la fréquence des grossesses gémellaires. L'aide médicale à la procréation est en effet à l'origine des deux-tiers des grossesses gémellaires.

Dans ce cas, l'échographie a lieu un mois après l'intervention (fécondation *in vitro*, ou insémination intra-utérine, ou stimulation ovarienne), c'est-à-dire 15 jours au plus tard après le retard des règles.

À cette période, la future maman sait qu'elle est enceinte. Des dosages hormonaux (βHCG) ont été faits et ont confirmé la grossesse, mais elle ne peut savoir s'il s'agit de jumeaux. Néanmoins, il peut arriver qu'un taux de βHCG particulièrement élevé mette sur la voie de ce que l'écran va révéler. De plus, ce taux élevé s'accompagne souvent d'une exagération des signes de grossesse : nausées, vomissements, etc. On voit alors nettement sur l'écran deux cavités bien distinctes, bien séparées. Chacune contient un embryon d'environ 8-10 mm dont on perçoit déjà les battements cardiaques.

• Dans le cas d'une grossesse gémellaire « spontanée », pourrait-on dire, la surprise est totale pour les futurs parents, mais des petits signes évocateurs ont pu apparaître amenant à s'interroger. Les malaises et indispositions sont plus fréquents, en particulier les nausées, vraisemblablement liés à la sécrétion accrue de βHCG par le placenta des jumeaux. De même, l'utérus augmentant plus rapidement de volume, des « troubles mécaniques » dus à la compression de l'utérus, telle l'envie d'uriner, apparaissent plus tôt ; cette fréquence des mictions est également plus marquée. Il en est de même pour les seins qui paraissent rapidement plus volumineux. Mais c'est la première échographie de 11/12 semaines qui va faire le diagnostic des jumeaux (p. 215) et le type placentaire (p. 154). Chaque embryon sera alors visualisé, observé et mesuré. À ce stade de développement, les dimensions de chaque fœtus sont toujours égales, alors que plus tard il pourra y avoir des différences.

QUELQUES PARTICULARITÉS DE LA GROSSESSE GÉMELLAIRE

• **Pour la maman**, la prise de poids est en moyenne de 30 % plus importante que dans une grossesse unique. Ceci est dû à l'augmentation de l'eau totale du corps liée à une rétention accrue de sel ; et à l'importance du volume intra-utérin : la hauteur utérine à 6 mois est à peu près celle d'une grossesse unique à terme.

En cas d'anémie, beaucoup plus fréquente qu'en cas de grossesse unique, une prise quotidienne de fer et d'acide folique sera prescrite à la future maman.

Certains malaises courants peuvent être plus prononcés que dans une grossesse unique, mais là non plus ils n'ont pas de caractère de gravité. Ainsi le pouls est généralement plus rapide car le débit cardiaque est augmenté.

En passant de la position accroupie à la position debout, la future maman peut éprouver une sensation de malaise fugace, comme une sorte de voile devant les yeux. Cette baisse de tension (hypotension orthostatique) est due à une moins bonne circulation du sang dans les membres inférieurs et peut être responsable de survenue de contractions utérines. Il est alors important de se reposer. Par ailleurs, le port de bas de contention peut réduire la baisse de tension.

• **Pour les fœtus** : en cas de gémellité, certaines particularités de leur développement sont encore mal connues. Mais on sait que leur maturité est en avance d'environ 15 jours par rapport à un fœtus unique, notamment la maturité de leurs poumons. Comme si la nature avait prévu que les jumeaux allaient naître un peu plus tôt...

DIVERSES MESURES SOCIALES *sont à votre disposition. Renseignez-vous auprès de la PMI de votre Conseil général. Prévenez votre employeur que vous cesserez probablement votre activité professionnelle plus tôt que ce qui est normalement prévu.*

La surveillance médicale

Dès que vous saurez que vous attendez des jumeaux, choisissez le gynécologue-obstétricien qui va vous suivre, en collaboration avec votre médecin traitant ou avec une sage-femme. La surveillance médicale va dépendre de votre type de grossesse, plus précisément de son type placentaire (voyez plus haut p. 154).

• S'il s'agit d'une grossesse bichoriale (le cas le plus fréquent), vous passerez une consultation par mois avec, comme pour toutes les grossesses, différentes mesures : poids, tension artérielle, pouls, hauteur utérine ; palpation de l'utérus afin de vérifier qu'il est bien souple ; vérification de la position de la tête du bébé qui se présente le premier ; auscultation des bruits du cœur des deux fœtus. Les examens biologiques seront également les mêmes que pour une grossesse unique. Vous passerez probablement une échographie par mois à partir du 5e mois, parfois plus souvent. L'accouchement sera en général programmé entre 38 et 40 semaines.

• S'il s'agit d'une grossesse monochoriale, votre médecin vous suivra en collaboration avec une structure expérimentée dans la prise en charge de ce type de grossesse, notamment à cause de l'éventuelle complication due au syndrome transfuseur-transfusé. Une consultation mensuelle et deux échographies par mois sont en général recommandées ; la surveillance sera plus rapprochée en fin de grossesse : une consultation tous les 15 jours à partir du 6e mois. L'accouchement sera probablement programmé entre 36 et 39 semaines.

Bien surveillée, une grossesse gémellaire a toutes les chances de se développer aussi bien qu'une grossesse simple, avec seulement un peu plus de fatigue au troisième trimestre. Cette surveillance est importante car certaines complications sont plus fréquentes lorsqu'on attend des jumeaux, notamment la prématurité, la toxémie gravidique et le retard de croissance ; c'est pourquoi la grossesse gémellaire est considérée par les médecins comme une grossesse « à risque ». Nous allons vous parler de ces différents risques, mais aussi des moyens de les prévenir. Si vous attendez des jumeaux, ne vous faites donc pas un double souci, soyez seulement deux fois plus attentive aux recommandations qui vous seront faites par le médecin.

LA PRÉMATURITÉ

La durée d'une grossesse gémellaire est plus courte que celle d'une grossesse simple, de 15 jours à 3 semaines en moyenne. Mais la prématurité peut aussi être plus grande, et donc plus grave : la future maman accouche à 33 semaines, parfois même avant. C'est cette prématurité que les médecins veulent à tout prix éviter.

Si vous présentez une menace d'accouchement prématuré avant 33 semaines, un transfert dans une maternité de type III (caractérisée par la présence d'un service de réanimation néonatale) vous sera proposé. On vous donnera également des médicaments à base de cortisone afin d'accélérer la maturation des poumons des bébés, ainsi qu'un traitement visant à réduire les contractions utérines. Si vous n'accouchez pas prématurément, lorsque le terme de 33 semaines sera dépassé, vous reviendrez dans la structure où vous êtes normalement suivie, ou bien vous rentrerez chez vous et vous pourrez être surveillée par une sage-femme de secteur.

Pour prévenir la prématurité, il est important de mener une vie calme, de se reposer. Les congés de maternité sont rarement suffisants en cas de grossesse gémellaire et l'obstétricien vous prescrira probablement un arrêt de travail. Mais se reposer ne veut pas dire s'aliter à partir de 6 mois jusqu'à la fin de la grossesse et ne plus bouger. Ce que nous vous recommandons, c'est une réduction de l'activité pendant la journée, au fur et à mesure de l'avancée de la grossesse. Chaque femme est différente et, selon les cas, votre médecin saura adapter et prescrire le repos qui vous convient.

Sur la prématurité, lisez également les pages 271 et suivantes.

LA TOXÉMIE GRAVIDIQUE

Elle est presque 3 à 5 fois plus fréquente en cas de grossesse gémellaire que lors d'une grossesse unique. Ce syndrome associe : prise de poids rapide et excessive, œdème, albuminurie et élévation de la tension artérielle. C'est pourquoi il est important de surveiller les urines, le poids et la tension artérielle (p. 240).

LE RETARD DE CROISSANCE INTRA-UTÉRIN

Ce peut être une complication de la toxémie gravidique, mais aussi une conséquence du syndrome transfuseur-transfusé (p. 155) ou même parfois de l'existence d'une malformation. Une harmonie de croissance, et donc du poids, des deux fœtus est rare : le plus souvent un des deux jumeaux est moins gros que l'autre, c'est-à-dire qu'il a un retard de croissance par rapport à l'autre. Seuls de gros écarts sont pris en considération et c'est l'échographie répétée avec doppler qui permet de prendre la décision de provoquer la naissance, par césarienne le plus souvent.

La naissance des jumeaux

Dans la majorité des cas, l'accouchement aura lieu dans la maternité où exerce votre gynécologue-obstétricien. Toutes les maternités en France sont équipées pour accueillir une naissance gémellaire, à condition qu'elle ne soit pas prématurée.

Si l'accouchement est très **prématuré**, avant 33 semaines, votre médecin vous dirigera vers une maternité associée à une unité de réanimation néonatale (type III). Entre 33 et 36 semaines, il est conseillé d'accoucher dans une maternité associée à une unité de néonatologie (type II).

Les médecins laissent rarement une grossesse gémellaire aller jusqu'au terme : l'accouchement est en général **programmé** entre 36 et 40 semaines, selon le type de grossesse, en général vers la 39e semaine. La programmation permet une meilleure organisation et une bonne disponibilité des équipes. Ce déclenchement se justifie également par la maturité globale des jumeaux, acquise en général 15 jours plus tôt que chez les bébés uniques.

POUR EN SAVOIR PLUS
Nous vous conseillons le livre de Jean-Claude Pons, Christiane Charlemaine, Emile Papiernik : **Le guide des jumeaux, la conception, la grossesse, l'enfance** *(Éditions Odile Jacob).*

La fréquence des **césariennes** est plus grande : 40 % au lieu de 20 % dans les grossesses uniques. Si le premier jumeau qui se présente est en siège et le deuxième tête en bas, une césarienne est en général programmée (mais pas obligatoirement) pour éviter que les bébés « s'accrochent » entre eux. Par contre, si le deuxième est aussi en siège, ce risque est exclu et l'accouchement peut se faire par les voies naturelles. Il en est de même lorsque le premier bébé est tête en bas, quelle que soit la position du deuxième.

En cas d'accouchement par voie basse, c'est-à-dire par les voies naturelles, l'accouchement est un peu plus long car la surdistension de l'utérus rend les contractions moins efficaces et la dilatation du col est plus lente.

La naissance du premier jumeau ne présente pas de grande différence avec la naissance d'un enfant unique. Ne soyez pas surpris par le court délai qui sépare les deux naissances : vous n'avez pas le temps de prendre dans vos bras le premier bébé, ou de le poser sur le ventre que le deuxième est déjà en train de naître. Cet intervalle très court est essentiel car on sait que des complications peuvent survenir pour le deuxième bébé si l'attente est trop longue.

Un autre point peut surprendre les parents : il y a au moment de la naissance beaucoup de monde dans la salle d'accouchement. En plus de l'obstétricien, une ou deux sages-femmes, un anesthésiste, un ou deux pédiatres. Plus, à l'hôpital, un interne et une élève sage-femme.

LE CONGÉ DE MATERNITÉ
Il est prolongé lorsque la future maman attend des jumeaux ou des triplés. Voyez le chapitre 17.

La péridurale est vivement recommandée du fait de la fréquence des césariennes et des forceps ; et également de la fréquence des manœuvres à l'intérieur de l'utérus que le médecin doit parfois effectuer (par exemple tourner un bébé pour le mettre en bonne position). Compte tenu du risque de saignement plus élevé en cas de grossesse gémellaire, on n'attend pas que le placenta se décolle spontanément ; on fait une injection d'ocytocine qui entraîne un décollement du placenta : la délivrance est plus rapide et le risque de saignement réduit. C'est dailleurs une recommandation faite aujourd'hui pour tous les accouchements.

Après la naissance

Mettra-t-on vos nouveau-nés dans une couveuse ? Beaucoup de mamans posent la question. On met souvent les jumeaux dans une couveuse, ne fût-ce que quelques heures, mais ce n'est pas un signe de gravité. Il s'agit la plupart du temps d'une simple précaution liée à la naissance avant terme des bébés, et à leur poids en général inférieur à la moyenne. Le but est d'éviter le refroidissement et les troubles qui l'accompagnent (hypoglycémie, gêne respiratoire). Pour éviter le refroidissement, les équipes essaient de favoriser de plus en plus le peau à peau qui est possible pour les jumeaux et a d'autres bénéfices. Les grands prématurés bénéficient d'une prise en charge adaptée (chapitre 11).

Les mamans attendant des jumeaux se demandent souvent s'il est possible d'allaiter deux bébés. C'est tout à fait envisageable. Au début, les bébés tètent l'un après l'autre. Puis, lorsque l'allaitement a bien démarré, la maman peut nourrir les deux enfants à la fois.

Profitez du séjour à la maternité pour vous reposer et vous sentir bien à l'aise dans les soins à donner à vos bébés. Vous ferez d'ailleurs une découverte charmante, c'est que très vite les enfants sont capables de comprendre que « c'est chacun son tour ».

Parmi les préoccupations des mères et des pères figure en bonne place l'organisation du retour à la maison. C'est normal mais des professionnels pourront vous aider. Préparez votre retour dès maintenant : renseignez-vous auprès de la PMI, auprès de votre Caisse d'allocations familiales, auprès de l'association « Jumeaux et plus » (adresse ci-contre). Encore plus que pour une naissance simple, une

CHACUN DES JUMEAUX EST DIFFÉRENT
Pour que chaque enfant s'épanouisse au mieux, pour que chacun développe sa propre personnalité, il est aujourd'hui conseillé de bien différencier les jumeaux dès la naissance, par exemple en leur donnant des prénoms dont les sonorités sont différentes, ou en ne les habillant pas de la même manière. Mais cette différenciation (« dégémellisation » disent certains) se fera de manière douce et progressive pour aider vos enfants jumeaux à s'individualiser, tout en respectant l'attachement qu'ils éprouvent l'un pour l'autre. Nous en parlons en détail dans **J'élève mon enfant.**

amie, une sœur, votre mère seront les bienvenues, au moins quelques heures dans la journée pour que vous puissiez vous détendre, vous reposer, l'esprit tranquille. Ces aides, ce soutien, sont également importants si vos jumeaux ont été hospitalisés à la naissance et ne rentrent pas en même temps à la maison. C'est un moment difficile où il faut se partager entre les soins au bébé qui est à la maison et les visites à celui qui est encore à l'hôpital. Heureusement cette situation est en général de courte durée.

Un cas exceptionnel : attendre des triplés

Il y a bien des années (c'était en 1934 !) une certaine madame Dionne mettait au monde cinq filles. C'étaient les premières quintuplées vivantes recensées dans l'histoire. Ce fut un événement international ; il fit la une de tous les journaux. En effet, la probabilité d'une grossesse quintuple spontanée est de 1 pour 40 000 000. Et celle d'une grossesse triple est de 1 pour 10 000.

Dans les années 1970, les grossesses gémellaires n'ont pas cessé d'augmenter. Les grossesses multiples ne sont plus devenues exceptionnelles, notamment les grossesses triples. Cela était la conséquence possible des traitements dus à l'Assistance Médicale à la Procréation (AMP, voir chapitre 5) : pour être sûr de la réussite du traitement, on réimplantait trois, voire quatre embryons. Mais aujourd'hui, attendre des triplés (ou plus) est redevenu exceptionnel. En effet, on maitrise mieux les techniques de l'AMP, et plus particulièrement la fécondation *in vitro* : on ne transfère jamais plus de deux embryons.

Les grossesses triples peuvent poser des problèmes. Le risque majeur est celui de l'accouchement prématuré. Aussi la nécessité de précautions particulières (repos, régime riche en calories et riche en protéines, prise de fer, de folates et de vitamines) et d'une surveillance médicale stricte (avec une échographie chaque mois) s'imposent-elles encore plus que pour les grossesses gémellaires.

Pour l'accouchement, de nombreux médecins préfèrent la césarienne systématique à 35-36 semaines. Il est indispensable que l'accouchement ait lieu dans un établissement entraîné à ce type de naissance, c'est-à-dire une maternité de type III. Certaines maternités universitaires proposent des accouchements par voies naturelles.

JUMEAUX ET TRIPLÉS

Pour les parents de jumeaux et de triplés voici une adresse à connaître : Fédération nationale jumeaux et plus,
28, place Saint-Georges, 75009 Paris
Tel. : 01 44 53 06 03
www.jumeaux-et-plus.fr

Certains couples supportent mal psychologiquement les grossesses multiples (« Deux c'est un succès, trois c'est un échec »). Les parents peuvent contacter une association « Jumeaux et plus » et y trouver les conseils pratiques et le soutien psychologique qui pourraient leur être nécessaires.

7 Trois questions que vous vous posez

- Fille ou garçon ?
- À qui ressemblera notre enfant ?
- Notre enfant sera-t-il normal ?

Depuis toujours, les parents se sont posés ces grandes questions : Fille ou garçon ? À qui notre enfant ressemblera-t-il ? Notre enfant sera-t-il normal ? L'émotion qui accompagne chacune de ces questions n'est pas la même : en pensant aux deux premières, les parents aiment se laisser aller à des rêveries autour de leur bébé ; la troisième est teintée d'inquiétude. Quoiqu'il en soit, grâce aux progrès de la médecine, on peut aujourd'hui répondre plus vite et mieux à certaines de ces interrogations.

Fille ou garçon ?

Aujourd'hui, grâce à l'échographie, le mystère peut être levé plus tôt lorsque les parents ont demandé à connaître le sexe de leur bébé. Les autres parents, moins nombreux, découvriront à la naissance si c'est une petite fille ou un petit garçon.

Pour comprendre selon quels mécanismes, quelles lois de la biologie, le sexe d'un enfant est déterminé dès la conception, il convient de faire une incursion dans le domaine de l'infiniment petit, et de donner quelques explications un peu techniques qui vous rappelleront peut-être les cours du collège et du lycée.

La cellule

L'organisme est composé de différents tissus eux-mêmes faits de cellules. Chaque être humain en possède une dizaine de milliards environ. La cellule est l'élément de base de tout être vivant.

Chaque cellule, en fonction du rôle qu'elle joue dans l'organisme, a une forme ou un aspect particulier. Le globule rouge a la forme d'un disque, alors que les cellules des nerfs ou de la peau ont la forme d'une sorte de cube ou de parallélépipède aplati, et la cellule de l'os a la forme d'une étoile, etc.

Le noyau de la cellule

Chaque cellule comprend, entre autres, une partie plus dense que l'on appelle le noyau et qui est la plus importante, on serait tenté de dire : la plus noble.

Les chromosomes

Ce noyau est fait d'une substance appelée *chromatine* parce qu'elle a la faculté d'absorber certaines matières colorantes (du grec *chromos* : couleur). Quand les cellules se divisent pour se multiplier et se renouveler, la chromatine du noyau prend un aspect particulier. Elle se fragmente en corpuscules appelés chromosomes. L'aspect et le nombre des chromosomes varient selon les espèces animales.

Dans l'espèce humaine, il y a 46 chromosomes par cellule. Ils sont groupés en 23 paires ; dans chaque paire l'un des chromosomes est hérité du père et l'autre de la mère.

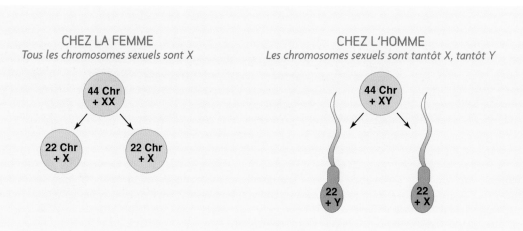

CHEZ LA FEMME
Tous les chromosomes sexuels sont X

44 Chr
+ XX

22 Chr
+ X

22 Chr
+ X

CHEZ L'HOMME
Les chromosomes sexuels sont tantôt X, tantôt Y

44 Chr
+ XY

22
+ Y

22
+ X

X et Y

22 paires de chromosomes sont identiques dans l'un et l'autre sexe. La 23e, au contraire, est différente chez l'homme et chez la femme. Il s'agit de la paire de chromosomes sexuels.

Chez la femme, cette paire est faite de 2 chromosomes semblables appelés chromosomes X. Chez l'homme, les 2 chromosomes sont différents : l'un est appelé X et l'autre Y. Dans le sexe féminin, les cellules sont donc composées de 22 paires + 1 paire XX. Dans le sexe masculin les cellules comportent 22 paires + 1 paire XY.

La division des cellules

À l'exception des cellules nerveuses, toutes les cellules de l'organisme se renouvellent : la durée de vie d'une cellule est en effet limitée et va de 4 jours à 4 mois. Cette reproduction se fait par simple division. Chaque cellule se divise en deux cellules filles contenant le même nombre de chromosomes que la cellule mère dont elles sont issues (soit 46 dans l'espèce humaine).

Les cellules sexuelles, ou germinales, ou gamètes

Les cellules sexuelles échappent à cette règle de la division. Lors de la fabrication des ovules chez la femme et des spermatozoïdes chez l'homme, la division des cellules prend un caractère un peu particulier et les cellules sexuelles adultes (ovule ou spermatozoïde) qui vont assurer la fécondation, ne contiennent plus que la moitié des chromosomes soit 23 au lieu de 46. Ainsi, lors de la fusion du spermatozoïde et de l'ovule, sera reconstituée une cellule (l'œuf) qui comportera 46 chromosomes, nombre caractéristique de l'espèce humaine.

Il est facile de comprendre que, s'il n'en était pas ainsi, l'œuf aurait 46 + 46 soit 92 chromosomes, ce qui n'est pas le nombre caractéristique des individus normaux. Vous verrez d'ailleurs plus loin que certains œufs ont un nombre anormal de chromosomes. Cela conduit soit à un avortement, soit à la naissance d'un enfant qui peut être anormal.

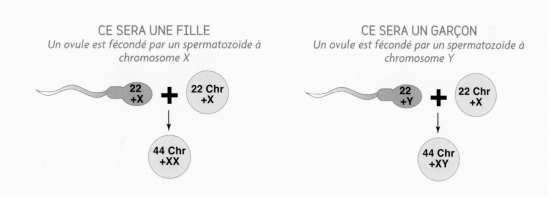

CE SERA UNE FILLE
Un ovule est fécondé par un spermatozoïde à chromosome X

CE SERA UN GARÇON
Un ovule est fécondé par un spermatozoïde à chromosome Y

Pourquoi garçon ? Pourquoi fille ?

Jusqu'à nouvel ordre, il faut admettre qu'il s'agit là d'un pur hasard mais qui mérite une explication.

Lors de la fabrication des ovules dans l'ovaire, les deux chromosomes sexuels étant identiques chez la femme (X et X) tous les ovules recevront 22 chromosomes ordinaires + 1 chromosome X. Cela équivaut à dire que tous les ovules auront une formule chromosomique identique.

Chez l'homme, au contraire, la cellule mère qui donne naissance aux spermatozoïdes comprend 44 chromosomes + 2 chromosomes sexuels différents X et Y. Lors de la division, 50 % des spermatozoïdes recevront 22 chromosomes ordinaires + 1 chromosome X alors que 50 % recevront 22 chromosomes ordinaires + 1 chromosome Y. Cela revient par conséquent à dire que tous les spermatozoïdes n'ont pas la même formule chromosomique. Lors de la fécondation, c'est-à-dire lors de l'union d'un ovule et d'un spermatozoïde, deux possibilités apparaissent donc.

La fille

L'ovule est fécondé par un spermatozoïde à chromosome X : il va en résulter, par réunion des chromosomes, un œuf contenant 44 chromosomes + X + X (soit XX). Cette formule est celle du sexe féminin. Cet œuf donnera naissance à une fille.

Le garçon

L'ovule est fécondé par un spermato-zoïde à chromosome Y : la reconstitu-tion du capital chromosomique aboutira à la formule : 44 chromosomes + X + Y (soit XY). Cette formule est celle du sexe masculin. Cet œuf donnera nais-sance à un garçon.

C'est donc le spermatozoïde qui détermine le sexe de l'enfant : c'est une fille lorsqu'il est à chromosome X, c'est un garçon lorsqu'il est à chromosome Y.

Pas seulement le hasard

Certaines notions échappent d'ailleurs encore à nos connaissances dans ce domaine.

En effet, si le hasard seul intervenait, comme dans le jeu de pile ou face, il devrait y avoir statistiquement, autant de naissances de filles que de garçons. Or, il naît un peu plus de garçons que de filles (104 à 106 contre 100). D'autre part, dans certaines familles, on observe de façon frappante un bien plus grand nombre d'enfants de l'un ou

l'autre sexe et l'on a pu parler de familles à filles et de familles à garçons. On a cité le cas d'une famille où, en trois générations, sont apparues soixante-douze filles sur soixante-douze grossesses. L'explication de tels phénomènes reste encore actuellement du domaine de l'hypothèse. Au fil des années cependant, de nombreux travaux faits dans le monde entier permettent de cerner de mieux en mieux la réalité.

On sait, par exemple, que les spermatozoïdes X et Y présentent des différences : les seconds ont une tête plus petite et se déplacent plus vite que les premiers. Il semble d'autre part que certaines anomalies du sperme se fassent surtout au détriment des spermatozoïdes X ou au contraire des spermatozoïdes Y. Cela expliquerait pourquoi certains hommes donnent naissance à plus de filles que de garçons par exemple.

Il reste vrai toutefois que de nombreuses inconnues persistent en ce domaine.

PEUT-ON CHOISIR LE SEXE DE L'ENFANT ?

La réponse est non. Pourtant, avoir à volonté une fille ou un garçon est un rêve vieux comme l'huma-nité. Dans certains pays, notamment d'Asie, ce rêve devient une obsession et conduit à des pratiques condamnables comme l'avortement sélectif. Comme pour la prédiction du sexe, le choix du sexe a donné lieu à des conseils et des méthodes tous plus fantaisistes et surtout inefficaces les uns que les autres. Par contre il est un domaine où ce choix est médicalement justifiée. C'est celui des **maladies génétiques**, maladies dont certaines sont portées par un sexe et pas par l'autre

Où en sont actuellement les recherches et les avancées médicales dans ce domaine ? Une première série de techniques consiste à identifier, en laboratoire, les spermatozoïdes Y, ceux qui déterminent les garçons, et les spermatozoïdes X, ceux qui déterminent les filles. Cette technique donne des résultats variables ; elle nécessite d'abord de recueillir le sperme et de séparer les spermatozoïdes X des Y ; puis, pour assurer la fécondation, il faut procéder soit à une insémination par les voies naturelles avec les spermatozoïdes sélectionnés, soit réaliser une fécondation in vitro, cette dernière méthode étant plus sûre.

En réalité la technique la plus efficace est de procéder non pas à une sélection des spermatozoïdes mais à une sélection des embryons dont on cherche à connaître le sexe. Cela n'est possible que dans un cadre légal, réservé à des cas précis et effectué uniquement par des laboratoires spécialisés et agréés dans le domaine de la reproduction et de la génétique. C'est ce que l'on appelle le **diagnostic pré-implantatoire** (DPI). Voici en quoi il consiste.

On procède tout d'abord à une fécondation in vitro pour obtenir des embryons, puis on prélève sur chaque embryon une cellule sur laquelle on va rechercher le sexe. Si un de ces embryons est d'un sexe qui n'est pas porteur de la maladie héréditaire considérée, il pourra alors être transféré sans risque.

Actuellement, le DPI va encore plus loin que l'établissement du caryotype et donc la détermination du sexe. Il peut rechercher si l'embryon possède ou non le gène de la maladie héréditaire.

Le diagnostic pré-implantatoire va probablement remplacer peu à peu le diagnostic prénatal dans les situations où les couples ont un haut risque de transmettre une maladie héréditaire gravement invalidante, et donc un haut risque d'avoir un recours à une interruption médicale de grossesse. Les conséquences médicales et psychologiques de celles-ci sont toujours dramatiques, comme on peut aisément l'imaginer (p. 184).

Vous le voyez, il n'existe pas de méthode simple pour choisir le sexe de l'enfant à naître. Nous aurions tendance à dire « Heureusement ! ». Si le choix était possible, il y aurait probablement plus de garçons que de filles. Cela entraînerait un déséquilibre entre les sexes, et une chute de la démographie, car pour le moment ce sont les femmes qui enfantent et accouchent...

CONNAÎTRE LE SEXE DE L'ENFANT AVANT LA NAISSANCE

Depuis les temps les plus anciens, on a cherché à connaître le sexe de l'enfant avant la naissance. Pour trouver une réponse, les Grecs, avec Hippocrate, tenaient compte de la coloration du visage ou de l'importance du développement utérin.

Au fil des siècles, on a tenté d'accorder une valeur :
• au rythme cardiaque de l'enfant : certaines femmes restent persuadées que le cœur bat plus ou moins vite selon qu'il s'agit d'un garçon ou d'une fille. Les enregistrements électroniques du cœur fœtal ont montré qu'il n'en était rien
• au déroulement de la grossesse et à l'importance des malaises ressentis

• à la manière de porter son enfant : on croyait que si l'enfant « montait » très haut ce serait un garçon, ou « descendait » très bas ce serait une fille
• à la date du rapport fécondant par rapport à l'ovulation, car les spermatozoïdes X et Y n'auraient pas la même durée de survie.

Les parents souhaitent-ils connaître le sexe de l'enfant avant la naissance ?

Pour certains, la réponse est oui, sans hésiter : cela permet de parler de l'enfant avec le prénom choisi, de faire des projets plus personnalisés, d'acheter une layette en conséquence.

D'autres parents souhaitent connaître le sexe du bébé à naître mais ils ne veulent pas l'annoncer à l'entourage ; ils gardent le secret pour eux et réservent la surprise aux autres.

Certains parents veulent avoir le plaisir de la découverte au moment de la naissance. Mais beaucoup de futurs pères aimeraient connaître le sexe du bébé pendant la grossesse. Apprendre que c'est un petit garçon ou une petite fille donne plus de réalité à l'enfant attendu. Les futures mères sont plus ambivalentes. Elles connaissent déjà bien leur bébé puisqu'il est présent à chaque minute dans leur corps. Elles hésitent à en savoir plus. Elles veulent se laisser aller à imaginer leur bébé sans trop de précisions.

Parfois, les femmes cèdent à la pression de leur mari, de l'entourage, et aussi des aînés : « Dans ma classe, Gaspard sait qu'il va avoir une petite sœur. »

Si vous faites partie de ces parents qui n'ont pas envie de connaître le sexe de leur bébé, pensez à le préciser avant chaque échographie pour que le médecin respecte votre souhait. Et ne regardez pas l'écran ...

Quels sont les moyens pour connaître avec certitude le sexe avant la naissance ?

• Le moyen le plus simple est évidemment l'**échographie** de la 21/22e semaine (p. 215), et parfois plus tôt. À ce moment-là, il est possible de voir le sexe sans se tromper. La marge d'erreur est très faible. Il peut néanmoins exister des cas où la position du bébé gêne la vision de son anatomie. Dans cette hypothèse, l'échographiste donnera une réponse avec réserve. Pour avoir une certitude, il faudra attendre la prochaine échographie, vers la 31/32e semaine. On peut aussi décider d'attendre 7 semaines de plus, c'est-à-dire la naissance du bébé...

À ce propos, il faut signaler que les échographistes sont plutôt réticents à donner spontanément le sexe de l'enfant qu'ils examinent, à moins bien sûr que les parents ne le demandent expressément.

• De façon exceptionnelle, il est possible de connaître le sexe de l'enfant avant la naissance à l'occasion d'un **diagnostic prénatal** (p. 180), selon deux méthodes :
- par prélèvement des villosités du placenta, vers la 10/11e semaine, c'est la biopsie du throphoblaste, ou throphocentèse (p. 181)
- ou par l'examen du liquide amniotique, vers la 16/17e semaine, c'est l'amniocentèse (p. 182).

Avec ces deux techniques, on peut avant tout savoir si l'enfant à venir est porteur d'une anomale chromosomique comme la trisomie 21 mais aussi, sur la demande des parents, s'il s'agit d'un garçon ou d'une fille. La méthode est sûre mais on ne l'utilise jamais pour connaître uniquement le sexe de l'enfant, sauf cas exceptionnel.

À qui ressemblera notre enfant ?

Vous avez sûrement envie de savoir si votre enfant héritera des cheveux blonds et des yeux noirs de sa grand-mère, ou bien du nez droit et de la grande taille de son père. Et vous espérez aussi qu'il n'aura pas le caractère difficile de son grand-père, mais plutôt votre don musical. En un mot, vous vous demandez comment, d'une génération à l'autre, se transmettent les dons et caractéristiques physiques et intellectuels.

LES RESSEMBLANCES PHYSIQUES

Les agents de transmission de l'hérédité, ce sont les chromosomes, et surtout les gènes : les chromosomes transmettent le sexe ; ils portent les gènes qui, eux, transmettent les caractéristiques de l'individu.

Lors de la fécondation (p. 104), l'union des chromosomes maternels et paternels, et la combinaison des gènes entre eux, apportent au futur enfant des caractères physiques et psychologiques qu'il tiendra pour partie de son père, et pour partie de sa mère.

En ce qui concerne les caractères physiques, on pourrait logiquement s'attendre à ce que l'enfant ressemble pour moitié à son père et pour moitié à sa mère : avoir, par exemple, la couleur des yeux de l'un et la forme du nez de l'autre. Cela n'est pas le plus fréquent, l'enfant n'apparaît pas habituellement comme composé d'une mosaïque dont les éléments reproduiraient fidèlement pour moitié les traits du père et pour moitié ceux de la mère. Ces faits s'expliquent par ce que l'on appelle les lois de l'hérédité, infiniment complexes, et dont voici les grandes lignes.

Un demi-héritage seulement

Vous avez vu que lorsque se forment les cellules sexuelles, seuls 23 chromosomes (sur les 46 que comprend la cellule mère) passaient dans le spermatozoïde ou dans l'ovule. Lors de la fécondation, l'œuf ne reçoit donc que la moitié de l'héritage du père, et la moitié de celui de la mère, et non la totalité de ces héritages.

Plus important encore : quand les 23 paires de chromosomes se séparent en deux, cette séparation se fait complètement au hasard, chaque chromosome d'une paire pouvant aller dans l'une ou l'autre des 2 cellules filles. Un simple calcul montre que ceci représente 2^{23}, c'est-à-dire 8 388 608 possibilités.

Ceci veut dire que du point de vue de l'hérédité, un homme peut fabriquer 8 338 608 sortes de spermatozoïdes différents, dont le message héréditaire ne sera pas le même. Il en est de même pour les ovules de la femme.

Enfin, avant de se séparer, les chromosomes d'une même paire vont s'échanger des morceaux équivalents de leur substance, recombinant ainsi l'héritage génétique ; les généticiens parlent de *crossing over*. Si l'on tient compte de ce phénomène, ce ne sont plus 8 millions de possibilités qui existent, mais 10^{40}, c'est-à-dire beaucoup plus que le nombre d'êtres humains ayant jamais existé...

Ainsi s'explique que, bien que nés de la même mère et du même père, des frères et sœurs puissent n'avoir entre eux qu'un air de famille et que la ressemblance n'aille souvent pas plus loin. On peut dire qu'à l'exception des vrais jumeaux, chaque nouvel œuf va donner un individu nouveau, différent de ses parents et de ses frères et sœurs. Chaque nouvel embryon est dans l'histoire de l'humanité un individu unique, différent de ceux qui l'ont précédé, et différent de ceux qui le suivront.

Dominants et récessifs

Lors de sa conception, l'enfant va recevoir, pour chaque caractère physique, un gène de son père et un gène de sa mère. Prenons, par exemple, la couleur des yeux et supposons qu'il hérite sur le gène paternel de la couleur marron, et sur le gène maternel de la couleur bleue. Ses yeux ne seront pas moitié marron et moitié bleu, mais marron, car cette couleur l'emporte sur le bleu. On dit que le gène qui porte la couleur marron est « dominant » et que l'autre est « récessif ». On dit aussi que ce dernier est « réprimé » car empêché de transmettre son message, la couleur bleue.

Voici quelques exemples de caractères dominants : les longs cils, les narines larges, les grandes oreilles, les taches de rousseur ; et de caractères récessifs : les yeux bridés, les cheveux clairs, la myopie.

Mais il faut savoir également que cet enfant aux yeux marron garde dans son capital héréditaire, sur un gène de ses chromosomes, le caractère yeux bleus, bien que celui-ci n'apparaisse pas chez lui puisque dominé par le caractère yeux marron. Imaginons maintenant cet enfant aux yeux marron devenu adulte. Il peut transmettre à sa propre descendance le caractère yeux bleus puisqu'il l'a gardé sur un de ses gènes. S'il en est de même pour sa femme, leur enfant pourra avoir les yeux bleus bien que son père et sa mère aient les yeux marron.

Ainsi, bien que tenant de ses parents tout son patrimoine, un enfant peut parfaitement ne pas leur ressembler. En revanche, il tient forcément tous ses caractères des générations précédentes.

Les caractères physiques sont donc héréditaires et un individu ne peut posséder que ceux qu'avaient déjà les générations qui l'ont précédé. Il existe toutefois des exceptions à ces lois générales.

L'environnement

La première exception est représentée par l'influence éventuelle d'éléments extérieurs à l'hérédité. En voici quelques exemples.

• **Le poids :** la prédisposition à prendre du poids est héréditaire. Mais il est évident que le poids d'un individu dépendra aussi de ses conditions d'alimentation : abondance ou famine.

• **La taille :** on a constaté que les descendants des Asiatiques émigrés aux États-Unis (Chinois et Japonais généralement de petite taille) avaient une taille moyenne supérieure à celle de leurs ancêtres. On ne voit pas d'autre explication à ce phénomène que l'action du mode de vie et plus particulièrement de l'alimentation.

• **La couleur de la peau :** elle est aussi déterminée par l'hérédité ; toutefois la peau sera plus ou moins foncée selon que l'on sera souvent ou jamais exposé au soleil.

Cette action de l'environnement est toutefois limitée : un Noir qui ne s'exposera jamais au soleil n'en aura pas pour autant la peau blanche ; un albinos qui se mettra au soleil ne brunira pas. Mais il y a sans cesse une interaction entre ce que l'hérédité apporte, et ce qui provient de l'environnement.

Les mutations

Elles représentent la seconde exception aux lois de l'hérédité. En génétique, une mutation est une erreur dans la transmission des gènes, c'est comme une faute d'orthographe dans le vocabulaire des gènes. Il s'agit donc de modifications soudaines, transmissibles ou non, du matériel héréditaire.

Souvent les mutations sont « neutres », c'est-à-dire qu'elles se produisent et passent totalement inaperçues parce que le gène qui a muté est récessif, ou parce que, bien que dominant, sa fonction n'est pas assez perturbée par la mutation pour entraîner des manifestations ou des troubles que l'on puisse remarquer. Il faut de nombreuses mutations, combinées avec la reproduction de nombreux individus, et prolongées sur une longue période de temps, pour obtenir des différences appréciables. On pourrait dire, en quelque sorte, que la mutation agit plus au niveau d'un ensemble que d'un individu.

Il arrive aussi que des mutations aillent dans le sens d'une amélioration, d'un progrès ; elles participent à l'évolution des espèces.

On connaît mal chez l'homme les mutations de ce type alors qu'elles sont très nombreuses dans les espèces végétales ou animales. Toutefois, on a retrouvé chez certains individus une hémoglobine mutée (l'hémoglobine est le pigment qui donne au sang sa couleur rouge) qui fixe l'oxygène deux fois mieux que l'hémoglobine normale ; on a également découvert chez certains hommes des gènes, responsables de la fabrication des sucres, qui « travaillent » quatre fois mieux que les gènes habituels.

D'ailleurs, certains chercheurs se sont demandés si les sujets considérés comme des surdoués n'étaient pas les bénéficiaires de plusieurs mutations capables d'expliquer leurs performances exceptionnelles.

Parfois malheureusement la mutation a des conséquences néfastes. Elle conduit à un dysfonctionnement d'une protéine et peut être responsable d'une maladie héréditaire. Comme pour les caractéristiques normales, la transmission des mutations suit les lois de l'hérédité. Il existe ainsi des maladies récessives, dominantes, ou liées au sexe qui ne toucheront par exemple que les garçons. Bon nombre de mutations surviennent vraisemblablement spontanément, par hasard. D'autres sont la conséquence d'agents dits mutagènes : les rayons X, la radioactivité, les rayons cosmiques, de nombreux produits chimiques peuvent être mutagènes. Le Centre International de Recherche sur le Cancer (CIRC) a établi une liste de substances reconnues comme cancérigènes, mutagènes et/ou toxiques pour la reproduction. Il est bien évidemment impossible de connaître le nombre de mutations dans l'espèce humaine.

LES RESSEMBLANCES PSYCHOLOGIQUES OU INTELLECTUELLES

Les caractères physiques ne sont pas les seuls à se transmettre selon les lois de l'hérédité. Il en est de même de certains traits intellectuels ou psychologiques.

La transmission héréditaire se fait de la même façon que pour les caractères physiques ; mais, dans la pratique, ses conséquences paraissent souvent moins apparentes. En effet, tout ce qui va constituer la structure intellectuelle et surtout psychologique d'un individu est soumis à des influences multiples : mode de vie et comportement de ses ascendants, mode d'éducation, appartenance sociale, etc. C'est d'ailleurs un des mérites de la psychologie d'aujourd'hui que d'avoir mis en évidence l'influence de l'entourage sur la structure psychologique d'un être. Ainsi, bien que l'enfant tienne de ses parents certains traits psychologiques et intellectuels, sa personnalité sera plus ou moins fortement modifiée par les influences extérieures. C'est d'ailleurs ce qu'a spontanément retenu la sagesse populaire en deux proverbes apparemment contradictoires mais qui contiennent chacun un fond de vérité : « Tel père, tel fils » et « À père avare, fils prodigue ».

Vous voyez que si votre enfant a des chances de vous ressembler, ou de ressembler à son père, il pourra tout aussi bien avoir la couleur des yeux de sa grand-mère ou la nature des cheveux de son arrière-grand-père. Mais en tous cas c'est vous qui aurez été le maillon indispensable dans la chaîne de l'hérédité.

Quant à son caractère et à ses goûts, l'enfant pourra certes hériter sur ses chromosomes de vos dispositions pour un art : la musique par exemple. Il pourra surtout aimer la musique parce que vous lui en aurez donné le goût. Il pourra aussi, par réaction, l'avoir en horreur.

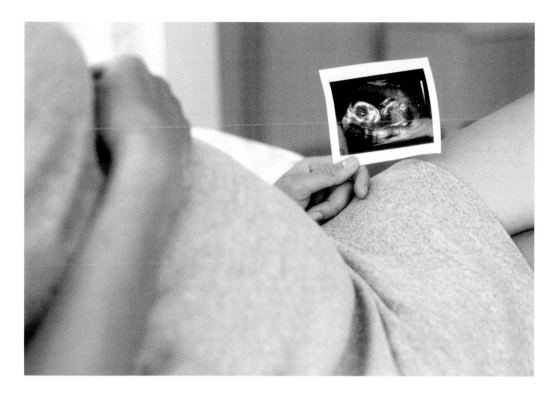

Notre enfant
sera-t-il normal ?

Notre enfant sera-t-il normal ? Parmi les questions que vous vous posez, c'est certainement celle qui vous tient le plus à cœur.

Nous pourrions vous répondre que le pourcentage d'enfants présentant une anomalie de développement ne dépasse pas 3 %. Nous pourrions vous dire aussi que la nature fait elle-même sa sélection. Vous pouvez voir plus loin que plus de la moitié des avortements précoces, ceux qui surviennent au cours du 1er trimestre de la grossesse, sont en rapport avec une anomalie des chromosomes. Cela veut dire que la plupart des œufs mal formés sont rapidement éliminés. Nous y reviendrons plus loin. Mais sans doute demandez-vous autre chose à ce chapitre. Vous voulez être informés de tout ce qui peut causer une déficience ou une malformation, et vous voulez savoir ce que de futurs parents doivent faire pour mettre toutes les chances de leur côté. Nous allons essayer de répondre à vos interrogations. Nous disons « essayer », car bien des points restent encore obscurs dans ce domaine.

Auparavant, nous voudrions répondre à quelques questions fréquemment posées.

Quelle est la différence entre héréditaire et congénital ?
Au sens strict, ces deux termes ne sont pas synonymes, bien que la confusion soit fréquente.

On appelle **congénitale** une maladie (ou une malformation) qui se révèle à la naissance, mais dont l'origine remonte généralement à la vie intra-utérine. Par exemple, un enfant dont la mère a eu la rubéole ou une infection à cytomégalovirus peut présenter à la naissance diverses malformations.

On appelle **héréditaire** une maladie transmise par les gènes. Les parents l'ont dans leur patrimoine génétique et la transmettent à leurs enfants ; par exemple la mucoviscidose ou certains types de myo-pathies.

La plupart des maladies héréditaires se manifestent dès la naissance mais certaines ne seront apparentes que beaucoup plus tard dans la vie.

Les maladies héréditaires sont-elles toujours graves et incurables ?

Ce n'est pas aussi tranché. Un certain nombre de maladies héréditaires ne s'accompagnent pas de mal-formations graves et sont compatibles avec une vie presque normale, au prix d'une prise en charge médi-cale adaptée. Certaines d'entre elles peuvent actuellement être traitées. En revanche, il est évident que l'on ne peut empêcher le sujet de rester porteur du gène responsable d'une maladie héréditaire et de le transmettre à sa descendance (voir plus loin : la consultation de génétique).

POURQUOI TEL ENFANT N'EST-IL PAS NORMAL ?

Pourquoi certains enfants naissent-ils « différents », avec un handicap physique ou intellectuel ? Devant un nouveau-né présentant un handicap, les médecins sont encore dans la plupart des cas incapables de trouver une explication. Lorsqu'il y en a une, différentes causes sont possibles : une anomalie chromo-somique, une anomalie génique, une agression pendant la grossesse ou l'accouchement. Dans les deux premiers cas, l'enfant a souffert de son hérédité, dans les autres il a souffert de l'environnement.

L'HÉRÉDITÉ

Dans ce cas, l'œuf a souffert d'une anomalie qui porte sur les chromosomes ou sur les gènes.

Les anomalies portant sur les chomosomes

Ces anomalies, ou aberrations chromosomiques, peuvent porter sur le nombre ou la structure des chromosomes.

• **Les aberrations de nombre** sont dues le plus souvent à une « erreur » lors de la constitution des spermatozoïdes ou des ovules : au lieu que chacun des deux spermatozoïdes nés de la cellule mère reçoive 23 chromosomes, l'un en reçoit un de plus, l'autre un de moins. Si ces spermatozoïdes « anor-maux » assurent malgré tout la fécondation, l'œuf aura dans le premier cas un chromosome de plus (soit 47) : on parle alors de trisomie. Dans le second cas, il aura un chromosome de moins (soit 45) : on parle de monosomie. Le même raisonnement vaut pour l'ovule. Ainsi, on sait que, dans la trisomie 21, c'est l'ovule qui porte le plus souvent l'anomalie, et cela d'autant plus que la femme est âgée (p. 179).

• **Les aberrations de structure**. Les chromosomes sont relativement fragiles et, notamment lors de leur constitution (fabrication des ovules ou des spermatozoïdes), ils peuvent se casser en un ou plu-sieurs fragments. Selon les cas, ces fragments vont se recoller sur place, ou se recoller sur un autre chromosome, ou même « se perdre » avec des conséquences de gravité à chaque fois croissante.

• **Il n'y a pas de perte**. On dit que *le caryotype est équilibré*. Le fragment de chromosome cassé n'est pas perdu ; il se recolle sur un autre chromosome que son chromosome d'origine. Dans ce cas, il n'y a habituellement aucune conséquence pour le porteur de l'aberration. Par contre il peut donner naissance à des enfants anormaux. Ainsi 2 à 3 % des trisomies 21 ne sont pas accidentelles, mais dues à une anomalie « équilibrée » du caryotype paternel ou maternel. C'est dire qu'une telle anomalie n'est généralement découverte que si l'on établit le caryotype des parents après la naissance d'un enfant anormal ou à la suite de plusieurs fausses couches spontanées précoces.

• **Il y a perte** d'un fragment de chromosome, ou bien il y a un ou plusieurs chromosomes en plus ou en moins. On dit que *le caryotype est déséquilibré*. Les conséquences sont variées. La première conséquence, pour de nombreuses aberrations, est de bouleverser le développement embryologique de façon très précoce et d'aboutir à un avortement dans les premières semaines. L'embryon présente des malformations importantes ou même, il n'y a pas d'embryon du tout (œuf clair). On sait maintenant que les aberrations chromosomiques sont la cause de la plupart des avortements spontanés précoces. C'est une des raisons pour lesquelles on ne traite plus les menaces de fausses couches précoces.

• **Le caryotype** est la carte d'identité des chromosomes. Pour l'établir, on recueille quelques cellules (habituellement en prélevant quelques gouttes de sang) et, grâce à des techniques complexes, on peut voir les chromosomes au microscope, les photographier. On s'est mis d'accord pour classer les chromosomes (par paires et par taille décroissante), en leur donnant des numéros. Sur cette carte d'identité apparaîtront d'éventuelles anomalies susceptibles d'être transmises aux descendants.

Les anomalies géniques

Ici, l'anomalie est plus localisée que dans le cas précédent puisqu'elle ne concerne qu'un gène, c'est-à-dire un fragment de chromosome. La transmission de l'anomalie génique se fait, comme celle des caractères normaux, selon les lois de l'hérédité. Le risque est évidemment plus ou moins grand pour la descendance selon que le gène défaillant est dominant ou récessif, et selon qu'il est situé sur un chromosome autosome (non sexuel) ou sur un chromosome sexuel. Nous ne pouvons entrer ici dans le détail. Sachez seule-

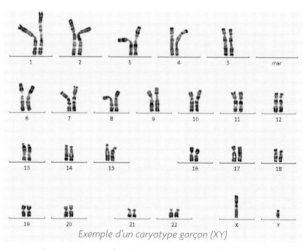

Exemple d'un caryotype garçon (XY)

ment qu'en cas de gène récessif, un sujet peut être porteur du gène sans être malade. Mais il peut par contre le transmettre à sa descendance : on dit qu'il est « conducteur » du gène ou « porteur sain ».

AUTRES INFLUENCES

Au cours de la grossesse, l'œuf peut souffrir d'une atteinte qui peut être infectieuse, chimique ou physique. Vous verrez aux chapitres 9 et 10 qu'un certain nombre de facteurs peuvent perturber le développement normal de l'œuf, et produire des malformations.

Les maladies

C'est le cas de certaines maladies infectieuses virales maternelles comme la rubéole, le cytomégalovirus, ou parasitaires comme la toxoplasmose. Presque toutes les maladies infectieuses ont d'ailleurs été mises en cause mais, pour beaucoup d'entre elles, on ne possède aucune preuve de leur action néfaste. Selon la période d'atteinte de l'œuf, les conséquences seront différentes : au cours des trois premiers mois, période de formation de l'œuf, le risque est celui d'une malformation (plus ou moins grave selon l'organe qu'elle affecte), plus tard celui d'une maladie qui se révélera à la naissance (maladie congénitale), mais le risque de malformations aura disparu.

L'environnement

Les risques dus à l'environnement peuvent provenir de substances chimiques. Il s'agit très rarement d'un traitement administré malencontreusement à la mère pendant la grossesse (p. 222) car le principe selon lequel « tout traitement qui n'est pas formellement indiqué en début de grossesse est contre-indiqué » est aujourd'hui bien connu des médecins. Il pourra s'agir d'expositions heureusement exceptionnelles, comme des catastrophes écologiques ou nucléaires : intoxications par le mercure absorbé via l'alimentation (consommation de poissons venant d'eau polluée), émission de fortes doses de radioactivité lors d'accidents comme celui de Tchernobyl en 1986 ou de catastrophes sismiques comme celle du Japon en 2011.

Par ailleurs, l'exposition lors de la grossesse à de faibles doses de substances chimiques pourrait avoir des effets à long terme sur le développement des enfants. Parmi ces substances, certaines font l'objet d'une attention particulière parce que ce sont des **perturbateurs endocriniens**, c'est-à-dire qu'ils altèrent le fonctionnement normal de l'organisme en diminuant ou augmentant la sécrétion d'hormones. Ainsi les phtalates et le bisphénol A sont des composants de matières plastiques qui, à faibles doses chez l'animal, peuvent avoir des effets sur l'appareil génital et le développement de la glande mammaire des nouveau-nés. C'est la raison pour laquelle ces substances, ainsi que certains pesticides, sont soupçonnés d'augmenter le risque de malformation des organes génitaux chez le petit garçon, et à l'âge adulte d'augmenter le risque de cancer du sein chez les femmes et de cancer du testicule chez les hommes. On leur attribue aussi une responsabilité dans la baisse de la fertilité masculine observée dans les pays développés. Des associations comme WECF (www.projetnesting.fr) font état des recherches sur le sujet et proposent des recommandations pour prévenir ce risque actuellement en débat. À noter que, dans l'Union Européenne, l'utilisation du bisphénol A dans la fabrication des biberons est interdite.

Par ailleurs, **pendant l'accouchement**, l'enfant peut souffrir d'un manque d'oxygène provoqué par une procidence du cordon ombilical, de contractions utérines trop intenses et trop rapprochées, d'un hématome rétro-placentaire, ou d'un cordon comprimé, etc. Ces facteurs peuvent être dépistés en surveillant l'activité cardiaque du bébé (monitoring). Mais une atteinte de l'enfant pendant l'accouchement n'est pas forcément responsable de la plupart des handicaps cérébraux comme on a eu tendance à le dire jusqu'à récemment. On admet aujourd'hui qu'environ seulement 10 % des souffrances cérébrales de l'enfant sont liées aux conditions de l'accouchement.

QUEL EST LE RISQUE D'AVOIR UN ENFANT ANORMAL ?

Quels que soient les progrès de la médecine, la peur d'avoir un enfant anormal reste présente à l'esprit des parents. Ceux-ci sont en général rassurés par les échographies. Quant à la découverte d'une anomalie grave à la naissance, elle reste exceptionnelle aujourd'hui. En effet, plus de 95 % des grossesses qui évoluent favorablement au-delà du troisième mois aboutiront à la naissance d'un enfant en bonne santé. Voyons comment les choses peuvent se présenter :

LE RISQUE EST CONNU AVANT LA GROSSESSE

Il existe des situations qui évoquent un risque particulier et conduisent à mettre en œuvre un certain nombre d'examens complémentaires pendant la grossesse. Par exemple :

• **L'existence d'une maladie héréditaire.** Que ce soit dans votre famille ou dans celle de votre mari, l'existence d'une maladie héréditaire augmente les risques d'anomalies de développement. Mais cela ne veut certainement pas dire qu'il est impossible d'avoir un enfant normal.

• **Les antécédents.** Il y a un risque lorsque certains événements se sont produits lors d'une grossesse précédente : la naissance d'un enfant porteur d'une anomalie ; une interruption médicale de grossesse (IMG) ; une fausse couche tardive, avec un enfant porteur d'une malformation.

• **L'âge des parents.** L'âge de la mère intervient sur la qualité de ses ovules, et plus la mère avance en âge, plus le risque d'aberrations chromosomiques augmente (et plus le risque de fausse couche augmente également). En particulier pour la trisomie 21 dont voici la fréquence : 1/1 500 à 20 ans – 1/1 350 à 25 ans – 1/900 à 30 ans – 1/380 à 35 ans – 1/250 à 38 ans – 1/111 à 40 ans – 1/64 à 42 ans.

Il y a d'autres aberrations chromosomiques (trisomie 18, trisomie 13) responsables également de malformations diverses, mais elles sont, comme la précédente, dépistables par l'amniocentèse.

En ce qui concerne le père, on commence à penser que l'âge peut intervenir sur la qualité des spermatozoïdes. Des études récentes montrent en effet une très légère augmentation du nombre de malformations fœtales avec l'âge paternel. D'ailleurs les banques de sperme (CECOS) ont tendance à refuser les dons de sperme des hommes de plus de 40 ans.

• **Les mariages consanguins.** Ce sont les mariages dans lesquels les partenaires ont un ancêtre commun. La consanguinité ne crée pas l'anomalie, mais elle augmente les risques pour un enfant de voir apparaître cette anomalie jusque-là cachée parce que récessive. C'est le cas d'un enfant dont les parents sont tous les deux porteurs d'un gène récessif. Si l'enfant hérite le gène récessif de ses deux parents, il sera atteint de la maladie considérée.

Dans tous ces cas (existence d'une maladie héréditaire, antécédents, etc.), il sera fait appel à la consultation de génétique (p. 183).

UNE ANOMALIE EST DÉCOUVERTE PENDANT LA GROSSESSE

Tout d'abord, il peut s'agir non pas d'une anomalie, mais seulement d'un **risque** d'anomalie évoqué par le résultat des marqueurs sériques de la trisomie 21 (p. 181), ou par la mesure de la clarté nucale effectuée lors de la première échographie (p. 215). Dans ces cas, on conseillera à la future mère de faire pratiquer une amniocentèse.

La découverte d'une petite anomalie morphologique au cours des échographies est plus délicate à identifier par le médecin, et très angoissante pour les parents.

Dans ce cas, le médecin ne pourra donner, sur-le-champ, un diagnostic. Il prendra le temps d'expliquer aux parents ce qu'il constate et il leur proposera un second rendez-vous pour réaliser un examen de contrôle, si besoin auprès d'un centre échographique spécialisé, faisant office de référent échographique.

Si les échographies de contrôle confirment l'anomalie, le médecin, ou l'échographiste, prendra contact, après l'accord signé de la femme, avec l'équipe du Centre pluridisciplinaire du diagnostic prénatal (**CPDPN**), qui se trouve en général dans un Centre hospitalier universitaire.

L'équipe du CPDPN est constituée de gynécologues-obstétriciens, pédiatres néonatologues, échographistes, généticiens, psychiatres ou psychologues, ainsi que de spécialistes des pathologies suspectées. Ces différentes personnes donneront des avis ou des conseils, en matière de diagnostics (amniocentèses, IRM), de thérapeutiques possibles à la naissance, et de pronostics. Les différentes informations recueillies seront communiquées au gynécologue-obstétricien, qui reste le référent, c'est-à-dire l'interlocuteur permanent et privilégié. Grâce à ce lien, les parents ne se sentent pas abandonnés, culpabilisés, ou dévalorisés, comme cela arrive fréquemment en de pareilles circonstances.

Bien souvent, les anomalies suspectées ne sont pas confirmées. Les résultats de l'amniocentèse ne révèlent pas d'anomalie chromosomique et la grossesse poursuit normalement son cours. Malgré cela, l'inquiétude persiste souvent chez les parents jusqu'à la naissance. Ils ne seront rassurés que par la venue au monde d'un bel enfant, en bonne santé.

Malheureusement l'anomalie suspectée peut parfois être confirmée. Mais il faut dire que cette situation est très rare, à peine 0,8 % des grossesses selon les spécialistes. L'angoissante décision d'une interruption médicale de grossesse va alors se poser (p. 184).

LE DIAGNOSTIC PRÉNATAL : LES DIFFÉRENTES MÉTHODES

Le but du diagnostic prénatal est de dépister une anomalie, ou d'évaluer un risque, chez l'enfant à naître. La pratique du diagnostic prénatal s'est beaucoup développée ces dernières années, notamment grâce aux marqueurs sériques (voyez ci-dessous), à la mesure de la clarté nucale (p. 215) et à ce que les médecins appellent « les petits signes d'appels échographiques de la trisomie 21 » (p. 216).

Le diagnostic prénatal, notamment de la trisomie 21, qui s'effectue au premier trimestre de la grossesse, est l'objet d'une règlementation très stricte : le code de santé publique encadre sa pratique et précise les conditions de sa réalisation.

Pour évaluer un risque, le diagnostic combine l'âge maternel, l'âge gestationnel, la mesure de la clarté nucale et les marqueurs sériques. C'est ce qu'on appelle le **risque combiné**.

À noter : aucun de ces examens n'est obligatoire. En ce qui concerne l'échographie et les marqueurs sériques, la future mère doit être informée clairement du but de l'examen et, si elle souhaite en bénéficier, elle doit donner son consentement par écrit.

Âge de la mère et âge de l'embryon
On sait que le risque de trisomie 21 augmente avec l'âge de la mère. Par ailleurs, la clarté nucale évolue en fonction de l'âge gestationnel de l'embryon. Ces deux paramètres interviennent donc dans le calcul du risque.

L'échographie et la clarté nucale

La clarté nucale est recherchée lors de la première échographie (pp. 129 et 215). Sa mesure est codifiée et l'échographiste doit répondre à des critères de qualité précis garantissant la fiabilité de sa mesure.

Les marqueurs sériques

Le test des marqueurs sériques consiste à doser, entre autres, l'hormone BHCG dans le sang de la future mère. Jusqu'à très récemment, ce test était pratiqué vers la 16e semaine d'aménorrhée. De nouveaux marqueurs sériques permettent aujourd'hui de faire le test plus tôt, au premier trimestre de la grossesse, entre 11 et 13 semaines d'aménorrhée, au moment de la première échographie.

Évaluation du risque

En combinant avec l'aide d'un logiciel tous ces éléments (âge maternel – âge gestationnel, échographie – clarté nucale, marqueurs sériques), il est possible d'évaluer le risque de trisomie 21 de façon plus précise, plus éclairée ; et de proposer éventuellement d'établir un caryotype du fœtus, soit par une biopsie du trophoblaste, soit par une amniocentèse. Selon le résultat, le couple pourra prendre plus tôt qu'auparavant, dès le 1er trimestre, la décision qui lui convient sur la poursuite de la grossesse.

Pour le cas où la maman n'aurait pas bénéficié de ce nouveau type de diagnostic prénatal (risque combiné), il lui sera proposé un calcul du **risque séquentiel** (ce qui se faisait avant 2009). L'évaluation du risque sera basée sur la mesure de la nuque au 1er trimestre et associée au dosage des marqueurs sériques du 2e trimestre. Enfin, si aucune méthode n'a pu être proposée, l'amniocentèse sera remboursée par la Sécurité sociale si la femme a plus de 38 ans au moment du prélèvement.

UNE NOUVEAUTÉ : LE DIAGNOSTIC PRÉNATAL NON INVASIF (DPNI)
*Il est aujourd'hui possible à partir d'une prise de sang chez la mère de déterminer si le fœtus peut être porteur d'une trisomie 21. Ce nouveau test par analyse de l'ADN fœtal dans le sang maternel reste un **test de dépistage**, c'est-à-dire que tout test positif devra être suivi d'une amniocentèse ou d'une biopsie de trophoblaste afin de vérifier ce résultat. Ce test peut néanmoins être faussement normal dans moins de 1% des trisomies 21. Le DPNI peut se faire en France mais il n'est actuellement pas remboursé par la Sécurité sociale. Des études sont en cours pour s'assurer de sa fiabilité et le valider en vue d'une prise en charge. Il est à espérer qu'après cette validation le DPNI fera diminuer le nombre d'amniocentèses, ce qui est recherché par tous, femmes enceintes et médecins. Ce test sera vraisemblablement proposé à toutes les femmes enceintes.*

LA BIOPSIE DU TROPHOBLASTE (OU CHORIOCENTÈSE)

Cette méthode a l'avantage d'être possible dès la 11e-12e semaine d'aménorrhée (donc beaucoup plus tôt que l'amniocentèse) et de donner des résultats en quelques jours. On peut ainsi, s'il est nécessaire, interrompre la grossesse plus précocement.

Avec un fin cathéter rigide, en passant par le col de l'utérus, ou mieux à travers la paroi abdominale, sous anesthésie locale et sous contrôle échographique, on fait un prélèvement au niveau du chorion ou trophoblaste, qui est le nom du placenta pendant les trois premiers mois de la grossesse.

La biopsie du trophoblaste a des indications communes avec l'amniocentèse. Elle permet en plus de dépister certaines maladies sanguines, métaboliques ou génétiques (myopathie, mucoviscidose par exemple). Elle a par contre l'inconvénient d'augmenter très légèrement le risque de fausse couche. En outre, toutes les équipes ne sont pas encore formées à cette technique.

L'AMNIOCENTÈSE

Elle se fait généralement entre la 15e et la 18e semaine d'aménorrhée ; avant, il n'y a pas suffisamment de liquide amniotique pour un examen convenable et les risques de complications sont un peu plus importants. Elle peut par contre être réalisée plus tardivement, par exemple après la deuxième échographie. Lorsque cet examen est proposé à la future mère, elle est libre de l'accepter ou de le refuser.

L'amniocentèse consiste à prélever une petite quantité de liquide amniotique dans lequel baigne l'enfant, par une piqûre faite à travers la paroi abdominale maternelle. Pour guider l'aiguille, ce prélèvement se fait sous contrôle échographique ; il ne dure que quelques minutes et n'est pas plus douloureux qu'une prise de sang.

Le liquide recueilli est confié à un laboratoire spécialisé en génétique et les cellules fœtales contenues dans le liquide sont prélevées et mises en culture pour établir le caryotype, cette sorte de carte d'identité des chromosomes dont nous avons parlé plus haut.

L'amniocentèse va ainsi permettre le diagnostic des anomalies chromosomiques souvent associées à des malformations découvertes à l'échographie, et notamment la plus fréquente : la trisomie 21. D'autres anomalies chromosomiques peuvent être révélées mais elles ne s'accompagnent pas forcément d'un handicap.

La réalisation de l'amniocentèse comporte un risque de fausse couche, de 0,5 à 1 %. Le risque est maximum dans les 8 à 10 jours qui suivent la ponction. La fausse couche peut se manifester par des douleurs, des saignements ou un écoulement de liquide. Devant ces signes, il faut bien sûr consulter très rapidement le médecin qui a réalisé l'amniocentèse.

La réalisation d'une amniocentèse (comme la réalisation d'une biopsie du trophoblaste) est encadrée par la loi. La femme doit d'abord être informée sur le but (la pathologie recherchée) et sur les conséquences des actes effectués. Après cette information, elle doit donner, par écrit, son accord à la réalisation de l'examen.

L'AMNIOCENTÈSE EN PRATIQUE
Présentez-vous le jour du prélèvement avec :
- votre carte de groupe sanguin (si vous êtes rhésus négatif, on vous fera une injection de gammaglobulines antirhésus)
- les résultats des examens de sang du VIH et des hépatites B et C
- vos différentes échographies
- l'accord du laboratoire de génétique qui effectuera l'analyse.
Il est inutile d'être à jeun.
Un arrêt de travail pourra éventuellement vous être prescrit le jour de l'examen.
Les résultats de cet examen vous seront communiqués par votre médecin dans un délai de 3 semaines environ.

Après l'amniocentèse

La période qui suit l'amniocentèse est un moment difficile pour les femmes qui sont à la fois inquiètes du résultat de l'examen et inquiètes du risque de fausse couche. La future maman se sent comme entre parenthèses : bien que sa grossesse se voie et que son bébé bouge, elle n'ose se laisser aller à penser à l'avenir.

LE PRÉLÈVEMENT DE SANG FŒTAL

C'est une technique beaucoup plus rare. Le prélèvement de sang fœtal peut se faire à partir de 22 semaines d'aménorrhée et jusqu'à la fin de la grossesse. On le fait au niveau du cordon ombilical avec une aiguille guidée par échographie. Cette technique, qui réclame une grande maîtrise, ne peut s'envisager que dans des maternités disposant d'équipes entraînées. Ce prélèvement permet le diagnostic de certaines maladies sanguines. Il permet également l'étude du caryotype (avec une réponse beaucoup plus rapide que celle de l'amniocentèse) pour confirmer ou non une anomalie découverte à l'échographie.

La ponction de sang fœtal permet aussi certains traitements du fœtus *in utero*.

LA CONSULTATION DE GÉNÉTIQUE

Les généticiens sont des médecins spécialistes des affections transmises par les gènes, affections qui peuvent toucher les enfants à naître. Il y a des consultations de génétique dans la plupart des grandes villes.

À qui la consultation de génétique est-elle utile ?
• Tout d'abord aux cas que nous venons d'évoquer (antécédents dans la famille, antécédents d'enfant porteur d'une anomalie, âge des parents, etc.).
• Aux femmes qui ont déjà eu plusieurs avortements spontanés successifs, au moins trois ou plus. En effet, si la plupart de ces avortements sont accidentels, quelques-uns peuvent se reproduire.
• Aux sujets porteurs d'une maladie ou malformation qui souhaitent savoir s'ils risquent de transmettre l'anomalie à leurs enfants.
• Aux candidats à un mariage consanguin.

Que va faire le généticien ?
Il va réunir le maximum d'informations sur les parents, établir éventuellement une généalogie ; et le plus souvent, il va faire réaliser un caryotype des parents (p. 177) pour repérer d'éventuelles anomalies susceptibles d'être transmises aux descendants.

Le médecin tiendra compte également du caractère héréditaire ou non de la maladie que l'on redoute ; de son caractère dominant ou récessif ; de sa transmission par les chromosomes ordinaires, ou par les chromosomes sexuels.

Munis de ces renseignements, les médecins tenteront de vous éclairer. Nous disons qu'ils tenteront, car la consultation de génétique a malheureusement ses limites.

MALADIES RARES
Il existe un centre d'écoute, d'information et d'orientation sur les maladies rares (appelées également maladies orphelines) : 01 56 53 81 36 www.maladiesraresinfo.org

Tout d'abord, on ne peut vous donner que des probabilités et non une certitude pour l'enfant à naître. Par exemple, quand il s'agit d'une maladie bien connue dans son mode de transmission, on pourra vous dire que vous courez un risque sur deux, ou un risque sur quatre, d'avoir un enfant anormal. Dans d'autres cas, vos chances se répartiront entre la naissance d'enfants normaux, celle d'enfants normaux mais porteurs de l'anomalie (conducteurs), enfin celle d'enfants anormaux. Ailleurs, on pourra vous prédire que l'enfant sera normal ou non selon son sexe.

Un autre exemple : si des parents ont un enfant trisomique, le risque d'en avoir un autre est très faible car la trisomie 21 est le plus souvent un accident. En revanche, il existe de rares cas où il est en rapport avec une aberration chromosomique des parents. Il devient alors une maladie héréditaire et peut se reproduire. Dans d'autres cas, on ne peut vous donner que des renseignements beaucoup plus vagues, soit parce que le mode de transmission de la maladie est mal connu, soit parce que son caractère héréditaire n'est pas évident.

N'attendez donc pas du généticien une autorisation ou une interdiction. Souvent, il ne pourra pas le faire et ce n'est d'ailleurs pas son rôle. Il vous donnera simplement une information.

L'INTERRUPTION MÉDICALE DE GROSSESSE (IMG)

Lorsque l'enfant à naître est atteint « d'une infection grave, reconnue comme incurable au moment du diagnostic », comme le précisent les textes, il est possible d'envisager une interruption médicale de grossesse.

La peur d'une malformation de l'enfant traverse l'esprit de toute femme enceinte. Mais cette éventualité est peu à peu refoulée, oubliée au fil des semaines. Les parents sentent leur attachement s'approfondir, ils se laissent aller à des projets et des rêves autour de leur bébé.

L'annonce du résultat du diagnostic prénatal est un véritable choc, un cauchemar qui devient réalité. « Nous sommes assommés » nous a écrit une lectrice. Les parents se trouvent confrontés à l'angoissante difficulté du choix : accepter l'interruption médicale de grossesse, ou laisser la grossesse se poursuivre jusqu'à son terme, avec les difficultés évoquées chez l'enfant à naître. « Que faire ? Et si les médecins se trompaient ? Avons-nous le droit de prendre une telle décision ? Mais quelle soit la décision, il faudra vivre avec. »

Une IMG n'est jamais réalisée dans l'urgence mais après un temps suffisant qui permet aux parents de réfléchir, d'exprimer ce qu'ils ressentent. Les équipes respectent le temps des parents, celui de la colère, de l'injustice, de l'angoisse, de la honte, de la culpabilité. Les femmes, profondément blessées, ont le sentiment de ne pas être capables de concevoir des enfants en bonne santé. Des discussions avec l'équipe de la maternité, des contacts avec des associations de parents ayant été confrontés au diagnostic prénatal, l'écoute attentive d'un psychologue, soutiennent et aident les parents dans leur réflexion.

La réalisation d'une IMG est encadrée par la loi. Une attestation comportant la signature de trois médecins est obligatoire : l'un pratiquant l'IMG (en général l'obstétricien), et deux médecins agréés du CPDPN.

Dans ce moment si difficile, la femme est prise en charge, accompagnée par l'équipe de la maternité où aura lieu « l'accouchement ». Il faut employer ce mot, car techniquement il s'agit bien d'un accouchement dont la particularité est d'être provoqué et prématuré. Quelques jours avant, on donne des comprimés pour préparer l'utérus à mieux répondre aux perfusions qui vont déclencher les contractions. Une consultation a lieu avec le médecin anesthésiste qui pratiquera la péridurale. Au moment de l'accouchement, en général plus long qu'à terme, des produits pourront être injectés au bébé afin qu'il ne souffre pas.

Certains parents souhaitent voir leur bébé, d'autres ne s'en sentent pas capables. L'équipe respecte toujours leur volonté.

À partir du moment où le sexe de l'enfant peut être identifié (en général au-delà de la 15e semaine d'aménorrhée), l'enfant peut sur la demande des parents être enregistré à l'état civil.

Selon leurs croyances religieuses, leur culture ou leurs habitudes familiales, les parents peuvent trouver dans les rites funéraires une façon d'offrir un dernier hommage à leur enfant et, pour eux-mêmes, un certain réconfort.

L'intérêt d'une autopsie sera discuté avec les parents et celle-ci ne pourra être faite qu'avec leur accord. Dans toutes ces démarches, les parents sont entourés, conseillés, soutenus par toute l'équipe médicale dont c'est l'honneur de « bien faire », surtout dans ces circonstances.

Le séjour en maternité sera de courte durée. En général, la femme est installée dans le service de gynécologie, loin des mères et des enfants.

Une visite post-natale est importante pour la femme mais également pour le médecin. Elle a lieu environ un mois et demi après l'accouchement. Elle va permettre de faire le point, de prendre connaissance des examens pratiqués sur l'enfant et d'essayer de voir plus clair dans un moment si sombre.

Nous avons hésité longtemps avant de parler du douloureux sujet de l'interruption médicale de grossesse, comme nous avions hésité à parler de la perte de l'enfant attendu (p. 380). De nombreux lecteurs nous ont encouragés à le faire. Nous remercions les parents de nous avoir fait part de leurs témoignages si personnels.

SCIENCE ET CONSCIENCE

Le diagnostic prénatal est aujourd'hui un acte médical courant. En effet, sans en avoir réellement conscience, toutes les femmes enceintes en bénéficient avec les échographies et éventuellement avec d'autres tests ou examens.

En donnant des informations sur la normalité de l'enfant, le diagnostic prénatal peut rassurer les parents. Il permet aussi aux couples ayant un risque génétique d'espérer avoir un enfant en bonne santé : sans la possibilité de faire un diagnostic, certains couples ne se seraient peut-être jamais autorisés à avoir un enfant. Enfin, lorsque la malformation dont souffre le bébé à naître peut être soignée (comme une fente labiopalatine ou une hernie du diaphragme), le diagnostic fait avant la naissance permet d'organiser une prise en charge précoce et adaptée.

Mais, dans certains cas, le diagnostic prénatal amène à se poser des questions difficiles. Envisager une interruption de la grossesse peut heurter les convictions éthiques ou religieuses du couple. Les progrès de la science croisent souvent la conscience. En plus, la question de cette interruption se pose en général à un stade avancé de la grossesse, ce qui la rend d'autant plus difficile à envisager et à vivre.

Quant aux médecins, ils se trouvent confrontés aux limites d'une médecine qui ne sait pas soigner les anomalies qu'elle découvre, et qui n'a que l'élimination du malade à proposer. Comme le dit le Professeur Jean-François Mattei : « Il faut bien mesurer tous les enjeux du diagnostic prénatal pour tenter d'assumer cette technique en conscience, en respectant tout à la fois le libre choix de chacun, mais aussi l'idée que l'homme se fait de lui-même et de la société qu'il veut construire. »

8 Les malaises courants

- Nausées
- Brûlures d'estomac
- Constipation
- Hémorroïdes, varices
- Troubles urinaires
- Essoufflement
- Troubles du sommeil
- Etc.

Il y a des femmes qui disent ne jamais si bien se porter que lorsqu'elles attendent un enfant ; elles découvrent qu'elles sont enceintes seulement parce que leurs règles s'arrêtent, et leur grossesse se poursuit sans trouble ni malaise jusqu'à l'accouchement. Mais dans d'autres cas, **les modifications que la grossesse impose à l'organisme s'accompagnent d'ennuis ou de malaises divers.** Il est préférable d'en être avertie d'avance pour ne pas s'alarmer.

Les malaises varient en nature et en intensité avec le stade de la grossesse : ils apparaissent surtout au début et à la fin.

De ce point de vue, la grossesse se divise en trois trimestres qui correspondent à ceux de l'évolution psychologique. La première est celle de l'adaptation. Cette période dure les trois premiers mois : la grossesse « s'installe », l'organisme s'adapte. Il réagit plus ou moins vivement. Des troubles peuvent apparaître, qui disparaîtront complètement vers le 3e mois dans la plupart des cas, mais ces troubles rendent parfois le début de la grossesse un peu pénible. Les nausées et les vomissements en sont l'exemple le plus fréquent.

La deuxième période est celle de l'équilibre. Elle s'étend jusqu'au 7e mois : les corps de la mère et de l'enfant semblent parfaitement adaptés l'un à l'autre. Les troubles ont généralement cessé. L'utérus n'est pas encore assez volumineux pour être gênant. C'est la période la plus agréable de la grossesse.

La troisième période de la grossesse, qui correspond au troisième trimestre, voit apparaître des troubles dus à deux causes : d'abord au fait que l'enfant en se développant prend de plus en plus de place dans l'utérus, ce qui peut entraîner, par exemple, fatigue et varices ; ensuite au fait que l'organisme se prépare à l'accouchement : ainsi, par exemple, les modifications du bassin sont souvent douloureuses. Cette troisième période est celle de la lassitude, celle où l'on éprouve vraiment le besoin de se reposer.

Certaines mères voudraient savoir d'une manière précise à quel moment peuvent commencer et finir les vomissements, les nausées, les crampes, etc. Ces précisions sont impossibles à donner. D'une femme à l'autre tout peut être différent. C'est pourquoi nous n'avons pas voulu fournir un calendrier précis des malaises et maladies. Nous préférons les étudier les uns après les autres. Cela nous semble plus utile pour les lectrices.

NAUSÉES ET VOMISSEMENTS

Bien des futures mamans croient que grossesse et nausées sont synonymes. Or, si les nausées, parfois accompagnées de vomissements, sont fréquentes, elles ne se produisent quand même que dans 50 % des cas. Vous pouvez très bien être enceinte et n'avoir jamais mal au cœur. Les nausées apparaissent en général vers la 3e semaine, elles persistent rarement au-delà du 4e mois.

Les nausées surviennent souvent le matin à jeun, et disparaissent après le petit déjeuner ; mais elles peuvent persister pendant la matinée, ou même toute la journée. Parfois les nausées surviennent sans raison ; parfois, au contraire, elles sont dues à des odeurs précises (tabac ou certains aliments), odeurs qui deviennent insupportables. Il arrive aussi que certains aliments, sans provoquer de nausées, inspirent seulement du dégoût.

Que faire lorsqu'on a des nausées ? Plusieurs précautions peuvent se révéler efficaces :
• faire des repas moins abondants, plus fréquents, manger lentement
• manger quelques biscottes au lever
• dans la mesure du possible, ne pas faire soi-même les courses ni la cuisine
• privilégier une alimentation riche en glucides (toast, banane, muesli et autres céréales complètes pour le petit déjeuner, du riz, des pâtes)
• manger des yaourts
• boire du thé à la menthe, au citron, au gingembre
• boire de l'eau citronnée
• limiter la consommation de café
• éviter les fritures et la cuisine à base d'aliments gras, épicés ou d'ail
• éviter les odeurs fortes
• ne pas fumer ni boire d'alcool.

Le Donormyl®, médicament utilisé pour traiter les insomnies pendant la grossesse, est souvent efficace sur les nausées et vomissements. Il est largement utilisé au Canada dans ce cas. Ce médicament est disponible en pharmacie sans ordonnance.

Si, malgré ces précautions, les nausées et vomissements persistent, il faut voir le médecin. Il existe d'autres médicaments efficaces, mais qu'il ne faut pas prendre sans prescription.

Les nausées et vomissements disparaissent spontanément vers la fin du 3e mois. Lorsqu'ils persistent au-delà de cette date, ce n'est pas normal et il faut consulter le médecin : il cherchera alors une cause indépendante de la grossesse. En fin de grossesse, nausées et vomissements peuvent réapparaître, mais pas plus qu'au début, ils ne doivent vous inquiéter.

Bien que le cas soit exceptionnel, signalons que parfois les vomissements deviennent très fréquents et très abondants, et la future mère ne peut plus avaler aucun aliment, ni solide ni liquide. Elle perd du poids et se déshydrate (elle a la langue et la peau sèche). Il est important de consulter le médecin. Celui-ci peut prescrire une hospitalisation. Celle-ci permet d'appliquer des traitements efficaces, tels que perfusions diverses par voie intraveineuse, pour soulager la maman. Cet isolement permet d'autre part d'éloigner momentanément la future mère de son environnement habituel et de limiter les éventuelles relations conflictuelles avec l'entourage. Les examens biologiques peuvent parfois révéler une hyperthyroïdie.

Mais les médecins s'interrogent sur la cause de ces vomissements. S'agit-il d'une perturbation du fonctionnement du foie par l'hormone ßHCG (p. 138) ? Ou est-ce l'expression d'un trouble psychologique, la future maman éprouvant des contrariétés qu'elle ne peut contenir, des sentiments contradictoires vis-à-vis de sa grossesse ? Quoiqu'il en soit, un soutien psychologique peut aider la femme à traverser ces moments difficiles.

AÉROPHAGIE, DOULEURS ET BRÛLURES D'ESTOMAC

La grossesse entraîne une certaine paresse de tous les muscles de l'appareil digestif, qu'il s'agisse de l'estomac, de l'intestin ou de la vésicule biliaire. En même temps, les sécrétions de certaines glandes dont le rôle est important dans la digestion (foie et pancréas) sont modifiées. Le résultat, c'est que très souvent la future mère a des digestions lentes et difficiles, qu'elle se sent lourde après les repas, qu'elle a des ballonnements, l'impression d'avoir le tube digestif plein d'air. À ces malaises s'ajoutent souvent des sensations d'aigreurs, de brûlures, de douleurs au niveau de l'estomac. Tout cela est évidemment peu confortable, souvent même désagréable, mais il y a certaines précautions efficaces à prendre pour atténuer ces différents malaises.

D'abord, il ne faut pas trop manger (très important). Puis, il faut éviter :
• les aliments trop gras
• les aliments acides ou pimentés
• les aliments qui fermentent (chou-fleur, chou, légumes secs, haricots, asperges, fritures)
• les aliments difficiles à digérer, comme tous les plats en sauce.

Alors que manger ? Des grillades, des légumes verts bouillis assaisonnés de beurre ou d'huile non cuits, des laitages et des fruits. Faire plusieurs petits repas plutôt que les deux repas traditionnels, et manger lentement.

Si ces brûlures d'estomac vous font vraiment souffrir, demandez conseil au médecin qui vous prescrira un médicament approprié.

Il arrive que certaines femmes se plaignent de régurgitations acides, de brûlures qui remontent de l'estomac vers la gorge et la bouche, le long de l'œsophage. Dans ce cas, certaines positions sont défavorables : se pencher en avant ou être complètement allongée ; il faut donc éviter de s'allonger après les repas. Lorsque vous êtes au lit, mettez deux oreillers supplémentaires, pour dormir presque assise.

CONSTIPATION

Au cours de la grossesse, la constipation est fréquente, même chez les femmes qui n'en ont jamais souffert auparavant. Contrairement à ce qu'on croit en général, elle n'est pas due au fait que l'utérus, en augmentant de volume, comprime l'intestin ; la meilleure preuve en est que la constipation apparaît souvent très tôt, avant que l'utérus ne soit assez développé pour exercer une compression quelconque. La constipation est vraisemblablement due à une paresse des intestins. Il est nécessaire de lutter contre elle : outre l'inconfort qu'elle entraîne, elle peut parfois provoquer une infection urinaire.

Il y a plusieurs moyens de la combattre :
• d'abord, faire de l'exercice physique ; souvent, une demi-heure de marche par jour suffit à régulariser les fonctions intestinales.
• Ensuite, veiller à l'alimentation, manger suffisamment de légumes verts, de fruits (en particulier prunes, raisins et poires), prendre des laitages (tels que fromage blanc et yaourts), manger du pain

de son ou complet (il y a aussi des biscottes au son vendues en pharmacie), des céréales complètes, remplacer le sucre par du miel ; les pruneaux crus, ou cuits sans ajouter de sucre, sont aussi très recommandés.

• Aller à la selle régulièrement, sans attendre d'en avoir envie.

• **Ce qui est souvent efficace**, c'est simplement de boire le matin au réveil un verre de jus de fruit frais – orange en hiver, raisin en été –, ou simplement un verre d'eau, et un quart d'heure après, de prendre au petit-déjeuner un mélange de café et de chicorée.

• L'All-Bran, céréale d'avoine, que l'on peut mélanger à du miel, donne souvent d'excellents résultats.

• Enfin, buvez plusieurs fois par jour de grands verres d'eau : en particulier le matin à jeun, et entre les repas. Essayez une eau minérale riche en magnésium (supérieure à 50 mg/l).

• Un massage abdominal, accompagné ou précédé de respirations amples et de contractions du péri-née, peut être efficace.

Et les médicaments ? Vous pouvez essayer les suppositoires à la glycérine ou le Microlax, également en usage externe. Quant aux laxatifs, n'en prenez pas sans prescription : certains sont très puissants et risquent d'irriter l'intestin, notamment ceux qui contiennent une plante, la bourdaine.

Le meilleur traitement, c'est d'associer des mucilages (extraits de végétaux vendus en pharmacie), donnés au repas du soir, et une huile minérale (du type paraffine) prise au coucher. Ce traitement, prescrit par le médecin, peut être prolongé autant que nécessaire.

HÉMORROÏDES

Ce sont des varices des veines du rectum et de l'anus. Elles forment des excroissances douloureuses, plus ou moins tendues, qui peuvent donner une pénible impression de démangeaison. Elles apparaissent surtout pendant la deuxième moitié de la grossesse. Lors de l'émission des selles, il est possible que les hémorroïdes saignent.

Si vous avez des hémorroïdes, il faut les signaler au médecin : il vous donnera un traitement simple qui évitera qu'elles ne s'aggravent. Et si nécessaire, il vous enverra chez un spécialiste, soit un proctologue, soit un gastro-entérologue.

Ce traitement comprend habituellement :

• la lutte contre la constipation qui aggrave les hémorroïdes

• des soins locaux pouvant comprendre des bains de siège avec un produit désinfectant

• des applications locales de pommade et des suppositoires

• éventuellement des médicaments par voie orale (veinotoniques).

Nous vous signalons que, même avec un bon traitement, les hémorroïdes risquent de s'aggraver dans les jours qui suivent l'accouchement. Puis elles disparaissent, du moins en grande partie.

• Les **fissures anales** n'ont rien à voir avec les hémorroïdes si ce n'est qu'elles concernent la même région, l'anus, et qu'elles sont souvent très douloureuses. Il s'agit d'une érosion de la muqueuse anale qui est fortement plissée à ce niveau. Les fissures anales sont difficiles à soigner car elles sont peu accessibles à une hygiène, étant constamment en contact avec les selles. Votre médecin généraliste pourra vous aider à vous en débarrasser par des soins locaux. Il devra parfois faire appel à un médecin proctologue spécialiste de la région anale.

VARICES

Les varices sont la conséquence d'une dilatation anormale des parois des veines. Elles apparaissent surtout dans la deuxième moitié de la grossesse, et elles ont, hélas ! tendance à s'aggraver à chaque grossesse.

À l'origine des varices, on retrouve essentiellement trois causes :
• d'abord, une mauvaise qualité du tissu qui constitue la paroi des veines ; cette mauvaise qualité est souvent héréditaire
• puis, le fait de rester longtemps debout, ce qui est le cas dans certaines professions
• enfin, la grossesse elle-même joue un rôle en distendant anormalement les parois des veines.

Les varices peuvent s'accompagner de troubles variés : sensation de pesanteur, de chaleur, de gonflement, de tension plus ou moins douloureuse des jambes. Parfois, les varices donnent des fourmillements ou des crampes. Ces troubles sont accentués par la station debout, par la fatigue, par la chaleur. Et ils sont évidemment plus importants en fin de journée. Il est très rare que les varices se compliquent au cours de la grossesse. Les modifications de la pigmentation (couleur) de la peau, de même que le classique ulcère variqueux, ne se voient que dans les varices très anciennes et sont exceptionnelles chez les femmes en âge d'être enceintes. La phlébite superficielle, au niveau d'une varice, est également très rare. Elle est caractérisée par l'apparition assez brutale de douleurs et de modifications de la varice (gonflement, rougeur, chaleur).

En règle générale, on peut donc dire que, hormis le souci esthétique immédiat – et plus encore lointain –, les varices n'ont pas de caractère de gravité. Après l'accouchement, elles disparaissent, au moins en partie. Mais elles ont tendance à réapparaître, et surtout à disparaître de moins en moins lors des grossesses suivantes.

PEUT-ON PRÉVENIR LES VARICES ?

Dans une certaine mesure, on peut prévenir l'apparition des varices en prenant diverses précautions, qui ont toutes le même but : **faciliter la circulation du sang dans les veines des jambes**.
• Évitez de rester debout trop longtemps : certains travaux professionnels et les travaux de ménage sont donc en cause. Avec un certificat médical, il faut que vous obteniez de pouvoir vous asseoir de temps en temps. Chez vous, dans toute la mesure du possible, faites assise les travaux que vous aviez l'habitude de faire debout. Si vous ne pouvez éviter la station debout, il est recommandé de porter, à titre préventif, des collants de contention.
• Prenez l'habitude de marcher souvent, bien chaussée, en évitant les talons trop hauts. D'ailleurs, même sans penser au risque de varices, la marche est de toute façon le meilleur exercice pendant la grossesse. La natation est également recommandée.
• Évitez ce qui peut comprimer les veines, chaussettes ou bottes trop serrées par exemple.
• Dormez les jambes un peu surélevées, en mettant sous les pieds du lit deux cales en bois. Vous pouvez aussi mettre sous les pieds un oreiller ou un coussin.
• Évidemment, si vous en avez la possibilité, il est conseillé également de vous étendre dans la journée quand vous avez un moment, avec les jambes surélevées.

> **COLLANTS DE CONTENTION**
> *En pharmacie, vous trouverez chaussettes, bas et collants de contention (il existe différents degrés de maintien), remboursés partiellement par la Sécurité sociale sur prescription médicale.*

• Enfin, les massages énergiques des jambes sont contre-indiqués ; de même les douches au jet.

Toutes ces précautions sont destinées à prévenir les varices. Elles deviennent d'autant plus nécessaires si des varices sont déjà apparues. En ce cas, il est recommandé, en plus :

• d'éviter de se tenir près d'une source de chaleur, radiateur, poêle ou cheminée, car la chaleur gonfle les veines ; pour la même raison, les bains de soleil sont contre-indiqués ainsi que les épilations à la cire chaude

• d'éviter les bains trop chauds ou trop froids : l'idéal est l'eau à la température du corps (37°)

• de porter des collants ou des bas de contention.

Détail pratique mais qui a son importance : il est recommandé de mettre ses collants – et de les ôter – en étant allongée, car dans cette position, les veines sont moins gonflées. Et si vous vous reposez dans la journée, il vaut mieux que vous ôtiez les bas ou collants tant que vous restez étendue.

Et les médicaments ? Ils ont peu d'action sur la constitution des varices elles-mêmes. En revanche, ils peuvent être efficaces contre les troubles entraînés par les varices : pesanteur, chaleur, lourdeur, etc. Ces médicaments sont à base de vitamine P et d'extrait de marron d'Inde.

Quant aux traitements plus actifs, destinés à supprimer les varices (par injections locales ou intervention chirurgicale), il ne saurait en être question pendant la grossesse. D'abord parce que ces traitements risquent d'être dangereux. Ensuite, parce que, spontanément, les varices disparaissent plus ou moins complètement après l'accouchement. C'est à ce moment-là que vous verrez avec le médecin ce qu'il y a lieu de faire. Les interventions se font en général entre trois et six mois après le retour de couches.

Au cours de la grossesse, il n'est pas rare de voir, associées aux varices ou précédant leur venue, des dilatations beaucoup plus fines, rosées, rouges, ou bleu-violet, dues à la dilatation de vaisseaux capillaires. Ces dilatations qui forment, ou un fin réseau, ou même une véritable plaque, disparaîtront au moins en grande partie après l'accouchement.

VARICES VULVAIRES

Chez certaines femmes, des varices peuvent apparaître au niveau des organes génitaux externes. Souvent très importantes, ces varices vulvaires peuvent être cause de douleurs à la marche ou lors des rapports sexuels. Ces varices disparaissent complètement après l'accouchement sans jamais laisser de séquelles. En attendant, il n'y a pas de traitement à suivre, seuls des soins locaux peuvent apporter un certain soulagement :

• bains de siège froids (sécher en tapotant et sans frotter, puis talquer modérément à sec)

• application de crème à l'oxyde de zinc.

GONFLEMENT DES MAINS ET DES PIEDS

Dans la seconde moitié de la grossesse, il est fréquent d'avoir les mains gonflées, surtout le matin au réveil. Ce gonflement serait dû à une mauvaise circulation liée à la position allongée pendant le sommeil. Certains médecins conseillent de dormir sur le côté, allongée à moitié assise sur deux oreillers. Quant au gonflement des pieds, il peut être lié à des problèmes veineux car il est plus fréquent chez les femmes souffrant de varices. Il peut aussi être le signe d'un mauvais fonctionnement rénal : il serait dû à une rétention d'eau, ou œdème. Ce gonflement serait alors le premier signe d'une complication de la grossesse, la toxémie gravidique (p. 240). N'hésitez pas à en parler à votre médecin.

TROUBLES URINAIRES

Le fonctionnement des reins n'est guère modifié pendant la grossesse, mais la présence de l'enfant leur impose un surcroît de travail. C'est pourquoi une insuffisance rénale ignorée avant la grossesse peut se révéler à ce moment-là. C'est dire combien il est important de faire à intervalles réguliers et répétés des analyses d'urines.

Quant à la vessie, souvent elle manifeste sa présence d'une manière tyrannique, surtout au début et à la fin de la grossesse : la femme enceinte ressent une envie fréquente d'uriner, beaucoup plus souvent qu'en dehors de la grossesse. Ce phénomène s'explique au début parce que la vessie subit l'influence des hormones sécrétées en quantité importante ; à la fin, parce que la tête de l'enfant appuie sur la vessie.

Pour éviter ces envies fréquentes d'uriner, la future mère a tendance à boire moins, surtout le soir pour ne pas être dérangée la nuit. C'est une réaction naturelle, mais en fait il faut boire environ 1,5 l d'eau (ou de liquide) par jour ; en effet, boire est la meilleure prévention des infections urinaires que l'on voit si souvent pendant la grossesse (p. 249).

Si l'envie fréquente d'uriner devenait vraiment trop gênante, parlez-en au médecin : il vous donnera des médicaments antispasmodiques, souvent efficaces.

Incontinence urinaire

Elle apparaît parfois pendant la grossesse. Elle peut être modérée : difficulté à retenir les urines ; ou plus importante : impossibilité de se retenir dès que l'envie survient, ou lors d'une toux, d'un éternuement, d'un effort.

Si cette incontinence apparaît pendant les six premiers mois, une rééducation du périnée, dite rééducation périnéale peut être commencée sans attendre. Cette rééducation est faite par un kinésithérapeute, une sage-femme ou un médecin. Demandez conseil à l'accoucheur ou à la sage-femme.

Si cette incontinence apparaît pendant les trois derniers mois, c'est simplement que le bébé comprime très fort la vessie, et cela ne veut pas dire que vous aurez nécessairement besoin d'une rééducation. Il vous suffira probablement de faire les exercices recommandés pour raffermir le périnée et le sphincter urinaire (pp. 348 et 400).

Il n'est pas facile de faire la différence entre des petites pertes urinaires liées à la compression de la vessie par la tête du bébé, des pertes vaginales blanches, quelquefois abondantes, sans gravité, et du liquide provenant d'une fissure de la poche des eaux. Vous consulterez le médecin ou la sage-femme qui feront un test pour vérifier qu'il ne s'agit pas d'un écoulement de la poche des eaux.

L'incontinence urinaire après l'accouchement est traitée page 393.

DÉMANGEAISONS OU PRURIT GRAVIDIQUE

Certaines femmes souffrent dans la deuxième moitié de la grossesse, et surtout à partir du 8e mois, de démangeaisons. Parfois sur tout le corps, mais plus souvent au niveau de l'abdomen. En général, elles ne sont pas accompagnées d'éruptions, mais peuvent être très intenses, et entraîner des lésions dues au grattage quand la femme ne peut pas s'empêcher de se gratter. Si ces démangeaisons sont trop importantes et s'accompagnent de lésions de grattage, il est vivement conseillé de consulter un médecin. Dans certains cas, il s'agit simplement d'une affection dermatologique liée à la grossesse pour laquelle un traitement approprié sera prescrit. Dans d'autres cas, il peut s'agir d'une anomalie du fonctionnement hépatique et ces démangeaisons sont un des symptômes de ce que l'on nomme la cholestase gravidique. Des mesures appropriées doivent être prises (p. 250).

PERTES BLANCHES

La peau est faite de cellules disposées en couches et, sans cesse, tout au long de la vie, les cellules de la surface vieillissent, meurent et sont éliminées puis remplacées par des cellules jeunes. Ce phénomène continu, qu'on appelle la desquamation, n'est pas visible à l'œil nu (sauf, par exemple, après un coup de soleil).

La muqueuse du vagin est faite comme la peau : sans cesse, des cellules se détachent et sont éliminées. Mais pendant la grossesse, sous l'influence des hormones sécrétées en grande quantité par les ovaires et le placenta, la desquamation des cellules devient beaucoup plus importante. Elles forment un enduit blanchâtre, sans odeur déplaisante, grumeleux, qui est tout à fait normal, et ne doit donc pas vous inquiéter. Il arrive même, chez certaines femmes, que ces pertes blanches, ou sécrétions vaginales, soient particulièrement abondantes pour mouiller leur slip ou leurs protections hygiéniques Cette hypersécrétion vaginale est sans danger. Elle témoigne simplement d'une exagération d'un processus normal.

Ces pertes blanches banales sont différentes des pertes généralement plus abondantes, souvent de couleur différente (jaunâtres ou verdâtres), et accompagnées de démangeaisons ou de brûlures locales : celles-ci sont les témoins d'une infection (*vaginite* ou *vulvo-vaginite*). Le diagnostic sera fait par le médecin qui s'aidera parfois d'un prélèvement. Si celui-ci montre la présence d'un champignon (*Candida albicans*) et/ou d'un parasite (*Trichomonas* ou *Gardnerella*), on parle alors de **vaginose**.

Le traitement des vaginites, assez fréquentes et sans gravité, est essentiellement local (ovules ou comprimés gynécologiques). Les récidives ne sont malheureusement pas rares au cours de la grossesse. Ces vaginites ou irritations peuvent parfois être dues aux substances contenues dans les protections féminines (tampons, serviettes). L'utilisation de protections en coton peut améliorer le confort. Par contre, les vaginoses réclament le plus souvent un traitement par voie générale.

L'infection vaginale à **streptocoque B** est d'un tout autre ordre, car elle peut être source de complications (méningite-septicémie) pour le nouveau-né qui risque d'être contaminé au moment de l'accouchement. Le diagnostic est difficile à faire car cette infection ne donne que peu ou pas de symptômes maternels. C'est pourquoi les médecins font pratiquer un examen systématique des sécrétions cervico-vaginales au 8e mois de grossesse, pour rechercher le streptocoque B. Un résultat positif conduit à administrer des antibiotiques au cours de l'accouchement et à surveiller particulièrement le bébé.

TENDANCE AUX SYNCOPES ET AUX MALAISES

La circulation du sang est modifiée pendant la grossesse : la quantité totale de sang augmente, un nouveau circuit est créé pour alimenter le placenta, les battements du cœur s'accélèrent.

Normalement le cœur fournit sans peine ce travail supplémentaire. Mais il arrive que se produisent certains malaises que les futures mères croient d'origine cardiaque. Cela va de la simple sensation de « tête qui tourne », au grand malaise profond et très désagréable : sensation de perte imminente de connaissance, accompagnée de sueurs froides.

Ces troubles n'ont pas de caractère de gravité. Ils ne sont pas d'origine cardiaque, ils seraient plutôt d'origine vasculaire car la grossesse retentit toujours plus ou moins sur l'état du système vasculaire (le sang remonte alors en moindre quantité vers le cœur). Ce genre de malaise peut survenir si vous passez trop rapidement de la position assise à la position debout (il faut donc se relever doucement), ou après une station debout prolongée et immobile (par exemple une attente à la caisse d'un magasin). **Si vous ressentez la venue d'un malaise**, asseyez-vous. Si vous êtes chez vous, allongez-vous, les pieds surélevés de manière que le sang afflue vers la tête.

Pour éviter ce genre de troubles, ne restez pas à jeun le matin, évitez de rester longtemps debout sans bouger, évitez les brusques variations de température, ou le séjour dans un local trop chauffé. Si ces malaises sont fréquents et que vous conduisiez une voiture, arrêtez-vous dès que vous les sentez venir, c'est plus prudent.

À la fin de la grossesse, certaines femmes lorsqu'elles sont couchées sur le dos, se sentent au bord de la syncope. Pour faire disparaître ce malaise impressionnant, mais sans gravité, il suffit de se coucher sur le côté gauche, ou de s'asseoir à moitié en se calant par des oreillers. Ce malaise très particulier est dû à la compression par l'utérus de la veine cave inférieure, gros vaisseau qui ramène au cœur le sang veineux de toute la partie inférieure du corps.

On peut aussi placer un coussin sous les genoux : le bassin bascule vers l'arrière, les reins reposent sur le sol, et la veine cave n'est plus comprimée. Pour désagréables et impressionnants qu'ils soient parfois, ces troubles n'ont aucune conséquence ; mais, s'ils se reproduisent trop souvent, il faut en parler au médecin.

Le malaise hypoglycémique

Il survient presque toujours en fin de matinée. Il se traduit par des nausées et une sensation de faim accompagnées de transpiration. Ce malaise se produit si on a pris un petit déjeuner peu consistant : simple tasse de café ou de thé ; ou si on a mangé surtout des sucres à absorption rapide : sucre, confiture, miel. Ces sucres provoquent une sécrétion d'insuline, et cette sécrétion d'insuline va à son tour, environ deux heures plus tard, provoquer une hypoglycémie, c'est-à-dire une diminution du taux de glucose sanguin. Les femmes sensibles à ce malaise ont intérêt à fractionner leurs repas, à prendre au petit déjeuner un peu de pain, un œuf, du fromage maigre ou un peu de viande ; éventuellement à manger vers 10 h une pomme ou un yaourt. De même, il est bon de manger à nouveau quelque chose vers 16-17 h.

LES TROUBLES OCULAIRES

De petits troubles de la vision peuvent apparaître au cours de la grossesse : baisse de l'acuité visuelle, aggravation d'une myopie préexistante. Ils sont en règle générale sans gravité et transitoires. Il n'est pas rare que les lentilles de contact ne soient plus supportées en raison des modifications d'hydratation de la cornée. Il faut alors les remplacer par des lunettes. Chez les femmes ayant une très forte myopie, il est conseillé d'éviter les efforts expulsifs lors de l'accouchement (risque de décollement de la rétine). L'anesthésie péridurale, et éventuellement une application de forceps, éviteront ce risque.

L'ESSOUFFLEMENT

Souvent dans la deuxième moitié de la grossesse, la future mère est vite essoufflée. Monter un étage est une épreuve. Cette difficulté à respirer s'explique par le fait que l'utérus, en augmentant de volume, repousse la masse abdominale vers le haut et diminue ainsi le volume de la cage thoracique : la future mère a donc moins de place pour respirer. Elle a l'impression d'étouffer. Cette sensation disparaîtra d'ailleurs lorsque l'enfant descendra pour s'engager dans le bassin.

Pour ne pas souffrir de ce malaise, qui s'accentue surtout au cours des deux derniers mois, il faut réduire le plus possible les efforts physiques. Si cette difficulté à respirer devenait trop grande, il faudrait consulter le médecin. Il examinerait votre cœur et vous prescrirait peut-être un calmant qui, par son action sédative, vous permettrait de mieux respirer.

SI VOUS AVEZ LA SENSATION D'ÉTOUFFER
voici un bon exercice à faire : couchée sur le dos, jambes pliées, inspirez en levant les bras au-dessus de la tête. Ce mouvement amène une extension de la cage thoracique. Puis expirez en ramenant les bras le long du corps. Faites ainsi plusieurs respirations lentes et régulières jusqu'à ce que vous ayez retrouvé votre souffle.

LES DOULEURS

La grossesse, par les modifications qu'elle entraîne dans tout l'organisme, peut provoquer des douleurs, douleurs se situant à différents niveaux, et se produisant à différents moments suivant le stade de développement du bébé, l'âge de la grossesse, le nombre d'enfants, les antécédents chirurgicaux (appendicite, occlusion, coliques néphrétiques, etc.). Il est normal que, le corps s'adaptant à la grossesse, puis se préparant à l'accouchement, tout ce travail ne puisse se faire en silence, et que vous en ressentiez souvent les effets.

PARLONS D'ABORD DU VENTRE ET DU BASSIN
Au début de la grossesse, certaines femmes éprouvent une sensation de tiraillement ou de pesanteur au niveau du bassin et du bas-ventre, sensations qu'elles comparent à celles des règles, et qui sont plus intenses lorsque l'utérus est rétroversé (c'est-à-dire lorsqu'il est basculé en arrière vers le rectum). Ces douleurs inquiètent souvent les femmes parce qu'elles craignent une fausse couche ; en fait, ces douleurs correspondent au début de l'adaptation de l'utérus, à la « mise en place », elles sont très fréquentes.

En revanche, des douleurs très violentes situées dans la même région, et se produisant également au début de la grossesse, peuvent être le signe d'une menace d'avortement ou d'une grossesse extra-utérine : les signaler au médecin aussitôt **surtout si elles s'accompagnent de pertes de sang**.

Par la suite, le développement de l'utérus peut entraîner des douleurs dues à la distension des ligaments ; c'est ce qu'on appelle le syndrome ostéo-musculo-ligamentaire ; les douleurs sont situées au niveau de l'aine et elles irradient vers la cuisse.

À la fin de la grossesse, lorsque le bassin se prépare à l'accouchement, ses articulations se relâchent peu à peu. Ce relâchement est parfois douloureux. La femme le ressent surtout lorsqu'elle fait des efforts, ou lorsqu'elle marche. La douleur peut s'étendre de façon désagréable jusqu'à la vessie et au

rectum. Pour la soulager, il n'y a guère que le repos, ou un antalgique prescrit par le médecin.

Des douleurs peuvent être ressenties au niveau du thorax : soit en arrière, le long de la colonne vertébrale, soit entre les côtes, comme des névralgies, soit enfin dans la région du foie. Quelle en est la raison ? Une distension de la cage thoracique ? Rien n'est sûr.

La future maman peut aussi ressentir des douleurs :
• au niveau de l'estomac : à cause de la compression provoquée par le développement du bébé
• au niveau du côté droit, sous les côtes, à cause de la compression de la vésicule biliaire.

Toutes ces douleurs peuvent être atténuées avec des antalgiques.

« MAL AUX REINS » ?

De nombreuses femmes enceintes se plaignent d'avoir « mal aux reins ». En fait, il s'agit de douleurs de la colonne vertébrale qui sont habituellement en rapport avec une exagération de sa courbure normale (vous avez pu remarquer que, surtout à la fin de la grossesse, les femmes enceintes sont très cambrées). Pour la même raison, il peut y avoir des douleurs de type sciatique. Ces douleurs sont plus intenses le soir, ou lorsque la femme est fatiguée, ou, enfin, après une station debout prolongée, d'où leur plus grande fréquence dans certaines professions. Ces douleurs sont sans gravité ; elles peuvent être atténuées par les exercices indiqués au chapitre 14 (p. 348) ; également par les activités aquatiques prénatales – en particulier la nage sur le dos – et par l'haptonomie. On peut aussi consulter un kinésithérapeute. Parlez-en quand même au médecin car ces douleurs peuvent être des contractions utérines (dans ce cas, le ventre devient dur).

PARLONS MAINTENANT DES JAMBES

Là, les douleurs sont fréquentes. Elles sont évidemment plus importantes lorsqu'il y a des varices. Parfois, la douleur est ressentie comme une sciatique, c'est-à-dire qu'elle se manifeste à la face postérieure des jambes et des cuisses. Cette douleur est souvent tenace, elle est difficile à soulager. Un traitement à base de vitamine B et aussi de magnésium est parfois efficace.

• Des **crampes** peuvent survenir à partir du 5ᵉ mois, dans les jambes et les cuisses, mais presque exclusivement la nuit. Ces crampes sont parfois si intenses qu'elles réveillent la future mère. Que faire ? Lorsque vous souffrez d'une crampe, levez-vous et massez votre jambe. Si vous avez quelqu'un auprès de vous, demandez-lui de soulever votre jambe et de la lever assez haut. Vous essaierez de tendre votre pied dans le prolongement de la jambe, pendant que la personne qui vous tient la jambe forcera en sens inverse pour maintenir le pied perpendiculaire à la jambe. La crampe passée, faites quelques pas.

Les crampes sont souvent dues à un manque de vitamine B. Voyez au chapitre 3 quels aliments en contiennent. Le médecin pourra également vous prescrire une préparation à base de magnésium.

• Les femmes éprouvent parfois des sensations bizarres d'inconfort qui provoquent un besoin de bouger les jambes. C'est le syndrome des « jambes sans repos ». Il peut être source d'insomnie et il se traite comme les crampes.

LE SYNDROME DU CANAL CARPIEN

Il s'agit des fourmillements de la paume de la main qui surviennent souvent la nuit et peuvent être intenses. Ils sont dus à une compression des nerfs au niveau d'un canal qui se trouve au poignet, et s'arrêtent après l'accouchement. Lorsque ces fourmillements sont trop intenses, le rhumatologue peut faire une injection locale de corticoïdes.

PASSONS AUX BRAS

Là aussi, mais en fin de grossesse, des douleurs peuvent être ressenties : le bras semble lourd et contracté, ou plein de fourmillements. Ces douleurs apparaissent surtout à la fin de la nuit, lorsqu'on dort les bras sous la tête ou sous l'oreiller.

Voici deux mesures efficaces pour soulager les douleurs dans les bras :
• la nuit, dormez les épaules surélevées par deux oreillers
• le jour, évitez les gestes qui tirent sur les épaules, tel que porter des objets très lourds.

Ces douleurs sont la conséquence de compressions nerveuses dues aux modifications de la colonne vertébrale qu'entraîne la grossesse. Un antalgique indiqué par le médecin peut soulager les douleurs trop fortes.

TROUBLES DU SOMMEIL

Le sommeil peut être perturbé par la grossesse. Au début, la future mère ressent souvent un irrésistible besoin de dormir qui peut même la gêner pendant la journée. À la fin, au contraire, elle perd le sommeil durant la seconde partie de la nuit. Cette insomnie de la fin de la grossesse est due au fait que le bébé remue de plus en plus, et à l'augmentation des crampes et douleurs variées fréquentes à cette époque.

Comment lutter contre cette insomnie qui risque d'accentuer la fatigue ressentie à la fin de la grossesse ? Quelques moyens simples sont souvent efficaces :
• faire le soir un repas léger

• éviter les excitants tels que thé et café
• prendre un bain tiède avant de se coucher
• boire au moment de se mettre au lit une tasse de lait sucré ou de tilleul, ou prendre un verre d'eau sucrée auquel vous ajouterez trois cuillerées d'eau de fleur d'oranger
• vous pouvez essayer aussi des sédatifs légers à base de plantes.

Si vous dormez mal et si aucun des moyens indiqués ci-dessus n'est efficace, demandez au médecin un médicament pour dormir. Quant aux tranquillisants, dont certains agissent dans les cas de troubles du sommeil, n'en prenez pas sans avis médical, ils ne sont pas tous compatibles avec la grossesse. L'insomnie est parfois due à la crainte de l'accouchement qui approche. Parlez-en avec ceux qui vous entourent. Parler c'est toujours bon, garder pour soi ses craintes ne fait que les renforcer. Alors que la tranquillité d'esprit, le calme, c'est ce qui permet d'arriver détendue à l'accouchement.

CHANGEMENTS D'HUMEUR

De nombreuses femmes voient leur caractère changer pendant la grossesse : elles deviennent irritables, anxieuses ou très émotives. Même lorsqu'elles sont heureuses d'attendre un enfant, elles ont parfois des idées moroses qui les étonnent. Il peut y avoir de nombreuses raisons à ces modifications du caractère : peur des changements qu'entraîne dans toute famille une naissance, angoisse d'avoir un enfant anormal, peur de l'accouchement.

Sachez, si vous éprouvez de telles craintes, qu'elles sont compréhensibles, surtout si c'est la première fois que vous attendez un enfant. Tout est encore inconnu pour vous, tout vous semble mystérieux dans ce qui se passe et dans votre corps et dans votre esprit.

Parlez-en avec votre mari, ensemble vous surmonterez vos craintes. On ne se rend pas toujours compte du bienfait d'une conversation, surtout avec quelqu'un qui vous est proche. Si votre mari n'est pas là, vous parlerez à une amie ou une sœur, et vous découvrirez d'ailleurs avec soulagement que vos craintes ont été les leurs. Si vos angoisses persistent, n'hésitez pas à en parler au médecin, à la sage-femme.

EN CONCLUSION

Voici terminée la liste des malaises courants que peut provoquer une grossesse. Cette liste vous semblera peut-être longue, mais rien ne dit que vous éprouviez un ou plusieurs de ces troubles. Il y a des femmes qui traversent leur grossesse sans la moindre gêne, pendant que d'autres vont de vomissements en nausées, et de nausées en douleurs variées. Ces différences correspondent d'ailleurs souvent à des différences de tempérament.

Quoi qu'il en soit, avertie de ce qui peut vous arriver, vous saurez au moins dans quels cas le médecin peut vous soulager, et dans quels cas il n'y a rien d'autre à faire que d'attendre que le temps passe.

Nous ne disons pas cela pour vous pousser à la résignation ou au fatalisme, mais vous l'avez vu dans les pages qui précèdent, certains troubles sont liés à un certain stade de la grossesse et disparaissent sans autre intervention lorsque ce stade est dépassé.

Ajoutons une remarque plus générale. Nombre de ces malaises peuvent être réduits simplement par une meilleure manière de vivre. Vous avez peut-être vu d'ailleurs tout au long de ce chapitre que nous vous suggérons une nourriture bien adaptée aux circonstances, des exercices réguliers, un sommeil suffisant. Pensez-y avant de demander un médicament pour la digestion, un autre pour la circulation, etc.

Une dernière remarque intéressera celles qui ont déjà été enceintes : les malaises éprouvés lors d'une grossesse précédente ne se reproduisent pas nécessairement. Chaque grossesse est différente.

9

La surveillance
médicale
de la grossesse

- Qui va suivre votre grossesse ?

- La surveillance habituelle :
  les sept consultations

- Les échographies

- Enceinte après 38-40 ans

- Médicaments, vaccins, radios

- Les grossesses « à risque » :
  une surveillance plus étroite

La grossesse est un événement naturel dans la vie d'une femme. Mais que la nature ait prévu que l'ovule rencontre un spermatozoïde, qu'un œuf en naisse, et qu'au bout de neuf mois l'enfant paraisse, cela ne veut pas dire que ce processus naturel se déroule toujours sans heurt ; la nature fait parfois des erreurs : une fausse couche, une naissance prématurée, une naissance qui tarde. C'est dire l'importance de la surveillance médicale de la grossesse. Tout ce chapitre lui est consacré : la surveillance habituelle de toutes les futures mères ; celle, plus particulière, des mamans après 38-40 ans ; et celle, plus étroite, des grossesses « à risque ».
Un grand tableau pages 230-231 rassemble tous les examens, formalités, préparatifs.

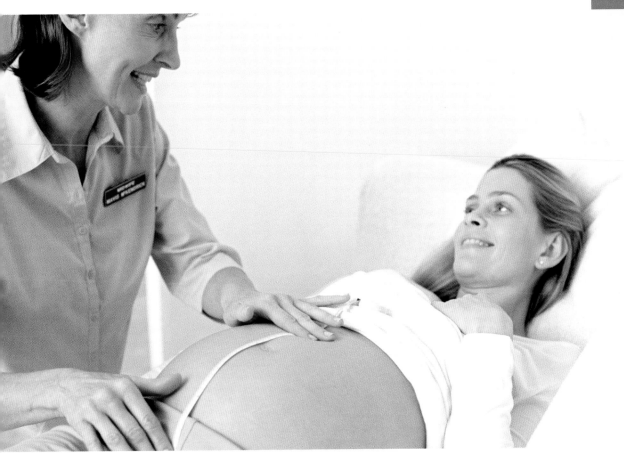

Qui va suivre votre grossesse ?

Un médecin (gynécologue, obstétricien, généraliste) ou une sage-femme ? Tous ces professionnels sont habilités à suivre une grossesse.

Le premier examen prénatal, au cours duquel la déclaration de grossesse est effectuée, peut être réalisé par un médecin ou une sage-femme. Mais il est important que l'équipe qui sera en charge de l'accouchement effectue les examens du 8e et du 9e mois pour que votre dossier médical soit complet.

La préparation à la naissance n'est pas obligatoire mais elle fait partie de la surveillance de la grossesse. La première séance est individuelle ; les sept autres peuvent être en groupe.

Où auront lieu les consultations ?

Cela dépend de l'endroit où vous souhaitez accoucher. Il est d'ailleurs important que dès la première visite prénatale vous décidiez, avec le praticien que vous verrez, du lieu de l'accouchement : n'hésitez pas à lui en parler s'il oubliait de le faire. C'est important car s'il y avait un problème pendant la grossesse et que votre médecin soit absent, vous devez savoir vers quelle maternité vous diriger en cas d'urgence.

En général, les consultations prénatales ont lieu au cabinet du médecin, qu'il soit spécialiste ou généraliste. Elles peuvent avoir lieu dans la maternité que vous aurez choisie, cela dépend de leur mode de fonctionnement. Les maternités publiques ont toutes un service de consultation sur place, assuré par un médecin ou une sage-femme. Il est d'ailleurs possible que ce ne soit pas toujours la même personne qui vous examine. Certaines maternités privées ont un service de consultations sur place, comme les maternités publiques. En général, c'est toujours la même personne qui vous recevra.

En cas d'urgence, la nuit, le week-end et les jours fériés, présentez-vous à la maternité où votre accouchement est prévu. Il y a toujours un médecin spécialiste et une sage-femme de garde pour vous accueillir.

*Les **pères** sont autorisés à s'absenter sans perte de salaire pour assister à trois examens prénataux (dont font partie les échographies).*

Les sages-femmes

Il y a en France 15 000 sages-femmes (13 000 salariées et 2 000 libérales). Mais leur rôle n'est pas toujours bien connu, c'est pourquoi nous souhaitons vous dire quelques mots sur leur travail.

Les sages-femmes exercent une profession médicale. Leur rôle comporte : le diagnostic, la surveillance de la grossesse et la préparation à l'accouchement ; la surveillance de l'accouchement ; les soins postnatals de la mère et de l'enfant. Tant que tout est normal, les sages-femmes peuvent suivre du début à la fin la grossesse, l'accouchement et ses suites. Elles peuvent prescrire tous les examens nécessaires à leur pratique. Si un problème se pose, elles font appel à un médecin.

Au cours d'une grossesse, les occasions d'être en contact avec une sage-femme sont nombreuses, les voici : en consultations, à l'échographie, à domicile pour le suivi d'une grossesse à problèmes (sur prescription d'un médecin), pour la préparation à la naissance et l'entretien précoce (p. 211), en suite de couches, au planning familial, pour les soins des nourrissons et pour la rééducation périnéale. Et surtout lors de l'accouchement : les sages-femmes assurent seules près de 70 % des accouchements. Si ce n'est pas elles-mêmes qui assurent l'accouchement, elles veillent sur la mère et sur le bébé, avant et après l'intervention de l'accoucheur.

En conclusion, que les sages-femmes soient salariées ou qu'elles soient installées à leur compte, vous serez à un moment ou à un autre en contact avec ces « professionnelles » de la naissance.

• Entrons maintenant dans le détail des examens prénatals. Nous parlerons d'abord de la surveillance habituelle de la future mère. Ensuite, nous envisagerons les cas particuliers où des examens spéciaux sont nécessaires.

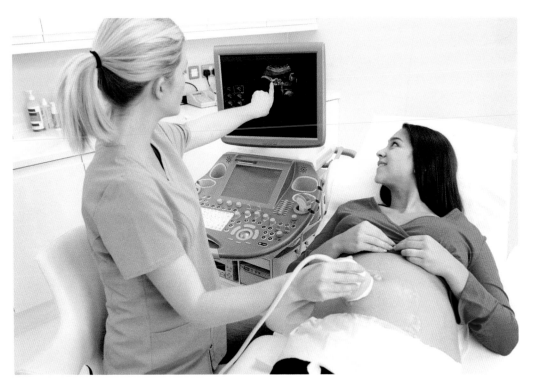

La surveillance habituelle de la femme enceinte

En France, il y a sept consultations obligatoires. La première se situe avant la fin du 3e mois de grossesse. Les autres sont passées chaque mois à partir du 4e et jusqu'à l'accouchement. En présence d'un symptôme anormal apparaissant entre les examens, vous aurez intérêt à consulter le médecin sans attendre la prochaine consultation obligatoire.

> VOTRE GROSSESSE MOIS APRÈS MOIS
> VOYEZ LE TABLEAU PP. 230-231

LA PREMIÈRE CONSULTATION

Elle est faite habituellement par un médecin mais elle peut l'être également par une sage-femme. Ce premier examen, qui est probablement le plus important, a pour but :
• de confirmer l'état de grossesse, comme nous l'avons vu dans le premier chapitre, en précisant son début et son terme probable
• d'en vérifier le caractère normal (absence de perte de sang, développement de l'utérus)

• d'évaluer l'existence de facteurs de risques susceptibles de modifier la surveillance. Aussi le médecin commencera-t-il par vous interroger pour recueillir quelques renseignements.

L'âge d'une future mère a son importance

Il existe un moment favorable pour être enceinte. Cet âge, on peut le situer approximativement entre 20 et 35 ans. Les très jeunes femmes, en dessous de 18 ans, sembleraient plus exposées que d'autres à certains accidents tels que l'accouchement prématuré. À partir de 38 ans, certains risques augmentent (p. 221). Heureusement, aujourd'hui les femmes très jeunes, ou au contraire plus âgées, peuvent bénéficier d'une surveillance de qualité.

Les antécédents médicaux sont importants à préciser

N'omettez pas de signaler toutes les maladies que vous avez eues, surtout si elles ont été graves ou si vous êtes encore sous traitement ; celui-ci aura été probablement adapté à la grossesse si vous avez passé une consultation avant la conception (p. 24 et 223). Signalez également l'existence de maladies héréditaires familiales. Signalez enfin, le cas échéant, que votre mère a pris du Distilbène pendant sa grossesse (p. 272). Ces antécédents pourront également, dans certains cas, inciter à une surveillance plus attentive de la grossesse.

N'hésitez pas à dire si vous avez eu un avortement et à quel stade de la grossesse il a eu lieu. Le médecin sera particulièrement attentif en cas d'avortement tardif ou d'accouchement prématuré. Si vous avez eu une IVG, ou même plusieurs, ne soyez pas inquiète, votre grossesse se déroulera, habituellement, tout à fait normalement.

Si votre couple a été longtemps infécond, et cette infécondité traitée avec succès, pensez que cette grossesse sera aussi précieuse pour le médecin que pour vous. Cela ne signifie pas pour autant que la surveillance sera bien différente de celle d'une grossesse survenue naturellement.

Des accidents ou des complications lors des grossesses ou des accouchements précédents peuvent entraîner une surveillance et des examens particuliers (voir plus loin *Les grossesses à risques*). En revanche, si vos grossesses et vos accouchements ont été normaux, tout permet de penser qu'il en sera de même pour cette nouvelle grossesse.

Les conditions sociales, économiques et psychologiques

Elles jouent indiscutablement un rôle dans l'évolution de la grossesse. Le médecin vous questionnera sur vos conditions de travail (fonction, horaires, éloignement, modes de transport...). Si vous-même, ou votre couple, rencontrez des difficultés particulières, il vous dirigera vers un lieu d'écoute et d'aide (voir plus loin *L'entretien prénatal précoce*) ; ces lieux sont en train de s'organiser au sein du réseau périnatal de chaque région.

Les habitudes de vie

Le médecin vous posera des questions sur vos habitudes alimentaires et sur votre façon de vivre. Si vous fumez, il vous conseillera formellement de cesser, et il vous aidera par la prescription de patchs à la nicotine, ou bien il vous adressera à la consultation de tabacologie de votre maternité.

Les examens

Puis vont succéder :

• Un **examen général** qui comprend la mesure de la taille, du poids, de la tension artérielle ; l'auscultation du cœur, l'examen des seins, etc.

• Un **examen gynécologique**. Le toucher vaginal, en début de grossesse, renseigne sur le volume de l'utérus. Il n'est cependant pas fait systématiquement. Un frottis de dépistage du cancer du col sera effectué si votre dernier frottis date de plus de deux ans.

• Des **examens de laboratoire**. Le médecin vous prescrira pour maintenant, et pour toute la durée de la grossesse, les examens biologiques à faire pratiquer. Ces examens comportent essentiellement une prise de sang et un examen des urines à la recherche d'albumine (proteinurie).

La prise de sang va permettre :

• de vérifier l'absence de syphilis

• de préciser le groupe sanguin : même lorsque celui-ci est déjà connu, il est prévu de le vérifier. Deux déterminations sont obligatoires et doivent être faites par le même laboratoire, avec un résultat informatisé inscrit sur la carte (une inscription manuelle n'est pas valable) ; si vous êtes rhésus négatif, il est nécessaire de rechercher dans votre sang la présence d'agglutines antirhésus (p. 260)

• de savoir si vous êtes ou non immunisée contre la toxoplasmose et la rubéole (pp. 246-248)

• de vérifier l'absence de sida (recherche d'anticorps anti HIV). Cet examen est indispensable quand la femme se situe dans un groupe à risques (toxicomanes, femmes transfusées avant 1991). Chez les autres, l'examen est simplement recommandé (cependant accepté la plupart du temps)

• un dépistage de l'anémie, par une numération sanguine, sera pratiqué en cas de facteur de risque.

D'autres informations et recommandations

Dès la première consultation, le médecin ou la sage-femme vous donnera une information la plus large possible, écrite ou orale, sur l'importance d'un suivi régulier pour vous et votre bébé.

Vous serez également informée sur :

• Les différentes possibilités du suivi de la grossesse, la préparation à la naissance et à la parentalité, et notamment l'intérêt de **l'entretien précoce** (p. 211)

• Les différents dispositifs d'accompagnement psychosocial, en particulier les droits liés à la maternité (par exemple le congé de maternité) et la manière de les faire valoir

• Les bienfaits d'une alimentation et d'un mode de vie équilibré (chapitre 3) et les dangers d'une automédication (p. 222).

• L'intérêt, dans certaines situations, de l'aide que peut apporter un diététicien, un médecin nutritionniste, un kinésithérapeute, une sage femme orientée en sophrologie ou en haptonomie.

Le médecin organisera avec vous les **rendez-vous échographiques**, qui sont au nombre de trois, le premier ayant lieu à 12 semaines d'aménorrhée. Il vous informera de la possibilité du test des **marqueurs sériques**, réalisé en même temps que l'échographie, afin d'établir un risque combiné de la trisomie 21 (p. 181). Le médecin qui aura prescrit les examens recevra les résultats et, en cas d'anomalie biologique (marqueur de la trisomie 21) ou échographique, il vous orientera vers des examens complémentaires et il vous prêtera une attention particulière.

Enfin, vous ferez, avec le médecin ou la sage-femme, le choix de la maternité où vous accoucherez. C'est à cette maternité que vous vous rendrez si vous avez un problème pendant la grossesse.

De plus, le médecin vous informera de la place de la maternité choisie dans l'ensemble du réseau périnatal de votre département (voir *Comment choisir la maternité* p. 278).

À l'issue de cette consultation, le médecin, ou la sage-femme, aura recueilli, par ses questions et par l'examen qu'il aura fait, un certain nombre de renseignements. Ils vont lui permettre, dans une certaine mesure, de prévoir si votre grossesse nécessitera ou non une surveillance particulière. Dans la plupart des cas (neuf fois sur dix au moins) tout est favorable. Vous êtes en bonne santé et votre grossesse commence normalement. Tout permet de penser qu'elle se déroulera sans histoire pour se terminer par un accouchement normal. Sa surveillance ne nécessitera pas de mesure particulière. Une fois sur dix environ, la grossesse nécessite des mesures spéciales dont nous vous parlerons plus loin : ce sont les « grossesses à risques ».

• La **déclaration de grossesse** sera faite soit lors de cette première consultation soit après la première échographie. Elle doit être faite avant la fin des 14 premières semaines. Le médecin ou la sage femme vous remettra les feuillets signés à transmettre à votre centre de Sécurité sociale et à votre caisse d'Allocations familiales (chapitre 17).

• Si vous êtes suivie par un professionnel en dehors de la maternité où vous devez accoucher, celui-ci pourra vous remettre un **dossier périnatal** où seront consignés les éléments les plus importants de votre dossier médical. C'est vous qui le conserverez et il servira de lien entre les différents intervenants que vous serez amenée à rencontrer. À l'avenir, un dossier périnatal informatisé devrait voir le jour.

• Dès le premier trimestre, vous pouvez vous inscrire à la **préparation à l'accouchement** qui est maintenant prise en charge à partir de la déclaration de grossesse. Les séances de préparation sont complémentaires des consultations médicales. Les consultations sont là pour vérifier le bon déroulement de la grossesse, elles sont en général assez courtes. Les séances de préparation sont plus longues, elles se passent dans un climat détendu, loin de tout dépistage plus ou moins angoissant. La future maman a le temps de poser des questions. Elle peut partager son expérience avec d'autres femmes enceintes (p. 331).

LA DEUXIÈME CONSULTATION (4e MOIS)

Elle comporte un examen général avec : prise de la tension artérielle, mesure du poids, mesure de la hauteur utérine, recherche des bruits du cœur.

L'examen sérologique de la toxoplasmose sera prescrit en cas de sérodiagnostic négatif, ainsi qu'un examen des urines à la recherche d'albumine.

UN PEU D'APPRÉHENSION
Aller à une consultation c'est inévitablement poser la question : « Est-ce que tout va bien ? » Et donc envisager par là même que la réponse puisse être, sinon négative, du moins ambiguë ; c'est être impressionnée par la blouse blanche (certains médecins n'en portent plus pour dédramatiser l'acte, mais en fait cela ne change rien) ; c'est se préparer à poser beaucoup de questions et en abandonner la moitié par... timidité ; c'est se trouver devant quelqu'un pour qui attendre un enfant est un événement habituel, alors qu'on le considère soi-même comme exceptionnel ; c'est aussi subir un examen intime que l'on appréhende souvent. C'est vrai que parfois certains médecins n'ont pas assez de temps à vous consacrer, qu'ils peuvent être maladroits en paroles. Heureusement aujourd'hui, avec la plupart des médecins et des sages-femmes, l'accueil est chaleureux et les contacts sont faciles.

L'entretien prénatal précoce

Comme son nom l'indique, cet entretien peut avoir lieu dès la déclaration de grossesse et il est pris en charge par l'assurance maternité. Si on ne vous l'a pas proposé, demandez à la maternité, au médecin ou à la sage-femme comment en bénéficier.

L'entretien précoce permet une rencontre plus longue qu'une consultation (au moins 45 minutes) et en dehors du contexte strictement médical. Il peut être individuel, ou en couple, selon votre souhait. Son but est de vous laisser parler de votre grossesse, de vos éventuelles préoccupations, difficultés socioprofessionnelles, familiales ou psychologiques. Pouvoir s'exprimer, constater que sa parole est prise en compte par les professionnels, est une expérience fondamentale qui permet à la femme d'avoir une meilleure image d'elle-même, d'être rassurée sur le lien qu'elle pourra avoir avec son bébé. La future maman ose évoquer ses émotions, son manque de confiance en elle, la crainte de voir son corps se transformer, de ne pas bien savoir s'occuper de son enfant. Pour le docteur Françoise Molénat, qui a beaucoup œuvré pour l'instauration de l'entretien prénatal précoce, celui-ci permet à la sage-femme, au médecin, de repérer des signaux de la dépression du post-partum, et donc de la prévenir. Et de prévenir également des troubles de la relation parents-bébé.

Si votre situation nécessite que vous rencontriez une assistante sociale, une psychologue, un médecin spécialiste, la sage-femme ou le médecin vous donnera les coordonnées des professionnels les plus appropriés appartenant au réseau périnatal de votre région. On vous communiquera également les adresses d'associations de soutien à l'allaitement pour prendre contact avec elles avant la naissance, ou d'associations de jumeaux si vous attendez deux bébés.

L'entretien prénatal peut se faire dans le cadre de la première séance de préparation à la naissance et il s'orientera alors vers d'autres besoins : quel type de préparation recherchez-vous ? Souhaitez-vous allaiter au sein ? Comment accueillir au mieux votre bébé et prendre soin de lui ?... Plus cet entretien a lieu tôt dans la grossesse, plus il vous sera utile. Mais il reste important même au troisième trimestre.

En principe cet entretien donne lieu à la rédaction d'un document à mettre dans votre dossier médical. Ce document servira de lien entre les différents professionnels que vous rencontrerez. Il peut aussi être rédigé lors des dernières séances de préparation et deviendra alors votre « projet de naissance » (p. 333) transmis à l'équipe qui vous prendra en charge le jour de l'accouchement.

UNE MEILLEURE PRISE EN CHARGE
Devant la découverte d'un problème médical en début ou en cours de grossesse, il est possible qu'on vous oriente vers un gynécologue-obstétricien attaché à une maternité de niveau II ou III (p. 279). Vous et votre bébé pourrez ainsi être pris en charge de la meilleure façon possible.

LA TROISIÈME CONSULTATION (5e MOIS)

Elle comporte le même examen général et les mêmes examens biologiques (toxoplasmose et albumine) que ceux pratiqués lors de la consultation du 4e mois.

Il vous sera rappelé le rendez-vous d'échographie de la 22e semaine qui a lieu au milieu du 5e mois.

Enfin, si vous n'avez pas encore commencé à suivre des cours de préparation à la naissance, le médecin, ou la sage-femme, vous dira l'intérêt de participer à de telles séances.

LA QUATRIÈME CONSULTATION (6e MOIS)

Cette consultation se déroule selon le même schéma que l'examen précédent, avec cependant une attention toute particulière à l'examen du col s'il existe des facteurs de risques d'accouchement prématuré. Au besoin, le médecin mesure le col par échographie ou le fera faire par un échographiste.

Ensuite, le médecin vérifie que l'utérus est normalement développé. Pour cela, il mesure la hauteur utérine et la compare aux chiffres habituels. Mesurer la hauteur de l'utérus, ce n'est pas mesurer la taille du fœtus, ce qui serait d'ailleurs impossible puisqu'il est tout ramassé sur lui-même, mais plutôt son volume (c'est-à-dire la place qu'il prend). Cette mesure permet de vérifier s'il a bien le développement correspondant à l'âge théorique de la grossesse.

Le médecin vérifie également les bruits du cœur. Cette auscultation peut se faire soit avec un stéthoscope ordinaire, soit avec un appareil spécial (stéthoscope à ultrasons), grâce auquel vous pourrez vous-même entendre battre le cœur de votre enfant.

L'examen général a essentiellement pour but de surveiller la tension artérielle, le poids. Au cours de cette consultation, le médecin va prendre connaissance de l'échographie de la 22e semaine. En cas d'anomalie ou de doute, il vous conseillera sur les dispositions à prendre : contrôle échographique supplémentaire ou avis d'un centre obstétrical spécialisé du réseau périnatal de votre région.

Certains examens biologiques sont prescrits à cette consultation :
• sérologie de la toxoplasmose si les résultats étaient auparavant négatifs
• recherche de l'albumine dans les urines
• numération pour rechercher une anémie si elle n'a pas été faite lors de la première consultation
• recherche des antigènes HBS pour vérifier votre immunité vis-à-vis de l'hépatite B
• recherche d'agglutines irrégulières si vous êtes est rhésus négatif et votre mari rhésus positif (p. 260)
• enfin, éventuellement, recherche d'un diabète par un dosage de la glycémie à jeun ou par un test d'hyperglycémie provoquée par absorption de 75 g de glucose.

LA CINQUIÈME CONSULTATION (7e MOIS)

Elle comporte le même examen général que celui pratiqué lors de la consultation précédente, avec une attention toute particulière à la tension artérielle car la toxémie se manifeste souvent à cette période de la grossesse.

La sérologie de la toxoplasmose est à contrôler, si nécessaire. Une recherche plus fréquente (tous les 15 jours) d'albumine dans les urines est conseillée.

Si vous êtes rhésus négatif, une vaccination vous sera proposée pour prévenir tout risque (p. 260).

Enfin, le médecin vous rappellera le rendez-vous de la troisième échographie de la 32e semaine.

LA SIXIÈME CONSULTATION (8e MOIS)

Cette consultation a plus spécialement pour objet de prévoir autant que faire se peut la façon dont se déroulera l'accouchement : appréciation du volume du fœtus ; appréciation de la manière dont se présentera l'enfant : par la tête – c'est la présentation habituelle –, par le siège, etc. ; caractéristiques du bassin. L'examen du bassin se fait dans les dernières semaines, car c'est alors seulement qu'il atteint les dimensions qu'il aura à l'accouchement.

Si le médecin soupçonne une anomalie, ou si votre bébé se présente par le siège, il vous demandera de faire faire une radiopelvimétrie ou un scanner du bassin. Tout ceci est sans risque pour votre enfant.

C'est au cours de cet examen du 8e mois que le médecin sera en mesure d'établir un pronostic sur l'accouchement et notamment si, selon lui, l'accouchement pourrait avoir lieu naturellement ou si au contraire, il faudrait envisager une césarienne. De toute façon, c'est le médecin de garde le jour de l'accouchement qui aura la responsabilité de la décision.

Au cours de cette consultation, sont recherchés :
• la sérologie de la toxoplasmose, en cas de négativité
• les agglutines irrégulières, en cas de rhésus négatif
• l'albumine : la recherche se fait désormais tous les 10 jours
• enfin, un prélèvement vaginal à la recherche de streptocoque sera prescrit. Le streptocoque B est sans danger pour la mère ; mais sa présence nécessite de prendre des antibiotiques pendant l'accouchement pour protéger le bébé.

Pour terminer, il vous sera demandé de prendre rendez-vous avec un anesthésiste. Cette consultation est obligatoire, que vous souhaitiez une péridurale ou non.

LA SEPTIÈME CONSULTATION (9e MOIS)

C'est la dernière consultation avec le médecin ou la sage-femme. Les examens biologiques sont les mêmes qu'au 8e mois et c'est au cours de cette consultation que vous aurez probablement envie de poser des questions à propos de l'accouchement : la péridurale est-elle possible ? L'épisiotomie se fait-elle systématiquement, peut-on l'éviter ? Vous aurez peut-être également envie de savoir si une sage-femme restera près de vous pendant le travail. Vous pourrez demander, si vous ne l'avez déjà fait, qui vous assistera lors de votre accouchement : le médecin ou l'équipe ayant suivi votre grossesse, ou bien un praticien de garde. Vous aimerez aussi savoir comment sera accueilli votre bébé après la naissance : pourrez-vous le garder près de vous ? Et à propos de l'allaitement : y-a-t-il une association d'aide à l'allaitement dans le secteur ? La maternité est-elle en relation avec elle ?

Enfin, le médecin, ou la sage-femme, vous rappellera que, si vous n'avez pas accouché à la date prévue, vous devrez vous présenter à la maternité à cette date pour faire différents examens.

EXAMENS, FORMALITÉS, PRÉPARATIFS...
Un grand tableau rassemble, pages 230-231, les consultations et les examens à passer, les formalités à accomplir, les préparatifs à faire. Il vous permettra également de suivre les grandes étapes du développement de votre bébé.

Les échographies

LES 3 ÉCHOGRAPHIES DE LA GROSSESSE
• *La 1ère a lieu vers la 12e semaine d'aménorrhée (SA)*
• *La 2e a lieu vers la 22e SA*
• *La 3e a lieu vers la 32e SA*
Les échographies systématiques, dites aussi de dépistage, ont pour but de :
• *préciser avec certitude à 12 SA l'âge de la grossesse ; et d'évaluer le risque d'anomalie chromosomique - en particulier de trisomie 21 - par la mesure de la clarté nucale, en l'associant aux marqueurs sériques : c'est ce qu'on appelle le risque combiné (p. 180)*
• *faire très précocement le diagnostic de jumeaux*
• *surveiller la croissance et le bien-être du bébé*
• *dépister d'éventuelles anomalies morphologiques*
• *localiser le placenta et la quantité de liquide amniotique*

Les trois échographies dont bénéficient les futures mères tiennent une place privilégiée dans la surveillance médicale de la grossesse. En permettant de visualiser, dès les premiers stades, l'embryon, puis le fœtus, puis l'enfant, l'échographie a transformé l'exercice de l'obstétrique ; elle a également modifié le « regard » de la maman sur l'enfant qu'elle porte en elle. Avant, elle le sentait, elle le touchait, elle pouvait écouter son cœur ; avec l'échographie, elle le « voit ». Et pour le père, c'est la grande découverte.

QU'EST-CE QUE L'ÉCHOGRAPHIE ?

Les ultrasons ont la propriété, lorsqu'ils sont émis par une source quelconque, de se réfléchir sur un obstacle, et de revenir à la source comme un écho. D'où le nom de cette méthode, l'échographie.

Les échographies sont traitées sous forme d'images, elles sont imprimées et placées, avec le compte rendu complet de l'examen, dans un dossier qui est donné à la future mère ; cela permet des comparaisons d'un examen à l'autre.

Les échographistes sont souvent réticents à donner aux parents un compte-rendu de l'examen sous forme de CD. L'échographie est un acte médical et non une séance vidéo pour l'album de famille. C'est d'ailleurs une notion que les parents comprennent très bien lorsqu'elle leur est expliquée.

EN PRATIQUE

• L'échographie peut être réalisée par le gynécologue obstétricien, la sage-femme ou un échographiste indiqué par le praticien qui suit la grossesse. Prenez votre rendez-vous à temps, car le moment des échographies au cours de la grossesse est important : elles ont lieu habituellement à 12, 22 et 32 semaines d'aménorrhée.

• Ne mettez aucune crème, huile, gel sur le ventre pendant toute la semaine qui précède l'examen.

• Tenez-vous en aux instructions du secrétariat d'échographie en ce qui concerne l'absorption d'eau avant l'examen.

• Pour obtenir de bonnes images, le médecin met du gel sur la peau, puis il passe sur le ventre une sonde émettrice/réceptrice d'ultrasons qui se présente sous forme d'une large barrette courbe.

• Pour la première échographie, l'échographiste utilise parfois une sonde vaginale, recouverte d'une sorte de "préservatif" à usage unique, enduit de gel. Cette technique permet souvent, surtout en début de

ES TROIS ÉCHOGRAPHIES

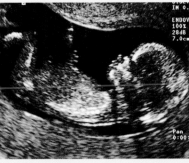

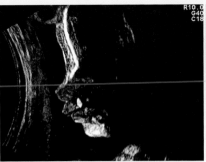

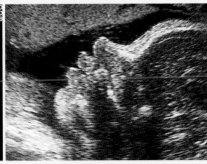

À 12 SEMAINES   2. À 22 SEMAINES   3. À 32 SEMAINES

grossesse, d'obtenir des images plus précises. Cet examen n'est ni douloureux ni dangereux pour la grossesse.

• Trois échographies sont pratiquées au cours d'une grossesse normale, et remboursées (à 70 % les deux premières et 100 % la troisième). Au-delà de trois échographies, il est nécessaire de demander une entente préalable auprès de la Sécurité sociale. Le médecin se charge de remplir le formulaire.

• Cet examen nécessite de la part de l'échographiste un maximum de concentration et de vigilance. Ne soyez pas surprise de son éventuel mutisme. Il sera plus à même de vous faire part de ses conclusions lorsque l'examen sera terminé. De plus, venez seule ou en couple, mais pas avec une amie ou des enfants.

LA PREMIÈRE ÉCHOGRAPHIE

Les échographistes recommandent de la réaliser entre 11 semaines d'aménorrhée et 13 semaines + 6 jours. Cette première échographie permet d'apprécier la vitalité de l'enfant et de faire un éventuel diagnostic de jumeaux. Grâce à la mesure de la longueur de l'embryon, cette échographie est capable de préciser l'âge de la grossesse, et donc d'évaluer le terme théorique à 4 jours près.

Elle permet également de mesurer la **clarté nucale**, c'est-à-dire l'épaisseur de la nuque (p. 129). Cette mesure représente un des moyens de dépister la trisomie 21. En fait, il ne s'agit pas d'un dépistage mais d'un moyen d'évaluer un risque (p. 180). Cette évaluation sera combinée avec les marqueurs sériques (p. 181) afin qu'en cas de risque élevé de trisomie 21 puissent être proposées soit une biopsie du trophoblaste, soit une amniocentèse (p. 181).

> **UN PEU D'INQUIÉTUDE**
> *Aujourd'hui les parents connaissent l'importance de cette mesure de la nuque et ce qu'elle peut impliquer. C'est pourquoi ils se rendent souvent à ce premier examen avec une petite inquiétude.*

• Lorsque le début de grossesse est incertain (cycles irréguliers, date des dernières règles non connues, décalage entre la date des dernières règles et la taille de l'utérus constaté au toucher vaginal lors de la consultation), le médecin ou la sage-femme demande une échographie de datation pour fixer la date de début de grossesse et organiser tout le suivi médical.

• En cas de saignement ou de douleur, une échographie précoce permet de préciser s'il y a un risque de fausse couche ou s'il s'agit d'une grossesse extra utérine.

LA DEUXIÈME ÉCHOGRAPHIE

Elle est faite entre 20 et 22 semaines d'aménorrhée. À cette période, le bébé est complètement formé. L'échographiste peut donc l'observer en détail, organe par organe et déceler d'éventuelles anomalies. Il peut aussi apprécier le développement et la croissance de l'enfant par la mesure des diamètres abdominaux et thoraciques et les longueurs des os des membres inférieurs et supérieurs. Il vérifie également « les annexes » : cordon et placenta dont la localisation est un élément important du suivi de la grossesse. C'est lors de cette échographie que l'on peut faire avec certitude le diagnostic du sexe de l'enfant.

LA TROISIÈME ÉCHOGRAPHIE

Elle est faite vers 32 semaines d'aménorrhée et elle permet de vérifier si tout se présente normalement en vue de l'accouchement (position et évaluation du poids de l'enfant, localisation du placenta par rapport à l'orifice interne du col, notamment pour les placentas bas situés). Cette échographie permet également de confirmer la bonne santé de l'enfant et sa croissance en comparant les mesures à celles faites lors de la deuxième échographie.

LES ÉCHOGRAPHIES SOUVENIR
Toute échographie à visée non médicale est fortement déconseillée aux femmes enceintes. Certaines sociétés proposent aux parents de réaliser des « échographies souvenir », avec de belles images. De tels clichés exposent inutilement, et longuement, le bébé aux ultrasons. C'est d'ailleurs ce que précise la HAS (Haute Autorité de Santé) : l'échographie est un examen médical qui doit n'être utilisée que dans un but médical et par des professionnels de santé.

QUELQUES PRÉCISIONS

Entrons maintenant dans le détail de ces échographies. Chaque examen échographique comporte quatre parties dont l'importance varie selon l'âge de la grossesse.

• L'examen général du bébé et de ses organes : c'est l'examen **morphologique**. Des organes, ou parties d'organes, sont connus pour leur utilité dans le dépistage de certaines pathologies et notamment de certaines anomalies chromosomiques, comme la trisomie 21. C'est ainsi qu'il est prêté une attention particulière à l'analyse des reins, du cerveau, de l'intestin, de la longueur des membres et de la longueur des os du nez. Les médecins parlent de « petits signes d'appels échographiques de la trisomie 21 ». En cas d'anomalie, il sera proposé un contrôle et éventuellement une amniocentèse, après avis du CPDPN (p. 180).

• La mesure de certaines parties du bébé, c'est l'étude **biométrique**. Les mesures du crâne, de la longueur du fémur, du diamètre de l'abdomen, permettent de surveiller la croissance.

• On apprécie aussi la **vitalité** de l'enfant : activité cardiaque, mouvements des membres, mouvements « respiratoires », déglutition.

• Enfin on observe le **milieu** dans lequel vit le bébé : quantité de liquide amniotique, étude et localisation du placenta (p. 243).

Dans certains cas, le médecin peut décider de faire une écho-doppler (pp. 134 et 229). Cet examen permet d'analyser la circulation dans les vaisseaux de la mère (artère utérine) et de l'enfant (vaisseaux du cordon ombilical, artère cérébrale), et d'examiner plus précisément certains mouvements du fœtus, comme la déglutition.

La réunion de tous ces éléments, au cours des trois échographies, constitue une sorte de **bilan de santé** de l'enfant. Ce bilan est impossible à faire par une autre méthode. Il renseigne sur l'état immédiat, mais aussi sur des pathologies pouvant se développer plus tard, comme le retard de croissance intra-utérin.

LE COMPTE RENDU D'EXAMEN

À l'issue de chaque échographie, le médecin remet aux parents un compte rendu de l'examen qu'il a réalisé. Ce document comporte, en règle générale, une description de l'enfant, ainsi que les différentes mesures des organes examinés. Ces mesures sont reportées sur des courbes de référence pour chaque période de la grossesse, ce qui permet d'en déterminer la normalité.

Le médecin joint à ce document les documents échographiques les plus significatifs sur le plan médical. Enfin, il termine son compte rendu par une conclusion signifiant qu'au cours de son examen, il n'a pas noté d'anomalie particulière, ce qui ne veut pas dire pour autant qu'il puisse garantir que tout est normal. La technique d'échographie, comme toute technique, ne le lui permet pas.

ET S'IL Y AVAIT UNE ANOMALIE ?

C'est une situation stressante pour les parents. Il se peut que lors de l'échographie le médecin constate une anomalie d'un organe ou de la croissance. Dans ce dernier cas, il fera un contrôle 15 jours à 3 semaines plus tard. S'il s'agit d'un organe, il demandera un contrôle « d'expertise » ou de « seconde intention » auprès d'un échographiste spécialiste de cet organe, ou auprès d'un échographiste hyperspécialisé dit référent.

La situation est alors délicate. Le médecin doit informer et ne peut pas rassurer tout de suite. De leur côté, les parents sont angoissés d'attendre le contrôle demandé. Quelle anomalie ? Quelle gravité ? Quelle conséquence pour la vie future de leur bébé ? se demandent-ils. Dès qu'un problème est décelé, les parents peuvent ressentir comme une fêlure, une cassure, avec le risque qu'ils ne se laissent plus aller à imaginer leur enfant, à faire des projets pour lui. Heureusement, et souvent, la petite anomalie notée précédemment ne sera pas retrouvée lors du contrôle ; mais les parents ne peuvent s'empêcher d'être inquiets et d'attendre avec impatience la naissance. Ils ne seront rassurés que lorsque leur bébé aura été examiné par le pédiatre.

C'est ce qu'a vécu Isabelle, dont le bébé avait une anomalie au niveau du rein droit (voies excétrices dont les dimensions n'étaient pas conformes) faisant craindre une aberration chromosomique ; finalement le contrôle a été normal. Même si ce n'est pas facile, il est donc important de ne pas s'affoler et de penser que dans la majorité des cas les nouvelles seront rassurantes.

Vous le voyez, l'échographie n'échappe pas à la finalité de tout examen médical qui est de rechercher d'éventuelles anomalies. Les parents, eux, ont une autre attente, une autre vision de l'échographie : celle-ci est pour eux une façon de découvrir leur bébé, de le voir grandir et se développer. C'est sous ce double regard, l'un médical et objectif, l'autre attendri et ému, que se déroulent les échographies.

Les signes d'alerte
Est-ce normal ? Est-ce inquiétant ?

Dans la surveillance médicale de la grossesse, ce qu'observe et ressent la future mère est aussi très important. C'est elle, en effet, qui est la mieux placée pour en apprécier le déroulement et pour noter l'apparition d'un symptôme d'alerte. Heureusement, le plus souvent, tout est rassurant. Le ventre reste souple lorsque vous-même, ou votre mari, posez vos mains sur lui ; vous percevez les mouvements de votre bébé avec plus ou moins d'intensité selon la journée ; vous mangez avec appétit ; en général vous dormez bien. Voyons plus en détail quelques éléments importants à surveiller.

LES CONTRACTIONS

Le travail de l'accouchement se fait essentiellement par les contractions de l'utérus qui ouvrent le col, poussent l'enfant et lui permettent de sortir ; nous vous parlerons de tout cela en détail au moment de l'accouchement. Mais déjà pendant la grossesse, ce muscle, l'utérus, se contracte un peu tous les jours ; on pourrait dire que c'est l'occasion pour lui de s'exercer, de se préparer. **Les contractions sont un phénomène normal** qui existe tout au long de la grossesse. Elles commencent à être perçues à partir du 6e mois et cela va s'accentuer jusqu'à l'accouchement. Parfois ce sont les mouvements du bébé qui déclenchent des contractions. Parfois c'est une contrariété ou un moment d'angoisse. Lorsque l'utérus se contracte, vous le sentez se durcir sous vos mains, comme si « le bébé se mettait en boule ». En fait, c'est l'utérus qui se resserre, le bébé, lui, est bien protégé par le liquide amniotique.

Lorsque survient une contraction, si vous en avez la possibilité, allongez-vous une bonne demi-heure, les jambes repliées, la tête soutenue par un coussin, pour relâcher les muscles abdominaux. Posez les mains sur le ventre, votre bébé sentira votre présence. Ces contractions sont en général

QUAND FAUT-IL S'INQUIÉTER ET TÉLÉPHONER AU MÉDECIN OU À LA SAGE-FEMME, OU SE RENDRE À LA MATERNITÉ ?
VOICI LES SYMPTÔMES À SIGNALER
- les pertes de sang
- la présence d'albumine dans les urines
- une prise de poids trop rapide
- des troubles de la vue avec des céphalées s'accompagnant d'une barre au creux de l'estomac
- des brûlures en urinant ou en fin de miction
- de la fièvre
- la perte d'eau par le vagin
- des démangeaisons sur tout le corps
- une nette et durable diminution de l'intensité des mouvements du bébé
- votre ventre se durcit : vous sentez des contractions utérines régulières, de plus en plus douloureuses
Vous trouverez p. 263 le détail de ces symptômes et les complications possibles.
Par ailleurs, vous devrez vous rendre à la maternité le jour du terme prévu par le médecin.

indolores, et courtes. Le ventre est dur pendant 30 à 40 secondes. Elles sont réparties inégalement pendant la journée ou la nuit. Il peut y avoir deux ou trois contractions de suite, puis plus rien pendant quelques heures, voire plusieurs jours. Dès que vous vous allongez, ces contractions cessent. Vous les signalerez à la prochaine consultation.

Si vous sentez que l'utérus reste dur plus longtemps que d'habitude, ou que les contractions sont plus fréquentes, plus intenses, et ne cessent pas si vous vous allongez, vous consulterez sans tarder dans votre maternité. Le médecin, ou la sage-femme, vérifieront, au besoin par l'échographie du col, si celui-ci est modifié ; cela pourrait signifier un risque d'accouchement prématuré (p. 271) ; une hospitalisation pourrait être envisagée.

LA FATIGUE

Tout excès d'activité physique, ou de stress, ou de sport, trop d'allées et venues, peuvent provoquer des douleurs ou des sensations de lourdeur dans le ventre, dans les reins, qui sont en fait des contractions. Il est important de tenir compte de ces signes et de se reposer. N'hésitez pas à vous allonger en rentrant de votre travail, ou dans la journée lorsque cela est possible. Et si vous vous sentez vraiment fatiguée, n'attendez pas la prochaine consultation prévue, allez voir le médecin ou la sage-femme.

L'ALBUMINE

L'analyse des urines pour rechercher le taux d'albumine est indispensable. Elle est faite régulièrement à la maternité lors des consultations. Sinon, comme on vous l'indiquera, vous pourrez faire cette recherche vous-même, à l'aide de papiers-index colorés (vendus en pharmacie). Certains de ces papiers-index permettent également le dépistage des infections urinaires. On conseille de faire cette recherche tous les mois jusqu'à 6 mois puis plus fréquemment jusqu'à l'accouchement. S'il existe de l'albumine, ne serait-ce qu'à l'état de traces, recommencez l'examen le lendemain après une toilette locale ; s'il y a encore des traces, allez à la consultation, ou allez voir le médecin. La présence d'albumine peut être le premier signe d'une toxémie gravidique qui se révèle souvent de façon très brutale (p. 240).

« Pour mon premier bébé, vers le 8ème mois, je me suis sentie un peu «vaseuse», le visage bouffi ; j'avais pris du poids tout d'un coup et j'avais tout le temps mal à la tête. Il y avait 2 croix d'albumine (++) sur mes bandelettes. Dès mon arrivée à la maternité, on m'a dit que je devais avoir une césarienne car je risquais une éclampsie et de perdre mon bébé. La césarienne a été faite en urgence et mon bébé va bien. J'ai eu peur...»

PERTE DE SANG

Il n'est jamais normal de perdre du sang pendant la grossesse, même à l'état d'une trace qui viendrait tacher un peu votre slip. Ce n'est peut-être rien, une inflammation du col qui se traite facilement, mais cela peut aussi être une anomalie au niveau du placenta. C'est au médecin de le dire en vous examinant et en s'aidant au besoin d'une échographie.

LE POIDS

La surveillance du poids n'est pas moins indispensable. Pesez-vous toutes les semaines. Si l'on note une prise de poids anormale – surtout si elle est brutale – il sera nécessaire de consulter le médecin ou la sage-femme. Il y a des femmes qui prennent peu de poids pendant leur grossesse, d'autres qui en prennent beaucoup, mais les deux ont des courbes régulières. Ce qui doit alerter c'est une cassure de la courbe.

• Avant d'aller à la consultation, nous vous suggérons de faire une **liste des questions**, petites ou grandes, que vous voulez poser, pour ne pas les oublier. Et n'ayez pas peur de paraître ridicule, dites au médecin tout ce qui vous paraît anormal ou vous pose des problèmes. Bien des mamans n'osent pas parler de ce qui les préoccupent : « Quelle frustration d'arriver à ces rendez-vous mensuels tant attendus, la tête pleine de questions, et de repartir un quart d'heure plus tard avec les mêmes interrogations, une vague image échographique et une ordonnance pour une nouvelle prise de sang », nous a écrit Caroline.

Enceinte après 38-40 ans

On pense souvent qu'attendre un enfant après 38-40 ans est caractéristique de notre époque. Il est vrai que le recours à l'AMP est plus fréquent à cette période de la vie où la fécondité est moindre. Mais, en fait, les grossesses tardives ont toujours existé, ce sont plutôt les circonstances qui ont changé.

Autrefois, attendre un enfant à cet âge était souvent subi avec une certaine fatalité, et parfois même avec crainte, car les mères connaissaient les risques de malformations et de mortalité. Et ce nouvel enfant s'annonçait souvent après plusieurs frères et sœurs.

Aujourd'hui, ces grossesses sont désirées, espérées. Certaines femmes pensent d'abord à organiser leur vie professionnelle et à assurer leur indépendance. Puis elles souhaitent avoir un enfant avant qu'il ne soit trop tard. Pour d'autres femmes, l'enfant des 40 ans naît quelquefois le second, 15 ou 20 ans après le premier : c'est l'enfant de l'épanouissement. C'est aussi celui de la maturité. À cet âge, les femmes n'ont plus les mêmes rapports de dépendance affective, voire de rivalité, avec leur mère. Les enjeux de savoir et de possessivité autour du bébé n'ont pas la même intensité. Enfin, l'enfant peut être celui d'un nouveau couple, d'un nouvel amour, avec lequel on espère que tout peut recommencer.

Les grossesses tardives sont parfois mal assumées psychologiquement. Les futures mères ont pu attendre longtemps avant de devenir enceintes, elles ont souvent franchi les nombreuses et éprouvantes étapes de l'AMP, elles se posent plus de questions que les très jeunes femmes : seront-elles assez proches de leur enfant, seront-elles à la hauteur de la tâche à venir, en un mot sauront-elles être une « bonne mère » ? Rassurez-vous, il n'y a pas d'âge idéal pour s'occuper d'un enfant et lui donner les meilleures chances d'épanouissement.

19,2 %
DES FEMMES ONT PLUS
DE 35 ANS AU MOMENT
DE LA NAISSANCE
(ENQUÊTE INSERM 2010).

Les futures mamans de cet âge s'inquiètent souvent pour leur grossesse : y-a-t-il des précautions particulières à prendre pour que « tout se passe bien » ? Attendre un enfant après 38 ans est aujourd'hui fréquent et c'est une situation bien connue des médecins et bien surveillée. En effet, on admet que les femmes de cet âge peuvent être plus menacées par certains risques. Certains sont incontestables, d'autres le sont moins parce qu'évitables ou pouvant bénéficier d'une surveillance renforcée. À part ces quelques points, votre situation n'est pas tellement différente de celle des autres futures mamans et tout ce qui est écrit dans *J'attends un enfant* vous concerne de la même façon.

LES VRAIS RISQUES

Les avortements du premier trimestre sont plus fréquents et dépassent 30 % après 40 ans. Ces avortements, qui sont le plus souvent dus à des anomalies chromosomiques, ou constitutionnelles, de l'embryon, se manifestent en général avant le 3e mois. Grâce aux échographies précoces, et notamment celle de la 12e semaine, associée aux marqueurs sériques (p. 181), la future maman peut être rapidement informée que la grossesse n'évolue pas favorablement.

Les anomalies chromosomiques, et en particulier la trisomie 21, augmentent avec l'âge de la maman. De ce fait, les interruptions médicales de grossesse (IMG) sont plus fréquentes avec des implications psychologiques souvent douloureuses, surtout si c'était le premier et très probablement le dernier enfant.

LES RISQUES POUVANT ÊTRE PRIS EN CHARGE

Il est bien évident que si une pathologie préexistait à la grossesse, obésité, hypertension ou diabète par exemple, l'âge sera important, le corps ne réagit pas de la même façon à 40 ans qu'à 20 ans. Et l'hypertension, le retard de croissance intra-utérin, le diabète sont plus fréquents chez une femme qui attend un enfant après 38-40 ans.

UNE GROSSESSE APRÈS 38-40 ANS SE PASSE GÉNÉRALEMENT BIEN
C'est ce que notent les professionnels de santé, d'autant que ces grossesses sont mieux et plus fréquemment surveillées, et que si traitement ou surveillance particulière il doit y avoir, il sont plus précocement et plus rapidement instaurés. Finalement, grâce à toutes les précautions prises (diagnostic anténatal, surveillance rigoureuse), il est possible pour la femme de 40 ans d'aborder avec sérénité la grossesse et l'accouchement, et de profiter pleinement de la venue de son enfant dont elle sait intimement qu'il peut être le dernier, un cadeau de la vie.

Médicaments, vaccins, radios

Au cours de la surveillance de la grossesse, il est bien rare qu'une femme n'interroge pas le médecin sur les risques éventuels, pour l'enfant, des médicaments, des vaccinations et des examens radiologiques. La peur d'avoir un enfant mal formé est en effet fréquente. Poussée à son paroxysme, cette crainte empêche des futures mères d'absorber tout médicament, même le plus anodin et même après avis médical.

D'une façon schématique, on peut dire que :

• le risque maximal se situe entre le 15e jour et la fin du 3e mois de grossesse

• dans les 15 premiers jours, l'agent nocif extérieur, un médicament, par exemple, reste sans effet ou provoque l'arrêt de développement de l'œuf

• après le 3e mois, les malformations deviennent rarissimes.

LES MÉDICAMENTS

Il ne saurait être question de passer en revue les centaines de médicaments vendus sous une forme ou sous une autre, mais quelques grands principes doivent cependant être connus ou respectés pour éviter tout souci.

• **Pas d'automédication**, surtout en début et en fin de grossesse. Ouvrir sa pharmacie et choisir un médicament en fonction des maux dont on souffre est peut-être facile, mais peut ne pas être dénué de conséquences. Attention aux soins à base de plantes qui paraissent anodins mais qui peuvent avoir des effets indésirables réels.

• D'une façon générale, et surtout dans les premiers mois de la grossesse, **tout médicament qui n'est pas indiqué est contre-indiqué**. C'est le médecin qui vous prescrira les médicaments dont vous avez

PHARMACOVIGILANCE

Si vous avez une inquiétude à propos d'un médicament, vous pouvez téléphoner à un centre de pharmacovigilance. Ces centres (une vingtaine en France) sont installés dans certains CHU. Ils sont capables de donner une information sur les médicaments et les risques qu'ils présentent en cas de grossesse. Ils répondent directement aux personnes qui les appellent, mais ils transmettent, en même temps, l'information à leur médecin. Vous pouvez aussi consulter le site internet du CRAT (Centre de Référence sur les Agents Tératogènes) www.lecrat.org . Ce site est accessible à tous mais destiné aux professionnels de santé. C'est pourquoi en cas de difficulté de compréhension de l'information donnée, il faut vous adresser à votre médecin qui pourra, si nécessaire, contacter le CRAT.

besoin. D'ailleurs, lorsque vous lisez l'information contenue dans les boîtes de vos médicaments, vous constaterez le plus souvent qu'il est précisé : « médicaments contre-indiqués pendant la grossesse ou l'allaitement ». Ceci ne veut pas dire pour autant que prendre ce médicament entraîne un risque particulier pour votre enfant. C'est seulement une précaution que prennent les laboratoires pour dégager leurs responsabilités en cas de problèmes. C'est le fameux « principe de précaution » qui est appliqué ici, et qui est valable dans d'autres domaines de la vie courante.

• Cela étant, certains médicaments d'usage courant, prescrits depuis de très nombreuses années et dont l'innocuité est prouvée, peuvent être utilisés sans risque pour soulager les petits maux. Par exemple le Donormyl®, le Primperan® pour les nausées, le Doliprane® pour les courbatures et autres petits malaises passagers tels que la rhinopharyngite, le Spasfon® en cas de douleurs abdominales. De même, l'homéopathie peut apporter des soulagements sans risque particulier.

Les médicaments prescrits AVANT la grossesse

Cette situation peut se rencontrer en raison d'une maladie chronique et, en général, elle a été réglée par votre médecin avant la grossesse lors d'une consultation avant la conception (p. 24). Voici quelques exemples.

• Les maladies neurologiques ou psychiatriques : les antiépileptiques, le lithium, et - mais à moindre risque - les antidépresseurs, les anxiolytiques, les neuroleptiques, doivent obligatoirement être l'objet d'une prescription médicale qui tiendra compte des risques et avantages.

• L'hypertension artérielle : certains médicaments comportent des risques sérieux bien connus des médecins ; heureusement le choix est grand parmi les antihypertenseurs sans risque.

• Le diabète est l'exemple type d'une maladie chronique à risque malformatif s'il est mal équilibré, surtout au premier trimestre ; d'où l'intérêt d'une consultation avant la conception afin de choisir le traitement le mieux adapté aux objectifs d'un bon équilibre de la glycémie (l'insuline sous cutanée répond à cet objectif).

• Les maladies de la thyroïde : les médicaments doivent être poursuivis et leur posologie mensuellement adaptée aux contrôles des hormones thyroïdiennes.

• La pilule, souvent prise par erreur alors que la grossesse a débuté, ne comporte pas de risque.

Peu de médicaments sont susceptibles d'entraîner un risque de malformation qui justifierait une interruption médicale de la grossesse, mis à part ceux à base d'isotrétinoïne (comme Curacné®, Procuta®, Contracné®, Roaccutane®), qui sont des médicaments à visée dermatologique ; et les médicaments contenant de l'acide valproïque (comme Dépakine®), utilisés en cas d'épilepsie et de certains troubles neurologiques.

Des lectrices nous ont interrogés sur les médicaments pris par leur mari. Le risque est nul pour les médicaments pris après le début de la grossesse. Pour des traitements suivis avant cette date, la plupart des médicaments sont sans effets néfastes.

Acheter des médicaments sur internet ?

Seuls les médicaments sans prescription médicale peuvent être achetés sur internet. Il est recommandé de vérifier que le site de la pharmacie en ligne est autorisé par l'ARS (Agence Régionale de Santé). Acheter sur des sites non autorisés est risqué car des médicaments falsifiés ou à composition non contrôlée peuvent être proposés. Et, comme nous le rappelons page précédente, tout médicament qui n'est pas vraiment indiqué est contre-indiqué, surtout dans les premiers mois de grossesse.

Médicaments et forums en ligne

Une équipe française (Palosse-Cantaloube et coll. 2014) a étudié la qualité de l'information médicale donnée par quelques forums concernant les médicaments pendant la grossesse. Ils ont évalué à l'aide de l'échelle de la FDA (Food and Drug Administration) le niveau d'exactitude des informations données et le niveau de risque. Seulement un quart des questions posées renvoyait à un avis médical et un tiers des médicaments conseillés était classé à risque selon la FDA. Au total 20% des réponses apportées aux femmes enceintes étaient inexactes en regard des données et 12 % étaient considérées à risque. Nous vous conseillons donc la prudence avec les forums en ligne.

LES VACCINATIONS

Les risques des vaccinations au cours de la grossesse sont souvent mal connus et semblent variables avec chaque vaccination. Voici la liste des vaccinations possibles, ou non, chez la femme enceinte.
   Votre médecin sera là pour vous conseiller.

Vaccin	Administration pendant la grossesse	Commentaires
BCG	Non	
Choléra	Oui	Possible si indication
Coqueluche	Non	Après l'accouchement
Diphtérie	Oui	Possible si indication
Encéphalite japonaise	Non	
Fièvre jaune	Oui	Éviter sauf en cas de risque élevé
Grippe	Oui	
Hépatite A	Oui	Possible si indication
Hépatite B	Oui	Si risque infectieux
Méningocoque	Oui	Si risque infectieux
Oreillons	Non	
Poliomyélite inactivée	Oui	Si indication
Rage	Oui	Si indication
Rougeole	Non	
Rubéole	Non	Vaccination après l'accouchement, contraception conseillée
Tétanos	Oui	Possible si indication
Typhoïde	Oui	Possible si indication
Varicelle	Non	

Ces informations proviennent des recommandations fournies par l'Institut de Veille sanitaire (www.invs.sante.fr/beh) et par le CRAT

Le vaccin contre la coqueluche

La coqueluche est une maladie très contagieuse et souvent grave pour les nourrissons du fait des complications respiratoires qu'elle entraîne. Les bébés sont en général vaccinés vers le 2e mois. Ils peuvent néanmoins contracter la maladie auprès d'adultes ou d'adolescents **avant** d'être vaccinés. Il est donc conseillé au papa et à l'entourage proche, frères et sœurs, de faire un rappel du vaccin pendant la grossesse de la maman, et non à la naissance du bébé. C'est la seule façon de le protéger. Le vaccin, couplé à diphtérie-tétanos-polio, est bien toléré. Certaines maternités demandent que l'entourage soit vacciné.

RADIOS ET RADIATIONS

Les radiations ont été accusées de provoquer des mutations (chapitre 7), d'entraîner l'apparition chez l'enfant de processus néoplasiques, c'est-à-dire cancéreux (leucémie, cancer de la thyroïde notamment), enfin de favoriser l'apparition de malformations.

L'existence de ces différents risques paraît incontestable après des irradiations massives. C'est ce qu'ont prouvé les observations faites après les explosions atomiques. Par contre, leur réalité apparaît beaucoup plus discutable pour les rayons X employés comme moyen de diagnostic, au moins si l'on prend certaines précautions.

D'autant plus qu'aujourd'hui, avec le développement de l'imagerie par échographie, il est devenu exceptionnel de prescrire un examen radiographique à une femme enceinte. Toutefois si l'examen était nécessaire – par exemple à la suite d'un accident de la circulation, ou pour une radio du thorax, ou même pour chercher un calcul dans les voies urinaires – des précautions particulières seraient prises par le radiologue (port d'un tablier de plomb par la future maman) pour éviter toute irradiation du bébé.

Il peut arriver qu'une radio de l'abdomen, ou même une urographie intraveineuse, soit pratiquée chez une jeune femme en début de grossesse, alors qu'elle ignore encore qu'elle est enceinte. Il a été prouvé que c'est sans conséquence, ne serait-ce que parce que l'irradiation émise par ces radios est peu différente de l'irradiation en montagne, à une certaine altitude.

Sachez qu'une radiopelvimétrie peut être demandée en fin de grossesse pour apprécier si nécessaire les dimensions du bassin. Cet examen ne comporte pas de danger pour l'enfant ; il a d'ailleurs tendance à être remplacé de plus en plus fréquemment par un scanner, qui émet moins de rayonnement.

Enfin, dans certaines situations plutôt exceptionnelles, un examen par IRM (Imagerie par résonance magnétique) peut être demandé afin de préciser certaines anomalies détectées lors des échographies habituelles sur le bébé. Cet examen est sans danger car il ne fait pas appel aux rayons X.

LES FEMMES ENCEINTES TRAVAILLANT DANS DES SERVICES METTANT EN ŒUVRE DES RAYONNEMENTS
Elles sont particulièrement bien surveillées. En effet il existe des dispositions réglementaires qui concernent aussi bien les professions de l'industrie atomique que le corps médical ou le personnel des services de radiologie : toute femme enceinte, dès qu'elle aura connaissance de sa grossesse, doit en informer l'employeur et le médecin. Ce médecin sera le médecin du service de médecine préventive pour le personnel employé dans un établissement public, le médecin du travail dans les établissements privés. Les femmes pourront obtenir un changement de poste pour toute la durée de la grossesse, ou pour un temps seulement (voir p. 432).

Les grossesses dites « à risque »

Si votre grossesse était appelée ainsi, l'expression ne devrait pas vous inquiéter. Elle signifie que les médecins ont considéré que vous deviez bénéficier d'une **surveillance particulière** au cours de la grossesse ou de l'accouchement : soit à cause de vos antécédents médicaux ou obstétricaux (maladie par exemple) ; ou bien à cause d'une anomalie ou d'un risque apparu au cours de la grossesse. Cette surveillance sera adaptée au risque considéré et donc légèrement différente de celle qui concerne une grossesse banale, dite à « bas risque » (p. 207).

On peut schématiquement classer les risques en deux grandes catégories : le risque **d'accouchement prématuré** (avant 37 semaines) et les risques dus à un problème de **santé du bébé ou de la mère**.

LE RISQUE D'ACCOUCHEMENT PRÉMATURÉ

C'est le grand risque obstétrical, celui que les médecins cherchent à éviter le plus possible. Ce risque est à l'origine de 50 % des hospitalisations et des surveillances à domicile. Nous parlons en détail de l'accouchement prématuré au chapitre 11 (pp. 271 et suiv.) : les précautions à prendre si cette éventualité est redoutée, les risques pour l'enfant, etc. Ici nous énumérons simplement les principales causes de l'accouchement prématuré. Celles-ci sont de deux types : la prématurité spontanée (70 % des naissances prématurées) et la prématurité provoquée (30 % des naissances prématurées).

Principales causes de la prématurité spontanée ou naturelle
• rupture prématurée des membranes, le plus souvent par infection
• antécédents d'accouchement prématuré ou d'avortements tardifs
• grossesses gémellaires et grossesses après AMP

• insertions anormales du placenta (placenta prævia, hématome rétroplacentaire)
• infections bactériennes maternelles (notamment les infections urinaires ou virales)
• malformations utérines
• béance du col, due le plus souvent à un avortement provoqué tardif.

La prématurité provoquée ou induite

Elle fait suite à toutes les situations où par décision médicale il a été considéré que la poursuite de la grossesse faisait courir un risque sérieux au bébé. C'est cette prématurité induite qui a fait augmenter les chiffres des naissances prématurées au fil des années. En effet, aujourd'hui, les médecins préfèrent avancer la naissance dès qu'ils perçoivent un risque pour le bébé, tout en étant conscients du risque provoqué par la prématurité.

LES RISQUES DUS À UN PROBLÈME DE SANTÉ DU BÉBÉ OU DE LA MÈRE

Il s'agit des situations au cours desquelles le bébé (ou la mère) présente un risque pour sa santé (croissance, développement, bien-être, voire un risque vital).

On parle *d'atteinte fœtale* quand le bébé va moins bien et ne reçoit plus les quantités normales d'aliments et/ou d'oxygène. On distingue l'atteinte fœtale **chronique** qui survient pendant la grossesse (et est généralement la conséquence d'une maladie maternelle : diabète, toxémie, etc.) et l'atteinte fœtale **aiguë** qui peut apparaître au cours d'un accident de la grossesse (hématome rétroplacentaire par exemple), mais plus souvent au cours de l'accouchement (compression du cordon, travail trop long avec contractions trop intenses par exemple).

Dans ces situations, la question qui se pose aux médecins n'est plus, comme pour le risque d'accouchement prématuré : « Faisons en sorte que ce bébé naisse le plus tard possible », mais : « Faisons en sorte que ce bébé naisse dans le meilleur état possible ».

• **Les maladies présentes avant la grossesse**
Il peut s'agir d'hypertension, diabète, obésité, épilepsie ; ainsi que des maladies immunitaires, de la maladie thromboembolique, des maladies rénales ou cardiaques, etc. (p. 252 et suiv.).

• **Les accidents des grossesses antérieures**
Il s'agit notamment des retards de croissance intra-utérins, des enfants mort-nés ou malformés ; ainsi que des accouchements difficiles terminés par une césarienne en urgence ou par des hémorragies de la délivrance (plus fréquentes chez les femmes qui ont eu plusieurs enfants).

• **Lorsqu'un risque est découvert pendant la grossesse**
Il peut s'agir de : pré-éclampsie, ou toxémie gravidique, diabète gestationnel, retard de croissance, localisation anormale du placenta, saignements ; et de toutes les infections virales ou bactériennes qui peuvent comporter une atteinte fœtale.

Vous voyez que les causes qui peuvent faire entrer une grossesse dans le groupe des grossesses « à risque » sont diverses. Les risques peuvent s'associer chez une même femme, par exemple une femme de 40 ans attendant son premier enfant après des avortements à répétition ou une longue période d'infertilité. L'appréciation du risque est d'ailleurs difficile et varie selon les équipes médicales. Enfin une complication peut survenir inopinément au cours d'une grossesse normale qui doit alors être surveillée plus particulièrement.

LA SURVEILLANCE DES GROSSESSES « À RISQUE »

Sur le plan pratique, qu'implique une grossesse dite « à risque » ? Tout d'abord une surveillance médicale plus étroite, avec des examens plus fréquents que dans la moyenne des cas. Si vous êtes suivie par un médecin généraliste, celui-ci vous adressera probablement à un gynécologue-obstétricien, ou bien à la maternité où vous avez prévu d'accoucher. Selon les cas, votre médecin généraliste pourra surveiller votre grossesse, en collaboration avec le spécialiste ; en fonction du risque présenté avant la grossesse ou reconnu au cours de celle-ci, le médecin décidera soit d'une hospitalisation, soit d'une surveillance à domicile avec l'aide d'une sage-femme, selon l'organisation du réseau périnatal de votre région.

L'HOSPITALISATION
Elle n'est pas exceptionnelle : 20 % des femmes enceintes ont eu au moins un séjour, ou plus, à la maternité au cours de leur grossesse.

Quelle surveillance ?
Elle sera à la fois clinique : prise régulière de la tension artérielle, du poids, de la diurèse (la quantité d'urine collectée), de la température, des pertes éventuelles (sang ou pertes blanches) ; et elle concernera aussi l'état de la maman : comment sent-elle bouger son bébé ? Comment se sent-elle ? Si la maman éprouve une baisse de moral, elle pourra rencontrer la psychologue de la maternité et s'entretenir avec elle de ce qui ne va pas. La participation à des « groupes de paroles» animés par des sages-femmes – en fonction des possibilités locales – sera aussi un moyen de soulager les mères du poids de l'inquiétude.

La surveillance peut faire aussi appel à des examens complémentaires en fonction du risque.

Les examens complémentaires
• La mesure de la longueur du col par échographie
Elle permet d'apprécier le risque d'accouchement prématuré. Cet examen est plus objectif que le toucher vaginal et il permet de mieux surveiller l'état du col, sa longueur ou sa dilatation.

D'autres examens permettent également de mesurer les risques pour le bébé : bouge-t-il moins ? Son état se détériore-t-il progressivement à mesure que l'on se rapproche du terme ?

Voici en quoi consistent ces examens.
• L'échographie du bébé (p. 214)
Elle permet de surveiller sa croissance, son développement, sa mobilité, la quantité de liquide amniotique – qui va de pair avec la croissance – ; on peut ainsi établir une évaluation (score de Manning) qui permet de mieux suivre l'état du bébé.

HYPERMÉDICALISATION
Aujourd'hui, il y a une tendance à considérer toutes les grossesses comme « à risque » et à faire bénéficier toutes les femmes des mêmes examens. Cette hypermédicalisation commence à être remise en question par des professionnels : il est important de faire plus et mieux pour les situations à haut risque et, au contraire, de faire moins et mieux pour les situations à faible risque qui représentent plus de 90 % des grossesses. Des parents remettent aussi en cause cette hypermédicalisation de toutes les grossesses : elle les empêche, disent-ils, de profiter pleinement de l'attente de leur bébé et les fait douter de leurs capacités à mener à bien la grossesse et l'accouchement.

• **Le doppler**

Couplé à l'échographie, il permet de mesurer le flux sanguin dans les vaisseaux (p. 134). On peut ainsi apprécier si la quantité qui passe dans les artères utérines, les vaisseaux du cordon et les artères cérébrales du fœtus est normale ou insuffisante. On utilise le doppler dans diverses circonstances :

- le plus souvent au cours d'une grossesse à risque quand on soupçonne soit un retard de croissance *in utero*, soit une atteinte fœtale. L'examen permet alors d'en confirmer l'existence et d'en préciser la gravité, donc de prendre une décision thérapeutique : faire naître l'enfant avant terme par exemple ;

- plus rarement, l'examen est fait au cours d'une grossesse normale en apparence mais qui a été précédée d'une ou, *a fortiori*, de plusieurs grossesses anormales. L'examen est pratiqué de façon systématique à partir de la 22e semaine, puis répété en fonction des données ou de l'examen clinique.

• **Les examens biologiques**

Certains examens – obtenus par des prises de sang régulières – sont des « marqueurs » du risque de l'atteinte fœtale et sont utilisés comme une aide à la décision de faire naître le bébé plus tôt, avant que son état ne s'aggrave. Nous ne détaillons pas ici ces examens car ils varient selon le risque en cause.

• **L'enregistrement du rythme cardiaque du fœtus, ou « monitoring fœtal ».**

C'est l'examen le plus important car c'est en fonction des données qu'il apporte, et de celles du doppler, que la décision sera prise de « sortir » ou non le bébé d'un environnement qui lui devient très défavorable. Le monitoring permet d'apprécier le caractère normal ou non de l'activité cardiaque du fœtus. C'est un peu comme lorsqu'on fait un électrocardiogramme à un adulte. Le rythme est considéré comme normal lorsqu'on voit de bonnes oscillations du rythme cardiaque avec de fréquentes phases d'accélération, ce qui témoigne de la bonne vitalité de l'enfant. Lorsque l'enfant dort, le rythme oscille moins et est moins variable.

LA SURVEILLANCE À DOMICILE

Elle concerne surtout le risque d'accouchement prématuré encore modéré mais aussi certaines pathologies comme l'hypertension, les diabètes (gestationnel ou insulinodépendant), les conditions socioéconomiques défavorables, les antécédents obstétricaux qui angoissent la maman et justifient une présence médicale plus fréquente. Cette surveillance est assurée par une sage-femme : elle passe au domicile de la future maman pour vérifier que tout va bien et faire les soins nécessaires. En général, une ou deux visites par semaine sont suffisantes. La sage-femme tient le médecin informé de l'évolution de la grossesse. Elle peut aussi faire faire à la maman des séances de préparation et de relaxation.

Dans des cas plus rares de grossesse très à risques, la surveillance peut être assurée par une sage-femme de l'hôpital, dans le cadre de ce qu'on appelle l'hospitalisation à domicile (HAD).

Vous venez de lire ce chapitre des grossesses à risques, et peut-être vous demandez-vous si vous ne devez pas vous classer dans cette catégorie. Le médecin vous indiquera si votre cas nécessite une surveillance spéciale et des examens particuliers. Ce chapitre n'est pas fait pour vous inquiéter inutilement, mais pour vous informer et pour que vous sachiez que dans certaines situations une surveillance médicale plus attentive, voire une hospitalisation, seront peut-être nécessaires.

Dans la double page suivante, un grand tableau fait le point sur votre santé, les examens à passer et formalités à accomplir, le développement de votre bébé, les préparatifs à faire.

VOTRE GROSSESSE MOIS APRÈS MOIS : L'ESSENTIEL

MOIS DE GROSSESSE OU SEMAINES D'AMÉNORRHÉE (SA)	VOTRE SANTÉ	CONSULTATIONS ET ÉCHOGRAPHIES
1er mois de 2 à 6 1/2 SA	• Après quelques jours de retard, un test de grossesse permet de faire le diagnostic	• La 1ere consultation prénatale a lieu dans les 3 premiers mois de la grossesse - interrogatoire médical et examen général - évaluation des facteurs de risques - information sur la grossesse et son suivi - prescription pour toute la grossesse des examens de laboratoire obligatoires - dépistage de l'anémie (NFS) en cas de facteur de risque - choix de la maternité dès maintenant en cas de problèmes pendant la grossesse • La 1ere échographie est en général faite à 12 SA. Évaluation du risque de trisomie 21 par la mesure de la clarté nucale et les marqueurs sériques • Un carnet de maternité vous sera envoyé par la Sécurité sociale
2e mois de 6 1/2 à 10 1/2 SA	• Dès que vous savez que vous êtes enceinte, il est important de cesser de fumer et de boire de l'alcool • Mettez-vous au régime alimentaire future maman • Gardez votre activité physique : marche, natation, etc	
3e mois de 10 1/2 à 15 SA	• Prenez l'habitude de vous peser régulièrement • Observez un régime alimentaire équilibré. Attention si vous avez un sérodiagnostic négatif de toxoplasmose	
4e mois de 15 à 19 1/2 SA	• Surveillez votre poids • Continuez votre activité physique d'entretien : marche, natation, relaxation musculaire	• 2e consultation prénatale - examen général et obstétrical - toxoplasmose* - albuminurie - proposition d'une consultation psycho-sociale, dite "entretien prénatal précoce"
5e mois de 19 1/2 à 23 1/2 SA	• Tout au long de votre grossesse, minimisez les expositions aux substances chimiques présentes dans les produits du quotidien (cosmétiques, produits ménagers, etc.)	• 3e consultation prénatale - examen général et obstétrical - toxoplasmose* - albuminurie • La 2e échographie est en général faite vers 22 SA
6e mois de 23 1/2 à 28 SA	• Vous ne devez pas grossir plus de 350 à 400 g par semaine • Ne négligez pas la gymnastique prénatale	• 4e consultation prénatale - examen général et obstétrical - toxoplasmose* - albuminurie - dépistage de l'antigène HBS de l'hépatite - dépistage du diabète - recherche d'agglutinines irrégulières chez les femmes rhésus négatif. Une vaccination vous sera proposée si vous êtes rhésus négatif et votre conjoint rhésus positif
7e mois de 28 à 32 1/2 SA	• Contrôlez régulièrement votre poids	• 5e consultation prénatale - examen général et obstétrical - toxoplasmose* - albuminurie • La 3e échographie est faite vers 32 SA
8e mois de 32 1/2 à 36 1/2 SA	• Votre congé de maternité commence 6 semaines avant la date prévue pour l'accouchement (parfois plus tôt). Profitez-en pour vous reposer	• 6e consultation prénatale Elle est faite en général sur le lieu d'accouchement - examen du bassin et pronostic de l'accouchement - toujours les mêmes examens biologiques (toxoplasmose*, rhésus) - contrôle plus fréquent de l'albumine dans les urines (tous les 10 jours) pour dépistage de la toxémie gravidique ou d'une infection urinaire - recherche du streptocoque B par prélèvement vaginal
9e mois de 36 1/2 à 41 SA	• Le plus important au cours de ce dernier mois est de vous reposer	• 7e consultation prénatale - consultation à la mternité et décision du mode d'accouchement notamment si le bébé est en siège - consultation avec l'anesthésiste

* En cas de négativité

FORMALITÉS	VOTRE BÉBÉ	VOS PRÉPARATIFS
• Déclaration de la grossesse par le médecin ou la sage-femme - envoyez le feuillet rose à la Sécurité sociale - envoyez les 2 feuillets bleus à la CAF avant la fin de la 14ᵉ semaine • Pensez à prevenir votre employeur	• À la fin de ce premier mois il mesure 5 mm et pèse environ 1 g	
	• Il mesure entre 2 et 3 cm et pèse environ 11 g • À 8 SA l'ébauche de tous les organes est formée. Le cœur est bien visible à l'échographie et l'on peut entendre ses battements cardiaques	• Pensez à vous inscrire dans une maternnité dès la déclaration de grossesse • Si vous avez l'intention de mettre votre enfant dans une crèche, inscrivez-le dès maintenant, les places sont rares • Bannissez les pesticides de votre environnement intérieur et du jardin
	• Le bébé tient tout entier sur l'écran. Tous les organes sont visibles • Il mesure 10 cm et pèse environ 45 g	
À l'issue de chaque consultation - envoyez à la Sécurité sociale la feuille de maladie si vous n'avez pas la carte vitale - envoyez à la CAF l'attestation qu'elle vous a transmise, complétée par le médecin ou la sage-femme	• Ses cheveux poussent • Il mesure 18 cm et pèse environ 225 g	
	• Ses ongles sont maintenant visibles • Il mesure 25 cm et pèse environ 500 g • Au cours de ce mois, ses mouvements deviennent perceptibles • En cas de naissance après 22 SA ou au-delà de 500 g, l'enfant peut être déclaré à l'état civil	• Pensez à vous inscrire aux séances de préparation à l'accouchement, qu'elles soient individuelles ou collectives
	• Il bouge de plus en plus • Il mesure 31 cm et pèse environ 1 kg	• Notez les achats que vous voulez faire : établissez une liste • Si vous avez choisi de faire garder votre enfant par une assistante maternelle, il est grand temps de commencer votre recherche
• Si vous êtes suivie à l'extérieur de la maternité, pensez à demander votre dossier médical	• Il entend • Il mesure 40 cm et pèse entre 1 300 et 1 700 g • En cas de naissance, il sera admis ou transféré vers une maternité de type III disposant d'une unité de réanimation néonatale	• Pensez au berceau de votre bébé • Préparez la chambre
• Envoyez à la Sécurité sociale l'attestation d'arrêt de travail • Il est possible de reporter 1, 2 ou 3 semaines du congé prénatal sur le congé postnatal	• C'est le mois du "fignolage" • Il mesure 45 cm et pèse plus de 2 000 g • En cas de naissance, il sera transféré vers une maternité de type II disposant d'une unité de néonatalogie	• Préparez votre valise et celle de votre bébé
	• Votre bébé est prêt à naître : il mesure environ 50 cm et pèse plus de 3 000 g (cela dépend du sexe)	

10

Et si une complication survient

- Les complications tenant
  à la grossesse elle-même

- Quand une maladie survient

- Si vous étiez malade
  avant d'être enceinte

- Attention danger !
  Les symptômes à signaler sans tarder

Dans la grande majorité des cas, la grossesse est un événement naturel, qui se déroule sans problème, et se termine de façon heureuse par la naissance, à terme, d'un enfant en bonne santé. **Cependant, dans un petit nombre de cas, surgissent des complications** qui peuvent avoir un retentissement sur la santé de la mère ou sur celle de l'enfant.
 En vous décrivant ces complications, notre but n'est pas de vous alarmer inutilement, mais seulement de vous alerter pour qu'en présence de tel ou tel symptôme vous pensiez à prévenir aussitôt le médecin qui pourra prendre les mesures qui s'imposent.
Si vous n'avez pas le temps, ou l'envie de lire dès maintenant ce chapitre, reportez-vous à la page 263. Vous y trouverez la liste des symptômes à signaler au médecin dès leur apparition car ceux-ci sont des signaux d'alerte, des signes avant-coureurs de complications qui peuvent survenir.

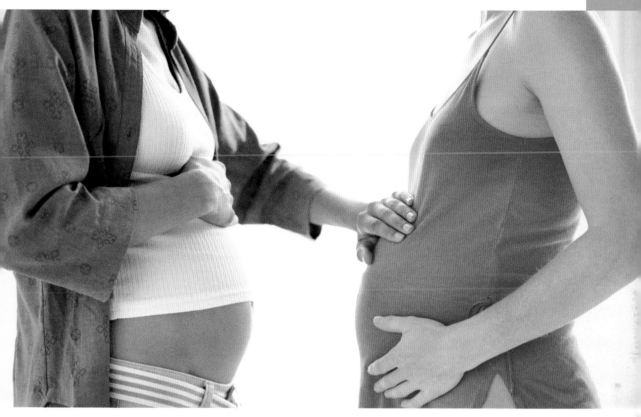

En schématisant, on peut distinguer trois groupes de complications.

Dans le premier, on classe les complications dues au fait même de la grossesse. Exemple : l'avortement spontané ou fausse couche ; évidemment seule une femme enceinte risque cet accident.

Dans le deuxième groupe, on classe les complications qui peuvent résulter de maladies survenant au cours de la grossesse. Exemples : la toxoplasmose ou la listériose.

Le troisième groupe comprend les complications qui sont la conséquence d'une maladie que la future mère avait avant d'être enceinte, sans s'en douter parfois. Il y a, en effet, des maladies qui entrent en conflit avec la grossesse, par exemple le diabète ou l'hypertension.

Les complications tenant à la grossesse elle-même

Ces complications sont très différentes selon qu'elles surviennent au début ou à la fin de la grossesse. Les complications du début **(premier trimestre)** sont essentiellement la fausse couche, la grossesse extra-utérine et la môle hydatiforme.

LES FAUSSES COUCHES

Dans le langage courant, la *fausse couche* désigne l'interruption spontanée de la grossesse : « Elle a fait une fausse couche ». Dans le langage médical, on parle plutôt d'*avortement spontané*. C'est pourquoi nous emploierons l'une ou l'autre expression avec quand même une préférence pour *fausse couche* qui est l'expression la plus fréquemment utilisée par les femmes.

C'est pendant les trois premiers mois que les fausses couches sont les plus fréquentes.

Comment se manifeste une menace de fausse couche ?

Votre grossesse semblait débuter normalement et vous observez soudain quelques pertes de sang, parfois accompagnées de douleurs au bas-ventre.

Avant de vous affoler, demandez-vous d'abord si vous n'êtes pas à la date théorique de vos règles. Il arrive en effet qu'une femme enceinte perde un peu de sang à cette période, pendant les deux ou trois premiers mois de la grossesse. Cette anomalie, difficile à expliquer, est plutôt rare et elle est sans conséquence. Hormis ce cas, toute perte de sang doit être considérée comme un signal d'alarme et vous conduire chez le médecin sans tarder. Lui seul pourra, en vous examinant, essayer de trouver la signification de cette perte de sang. C'est souvent difficile dans l'immédiat et, dans la plupart des cas, le médecin demandera un dosage sanguin de l'hormone de grossesse (appelée βHCG) ainsi qu'une échographie. En fonction des résultats de ces deux examens, il sera possible de préciser si la grossesse évolue favorablement ou non.

Que faut-il faire ?

Une menace de fausse couche est généralement imprévisible dans l'immédiat. Que faire en attendant ? Il n'y a pas grand-chose d'autre à faire que... d'attendre, pour voir comment les événements vont tourner : fausse couche ou non. Et cette situation inconfortable peut durer quelques jours, le temps de refaire une échographie.

Il y a quelques années, en présence d'une menace de fausse couche, on prescrivait automatiquement à la future mère un traitement hormonal. Cette attitude est maintenant abandonnée, car on a constaté que les traitements hormonaux ne servaient à rien, sauf parfois à prolonger la rétention dans l'utérus d'un œuf qui ne se développait plus. En cas de pertes de sang, et tant qu'un diagnostic précis n'est pas posé, il est préférable d'interrompre son activité, et d'aller voir le médecin au rythme qu'il jugera nécessaire pour faire face à la situation.

15 % DES GROSSESSES, EN MOYENNE, SE TERMINENT PAR UNE FAUSSE COUCHE. CE CHIFFRE MONTRE QUE DE NOMBREUSES FEMMES PEUVENT ÊTRE CONFRONTÉES À CET ÉVÉNEMENT. LA FRÉQUENCE AUGMENTE AVEC L'ÂGE DE LA MÈRE : ELLE EST DE 40 % AU-DELÀ DE 40 ANS.

Que va-t-il se passer ?

Dans certains cas, tout se déroule favorablement. Les pertes de sang diminuent, le col reste fermé, l'utérus continue de se développer. L'échographie confirme que l'évolution de la grossesse se poursuit.

Ces cas correspondent habituellement à des difficultés d'adhérence du placenta à l'utérus, appelées souvent **décollement placentaire partiel**. Ce décollement guérit habituellement sans traitement. (Parfois, au contraire, il s'aggrave progressivement et aboutit à une fausse couche spontanée).

Vous ne pourrez cependant reprendre vos activités habituelles que lorsque le médecin jugera que la menace d'avortement est écartée.

Bien des femmes ont alors, après cette menace de fausse couche, la crainte de mettre au monde un enfant mal formé. Cette crainte est injustifiée car, si l'avortement ne se produit pas et si la grossesse se poursuit, elle a autant de chances d'aboutir à une naissance normale qu'une autre grossesse.

Dans d'autres cas, la menace se précise peu à peu : les pertes de sang augmentent progressivement, l'utérus ne se développe plus, l'échographie confirme l'interruption de la grossesse qui se traduit par des pertes de sang assez abondantes accompagnées de « coliques » ressenties dans le bas-ventre : ce sont les contractions de l'utérus qui expulsent l'œuf et qui peuvent être douloureuses. En général la femme a eu la sensation que « ça n'allait pas » car les « signes sympathiques » de grossesse (p. 18) avaient disparu ou s'étaient atténués.

• **S'il n'y a pas d'hémorragie importante**, vous n'êtes pas obligée de vous rendre aussitôt à la maternité : une fausse couche ne nécessite pas automatiquement une intervention médicale. Mais mettez-vous rapidement en rapport avec le médecin ou l'équipe de garde de la maternité où vous avez prévu d'accoucher.

Celle-ci vérifiera, sous échographie, que l'œuf a été complètement rejeté. Si ce n'est pas le cas, l'œuf sera évacué par aspiration (il est aspiré par une sorte de pompe à vide électrique). Il est rare aujourd'hui de pratiquer un curetage (l'œuf est retiré avec une curette). L'aspiration se fait sous anesthésie locale ou générale et nécessite une courte hospitalisation. En général, les éléments de l'œuf sont confiés au laboratoire pour une analyse anatomo-pathologique afin de s'assurer que c'est bien l'œuf qui a été retiré et non pas de la muqueuse utérine (il faudrait alors recommencer l'aspiration). Aujourd'hui, grâce à un médicament (Cytotec®), il est possible de provoquer des contractions de l'utérus qui feront expulser l'œuf défectueux. Le médecin vous proposera probablement de choisir l'une ou l'autre méthode (intervention ou médicament).

• **S'il y a une hémorragie importante**, faites-vous transporter d'urgence à la maternité.

Dans les jours qui suivent

Combien de temps faut-il se reposer après une fausse couche ? Normalement en quelques jours vous serez remise sur pied. Si vous êtes d'un groupe sanguin rhésus négatif, le médecin vous fera faire une *vaccination anti-rhésus +*. Vous comprendrez pourquoi en lisant ce qui concerne le facteur rhésus (p. 259).

Il est normal de se sentir triste et bouleversée après l'interruption d'une grossesse désirée. Le sentiment de solitude, voire d'abandon, peut être renforcé par les circonstances de la fausse couche : « Cela s'est passé à la maison, j'étais seule chez moi, sans personne pour m'aider à comprendre ce qui se passait. » La fausse couche met fin aux premières interactions entre la mère et l'enfant et aux premiers rêves et projets autour du bébé. Le sentiment de perte est bel et bien présent, laissant un vide dans l'existence des parents. Après une fausse couche, la femme peut se sentir dévalorisée, inapte à devenir mère. Elle se sent souvent coupable de ce qui vient d'arriver et cherche une explication pour comprendre et se rassurer. « J'ai été trop active, trop stressée », « Je ne désirais pas assez ce bébé », « Je n'étais probablement pas prête. » Les fausses couches sont banales pour les médecins, pas pour les futures mamans qui sont souvent déprimées par ce qu'elles considèrent comme un échec.

Ne vous accusez pas de la situation, car elle n'est presque certainement pas causée par quelque chose que vous ou votre conjoint auriez fait. D'ailleurs il n'y a en général rien à faire pour prévenir une fausse couche. Mais c'est une réaction fréquente de se sentir coupable, cela aide à avoir prise sur la douleur ; essayer de trouver une explication permet de mieux supporter l'épreuve.

L'entourage ne comprend pas toujours qu'on puisse être affecté par la perte d'un bébé qui n'avait pas vraiment vécu et a tendance à banaliser l'événement : « Ce n'est pas grave » « C'est très fréquent. » Plutôt que de se sentir pressée d'oublier, la femme a besoin de compréhension et de respect pour son chagrin. Il lui est nécessaire de prendre son temps pour surmonter l'épreuve et faire le deuil à son rythme de cet enfant perdu (voir *La perte du bébé qu'on attendait*, p. 380).

Il est possible d'enregistrer l'enfant à l'état civil si la fausse couche a lieu à une période où l'on peut identifier le sexe, en général au-delà de 15 semaines d'aménorrhée.

Pourquoi cette fausse couche ?

Après une fausse couche, vous vous posez des questions pour l'avenir. Vous voudriez en connaître la cause et les mesures à prendre pour éviter qu'elle ne se renouvelle à la grossesse suivante.

D'abord, un point important : le plus souvent la fausse couche est accidentelle ; après, la femme mène à bien ses autres grossesses.

• Dans la majorité des cas, ces avortements spontanés précoces sont dus à une **anomalie chromosomique**. Vous avez vu au chapitre 7 la définition des chromosomes. Une anomalie du nombre, de la forme ou de la répartition des chromosomes aboutit à un œuf défectueux qui, le plus souvent, n'a pas d'avenir. L'arrêt de la grossesse provient en quelque sorte d'une erreur de la nature qu'elle corrige elle-même en expulsant l'œuf. Parmi ces œufs défectueux, on trouve souvent ce que l'on appelle un *œuf clair* où n'existe pas (ou plus) d'embryon. Seule s'est développée la partie destinée à former les annexes de l'œuf (p. 135). Sauf exception, un avortement par anomalie chromosomique ne doit pas faire craindre pour les grossesses ultérieures.

Dans d'autres cas, au contraire, il y a à l'origine de l'avortement une cause permanente qui, faute d'être reconnue, risque de provoquer des avortements à répétition.

Les avortements à répétition

Parmi les nombreuses causes pouvant provoquer des avortements à répétition, on peut distinguer plusieurs groupes : les causes locales qui siègent au niveau de l'utérus ; les maladies maternelles ; les causes immunitaires.

• **Les causes locales utérines** sont parmi les plus fréquentes.

Ainsi l'*utérus* peut être mal formé de façon congénitale, insuffisamment développé (utérus infantile – comme on peut en voir chez les femmes dont la mère a pris du Distilbène, p. 272).

La *muqueuse* ou *endomètre* peut être le siège de cicatrices (après curetage), ou d'une infection qui peuvent agir en perturbant la nidation, en compromettant la nutrition correcte de l'œuf, ou en empêchant sa croissance normale.

La *partie supérieure du col*, celle qui touche l'utérus, est normalement fermée pendant toute la durée de la grossesse. Ainsi, l'œuf ne peut pas être rejeté à l'extérieur sous l'influence de la pesanteur. Mais il arrive que « l'isthme » – c'est le nom de cette partie du col – ne joue plus son rôle de verrou et qu'il s'ouvre plus ou moins. Cette « béance » peut être congénitale, ou elle peut être la conséquence d'un traumatisme : accouchement difficile, avortement provoqué tardif.

• **Les maladies maternelles**. Il est rare qu'une infection soit à l'origine d'avortements à répétition.

• **Les causes immunitaires** (p. 107). Il arrive que les mécanismes permettant normalement à cette « greffe » très particulière de prendre et à l'œuf de se développer, ne se mettent pas en place et provoquent ainsi un avortement. Le diagnostic en est malheureusement difficile et les traitements aléatoires.

L'avenir

Vous le voyez, un avortement spontané peut être dû à des causes variées. Après une première fausse couche, il est rare que le médecin fasse faire des examens complémentaires.

S'il s'agit au contraire de plusieurs fausses couches successives, à répétition, le médecin fera faire d'autres examens plus sophistiqués : échographie, radiographie de l'utérus, hystéroscopie pour rechercher une anomalie locale (utérine) ; spermogramme pour rechercher d'éventuelles anomalies ; examens de sang à la recherche d'une infection ou d'une parasitose ; caryotype des parents, etc. Ce bilan, pour complet qu'il soit, ne donne pas toujours les résultats escomptés. En effet, dans 20 à 25 % des cas, aucune cause n'est retrouvée.

Quelques semaines seront nécessaires pour faire ces examens. Il faudra également du temps pour pratiquer un traitement médical ou chirurgical, suivant la cause que ces examens auront éventuellement permis de dépister. Ne vous impatientez pas si vous êtes pressée d'être à nouveau enceinte. Il est, de toute façon, recommandé, après une fausse couche, d'éviter une nouvelle grossesse dans les deux à trois mois qui suivent. Ce temps est en effet nécessaire pour retrouver un équilibre physique et psychologique.

LA GROSSESSE EXTRA-UTÉRINE (GEU)

Au lieu de se nider dans l'utérus, l'œuf peut se fixer, de façon anormale, dans une trompe (schéma p. 100). N'ayant pas la place de se développer il arrête son développement, en général avant le 3e mois. Mais avant, il va, peu à peu, éroder la paroi de la trompe, et la fissurer, voire même la faire éclater, réalisant alors un accident très grave. Il est donc indispensable de faire le plus tôt possible le diagnostic de la grossesse extra-utérine pour pouvoir aussitôt intervenir. En effet, il n'y a pas d'autre solution : une grossesse extra-utérine ne peut pas évoluer. Sa fréquence est de 1 à 2 %.

Dans la pratique, une grossesse extra-utérine se signale par des pertes de sang noirâtres qui peuvent même survenir avant la date prévue pour les règles, et induire la femme en erreur. Plus ou moins rapidement, surviennent également des douleurs dans le bas-ventre, parfois très intenses ou accentuées par les rapports sexuels. Deux examens orientent le diagnostic : le dosage de βHCG (qui montre l'existence d'une grossesse), et l'échographie qui montre que l'utérus est vide et qu'il existe une image anormale dans une trompe. Un examen confirme ce diagnostic : la **cœlioscopie**. On introduit, sous anesthésie générale, par une petite incision au niveau de l'ombilic, un tube muni d'un système d'éclairage et d'une mini-caméra vidéo. On peut visionner sur une télévision l'intérieur de l'abdomen et confirmer l'existence d'une grossesse extra-utérine ; dans ce cas on l'opère en même temps : soit on incise la trompe atteinte et on enlève l'œuf, soit on enlève toute la trompe si elle est trop lésée. En cas d'hémorragie interne grave, on a recours à une intervention classique (en incisant la paroi abdominale).

Dans certains cas, il arrive que le diagnostic de grossesse extra-utérine soit possible sans cœlioscopie, uniquement par échographie. Si on a la certitude de ce diagnostic, un traitement médical à base d'un médicament (le **méthotréxate®**) est possible. C'est au chirurgien d'en décider avec l'accord de sa patiente. Une injection de ce produit peut suffire pour détruire l'œuf implanté dans la trompe. Une surveillance très stricte est indispensable pendant plusieurs semaines, notamment par des dosages répétés de βHCG.

Vous comprenez donc qu'il est nécessaire de faire le diagnostic aussi vite que possible. Si au début de votre grossesse vous avez des pertes de sang accompagnées de douleurs, il est très important de

« FAUSSE COUCHE PROVOQUÉE » OU IVG
*Des mamans nous interrogent souvent pour savoir si le fait d'avoir eu une IVG (interruption volontaire de grossesse)
risque d'exposer à plus de risque de fausse couche, ou de créer des problèmes en cas de grossesse. Il est possible de
les rassurer car depuis que les IVG sont légales, et donc réalisées médicalement (par aspiration ou par
médicaments), il n'y a pas à redouter de conséquences fâcheuses pour l'avenir, ce qui n'était pas le cas avant leur
légalisation (avortements clandestins).*

consulter le médecin sans tarder, *a fortiori* si vous avez déjà fait une grossesse extra-utérine (car la tendance à la récidive est indiscutable) ou si vous portez un stérilet (que l'on a accusé de favoriser la GEU).

Après une grossesse extra-utérine, comme après une fausse couche (p. 237), la femme peut se sentir déprimée : « Outre l'inquiétude pour l'avenir (pourrai-je à nouveau être enceinte ?), je me sens atteinte physiquement et moralement. Mon corps est vide et inutile. Je suis tellement fragile que j'ai été obligée de cacher votre livre car sa vue me faisait pleurer », nous a écrit Delphine.

Après une grossesse extra-utérine, il est possible de mener à bien ensuite une ou plusieurs grossesses. Il est vrai cependant que cette affection a tendance à se reproduire. Si vous avez déjà eu une grossesse extra-utérine, n'hésitez pas à consulter rapidement dès le moindre retard de règles et, de même, lorsque vous aurez la certitude d'être enceinte, au moindre symptôme anormal.

LA MÔLE HYDATIFORME

Cette complication est rare sous nos climats (1 pour 2 000 grossesses) alors qu'elle est beaucoup plus fréquente dans d'autres régions (1 % en Asie du Sud-Est). Due à une anomalie chromosomique, elle est caractérisée par une dégénérescence kystique du placenta avec, 9 fois sur 10, un œuf sans embryon. Elle se traduit par des pertes de sang apparaissant dès le début de la grossesse, un utérus plus gros que la normale et surtout une élévation tout à fait anormale de l'hormone de grossesse (βHCG). Elle n'évolue jamais normalement et, dès le diagnostic fait, on procède aussitôt à une aspiration du contenu de l'utérus et à un curetage. Une surveillance est nécessaire ensuite car 10 à 20 % des môles évoluent vers une tumeur maligne appelée chorio-carcinome. Cette surveillance repose essentiellement sur des dosages répétés de βHCG. En cas d'évolution maligne, une chimiothérapie s'impose.

La fausse couche, la grossesse extra-utérine, la môle hydatiforme : ces trois complications interrompent la grossesse. Mais les complications du **troisième trimestre** dont nous allons vous parler maintenant, lorsqu'elles sont bien diagnostiquées, bien prises en charge, permettent à la grossesse de se poursuivre et d'évoluer habituellement d'une manière satisfaisante.

LA TOXÉMIE GRAVIDIQUE

La toxémie gravidique, ou **prééclampsie**, est une affection causée par une anomalie dans la formation du placenta (p. 136), donc dès le tout début de la grossesse. Mais les symptômes apparaissent bien plus tard et de façon variable selon les femmes : exceptionnellement avant la 20e semaine d'aménorrhée (5e mois), souvent après le 7e mois, parfois seulement dans les dernières semaines, voire les derniers jours. C'est une des rares complications que vous pouvez, au moins en partie, diagnostiquer vous-même. La toxémie gravidique se caractérise en effet par la présence d'albumine dans les urines, par des œdèmes d'apparition rapide et par l'élévation de la tension artérielle

La présence d'albumine (ou protéinurie) dans les urines
Cette présence n'est jamais normale et peut témoigner, au cours de la grossesse, soit d'une infection

urinaire, soit d'une toxémie débutante. C'est pourquoi il est nécessaire de surveiller régulièrement les urines par des analyses et d'autant plus que l'on avance dans la grossesse.

Comme vous l'avez vu (p. 219), vous pouvez facilement faire vous-même cet examen à l'aide de papiers index colorés (ou bandelettes urinaires) qui changent de couleur quand il y a présence d'albumine dans les urines. Lorsque l'index coloré marque +, prévenez sans tarder votre médecin ou votre sage-femme. Vous remarquerez peut-être que les urines sont plus foncées, plus concentrées, moins abondantes.

Des œdèmes

Les chevilles gonflent, les doigts deviennent « boudinés », avec impossibilité de retirer ses bagues, le visage lui-même peut enfler. Ces œdèmes ne traduisent pas toujours l'apparition d'une toxémie. C'est ainsi que les chevilles peuvent gonfler même au cours d'une grossesse normale, par exemple quand il fait très chaud. Mais si les œdèmes apparaissent brutalement et augmentent rapidement, ou s'ils s'accompagnent d'une prise brutale et excessive de poids, vous devez les considérer comme un symptôme d'alarme et consulter sans tarder votre médecin.

Une élévation anormale de la tension artérielle

Celle-ci est souvent révélée par des maux de tête persistants, une sensation de bourdonnement, un malaise général avec le sentiment que « quelque chose ne va pas ». C'est le médecin qui constate l'élévation de la tension lors de la consultation. On considère comme anormaux des chiffres atteignant ou dépassant 14/9. C'est surtout le chiffre de la minima qui est important.

Les causes de la toxémie gravidique

Elles sont à vrai dire assez mal connues :
• lors d'une première ou seconde grossesse avec le même conjoint
• chez les femmes ayant déjà eu une toxémie gravidique ou un retard de croissance intra-utérin lors d'une grossesse précédente, même si la récidive est loin d'être la règle
• lors d'une grossesse gémellaire
• chez les femmes souffrant d'une affection rénale s'accompagnant d'une hypertension artérielle et à vrai dire toutes les hypertensions antérieures à la grossesse quelle qu'en soit l'origine
• enfin il semble exister un caractère ethnique ; ainsi la prééclampsie est plus fréquente chez les femmes d'origine africaine.

LES RISQUES DE LA TOXÉMIE GRAVIDIQUE

Ils concernent le bébé et la mère.
• Pour le bébé : puisque la toxémie gravidique est la conséquence d'un défaut de fonctionnement du placenta, celui-ci ne transporte plus tous les éléments dont le bébé à besoin. La croissance fœtale peut être ralentie (risque d'hypotrophie), le placenta peut se décoller (hématome rétroplacentaire) et l'enfant peut même décéder *in utero*. Une prise en charge précoce de la toxémie gravidique permet de faire naître le bébé avant que son placenta n'assure plus les besoins vitaux.
• Pour la mère, les reins sont atteints et fonctionnent mal, avec les conséquences sur la tension qui devient difficile à contrôler; les facteurs de la coagulation sanguine peuvent être altérés avec comme conséquence des risques d'hémorragie au moment de l'accouchement. De plus une hypertension mal

contrôlée peut entraîner des convulsions cérébrales : c'est la **crise d'éclampsie**.

Grâce une surveillance médicale régulière et plus rapprochée en fin de grossesse, ces complications gravissimes de la toxémie peuvent être prévenues et sont aujourd'hui rares mais pas exceptionnelles.

EN CAS DE TOXÉMIE GRAVIDIQUE, QUE VA-T-IL SE PASSER ?

Il n'y a pas véritablement de traitement de la toxémie gravidique, en dehors de faire naître l'enfant. L'apparition des ces anomalies (albuminurie, œdèmes, hypertension artérielle) amènera à faire un bilan qui sera plus facile à réaliser au cours d'une hospitalisation de quelques jours, afin de préciser au mieux le retentissement éventuel de ces troubles sur la santé de la mère et de l'enfant. Ce bilan comprend différents examens de sang, une échographie avec Doppler et l'enregistrement régulier du rythme cardiaque fœtal (monitoring).

• Si la femme enceinte n'est pas trop éloignée du terme, l'accouchement sera déclenché sans délai si cela est possible, ou bien une césarienne sera pratiquée.

• Si la maman est très loin du terme, elle restera hospitalisée ; avec le repos allongé sur le côté (qui favorise un meilleur fonctionnement rénal), la prise de médicament visant à stabiliser l'hypertension artérielle, on peut espérer une stabilisation et espérer atteindre ainsi une période où la naissance, souvent très prématurée, de l'enfant ne pose pas de problème vital.

Tout cela peut vous paraître brutal mais la toxémie gravidique est une complication très sérieuse de la grossesse. C'est pourquoi, dans certains cas, la maman peut être transférée dans une autre maternité, de type II ou III, selon le terme de la grossesse (p. 274). Sachez que cette décision n'est jamais prise à la légère et toujours dans votre intérêt et dans celui du bébé.

Après l'accouchement, il est indispensable de faire le point de la situation. En effet le risque de récidive lors d'une nouvelle grossesse est toujours possible. Les médecins pensent d'ailleurs que la prise de petites quantités d'aspirine entre la 15e et la 37e semaine pourrait jouer un rôle préventif chez les femmes ayant eu une toxémie gravidique lors d'une première grossesse.

Nous vous rappelons qu'il est essentiel de surveiller très régulièrement ses urines, surtout dans les deux derniers mois. C'est le meilleur moyen de dépister soi même et aisément la survenue d'une toxémie gravidique.

*Lorsqu'elles sont confrontées à une complication grave de la grossesse, comme la toxémie ou l'éclampsie, les mères se sentent envahies de **sentiments douloureux** : l'inquiétude pour la santé de leur bébé et la leur, la culpabilité (« Qu'est-ce que j'ai fait de mal ? »), l'échec (« J'ai raté ma grossesse »). Il y a en plus le stress provoqué par l'urgence de la situation. Et la solitude face au milieu médical qui ne mesure pas toujours ce que ressentent les mères, et face à l'entourage, notamment le père : lui aussi est angoissé et ne sait comment aider. N'hésitez pas à parler de ce qui vous préoccupe en interrogeant le médecin ou les sages-femmes de l'équipe. Ils sont là également pour vous soutenir dans ces moments difficiles.*

LE RETARD DE CROISSANCE INTRA-UTÉRIN (RCIU) ET L'HYPOTROPHIE FŒTALE

Il arrive que le bébé ne se développe pas suffisamment au cours de la grossesse. On dit qu'il est hypotrophique, ce qui signifie insuffisamment nourri. Ce poids au-dessous de la moyenne peut être normal. En effet, les examens successifs montrent que, même avec des chiffres inférieurs à la moyenne, la croissance se poursuit régulièrement. À la naissance, le bébé aura simplement un poids (et parfois une taille) inférieur à la moyenne. C'est un problème génétique. Il y a des familles à enfants petits, et d'autres à enfants gros.

Mais le vrai retard de croissance est anormal. Plusieurs causes peuvent intervenir :

• elles peuvent venir de la mère : hypertension artérielle et toxémie ; malnutrition sévère et prolongée et surmenage ; intoxications chroniques (tabagisme, alcoolisme)

• elles peuvent venir de l'œuf ou du fœtus : anomalie du cordon ombilical ; malformations fœtales.

La cause peut exceptionnellement venir d'une carence psychologique ou sociale. Dans ce cas, il est important que la vulnérabilité de la maman soit reconnue pour qu'elle puisse être aidée par une équipe médico-psycho-sociale. Mais dans 30 % des cas, aucune cause n'est retrouvée. Parfois le retard de croissance intra-utérin est passager : même avant de naître, les enfants ne grossissent pas tous à la même vitesse.

Le diagnostic de l'insuffisance de développement du bébé dans l'utérus est fait plus ou moins tôt au cours de la grossesse et il est confirmé par l'échographie. Une surveillance très stricte du fœtus s'impose alors (examens cliniques, échographie, doppler, enregistrement du rythme cardiaque fœtal) car l'évolution du retard de croissance intra-utérin peut être grave.

Dans les meilleurs cas l'enfant naît à terme et pèse simplement moins que la moyenne. Il ne pose généralement pas de problèmes particuliers. Dans les cas moins favorables, une atteinte fœtale risque d'apparaître ; elle entraîne la surveillance particulière décrite ci-dessus ; mais parfois on ne peut éviter une mort *in utero*.

Le traitement comprend bien sûr celui de la cause, quand elle est connue (traitement de la toxémie, par exemple). Le repos sera le plus absolu possible (avec parfois hospitalisation) sur le côté gauche, car cela permet une meilleure irrigation du placenta. De nombreux médecins y ajoutent de petites quantités quotidiennes d'aspirine. Les cas très graves d'atteinte fœtale peuvent conduire à interrompre la grossesse, généralement par césarienne.

L'INSERTION BASSE DU PLACENTA

Normalement, l'œuf se nide dans le fond de l'utérus. Mais il arrive parfois qu'il s'insère à la partie basse de l'utérus, plus ou moins près du col qu'il peut même recouvrir complètement (placenta dit recouvrant). C'est ce qu'on appelle le **placenta *prævia***. C'est une anomalie qui peut être grave de conséquences pour la maman et pour le bébé.

Habituellement, cette insertion anormale ne gêne pas le développement de l'enfant. Par contre, sous l'influence notamment des contractions de fin de grossesse, elle peut aboutir à un décollement partiel du placenta. Ce décollement provoque des hémorragies d'abondance variable, mais qui peuvent se répéter, et surtout s'aggraver brutalement. En cas d'hémorragie en fin de grossesse, il faut rejoindre sans tarder votre maternité. C'est l'échographie qui permettra de préciser l'insertion exacte du placenta.

Le repos absolu, en milieu hospitalier le plus souvent, est indispensable jusqu'à l'accouchement. Celui-ci pourra nécessiter une césarienne si le placenta recouvre totalement le col, ou si l'hémorragie est importante.

L'HÉMATOME RÉTROPLACENTAIRE

L'hématome rétroplacentaire se produit lorsque le placenta se décolle de l'utérus **avant** la délivrance. On ne connaît pas la raison de ce décollement prématuré. On pense qu'il peut s'agir d'un défaut de vascularisation du placenta. Il semblerait que le décollement soit plus fréquent en cas de prééclampsie, d'hypertension artérielle et parfois de placenta *prævia*.

L'hématome rétroplacentaire survient en général au cours des trois derniers mois de la grossesse. Dans le cas où une femme a déjà eu un hématome rétroplacentaire lors d'une précédente grossesse, elle est alors particulièrement suivie (échographies et doppler répétés).

Le diagnostic est en général rapide : c'est l'association d'une hémorragie à une douleur liée à la contraction de l'utérus qui donne l'alerte. L'hospitalisation en urgence est indispensable car les risques de souffrance fœtale sont grands. La césarienne est le traitement le plus souvent mis en œuvre, à moins que le décollement ne soit très discret et n'ait pas de retentissement sur l'enfant.

LES ANÉMIES

Les besoins en fer sont nettement augmentés au cours de la grossesse. Une partie du fer nécessaire est fournie par l'alimentation, une autre est puisée dans les réserves de l'organisme maternel. Si ces réserves sont insuffisantes (ce qui peut être le cas dans certaines grossesses rapprochées), le déficit en fer va entraîner une anémie. Celle-ci peut se traduire par des symptômes tels que fatigue anormale, essoufflement, pâleur, mais l'anémie peut aussi être entièrement cachée et révélée seulement par un examen du sang. Ces anémies sont le plus souvent sans conséquence lorsqu'elles sont traitées par du fer que certains médecins préconisent d'ailleurs systématiquement. Elles n'ont pas de retentissement sur l'enfant. Aujourd'hui la recherche d'anémie (c'est-à-dire la numération globulaire) fait partie des examens obligatoires.

LE DÉNI DE GROSSESSE

On connait un peu mieux aujourd'hui cette absence de conscience de la grossesse au-delà du premier trimestre. Le déni de grossesse s'interrompt le plus souvent au milieu du deuxième trimestre ou au troisième mais il peut exceptionnellement se prolonger jusqu'à l'accouchement.

Comment une femme peut-elle porter un enfant sans en avoir conscience, sans le sentir dans sa chair ? Comment ces grossesses peuvent-elles ne pas être reconnues par les proches et les professionnels ? Cela paraît impensable et pourtant le déni de grossesse existe. Il correspond à une « organisation » psychique très complexe qui ne permet pas à ces mères de faire de place à l'enfant ; elles ne se sentent pas enceintes. Le bébé se développe ainsi dans leur corps sans qu'on le voit, certains parlent de petit « passager clandestin ». Et puisque c'est toujours la mère qui annonce au père, à sa famille, à ses amis, qu'elle attend un enfant, son entourage ne peut qu'ignorer cette grossesse non dite et enfouie.

Les professionnels de santé sont de plus en plus sensibilisés à l'importance d'accueillir ces mères, ces pères, sans jugement et avec la plus grande bienveillance. Au-delà de l'exploration du contexte qui a conduit au déni de grossesse, c'est le devenir de la relation mère-enfant qui est en jeu et qu'il convient de soutenir. Un livre — à travers des histoires surprenantes et des réflexions et interrogations autour de la grossesse, la maternité, le couple, etc. — est consacré à ce phénomène : *Elles accouchent et ne sont pas enceintes ; le déni de grossesse*, de Sophie Marinopoulos et Israël Nisand, éditions Les Liens qui Libèrent.

Il existe une association pour la reconnaissance du déni de grossesse www.afrdg.info

Quand une maladie survient

La survenue d'une maladie pendant la grossesse inquiète : les maladies ont alors mauvaise presse. En effet, s'il n'est pas douteux que, dans la majorité des cas, ces maladies soient sans conséquences particulières, il reste vrai qu'elles peuvent parfois entraîner des complications graves : avortement, accouchement prématuré, malformations fœtales. Nous n'allons, bien sûr, pas parler de toutes les maladies, mais de celles qui risquent d'avoir des conséquences pour le bébé. Quoi qu'il en soit, même si vous ne constatez aucun autre symptôme, le seul fait d'avoir de la fièvre, même passagère, doit vous conduire à consulter le médecin.

VOUS AVEZ DE LA FIÈVRE

Ce symptôme, souvent anodin lorsqu'il est fugace, ne doit pas être pris à la légère pendant la grossesse. Si vous avez de la fièvre, vous devez consulter le médecin, surtout si elle est isolée, sans autre symptôme pouvant la relier à une infection virale saisonnière, type grippe ou gastro-entérite. Il n'est pas question de passer en revue toute la pathologie infectieuse susceptible de provoquer de la fièvre (voir plus loin) mais d'insister sur le fait qu'en cas de fièvre le risque est avant tout pour le bébé et qu'un bilan complet s'impose pour rechercher la cause de cette fièvre.

Si vous êtes au-delà du 6ᵉ mois de grossesse, une hospitalisation en maternité peut être conseillée afin de prendre les mesures qui s'imposent : mise en route d'un éventuel traitement antibiotique sans attendre les résultats des examens complémentaires demandés. Tout cela sera décidé par l'équipe médicale de la maternité où vous avez prévu d'accoucher. N'hésitez pas à la consulter ; c'est leur métier de prendre soin de vous et de votre bébé.

LA TOXOPLASMOSE

Cette maladie est due à un parasite, le toxoplasme, présent dans les viandes, surtout le mouton et le porc, mais pas exclusivement. Consommer de la viande saignante risque de transmettre le parasite : il est donc important de bien cuire la viande que l'on mange. En outre, le chat est un vecteur du toxoplasme que l'on peut retrouver dans ses selles. C'est pourquoi il faut respecter certaines règles d'hygiène à cet égard.

Les symptômes de la toxoplasmose sont en général très discrets, parfois inexistants : ganglions du cou enflés, légère fièvre, fatigue et douleurs musculaires et articulaires. La banalité de ces symptômes fait que de nombreuses futures mères (55 à 65 %) sont immunisées sans le savoir. Les autres, qui ne le sont pas, risquent d'attraper la maladie pendant la grossesse et de contaminer leur bébé, ce qui peut avoir de sérieuses conséquences pour sa santé.

Comment savoir si je suis immunisée contre la toxoplasmose ?

En France, le sérodiagnostic de la toxoplasmose fait partie des examens prénataux obligatoires.
• Si le sérodiagnostic est positif (il montre un taux d'anticorps dans votre sang), cela signifie que vous avez déjà eu la maladie et que vous êtes donc immunisée : vous ne courez aucun risque.
• Si le sérodiagnostic est négatif (vous n'avez pas d'anticorps contre la maladie), vous n'avez pas eu la maladie et vous n'êtes pas immunisée. Il faudra alors faire pratiquer chaque mois un sérodiagnostic pour dépister une éventuelle infection et mettre en route un traitement.

Je ne suis pas immunisée, quelles précautions dois-je prendre ?

• Les précautions alimentaires sont importantes : pas de viande crue ni saignante (p. 72) mais au contraire bien cuite. Si vous avez un jardin potager, lavez-bien les légumes et les fruits qui ont pu être souillés par un chat. Si vous jardinez, n'oubliez pas que la terre a pu être également souillée : faites-le avec des gants et lavez-vous bien les mains.
• Prudence si vous avez un chat à la maison : voyez ce que nous disons p. 38. Si vous le caressez, pensez à vous laver les mains avant de passer à table.

Je ne suis pas immunisée, quels sont les risques ?

Il n'y a de risque que si vous contractez la toxoplasmose pendant votre grossesse ce qui, avec les précautions conseillées, est aujourd'hui tout à fait exceptionnel. La gravité du risque dépend du « moment » de la grossesse où la maladie est contractée.
• Au premier trimestre, il est rare que le toxoplasme traverse le placenta, mais la contamination à cette période est grave : avortement, mort ou graves malformations neurologiques.
• Au second trimestre, le placenta est plus facile à traverser par le toxoplasme. L'atteinte du fœtus est grave car tout le système digestif est touché, ainsi que le foie et la rate.

• En fin de grossesse, la contamination est plus fréquente avec des atteintes neurologiques ou oculaires. En général, l'enfant naît indemne et c'est plus tard que l'on évoque la maladie en raison de symptômes anormaux. C'est pourquoi, aujourd'hui, la tendance actuelle est de faire pratiquer à la maman un sérodiagnostic de toxoplasmose un mois **après** la naissance pour ne pas passer à côté d'une contamination tardive.

En cas de toxoplasmose survenant au cours de la grossesse

On donne d'emblée à la future mère un traitement antibiotique (en général plusieurs sont utilisés). En même temps, on essaie de préciser l'importance du risque fœtal par des échographies répétées, éventuellement par amniocentèse. En cas d'atteinte fœtale certaine, une interruption médicale de grossesse pourra être envisagée. S'il n'y a pas de signe évident d'atteinte certaine du fœtus, le traitement sera poursuivi jusqu'à l'accouchement.

LA LISTÉRIOSE

Comme la rubéole et la toxoplasmose, la listériose est une maladie bénigne ou même inapparente chez la mère, alors qu'elle est souvent redoutable pour le fœtus. Elle concerne 0,1 à 0,2 naissance pour 1000.

Elle est transmise soit par des aliments d'origine animale (viande, œufs, lait, fromage), soit par contact avec un animal infecté, soit enfin si des aliments ont pu être, d'une manière ou d'une autre, en contact avec des sécrétions ou excréments animaux. Le bacille responsable traverse le placenta et atteint l'enfant. Celui-ci peut mourir dans l'utérus. Mais le plus souvent la maladie provoque un accouchement prématuré donnant naissance à un enfant qui mourra en quelques jours dans plus de la moitié des cas.

Il est important de dépister la maladie chez la femme enceinte, car le bacille est très sensible aux antibiotiques. Malheureusement, ce dépistage est difficile car l'affection se cache souvent sous le masque d'une maladie banale : grippe, infection urinaire, etc. Chez une femme enceinte, **tout épisode de fièvre** qui ne peut être rapidement rattaché à une cause évidente doit faire rechercher le bacille dans le sang, la gorge, l'urine et les pertes vaginales. C'est le seul moyen de faire le diagnostic et d'instaurer un traitement. Si celui-ci est suffisamment précoce, l'enfant sera indemne.

La **prévention** la plus efficace consiste à s'abstenir de manger des aliments qui peuvent être dangereux : fromages au lait cru, fromages à pâte molle, mais aussi poissons fumés, coquillages crus, surimi, tarama. Évitez les rillettes, pâtés, foie gras, aliments en gelée. Pour le jambon, préférez les produits préemballés. Enlevez la croûte des fromages. Les plats cuisinés et restes alimentaires seront bien réchauffés avant d'être consommés. Les légumes consommés crus et les herbes aromatiques doivent être soigneusement lavés. Viandes et poissons doivent être suffisamment cuits. Il est également nécessaire de nettoyer fréquemment le réfrigérateur, de le désinfecter ensuite à l'eau de javel, et de surveiller la température qui doit être en permanence entre 3 et 7° maximum. Voyez aussi page 72.

LE PARVOVIRUS B19

L'infection par le parvovirus B19 (appelée également 5e maladie) se manifeste de façon discrète, en général au printemps et par petites épidémies, plutôt en milieu scolaire.

Les symptômes sont semblables à ceux de la grippe, avec un peu de fièvre, des douleurs articulaires, des « rash » cutanés (aspect de coup de soleil au visage). Dans 1/3 des cas, il n'y a pas de symptôme.

Le risque d'atteinte fœtale est d'environ 10 %. Le virus attaque les globules rouges du fœtus entraînant chez celui-ci une anémie, d'où l'aspect d'*anasarque* (œdème généralisé de tous les tissus) à l'échographie du 2e ou 3e trimestre. Au 1er trimestre, le risque est celui d'une fausse couche (moins de 5%).

Lorsque l'atteinte par le parvovirus est soupçonnée, le diagnostic se fait par une sérologie maternelle (prise de sang). La surveillance se fera ensuite par échographie. Dans 1/3 des cas, la disparition de cet œdème est possible ; s'il s'aggrave, le traitement consiste à faire des transfusions au fœtus. La guérison est le plus souvent obtenue.

À noter que l'infection par le parvovirus B19 ne provoque pas de malformations.

LA RUBÉOLE

Lorsqu'elle touche une femme enceinte, la rubéole représente un risque de malformation grave pour le nouveau-né (cataracte, surdité, malformation cardiaque, etc.), surtout lorsque l'infection survient dans les trois premiers mois de la grossesse. Heureusement, plus de 95 % des femmes enceintes sont immunisées contre la rubéole, soit parce qu'elles ont été vaccinées, soit parce qu'elles ont contracté la rubéole pendant l'enfance.

Comment savoir si l'on est immunisée ? En faisant un sérodiagnostic, d'ailleurs systématiquement demandé en début de grossesse. Le sérodiagnostic recherche dans le sang la présence d'anticorps antirubéoleux. Ainsi la future maman peut-elle savoir si elle est immunisée.

• Si c'est le cas, il n'y a rien à craindre.

• Si elle ne l'est pas, ce qui est très rare, il conviendra pour certaines professions plus exposées que d'autres à la contagion (enseignante, puéricultrice, infirmière...) de refaire le sérodiagnostic tous les 15 jours jusqu'à la fin du troisième mois. Au delà, le risque de malformation est minime.

Après l'accouchement, il est conseillé aux femmes non-immunisées de se faire vacciner et d'éviter toute grossesse, pendant les trois mois suivant la vaccination, par une contraception efficace. *A priori*, le vaccin ne comporte pas de risque mais il s'agit d'une mesure de prudence.

LES AUTRES MALADIES INFECTIEUSES

Une future mère n'est pas à l'abri des autres maladies infectieuses, surtout s'il y a de jeunes enfants dans la famille. La question est de savoir, pour les plus fréquentes, si elles peuvent atteindre l'enfant à naître.

• La **varicelle** survient exceptionnellement pendant la grossesse (presque toutes les futures mères l'ayant eue pendant l'enfance) : 1 cas pour 10 000 femmes enceintes.

Le risque éventuel pour la maman, qui aurait véritablement contracté la maladie pendant la grossesse, est celui d'une **pneumonie** souvent grave. Le risque de transmission du virus de la mère à l'enfant est faible en début de grossesse (inférieur à 5 %). Il est de 20 % pendant la grossesse et de 80 % après l'accouchement. La possibilité d'atteinte fœtale est maximum entre 8 et 20 semaines d'aménorrhée, avec risque de fausse couche ou de malformation. En cas de maladie contractée le dernier jour de la grossesse, il existe un risque exceptionnel mais réel de varicelle néonatale, parfois très sévère.

La varicelle est suspectée chez la maman s'il y a eu un risque de contagion et en cas d'une éruption de vésicules. Le diagnostic est confirmé par l'augmentation des anticorps, retrouvée par deux contrôles successifs. En cas de varicelle avant 20 semaines, il faudra rechercher, par des examens échographiques très spécialisés ou par IRM, une atteinte fœtale.

Il n'y a pas de traitement pour éviter la transmission mère - enfant. Le traitement de la mère par antiviraux a seulement a pour but de diminuer l'intensité de l'éruption et le risque de pneumonie.

• La **grippe** n'a généralement pas de conséquences sauf exceptionnellement au cours d'épidémies de grippe particulièrement sévères. Il est malgré tout conseillé aux femmes enceintes de se faire vacciner, surtout en période épidémique.

• L'**infection à cytomégalovirus** est due à un virus proche de celui de l'herpès. 40 à 50 % des femmes enceintes ne sont pas immunisées naturellement, et 1 à 3 % d'entre elles pourront être infectées au cours de la grossesse.

Pour l'instant, les médecins sont malheureusement assez démunis devant cette maladie. Le diagnostic d'infection maternelle pendant la grossesse est difficile car les formes inapparentes sont les plus fréquentes. L'accord n'est pas fait sur l'utilité d'un dépistage systématique, comme on le fait pour la toxoplasmose. Actuellement, on a tendance à réserver ce dépistage aux femmes à risques, celles qui sont au contact de jeunes enfants : mères d'enfants allant à la crèche, personnels des crèches (puéricultrices, infirmières et médecins), institutrices de maternelles, etc. En effet la contamination se fait par la salive, les larmes, les urines et les selles des jeunes enfants.

Quand on a pu faire le diagnostic de la maladie en cours de grossesse, on juge de l'état du fœtus grâce à l'amniocentèse, à la ponction de sang fœtal, à l'échographie et à l'IRM. Et, après la naissance, on peut déceler la présence du virus chez l'enfant.

Aujourd'hui, on ne peut proposer que des mesures préventives concernant essentiellement l'hygiène : ne pas partager les mêmes couverts que les enfants, ne pas « finir » leur assiette, sucer leur cuillère ou goûter le biberon ; éviter d'embrasser l'enfant sur la bouche, éviter le contact avec les larmes et le nez qui coule ; penser à se laver les mains après la manipulation des jouets, après le change des couches, avoir du linge de toilette séparé, etc. Il n'existe aucune vaccination préventive pour les femmes. Pour l'enfant, après la naissance, on dispose d'un médicament efficace mais très toxique ; le médecin décidera de son utilisation éventuelle au cas par cas.

• La **rougeole** ne semble pas susceptible de donner de malformation. Par contre, quand elle est contractée dans les jours précédant l'accouchement, l'enfant peut naître avec une rougeole congénitale capable de donner des complications pulmonaires graves. Aussi, toute femme enceinte non immunisée contre la maladie doit recevoir des gamma-globulines dans les 72 heures suivant le contact suspect.

• La **scarlatine** ne présente pas de gravité pour l'enfant si elle est précocement et correctement traitée chez la mère.

• Le **zona** est rare au cours de la grossesse. Il n'a en général aucune conséquence ni pour la mère, ni pour l'enfant.

LES INFECTIONS URINAIRES

En dehors des troubles urinaires « mécaniques » dont vous avez vu la fréquence (p. 195), il est possible que la future mère éprouve, outre des envies fréquentes d'uriner, des douleurs à la vessie et lorsqu'elle urine, une sensation de brûlure. Parfois, les douleurs se situent plus haut que la vessie, à la hauteur de l'abdomen ou des reins. Certaines femmes prennent même ces douleurs pour des contractions de l'utérus.

La cause de cette cystite est une infection urinaire. Elle peut s'accompagner d'urines anormalement troubles, parfois teintées de sang. Bien entendu il faut consulter le médecin qui demandera un examen cytobactériologique des urines (ECBU). Celui-ci montrera la présence de microbes, en général de la famille du colibacille ou de l'entérocoque. Il existe des bandelettes vous permettant de dépister vous-même ces infections urinaires.

Traitées rapidement, ces infections guérissent facilement mais elles ont souvent tendance à réapparaître. Aussi, après une infection urinaire, faut-il exercer une surveillance plus attentive des urines car, non ou insuffisamment traitées, ces infections risquent de s'étendre aux reins (pyélonéphrites), mais surtout semblent pouvoir retentir sur l'évolution de la grossesse et provoquer un accouchement prématuré (p. 271).

LA CHOLESTASE GRAVIDIQUE

Il s'agit d'un mauvais fonctionnement du foie, provoqué par la grossesse, qui se manifeste le plus souvent au troisième trimestre. Le premier symptôme en est le prurit gravidique (p. 195). Ces démangeaisons vont progressivement se généraliser et entraîner des lésions de grattage, ainsi que des troubles du sommeil si elles sont intenses. Un bilan sanguin montrera le disfonctionnement hépatique. Ce bilan sera refait et en fonction de l'importance des symptômes (prurit, troubles du sommeil et anomalies biologiques), un accouchement provoqué pourra être envisagé, d'autant qu'il y a de grands risques pour le bébé.

L'HÉPATITE VIRALE

Cette maladie se manifeste par une jaunisse accompagnée de démangeaisons intenses sur tout le corps mais elle peut aussi s'accompagner d'un minimum de symptômes, voire passer complètement inaperçue. Il existe plusieurs sortes d'hépatites virales. L'hépatite A survient surtout après ingestion d'aliments porteurs du virus (les crustacés et coquillages en particulier). L'hépatite B s'attrape surtout par voie sanguine.

L'hépatite peut avoir des conséquences sérieuses si elle survient au cours de la deuxième moitié de la grossesse car, dans certains cas, elle peut entraîner un accouchement prématuré. L'enfant lui-même peut avoir une hépatite soit par passage du virus à travers le placenta, soit par contamination maternelle directe à la naissance.

Depuis peu, on sait qu'une hépatite maternelle, même guérie depuis longtemps, risque d'être dangereuse pour l'enfant, notamment pour l'hépatite B. En effet, dans 10 % des cas, même après guérison apparente, le virus reste dans le sang. Cette situation concernerait environ 1 % des femmes enceintes. Il existe alors un risque de contamination de l'enfant au moment de la naissance. Mais ce risque est annulé par l'injection à l'enfant, immédiatement après la naissance, de gamma-globulines antihépatite et par une vaccination. C'est la raison pour laquelle, la recherche dans le sang maternel d'anticorps antihépatite (dits antigènes Hbs et Hbe) se fait systématiquement entre 24 et 28 semaines. En cas de réaction positive, l'enfant sera vacciné après la naissance.

Il existe d'autres hépatites, notamment l'hépatite C qui se transmet par voie sanguine. L'hépatite C concerne essentiellement les toxicomanes qui utilisent des drogues injectées. Son risque de transmission à l'enfant est très faible, sauf si elle est associée au sida.

LES TRAUMATISMES

Les conséquences des traumatismes sont évidemment variables selon l'intensité du choc et l'âge de la grossesse. Dans les quatre premiers mois, l'utérus est encore protégé dans le bassin. Au contraire d'une idée reçue, les avortements après traumatisme sont exceptionnels. L'utérus devient beaucoup plus vulnérable en se développant : décollement du placenta, accouchement prématuré.

Les chutes simples sont fréquentes : 80 % surviennent après la 32e semaine car le développement de l'utérus entraîne un déplacement du centre de gravité du corps. Mais les lésions les plus graves surviennent après les accidents de la circulation, d'où

INTERVENTIONS CHIRURGICALES
Peut-on se faire opérer quand on est enceinte ? Oui, c'est possible, et l'anesthésie ne comporte aucun risque pour l'enfant. Par contre, pendant la grossesse, on ne pratique une intervention que si cela est nécessaire, une appendicite aiguë par exemple.

l'importance de la ceinture de sécurité. Quoi qu'il en soit, après une chute importante ou un accident, allez immédiatement à la maternité. Si vous êtes RH-, on vous fera une injection de gamma-globulines au cas où le choc aurait entraîné le passage de globules rouges du bébé dans votre circulation (p. 260).

ET LE STRESS ?

Beaucoup de femmes s'inquiètent d'être stressées pendant leur grossesse, elles ont peur que cela ait une influence sur la santé de leur bébé. Les soucis, les contrariétés, les chagrins, font partie de la vie quotidienne, comme les moments de joie et de plaisir. Il est difficile d'éviter toutes les causes de stress mais il est possible de se soulager des tensions, de l'inconfort qu'il provoque et de protéger ainsi son bébé d'éventuels effets. Ne restez pas seule, envahie par vos difficultés, confiez-vous à votre entourage, voyez avec votre compagnon s'il pourrait vous décharger de différentes tâches. Certaines mamans nous ont dit être apaisées d'avoir parlé à leur bébé de ce qu'elles ressentaient. L'entretien prénatal précoce peut être l'occasion d'évoquer avec la sage-femme ce que vous éprouvez. S'il s'agit de stress dans votre vie professionnelle, parlez-en au médecin du travail. La relaxation — par la gymnastique aquatique, le yoga, la sophrologie, etc. — peut apporter une réelle détente. Enfin n'oubliez pas que le stress face à une nouvelle expérience comme la grossesse et l'accouchement est légitime et peut cacher une préoccupation saine, celle du bébé à naître.

Si votre état d'anxiété persiste, si d'autres troubles apparaissent — grande irritabilité, palpitations, fatigue, sommeil perturbé, perte de l'appétit — demandez de l'aide à votre médecin qui évaluera la nécessité d'un soutien psychologique et/ou médicamenteux. Attendre un enfant peut en effet faire remonter à la conscience des fragilités de l'enfance et de l'adolescence, des émotions transmises de mères en filles.

Si vous étiez malade avant d'être enceinte

Chez une femme atteinte d'une maladie, la survenue d'une grossesse peut poser certains problèmes. Certains médicaments sont contre-indiqués au début, lorsque l'embryon est le plus fragile, et il convient alors de modifier le traitement dès que la grossesse a commencé. C'est probablement ce qui aura été fait dans le cadre de la consultation avant la conception (p. 24 et 223).

Il arrive que, sous l'influence de l'effort supplémentaire que la grossesse demande à l'organisme, la maladie se complique et s'aggrave. À l'inverse, il arrive que la maladie menace la grossesse dans son évolution, perturbe l'accouchement et retentisse sur l'état de l'enfant.

Pour illustrer les problèmes que peut poser la coexistence d'une maladie antérieure à la grossesse et la grossesse présente, voici quelques exemples choisis en fonction des situations les plus fréquentes, en terminant par les questions chirurgicales souvent rencontrées.

LE DIABÈTE

Cette maladie du métabolisme est due à la sécrétion insuffisante d'une hormone sécrétée par le pancréas et appelée insuline. Elle se traduit par la présence de sucre dans les urines, et par une glycémie (taux du sucre sanguin) au-dessus de la normale.

On distingue deux variétés de diabète :

• le type 1 qui nécessite toujours un traitement par insuline. Il est dit « insulino dépendant ». Il est relativement rare chez les femmes enceintes

• le type 2 qui est beaucoup plus fréquent et peut être contrôlé par le seul régime alimentaire, ou par des médicaments efficaces (par voie buccale). Mais ces derniers sont contre-indiqués pendant la grossesse où seule l'insuline est autorisée.

Plus le diabète est mal ou difficile à équilibrer, plus les **complications** sont possibles : fréquence accrue des fausses couches, des malformations fœtales, de macrosomie (gros bébé, car il absorbe trop de sucre provenant de la mère), voire même des morts fœtales dans les dernières semaines de la grossesse. D'où l'intérêt d'une surveillance médicale stricte et poursuivie jusqu'au terme de la grossesse - qui est en général avancé.

Quand le diabète est connu avant la grossesse, ce qui est général le cas, celle-ci peut se dérouler sans encombre à condition :

• D'avoir « préparé » la grossesse avec le diabétologue : il vous proposera un régime rigoureux, un fractionnement des doses quotidiennes d'insuline en trois injections au minimum, ainsi que des examens d'auto-surveillance glycémique très fréquents (6 fois par jour) car c'est dans les toutes premières semaines de la vie embryonnaire que se produisent les malformations fœtales qui peuvent être la conséquence d'un mauvais équilibre du diabète de la mère ; on compte seulement 1,2 % d'anomalies congénitales chez les femmes « préparées » contre 11 % chez les autres.

• De suivre très strictement le traitement et le régime qui auront été prescrits.

• D'être surveillée très régulièrement (toutes les deux semaines) par le diabétologue et l'accoucheur.

• D'accepter, si elle est nécessaire, une hospitalisation avant la conception ou en début de grossesse, pour équilibrer le diabète si ça n'a pas été fait auparavant ; plus rarement en fin de grossesse si apparaît la moindre complication.

Grâce à cette surveillance attentive tout au long de la grossesse, le pronostic s'est considérablement amélioré. L'accouchement s'effectue le plus souvent à terme si le diabète a été parfaitement équilibré, avec le maintien d'une glycémie normale, mais il n'est pas rare qu'on le déclenche à 38-39 semaines. La césarienne n'est pas obligatoire, mais reste plus fréquente que chez les non-diabétiques. Le nouveau-né – qui est souvent gros – doit être surveillé pendant les premiers jours de sa vie, car il est souvent hypoglycémique. Un apport de sucre – par voie intraveineuse ou par l'alimentation plus ou moins continue – est donc en général nécessaire.

LE DIABÈTE GESTATIONNEL

Il est bien différent du diabète dont nous venons de parler. Il s'agit d'un trouble provisoire de la sécrétion d'insuline, du fait de la grossesse, mais qui disparait après. Certaines femmes ont plus de risques que d'autres de présenter un diabète gestationnel :

• celles qui ont un surpoids important

• celles qui ont des diabétiques dans leur famille proche (parents, frères et sœurs)

• celles qui ont déjà mis au monde de gros enfants ou des enfants morts-nés

• celles qui ont déjà eu des glycémies élevées au cours de la prise de la pilule

• celles qui ont plus de 35 ans.

Il est conseillé de dépister ces femmes « à risque » dès le début de la grossesse par un dosage de la glycémie à jeun puis après absorption de 75 gr de sucre. Celles qui ne sont pas à risque bénéficieront plus tard de ce dépistage, vers le 6ᵉ mois. Le diabète gestationnel confirmé nécessite la mise en place d'un régime, qui permettra le plus souvent de contrôler la glycémie et d'éviter son passage chez le bébé avec ses conséquences : la macrosomie fœtale (gros bébé) est une vraie difficulté, surtout pour la maman lors de l'accouchement, avec le risque de dystocie des épaules (bébé coincé aux épaules). Par contre, contrairement au vrai diabète, le diabète gestationnel ne présente pas de risque de souffrance ou de mort *in utero*. Il est rare que le régime ne suffise pas à contrôler la glycémie et qu'il faille passer à l'insuline comme pour un vrai diabète. Néanmoins, un certain nombre de femmes qui présentent ce diabète gestationnel présenteront vers la cinquantaine, parfois plus tôt, un authentique diabète de type 2.

À noter. Au cours de la grossesse, il arrive assez souvent qu'on retrouve la présence de sucre dans les urines (glycosurie). En général, il s'agit d'une simple anomalie de filtrage du sucre par le rein. La présence de sucre dans les urines n'a aucune valeur pour dépister un diabète gestationnel.

Alimentation en cas de diabète gestationnel. Les apports en glucides (sucres) sont à fractionner au cours de la journée en 3 repas et 2 à 3 collations pour éviter une montée importante du taux de sucre dans le sang. Les boissons et les produits sucrés, les jus de fruits sont à éviter.

L'HYPERTENSION ARTÉRIELLE

L'association hypertension artérielle et grossesse n'est pas rare (10 % environ). Il est fréquent que ces deux états ne fassent pas bon ménage et aboutissent à une grossesse « à risque ». C'est dire l'importance de la prise régulière de la tension au cours des consultations.

• Si cette hypertension est connue avant la grossesse, elle est en général traitée et surveillée et la surveillance sera celle d'une grossesse « à risque » (p. 226).

• Si elle se révèle pendant la grossesse, elle nécessite une surveillance régulière et éventuellement un traitement pour éviter des poussées d'hypertension à l'origine d'une souffrance du bébé ou de complications neurologiques chez la maman (p. 227).

• Par contre lorsque cette hypertension s'associe à une albuminurie et parfois à des œdèmes, il s'agit vraisemblablement d'une toxémie gravidique (ou prééclampsie). Cette situation nécessite une attention particulière car cette complication peut être grave pour la maman (éclampsie) et pour le bébé (souffrance ou/et mort). Si cette hypertension avec albuminurie se confirme, elle impose une hospitalisation avec un bilan plus complet (p. 240).

L'OBÉSITÉ

On apprécie l'existence et l'importance d'un surpoids en calculant ce que l'on appelle **l'indice de masse corporelle** (poids divisé par le carré de la taille exprimée en mètres, voir p. 69). La normale se situe entre 18 et 25. De 25 à 30 on parle de surpoids. Au-dessus de 30, il s'agit d'obésité ; vous trouverez des exemples dans l'encadré ci-contre.

Les femmes qui ont un surpoids et, *a fortiori* les femmes obèses, ont tendance à avoir plus de complications : hypertension artérielle, diabète gestationnel, toxémie. C'est dire la nécessité d'une surveillance médicale régulière.

Par ailleurs, les femmes déjà obèses avant d'être enceintes ont tendance à prendre plus de poids que les autres pendant la grossesse. C'est une raison de plus pour suivre un régime alimentaire strict. Mais la ration quotidienne ne doit pas être inférieure à 1 500-1 800 kcal car il faut assurer la croissance de l'enfant. La restriction doit porter principalement sur les graisses (pas plus de 30 g par jour répartis entre le beurre et les huiles) et surtout les glucides – les sucres – qui doivent être absorbés en quantité modérée. L'alimentation sera composée surtout de protides (viandes grillées, œufs, poissons), de légumes verts, de fromage non gras, de laitages et de fruits.

Les enfants dont la maman est en surpoids ou obèse sont souvent de poids élevé, d'où des difficultés possibles au moment de l'accouchement et un plus grand nombre de césariennes.

> **POIDS NORMAL, SURPOIDS, OBÉSITÉ**
> *Une femme de 1,60 m pèse 55 kg. Pour trouver l'indice de masse corporelle, il faut diviser le poids (55 dans l'exemple choisi) par le carré de la taille (1,60 x 1,60 = 2,56). Ce qui donne 21,48. Cette femme a un indice de masse corporelle normal. Si une femme de 1,60 m pèse 70 kg, l'indice de masse corporelle est de 27,34, il est donc trop important, il y a surpoids. Si une femme de 1,60 pèse 80 kg, l'indice de masse corporelle est de 31,25, il y a obésité.*

Pour bien faire, il faudrait qu'une femme obèse désirant un enfant fasse un traitement pour perdre du poids avant le début de sa grossesse et qu'elle ne prenne pas plus de 6 à 7 kg durant celle-ci. Ce dernier objectif peut sembler difficile à atteindre par la future maman. Mais elle peut y arriver car le bébé, en puisant dans ses réserves, va l'aider à stabiliser son poids.

L'ÉPILEPSIE

Les grossesses chez les mamans souffrant d'épilepsie posent le double problème de l'aggravation éventuelle de l'épilepsie, et du rôle malformatif possible de certains médicaments anti-épileptiques. Pour donner à ces grossesses le maximum de chances d'évoluer favorablement (c'est heureusement ce qui se produit dans 90 % des cas) **certaines précautions doivent être prises :**
• dans les deux mois précédant la grossesse, avec l'aide du neurologue, faire en sorte d'équilibrer l'épilepsie avec un seul médicament, et prescrire de l'acide folique dont la prise sera poursuivie au moins jusqu'à 12-14 semaines de grossesse
• prise de vitamine K pendant le 9e mois
• surveillance échographique régulière pour dépister une éventuelle malformation.

LES ALLERGIES

Elles ne sont pas exceptionnelles au cours de la grossesse et se traduisent surtout par des manifestations respiratoires et cutanées.

L'ASTHME

Il représente le trouble respiratoire le plus fréquent au cours de la grossesse. Presque tous les médicaments utilisés habituellement sont autorisés pendant la grossesse, y compris les dérivés de la cortisone. Il est en revanche déconseillé de commencer une désensibilisation en cours de grossesse.

LA RHINITE ALLERGIQUE

Elle se traduit par une sensation de « nez bouché » et par des écoulements. Le traitement local à base de pulvérisations donne habituellement de bons résultats. Cette rhinite est le plus souvent liée à une surcharge hormonale, avec congestion des muqueuses.

LES TROUBLES DERMATOLOGIQUES (URTICAIRE, ECZÉMA, PRURIT, ETC.)

Ils peuvent être traités comme d'habitude. Toutefois, en ce qui concerne les médicaments antihistaminiques, il n'y a pas encore assez de recul pour être certain de leur innocuité. Les antihistaminiques locaux sont habituellement autorisés sans problème. De toute façon, consultez votre médecin qui, selon les cas, pourra prescrire certains antihistaminiques.

L'ALLERGIE ALIMENTAIRE

En France, les allergies alimentaires concernent environ 5 % des enfants. Afin de diminuer les risques d'allergie chez l'enfant à naître et risquant de développer une allergie alimentaire (si un des parents proches, père, mère, frère, sœur, est déjà allergique), il était recommandé par prudence d'exclure l'arachide de l'alimentation pendant la grossesse. Or les dernières études ne montrent pas l'efficacité de cette mesure sur la prévention des allergies chez le bébé. Les mesures préventives commencent après la naissance par l'allaitement maternel pendant les 6 premiers mois de l'enfant, dont 4 mois d'allaitement exclusif.

LES MALADIES SEXUELLEMENT TRANSMISSIBLES

LE SIDA

On sait maintenant qu'à côté des malades présentant un sida déclaré et en évolution, un grand nombre de personnes sont porteuses du virus de l'immunodéficience humaine (VIH) et ne présentent aucun signe de la maladie (elles sont dites séropositives). L'évolution vers l'apparition des signes cliniques et le sida déclaré est retardée par des médicaments antiviraux (trithérapie) qui se sont révélés très efficaces. Par contre, il n'existe pas actuellement de traitement permettant de guérir du sida.

Pour la femme, en cas de simple séropositivité sans aucun trouble, la grossesse n'aggrave pas l'évolution de la maladie VIH. Dans les autres cas (sida déclaré), le risque d'aggravation est bien réel.

Pour l'enfant, la majorité des enfants contaminés le sont en fin de grossesse, notamment au moment de l'accouchement. Cependant le pronostic fœtal s'est considérablement amélioré : le taux de transmission du virus VIH de la mère à l'enfant passe de 20 % à 8 % si l'on traite la mère pendant la grossesse et l'accouchement. Ce traitement, associé à une césarienne faite avant la rupture des membranes et le début du travail, permet d'abaisser ces chiffres au dessous de 1 %.

L'allaitement maternel est contre-indiqué chez les femmes séropositives car il augmente le risque de transmission du VIH à l'enfant.

L'HERPÈS

L'herpès est une maladie virale qui concerne environ 10 millions de personnes en France. C'est une maladie contagieuse, sexuellement transmissible et qui a tendance à récidiver car le virus de l'herpès reste à vie dans l'organisme.

Cette maladie se traduit par l'apparition de petites vésicules groupées, comme celles de la varicelle. L'herpès peut se situer au niveau du visage, surtout sur les lèvres, ou au niveau de l'appareil génital (vulve, vagin et col). Au cours de la grossesse, seul l'herpès génital est dangereux pour l'enfant : celui-ci peut être contaminé au passage des voies génitales lors de l'accouchement, et risque une encéphalite d'une très grande gravité. Aussi quand existe une poussée d'herpès génital **au moment de l'accouchement**, la césarienne s'impose absolument. Ainsi l'enfant sera indemne. Mais, alors que l'herpès vulvaire est facilement visible, celui du col est impossible à diagnostiquer cliniquement. Aussi peut-on proposer dans ce cas une recherche de cellules herpétiques au niveau du col au cours du mois qui précède l'accouchement. Si cette recherche est positive, la césarienne peut s'imposer.

Si vous, ou votre mari, avez déjà fait des poussées d'herpès génital, il est indispensable de n'avoir, pendant la grossesse, que des rapports protégés (préservatifs).

Après la naissance, et quelle que soit la localisation de l'herpès, des précautions très strictes d'hygiène sont nécessaires pour ne pas contaminer le nouveau-né qui a de la peine à se défendre contre les infections virales ; en cas d'herpès labial, il est malheureusement déconseillé d'embrasser le bébé.

GONOCOCCIE ET INFECTIONS À « CHLAMYDIÆ »

La gonococcie (ou blennorragie) entraîne habituellement des pertes et une irritation vulvo-vaginale importantes. Le risque est, d'une part, l'infection des membranes de l'œuf avec rupture prématurée de la poche des eaux ; d'autre part, la contamination de l'enfant au moment de l'accouchement (avec notamment des conjonctivites parfois graves). Des pertes ou une irritation doivent conduire à consulter sans attendre.

Les infections à *chlamydiæ* sont très fréquentes et passent volontiers inaperçues au point que certains médecins ont proposé leur dépistage systématique au cours de la grossesse. Le risque pour l'enfant est, là encore, celui d'une infection des membranes avec accouchement prématuré ; d'autre part celui d'une infection par contact direct avec le col et le vagin au cours de l'accouchement. Cette infection peut provoquer conjonctivites et pneumonies. Là aussi, devant de tels symptômes, il faudra consulter sans attendre.

LES CONDYLOMES VÉNÉRIENS
Appelés encore crêtes de coq, ce sont des sortes de petites verrues qui se situent au niveau de la vulve. Ces verrues guérissent habituellement par de simples applications de différentes crèmes ou pommades, mais lorsqu'elles sont très nombreuses, il peut être nécessaire de les enlever par électrocoagulation.

LA SYPHILIS

Cette maladie vénérienne existe encore. Mais c'est la syphilis maternelle qui est importante. Une syphilis paternelle ne peut intervenir que comme source de contamination éventuelle de la mère.

C'est à partir du 5e mois que la syphilis peut se transmettre à l'enfant dans l'utérus. C'est pourquoi il est essentiel de faire un dépistage en début de grossesse. Ce test est obligatoire, il est automatiquement fait (prise de sang) au moment de la déclaration de grossesse.

ADDICTIONS ET GROSSESSE

L'ALCOOLISME

En cas d'alcoolisme maternel, l'enfant peut être atteint à la naissance du syndrome de « l'alcoolisme fœtal ». Heureusement ce syndrome est plutôt rare, bien que non exceptionnel. Le nouveau-né est particulièrement agité dans les jours qui suivent la naissance et son aspect est bien particulier ; sa taille, son poids, son périmètre crânien sont inférieurs à la normale. L'alcool peut avoir des conséquences irréversibles sur le cerveau et le système nerveux du bébé. D'une façon générale, le rôle de l'alcool semble double. D'une part il traverse directement le placenta et se retrouve dans le sang de l'embryon où il perturbe le métabolisme et le développement des cellules embryonnaires, d'autant que le foie de l'embryon – ou du fœtus – n'est pas aussi bien équipé que celui de l'adulte pour détruire l'alcool. Plus tard, l'alcool entraîne des carences maternelles qui perturbent les échanges avec l'enfant. Même consommé en quantité modérée, l'alcool favoriserait la prématurité et le risque de faible poids à la naissance. La consommation d'alcool, même occasionnelle, et surtout en début de grossesse (période d'embryogénèse), est très fortement déconseillée.

*Nous vous signalons l'existence du Centre Horizons, qui est un centre de prévention et de soins ouvert à tous, spécialisé dans la prise en charge des futurs parents et parents ayant un **problème d'addiction** (drogue, alcool, tabac), 10, rue Perdonnet, 75010 Paris, Tel. 01 42 09 84 84 et www.horizons.asso.fr*

LE TABAC

Nous avons déjà parlé des cigarettes (p. 38). Mais ici, il nous paraît nécessaire d'en redire un mot. Malgré les recommandations et les actions de prévention, et alors qu'on sait combien le tabac peut nuire au bébé, il y a encore trop de femmes enceintes qui fument. Pourquoi ne pas profiter de la grossesse pour prendre la bonne résolution d'arrêter de fumer ? N'hésitez pas à vous faire aider par des professionnels, notamment une sage-femme tabacologue que l'on peut consulter dans presque toutes les maternités.

LES DROGUES

L'usage de la drogue tend malheureusement à se répandre dans nos sociétés et l'on constate une certaine banalisation de sa consommation, y compris chez les femmes enceintes et dans certains milieux, notamment en ce qui concerne le cannabis (p. 39). Les drogues peuvent être responsables d'avortement, de malformations diverses, de retard de croissance intra-utérin, de prématurité, d'une grave souffrance du bébé qui a la naissance peut être un état de manque.

Les problèmes posés par la consommation de drogue (surtout lorsqu'il s'agit d'une drogue dure) sont en général aggravés par : l'usage de drogues multiples ; l'association au tabagisme ou à l'alcoolisme ; les conditions socio-économiques défavorables qui provoquent une marginalisation sociale et qui sont source d'une mauvaise prise en charge de la grossesse.

LES MALADIES CARDIAQUES

Toutes les maladies cardiaques n'ont pas la même gravité, mais toutes imposent les mêmes mesures de prudence en raison du travail supplémentaire que la grossesse impose au cœur. Avant de débuter une grossesse, il est important d'avoir l'avis d'un cardiologue car celle-ci peut être formellement contre-indiquée.

Et si la grossesse survient malgré tout, il arrive parfois qu'une interruption médicale de grossesse soit conseillée en raison des risques très graves pour la maman au cours de la grossesse ou de l'accouchement.

LES MALADIES DE LA THYROÏDE

La grossesse entraîne une augmentation de l'activité de la glande thyroïde (et de son volume, ce qui est fréquemment perçu par l'entourage). C'est pourquoi il est important, particulièrement chez les femmes présentant avant la grossesse une pathologie même légère de la thyroïde, de se faire suivre par un contrôle **régulier** des taux sanguins des hormones thyroïdiennes (TSH). En effet, une hypothyroïdie maternelle non traitée peut avoir des conséquences défavorables sur le développement psychomoteur de l'enfant. C'est en fonction du résultat de ces dosages que le médecin adaptera le traitement. Après l'accouchement, il sera nécessaire de rééquilibrer le traitement.

LES TROUBLES NEUROPSYCHIQUES

La grossesse est une période d'instabilité qui modifie chez certaines femmes à la fois l'humeur et le comportement (p. 87). Il n'est donc pas étonnant que les femmes qui sont déjà, bien avant leur grossesse, fragiles sur le plan psychique, puissent à cette occasion traverser une période de grand déséquilibre. Il est important de pouvoir les aider et de réagir dès que l'entourage ou le conjoint constatent que « quelque chose ne va pas ». Si ces mamans ne le font pas d'elles-mêmes, il ne faut pas hésiter à les inciter à consulter leur médecin pour une prise en charge adaptée qui parfois peut être médicamenteuse. Dans ce cas, c'est le médecin psychiatre qui est le mieux placé pour prendre la décision.

*Nous vous signalons l'existence du CICO : cette consultation reçoit des femmes suivies pour une **pathologie mentale** (psychose et troubles bipolaires) qui souhaitent attendre un enfant, ou déjà enceintes. La consultation est non sectorisée et donc ouverte aux patientes adressées par les établissements hospitaliers, médecins, sages-femmes, de la région parisienne. Hôpital Sainte-Anne, 1 rue Cabanis, 75014 Paris, Tel. 01 45 65 83 08.*

LE FACTEUR RHÉSUS

Les complications dues au facteur rhésus - concernant les femmes rhésus négatif attendant un enfant rhésus positif - ont aujourd'hui pratiquement disparu grâce à la vaccination anti-rhésus.

Lorsque le sang d'un sujet rhésus négatif entre en contact avec du sang rhésus positif, il réagit en fabriquant des anticorps (ou agglutinines) anti-rhésus. On dit que le sujet rhésus négatif s'immunise.

C'est pourquoi, lorsqu'une femme rhésus négatif attend un enfant d'un homme rhésus positif, cet enfant peut être soit rhésus négatif, comme sa mère (et il n'y a pas de problème), soit rhésus positif comme son père, et dans ce cas il y un **risque d'immunisation.**

En effet, dans certaines circonstances (saignement, grossesse extra-utérine, fausse couche, placenta *praevia*, cerclage, ponction du trophoblaste, amniocentèse, choc sur l'abdomen, version par manœuvre externe), les globules rouges du fœtus peuvent passer dans l'organisme maternel. Au contact de ces globules rouges rhésus positif, qui lui sont étrangers, la mère rhésus négatif va développer des anticorps anti-rhésus qui, à leur tour, au cours d'une autre grossesse, vont passer à travers le placenta ; ils vont alors détruire les globules rouges du fœtus, entraînant une anémie ou un ictère plus ou moins grave à la naissance. Dans la réalité, ce passage de globules rouges vers le sang maternel se fait essentiellement au moment de l'accouchement et de la délivrance.

Que faire si vous êtes rhésus négatif ?

• Si le père est rhésus négatif : il n'y a aucun risque puisque l'enfant est obligatoirement rhésus négatif.
• Si le père est rhésus positif : la surveillance par la recherche des anticorps anti-rhésus ou agglutinines irrégulières (ou RAI) doit être systématique à la déclaration de grossesse, puis au 6e, 8e et 9e mois.

Dans la pratique, beaucoup de médecins surveillent toutes les femmes rhésus négatif, un doute sur la paternité étant toujours possible.

La vaccination

Le principe est simple : neutraliser, par une injection de gammaglobulines, les globules rouges rhésus positif du fœtus passés dans la circulation de la mère avant que celle-ci n'ait eu le temps de fabriquer des anticorps . C'est la **vaccination anti-rhésus**. Pendant la grossesse, la vaccination est pratiquée lorsqu'il y a un risque de passage de globules rouges de l'enfant dans la circulation maternelle (voir ci-dessus). Elle est également proposée à 28 semaines chez toutes les femmes rhésus négatif (injection de Rophylac®). À l'accouchement, la vaccination par gammaglobulines se fait dans les 72 heures qui suivent la naissance chez les femmes rhésus négatif ayant accouché d'un bébé rhésus positif.

À noter qu'il sera possible d'ici peu de savoir dès le début de la grossesse, et par une prise de sang chez la maman, quel est le groupe rhésus de son bébé. Si son bébé est rhésus négatif comme elle, la surveillance sera inutile ainsi que la vaccination préventive.

ANOREXIE ET GROSSESSE

L'anorexie est un trouble psychique qui s'exprime par le corps et se manifeste par le refus de s'alimenter. Elle se révèle le plus souvent à l'adolescence et peut prendre l'aspect d'un malaise passager, ou bien s'installer et devenir une vraie maladie.

Lorsqu'une femme qui a été – ou qui est – anorexique apprend qu'elle est enceinte, elle est d'abord déstabilisée. Elle est souvent très surprise car elle se sentait protégée par une absence, ou une irrégularité, de règles. Puis, l'anorexie étant associée à un trouble de l'image de son propre corps, elle craint de ne pouvoir en accepter la transformation. L'entretien prénatal précoce (p. 211), qui a lieu au 4e mois de grossesse, peut être un moment favorable pour évoquer ses troubles actuels ou passés.

La grossesse peut aussi avoir un effet bénéfique sur les troubles alimentaires. Les futures mères semblent s'autoriser à moins contrôler leur poids et leur alimentation. Le temps de la grossesse les pousse à reconsidérer l'image qu'elles portent sur leur corps, leur permettant d'accepter leur féminité et de devenir mère. La mise entre parenthèses des symptômes de l'anorexie, de cette maîtrise permanente du poids et de la nourriture, procure alors un fort sentiment de plénitude.

Malgré tout ce que la grossesse peut apporter d'apaisement, il est nécessaire et important que vous parliez à votre médecin des troubles alimentaires dont vous avez souffert. Celui-ci pourra décider de la nécessité d'un soutien psychologique à la maternité.

Après la naissance, les mamans qui ont (ou ont eu) des troubles du comportement alimentaire, peuvent éprouver des difficultés aux moments où elles nourrissent leur bébé. Elles cherchent, malgré elles, à imposer un rythme des tétées ou des biberons, plutôt que de laisser leur enfant faire l'expérience du plaisir de se nourrir à son rythme. En effet, même si le comportement vis-à-vis de la nourriture change, ou s'atténue, certains traits peuvent persister et être à l'origine de vraies difficultés pour les relations futures avec l'enfant. D'où l'importance pour ces mamans de chercher un appui auprès des professionnels de santé.

LA TUBERCULOSE

La tuberculose a malheureusement tendance à refaire surface dans certains milieux défavorisés. En cas de tuberculose extrapulmonaire (ganglionnaire ou osseuse par exemple), l'évolution de la grossesse et de l'accouchement est généralement normale. En cas de tuberculose pulmonaire confirmée, la prématurité avec les complications respiratoires pour le nouveau-né est plus fréquente. L'allaitement maternel est en général déconseillé. Le nouveau-né sera vacciné par le BCG dès la première semaine.

AUTRES MALADIES

Le lupus

C'est une infection auto-immune (anomalie du système immunitaire). Elle est caractérisée par un défaut de contrôle des lymphocytes B ; cela provoque une forte production d'anticorps qui peuvent obstruer des petits vaisseaux du rein en particulier, mais aussi du cerveau et du système cardiovasculaire.

La grossesse constitue une période particulièrement délicate où la maladie peut s'aggraver chez la future maman et entraîner des complications, notamment l'accouchement prématuré. C'est pourquoi, avant la grossesse, le médecin informera la femme des risques très importants et des contraintes de la surveillance et du traitement avant, pendant et après la grossesse.

La thrombophilie

Il s'agit d'une prédisposition accrue, le plus souvent héréditaire, à développer des thromboses, c'est-à-dire des caillots qui vont obstruer les vaisseaux du système veineux mais parfois artériels. Or la grossesse constitue en elle-même un état d'hyper-coagulabilité, c'est-à-dire qui facilite la formation de caillots. Il est donc important de dépister, essentiellement par l'interrogatoire médical, les femmes qui ont des antécédents de thrombophilie dans la famille. Cela permet de mettre en œuvre une prévention efficace qui comporte de l'aspirine à très faible dose en début de grossesse, et de l'héparine vers la fin de la grossesse.

La grossesse après un cancer

D'une façon générale, une grossesse est toujours possible après un cancer à condition que les traitements (radiothérapie et chimiothérapie) n'aient pas définitivement aboli la fonction ovarienne, ce qui est possible mais plutôt rare. En outre, un certain délai est souvent recommandé avant de commencer une grossesse, compte tenu du risque de récidive concernant par exemple la prise en charge d'un cancer du sein.

Si l'ovulation a été perturbée, elle reprend en général plusieurs mois après la fin des traitements, c'est-à-dire à une période où la femme peut être considérée comme guérie ou du moins en rémission complète. Seul le médecin ou l'équipe pluridisciplinaire qui vous a pris en charge peut répondre précisément à la question de la possibilité d'une grossesse. Si grossesse il y a, elle nécessite une surveillance particulière mais elle n'expose pas à plus de risque de récidive de la maladie, ou de fausse couche, ou de malformations, ou de césarienne. L'allaitement est le plus souvent possible. Par contre il semble exister un risque de prématurité et de retard de croissance. Enfin le risque de transmettre à l'enfant un cancer existe mais il est vraiment faible.

Pour plus d'informations sur ce sujet nous vous conseillons de consulter www.ligue-cancer.net

LES PATHOLOGIES CHIRURGICALES

Malformations utérines

2 à 4 % des femmes présentent des malformations congénitales de l'utérus, par exemple utérus bicorne vrai ou avec cloison, utérus unicorne. Ces malformations sont parfois inconnues et passent totalement inaperçues. Lorsqu'elles sont connues, elles ont fréquemment été dépistées à l'occasion d'une fausse couche ou d'un bilan de stérilité. Certaines peuvent avoir été traitées chirurgicalement par voie naturelle, sous hystéroscopie ; certaines ne peuvent pas être traitées, comme l'utérus unicorne. De toute manière, traitées ou non traitées, ces malformations sont un risque de provoquer un accouchement très prématuré. Des mesures de prévention de ce risque seront alors mises en place (p. 274).

Fibromes utérins et grossesse

Les fibromes, ou myomes, sont des tumeurs bénignes développées dans le muscle utérin. Leur association à la grossesse n'est pas très fréquente et concerne surtout les femmes de plus de 35 ans, et les femmes noires. Ces fibromes sont le plus souvent bien tolérés, provoquant simplement des contractions utérines un peu plus fréquentes. Il est rare qu'ils entraînent des fausses couches tardives, un retard de croissance, un accouchement prématuré ou une hémorragie de la délivrance. De façon exceptionnelle, le fibrome se complique (augmentation importante de volume par exemple) et peut nécessiter une ablation chirurgicale pendant la grossesse.

Kystes ovariens et grossesse

L'échographie systématique en début de grossesse a montré que les kystes ovariens étaient plus fréquents qu'on ne le croyait (1 à 5 %). Il s'agit le plus souvent de kystes dits « fonctionnels » qui disparaissent spontanément avant la fin du 3e mois. Les autres kystes (dits « organiques ») ne disparaissent pas mais sont habituellement sans conséquence pour la grossesse. Il arrive cependant qu'ils se compliquent (hémorragie intrakystique, rupture, torsion) obligeant à une intervention d'urgence.

ATTENTION DANGER ! LES SYMPTÔMES À SIGNALER SANS TARDER

VOICI LES SYMPTÔMES QUE VOUS DEVEZ SIGNALER AU MÉDECIN DÈS LEUR APPARITION. ILS NE TRADUISENT PAS FORCÉMENT LA SURVENUE D'UNE COMPLICATION GRAVE, MAIS SEUL LE MÉDECIN POURRA LES INTERPRÉTER (1).

SYMPTÔMES	COMPLICATIONS POSSIBLES
Vous avez des pertes de sang, même légères (surtout si elles se répètent), avec ou sans douleur	Au début : menace de fausse couche, grossesse extra-utérine À la fin : menace d'accouchement prématuré, placenta prævia, hématome rétroplacentaire
Vous avez pris trop de poids trop vite (plus de 400 g par semaine) Vos pieds, vos chevilles, vos mains enflent Il y a de l'albumine dans vos urines	Toxémie gravidique (ou prééclampsie) Infection urinaire
Vous avez des troubles de la vue (taches devant les yeux, vue brouillée), surtout si ces troubles s'accompagnent d'une barre au creux de l'estomac et de maux de tête	Toxémie gravidique (ou prééclampsie) Éclampsie
Vous urinez fréquemment, avec des brûlures en urinant, accompagnées parfois de douleurs dans le ventre et les reins, et de fièvre	Infection urinaire
Vous avez de la fièvre, qu'elle soit ou non accompagnée d'un autre symptôme Vous sentez des ganglions au niveau du cou Vous avez une éruption en un point quelconque du corps	Maladie infectieuse Toxoplasmose Listériose
Vous sentez votre ventre se durcir : vous avez des contractions utérines répétées, régulières et/ou douloureuses. Ces contractions persistent même si vous vous allongez (p.218)	Menace d'accouchement prématuré
Vous avez une perte d'eau par le vagin (assurez-vous qu'il ne s'agit pas d'une émission involontaire d'urine, ce que vous reconnaîtrez à l'odeur)	Rupture des membranes Risque d'accouchement prématuré
Vous êtes anormalement fatiguée, essoufflée, avec tendance à perdre connaissance	Anémie
Vous vous grattez sur tout le corps	Cholestase gravidique
Vous avez subi un traumatisme important (chute, accident de la voie publique ou de la route)	Risque d'accouchement prématuré Hématome rétroplacentaire
Dans les derniers mois, vous notez une très nette et durable diminution de l'intensité et de la vivacité des mouvements du bébé	Menace sur la santé du bébé

1. Ces symptômes et les complications qui peuvent s'ensuivre sont traités dans ce chapitre, ou au chapitre suivant

11

Quand accoucherai-je?

Quand accoucherai-je ? À peine sait-elle qu'elle est
enceinte qu'une future mère se pose la question.
Et pas seulement elle mais son mari, l'entourage,
les amis : « **C'est pour quand ?** »
Bébé naît à la date prévue, ou presque :
c'est la situation la plus fréquente.
Mais la naissance peut survenir avant cette date :
c'est l'**accouchement prématuré**.
D'autres fois, le terme est dépassé :
c'est la **grossesse prolongée**.

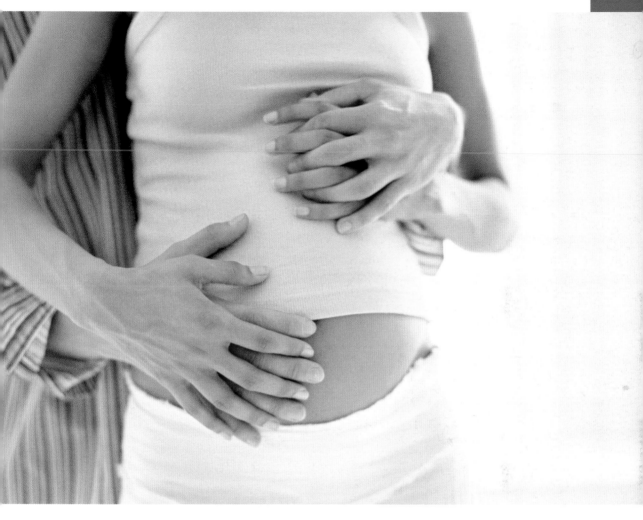

La date prévue

Maintenant que vous êtes enceinte, vous souhaitez des précisions sur la durée de la grossesse : à partir de quelle date faut-il faire le calcul, et est-ce 9 mois tout juste ?

LA DATE DE LA CONCEPTION

On peut faire le calcul à partir de la date de la conception. Elle correspond à celle de l'ovulation puisque l'ovule n'est fécondable que durant quelques heures. Pour une femme régulièrement réglée tous les 28 jours, l'ovulation se situe entre le 13e et le 15e jour du cycle, avec un maximum de fréquence au 14e jour.

Dans d'autres cas, la date de la conception fait encore moins de doute :
• soit que la femme ait pris sa température au cours du cycle où elle est devenue enceinte (p. 21)

• soit que la grossesse survienne après une insémination artificielle, une fécondation *in vitro* ou une induction d'ovulation.

Dans tous ces cas où la date de la conception est connue, il suffit de lui ajouter 9 mois du calendrier pour connaître la date théorique de l'accouchement Par exemple, si la conception date du 14 janvier, l'accouchement sera prévu le 14 octobre (14 janvier + 9 mois = 14 octobre). On compte alors en **mois de grossesse**.

• Une autre façon de calculer est de partir de la date des dernières règles. Dans ce cas, l'accouchement se situe théoriquement 41 semaines après le premier jour des dernières règles. Ce chiffre de 41 semaines vous étonne peut-être puisque 9 mois de grossesse devraient faire 36 semaines. En fait deux semaines sont ajoutées (ce sont celles entre le 1er jour des règles et le 14e jour, celui de l'ovulation) et les mois du calendrier n'ont pas 4 semaines pile mais 4 semaines plus 2 ou 3 jours. Avec cette façon de calculer on parle de **semaines d'aménorrhée**. C'est d'ailleurs la manière de compter pour les examens médicaux : par exemple, la deuxième échographie se fait vers 22 semaines d'aménorrhée (SA en abréviation). Les futures mamans parlent plus souvent en mois de grossesse : « Je suis enceinte de 3 mois », « Je suis au début du neuvième mois ».

• L'échographie du premier trimestre permet de dater la conception, et donc la date théorique de l'accouchement, d'une façon plus précise que celle des dernières règles, mais pas totalement : avec 3-5 jours en plus ou 3-5 jours en moins.

CORRESPONDANCE MOIS DE GROSSESSE-SEMAINES D'AMÉNORRHÉE

Par exemple, la 1ère échographie est pratiquée vers 12 semaines d'aménorrhée (SA), c'est-à dire au cours du 3e mois.

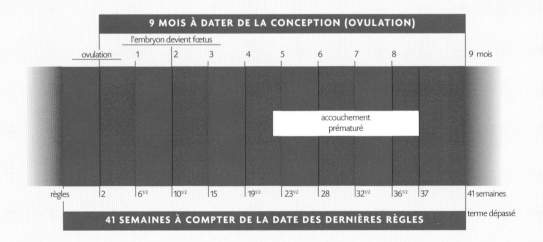

LA DURÉE DE LA GROSSESSE

Une grossesse dure en principe 9 mois. Mais ce n'est pas 9 mois tout juste : vous l'avez lu ci-dessus, la date de la conception n'est pas complètement précise et, d'autre part, la grossesse n'a pas une durée fixe mais une durée statistique moyenne : de 266 à 273 jours à partir de la conception, ou de 280 à 287 jours à partir de la date des dernières règles.

D'ailleurs l'expérience montre que :
• 50 à 60 % des femmes accouchent à la date prévue
• 20 à 25 % 10 à 15 jours avant
• 20 à 25 % 4 à 8 jours après.

Il est donc difficile de fixer avec précision la date théorique de l'accouchement. En pratique, les moyens les plus sûrs sont :
• soit d'ajouter 9 mois du calendrier à la date de la conception
• soit l'échographie qui permet de préciser la date de l'accouchement à plus ou moins 3 à 5 jours
• soit d'ajouter 41 semaines à la date des dernières règles ; c'est ce qu'indique le tableau de la page suivante.

D'après les observations de Monique Bydlowski, qui a collaboré avec de nombreux obstétriciens, cette date prévue pour la naissance peut être commémorative d'un événement du passé : événements douloureux, comme la perte d'un enfant avant la naissance, ou le décès d'un être proche ; ou encore d'événements heureux : l'anniversaire de la mère elle-même, ou celui d'un être aimé. Ce calcul inconscient de la date de naissance fait partie des observations rapportées dans le livre cité page 79.

DURÉE LÉGALE DE LA GROSSESSE
Cette durée a été fixée en France à 300 jours. Le Code civil dispose en effet que « la légitimité d'un enfant né à 300 jours après la dissolution du mariage pourra être contestée ». La durée légale la plus longue est prévue par la loi américaine : 317 jours.

À quelle saison naissent les bébés ?

La réponse a évolué avec le temps, c'est ce qu'ont étudié en 2011 des chercheurs de l'INED (Institut National d'Études Démographiques), A. Régnier-Loilier et J.M. Rohrbasser. En France, au XVIIe siècle, les naissances, et donc la conception, sont très liées aux périodes traditionnelles de mariage et aux interdits religieux (pas de mariages ni de rapports sexuels pendant le carême et l'avent) : les bébés naissent principalement entre janvier et avril. Au cours des siècles suivants, le caractère saisonnier des naissances diminue et le pic des naissances se décale vers le printemps.

Dans les années 1970, ce pic se situe en avril-mai : la conception pendant l'été peut s'expliquer par la généralisation des vacances en juillet-août, la possibilité de choisir le moment où avoir un enfant, la préférence du printemps pour les premiers mois de bébé ; on note aussi un pic fin septembre, correspondant à une conception au moment des fêtes de fin d'année.

Aujourd'hui, la saisonnalité des naissances est moins marquée, les naissances sont plus nombreuses en septembre, sans pouvoir donner d'explications à ce phénomène et le pic des naissances de la fin septembre est toujours observé.

QUAND ACCOUCHERAI-JE ? LE CALENDRIER DE VOTRE ATTENTE

COMMENT LIRE CE TABLEAU

Partez d'une colonne verte correspondant au premier jour des dernières règles, et lisez à droite (colonne immédiatement à côté, blanche ou parme) le chiffre correspondant à la date probable de l'accouchement.

JANVIER	OCTOBRE	FÉVRIER	NOVEMBRE	MARS	DÉCEMBRE	AVRIL	JANVIER	MAI	FÉVRIER	JUIN	MARS	JUILLET	AVRIL	AOÛT	MAI	SEPTEMBRE	JUIN	OCTOBRE	JUILLET	NOVEMBRE	AOÛT	DÉCEMBRE	SEPTEMBRE
1	14	1	14	1	12	1	12	1	11	1	14	1	13	1	14	1	14	1	14	1	14	1	13
2	15	2	15	2	13	2	13	2	12	2	15	2	14	2	15	2	15	2	15	2	15	2	14
3	16	3	16	3	14	3	14	3	13	3	16	3	15	3	16	3	16	3	16	3	16	3	15
4	17	4	17	4	15	4	15	4	14	4	17	4	16	4	17	4	17	4	17	4	17	4	16
5	18	5	18	5	16	5	16	5	15	5	18	5	17	5	18	5	18	5	18	5	18	5	17
6	19	6	19	6	17	6	17	6	16	6	19	6	18	6	19	6	19	6	19	6	19	6	18
7	20	7	20	7	18	7	18	7	17	7	20	7	19	7	20	7	20	7	20	7	20	7	19
8	21	8	21	8	19	8	19	8	18	8	21	8	20	8	21	8	21	8	21	8	21	8	20
9	22	9	22	9	20	9	20	9	19	9	22	9	21	9	22	9	22	9	22	9	22	9	21
10	23	10	23	10	21	10	21	10	20	10	23	10	22	10	23	10	23	10	23	10	23	10	22
11	24	11	24	11	22	11	22	11	21	11	24	11	23	11	24	11	24	11	24	11	24	11	23
12	25	12	25	12	23	12	23	12	22	12	25	12	24	12	25	12	25	12	25	12	25	12	24
13	26	13	26	13	24	13	24	13	23	13	26	13	25	13	26	13	26	13	26	13	26	13	25
14	27	14	27	14	25	14	25	14	24	14	27	14	26	14	27	14	27	14	27	14	27	14	26
15	28	15	28	15	26	15	26	15	25	15	28	15	27	15	28	15	28	15	28	15	28	15	27
16	29	16	29	16	27	16	27	16	26	16	29	16	28	16	29	16	29	16	29	16	29	16	28
17	30	17	30	17	28	17	28	17	27	17	30	17	29	17	30	17	30	17	30	17	30	17	29
18	31	18	1	18	29	18	29	18	28	18	31	18	30	18	31	18	1	18	31	18	31	18	30
19	1	19	2	19	30	19	30	19	1	19	1	19	1	19	1	19	2	19	1	19	1	19	1
20	2	20	3	20	31	20	31	20	2	20	2	20	2	20	2	20	3	20	2	20	2	20	2
21	3	21	4	21	1	21	1	21	3	21	3	21	3	21	3	21	4	21	3	21	3	21	3
22	4	22	5	22	2	22	2	22	4	22	4	22	4	22	4	22	5	22	4	22	4	22	4
23	5	23	6	23	3	23	3	23	5	23	5	23	5	23	5	23	6	23	5	23	5	23	5
24	6	24	7	24	4	24	4	24	6	24	6	24	6	24	6	24	7	24	6	24	6	24	6
25	7	25	8	25	5	25	5	25	7	25	7	25	7	25	7	25	8	25	7	25	7	25	7
26	8	26	9	26	6	26	6	26	8	26	8	26	8	26	8	26	9	26	8	26	8	26	8
27	9	27	10	27	7	27	7	27	9	27	9	27	9	27	9	27	10	27	9	27	9	27	9
28	10	28	11	28	8	28	8	28	10	28	10	28	10	28	10	28	11	28	10	28	10	28	10
29	11			29	9	29	9	29	11	29	11	29	11	29	11	29	12	29	11	29	11	29	11
30	12			30	10	30	10	30	12	30	12	30	12	30	12	30	13	30	12	30	12	30	12
31	13			31	11			31	13			31	13	31	13			31	13			31	13
JANVIER	NOVEMBRE	FÉVRIER	DÉCEMBRE	MARS	JANVIER	AVRIL	FÉVRIER	MAI	MARS	JUIN	AVRIL	JUILLET	MAI	AOÛT	JUIN	SEPTEMBRE	JUILLET	OCTOBRE	AOÛT	NOVEMBRE	SEPTEMBRE	DÉCEMBRE	OCTOBRE

Plus tôt : l'accouchement prématuré

On appelle « prématuré » un enfant né avant **37 semaines d'aménorrhée** comptées à partir du premier jour des dernières règles. La prématurité a augmenté ces dernières années : elle est passée de 5 à 6 %. Ceci est probablement lié au plus grand nombre d'accouchements provoqués à la suite d'une décision médicale, lorsqu'il est estimé nécessaire de soustraire le bébé à un environnement qui lui devient défavorable (chap. 10) ; c'est ce que l'on appelle la **prématurité induite,** ou provoquée, par opposition à la **prématurité naturelle** ; cette dernière n'est pas liée à une décision médicale et elle semble assez stable au fil du temps malgré une meilleure surveillance médicale.

POURQUOI L'ACCOUCHEMENT A-T-IL LIEU PRÉMATURÉMENT ?

LES CAUSES MÉDICALES

Les causes de l'accouchement prématuré sont multiples et pas toujours bien identifiées. Certaines sont liées à l'enfant, d'autres à la maman et elles sont parfois intriquées.

• La **rupture des membranes** est la cause la plus fréquente ; elle est le plus souvent liée à une fragilisation des membranes par une infection du col ou du vagin, ce qui entraîne la rupture de la « poche des eaux ».

• Les **antécédents d'accouchement prématuré** ou de fausses couches tardives nécessitent une surveillance très rapprochée pour éviter une récidive.

• Les **grossesses gémellaires**, surtout si elles résultent d'AMP, et en cas de première grossesse.

• L'**insertion anormale du placenta** ou placenta *praevia* (p. 243) est également une cause d'accouchement prématuré. Il en est de même pour tout **saignement** en fin de grossesse, quelle qu'en soit l'origine.

• Les **infections** en fin de grossesse peuvent entraîner un accouchement prématuré, en particulier les infections cervico-vaginale et urinaire qui sont souvent inapparentes. C'est pourquoi au moindre doute le médecin fait faire un examen cytobactériologique des urines (ECBU).

• Les **malformations utérines** (p. 262) et les anomalies du col (béance du col p. 238) peuvent provoquer un accouchement prématuré. L'utérus se contracte trop tôt, ou bien le col ne joue plus son rôle de verrou.

• Les **maladies maternelles** liées à la grossesse, en particulier la toxémie gravidique, le diabète, peuvent amener le médecin à décider de faire naître le bébé prématurément. Cette décision est difficile à prendre puisque l'on oscille entre les risques de la prématurité et ceux de la souffrance de l'enfant *in utero*. On dispose actuellement de moyens (échographie, doppler, enregistrement du rythme cardiaque de l'enfant, etc.) qui permettent d'apprécier plus précisément l'état de santé du bébé.

• Une autre cause joue un rôle de mieux en mieux connu : le **tabagisme** qui multiplie par deux ou trois le risque de prématurité.

• Cette cause peut être rapprochée de **conditions socio-économiques** précaires dans lesquelles l'arrêt du tabac est plus difficile (voir ci-dessous).

• Très rarement, un **traumatisme accidentel** (accident de la circulation par exemple) ou une intervention chirurgicale d'urgence (appendicite) sont susceptibles de provoquer un accouchement prématuré.

LES FACTEURS SOCIO-ÉCONOMIQUES

Il est certain que la fatigue de la femme enceinte augmente le risque d'un accouchement prématuré (mais il est rare qu'il s'agisse alors d'une grande prématurité). C'est dire le rôle des conditions de travail, lorsque celui-ci est pénible physiquement, et des travaux ménagers fatigants. Toutes les statistiques prouvent que l'accouchement prématuré est d'autant plus fréquent que le niveau socio-économique de la femme est moins élevé. C'est pourquoi le repos légal de six semaines avant l'accouchement doit être respecté. En cas de travail pénible, le médecin pourra conseiller un repos plus long.

Il en est de même si la future mère a des horaires importants, ou des conditions de transport fatigantes : l'équipe médicale qui va la suivre verra comment l'aider à vivre cette grossesse le mieux possible.

LES GROSSESSES APRES DISTILBÈNE

Chez certaines femmes, dont les mères avaient pris du Distilbène (qui est une hormone), il existe des problèmes de fécondité, un risque de fausses couches, de grossesses extra-utérines, d'accouchements prématurés ou de difficultés lors de l'accouchement. Ainsi une surveillance particulièrement stricte s'impose pour elles.

Il existe une association s'occupant des femmes dont les mères ont pris du Distilbène : Réseau DES France. Tel : 05 58 75 50 04 www.des-france.org

RAPPELEZ-VOUS CECI
Si l'accouchement prématuré est une crainte bien légitime pour un grand nombre de mamans et pour les médecins, la très grande majorité des femmes vont jusqu'au terme, et seulement 5 à 6 % accouchent prématurément. Pour être plus sereine, essayez de penser surtout à la première éventualité qui concerne le plus grand nombre d'entre vous.

Nous avons énuméré les **causes** d'un accouchement prématuré. Précisons encore ceci :
• Même si vous êtes dans un des cas évoqués plus haut, ne vous inquiétez pas, votre grossesse peut très bien aller jusqu'à son terme, évidemment à la condition d'être bien suivie sur le plan médical.
• Toutes les causes d'accouchement prématuré ne sont pas connues. Elles nous échappent dans 30 % des cas au moins. Il n'est donc pas toujours possible de prévenir un accouchement prématuré.

LA MENACE D'ACCOUCHEMENT PRÉMATURÉ

Pour la future mère, la menace d'accouchement prématuré se traduit essentiellement par l'apparition anormale de contractions utérines douloureuses. Elle sent son ventre « se durcir » et cela devient très inconfortable. Si c'est votre cas, mettez-vous immédiatement au repos, placez (si vous en avez) un suppositoire d'antispasmodique et **rendez-vous à la maternité sans tarder**. Il arrive que les contractions ne soient pas douloureuses mais vous avez des pertes vaginales importantes, épaisses, inhabituelles : c'est peut-être le bouchon muqueux qui s'évacue avec le début d'une modification du col. Là aussi il faut se rendre à la maternité. Et bien sûr si vous avez l'impression d'avoir perdu les eaux (p. 297).

À l'arrivée à la maternité, le médecin de garde recherchera si votre col s'est modifié, en particulier s'il a raccourci, ou s'il a tendance à s'ouvrir. Actuellement, on utilise de plus en plus souvent l'**échographie du col** qui montre bien sa longueur, ainsi que l'ouverture de l'orifice interne. Cet examen échographique du col peut être répété, ce qui permet de se rendre compte d'une éventuelle modification. Le raccourcissement et le début d'ouverture du col sont en effet les deux signes qui traduisent que l'accouchement risque d'avoir lieu plus tôt que prévu.

Dans ce cas, il sera prescrit :

• une **hospitalisation** si le risque apparait sérieux ; elle permet une meilleure surveillance et un traitement plus intensif. Beaucoup de futures mères sont hospitalisées pendant la grossesse et, dans la plupart des cas, c'est à cause d'un risque ou d'une menace d'accouchement prématuré (p. 228)
• le **repos** complet au lit jusqu'à l'accouchement, ou au moins jusqu'à ce que l'enfant ne risque pas une trop grande prématurité
• des perfusions destinées à mettre l'utérus au repos en stoppant les contractions utérines
• une analyse d'urines et un prélèvement vaginal pour dépister une éventuelle infection et pouvoir la traiter si elle existe
• en cas de risque d'accouchement très prématuré (inférieur à 33 semaines), l'injection de corticoïdes à la maman pendant 48 heures permet d'accélérer la maturité pulmonaire de l'enfant et de prévenir ainsi des troubles respiratoires si la naissance survenait malgré tout.
• Enfin une consultation d'urgence auprès d'un médecin anesthésiste de la maternité sera demandée pour le cas où l'accouchement se produirait malgré toutes les mesures prises. En effet, dans certains cas malheureusement, ces mesures n'empêchent pas la survenue de l'accouchement prématuré.

LES RISQUES DE L'ACCOUCHEMENT PRÉMATURÉ POUR L'ENFANT

Le bébé prématuré n'a pas atteint le même degré de développement que le bébé à terme ; on le constate dans toutes les fonctions de son organisme ; et c'est d'ailleurs là que réside la difficulté de son « élevage ». Un enfant prématuré peut se développer très bien mais il peut aussi souffrir gravement d'être né avant terme. Et plus l'enfant est prématuré, plus les risques sont élevés. On peut classer les prématurés en trois catégories :

Le prématuré de 35 à 37 semaines
Il est généralement peu exposé. Dans un grand nombre de cas, il est simplement plus fragile mais il peut rester sur place, sous la surveillance du pédiatre de la maternité.

Le prématuré de 33 à 35 semaines
Il doit bénéficier de soins particuliers en néonatalogie où il est le plus souvent transféré après sa naissance. S'il est né dans une maternité de type II, il est soigné sur place.

Le prématuré né à moins de 33 semaines
Il doit absolument être transféré dans un service de réanimation néonatale (à moins qu'il ne soit né dans une

maternité de type III). Les naissances avant 33 semaines sont rares (environ 1,5 % des accouchements).

• Il a de la peine à respirer et doit donc parfois être ventilé artificiellement. En effet, l'anoxie, ou manque d'oxygène, risque d'entraîner de graves conséquences pour le cerveau.

• Il est incapable de régler sa température, et donc peut se refroidir. C'est pourquoi, dans l'incubateur, la température est constamment surveillée.

• Il est souvent incapable de téter et son estomac a de petites capacités. On est fréquemment obligé de le nourrir par sonde ou par perfusion. Il ne digère pas bien certains aliments, les graisses en particulier (d'où l'importance du lait maternel).

• Il est sensible aux infections.

• Il manque de vitamines et de fer.

Selon son état initial, l'enfant restera hospitalisé quelques jours ou quelques semaines (parfois plus longtemps pour les grands prématurés de moins de 28 semaines). Heureusement, aujourd'hui, ce séjour ne signifie pas une coupure avec les parents. Ceux-ci sont engagés à venir voir régulièrement leur bébé, le toucher, lui parler et qu'ainsi pour lui et pour eux, le lien ne soit pas rompu. Les services qui soignent les bébés prématurés accueillent les parents parfois 24h/24h, et en tout cas toujours avec de larges plages horaires. Les infirmières aident les parents à participer à certains soins comme nourrir le bébé, ou le masser. Certains services possèdent des unités mère-enfant : les mamans peuvent y rester tant que leur bébé est hospitalisé.

Lors de la naissance d'un enfant prématuré, les parents se sentent toujours plus ou moins responsables. Garder un contact avec l'enfant, lui rendre visite, aide à surmonter cette culpabilité.

SI UN ACCOUCHEMENT PRÉMATURÉ EST REDOUTÉ

Le médecin ou la sage-femme ont évoqué un risque d'accouchement prématuré. Vous serez peut-être amenée à changer vos projets : vous reposer, arrêter de travailler, renoncer à des déplacements, voire être hospitalisée.

Si la menace d'accouchement prématuré se précise (ci-dessus p. 272), il faut consulter à la maternité sans tarder. Si cette menace se présente alors que vous êtes déjà hospitalisée dans la maternité que vous aviez initialement choisie, il est possible que les médecins décident de vous transférer vers un établissement plus adapté à la prise en charge de votre enfant : vers une maternité de type II, ayant un centre de néonatologie, après 33 semaines ; vers une maternité de type III, ayant un centre de réanimation néo-natale, avant 33 semaines. C'est ce qu'on appelle le *transfert in utero*. Dans ce cas, la mère et son bébé sont transférés avant la naissance.

Il peut arriver que l'accouchement ait lieu dans une maternité qui n'est pas équipée pour la prise en charge de l'enfant : c'est alors lui qui sera transféré, c'est ce qu'on appelle le *transfert néo-natal*. Dans ce cas, selon les possibilités d'accueil des maternités, la maman peut rejoindre son bébé dans l'établissement où il a été transféré ; elle peut ainsi plus facilement le voir et s'occuper de lui, jusqu'à ce que son état permette son retour soit dans un hôpital plus proche du domicile, soit à la maison.

Le service qui organise les transferts s'appelle la cellule de transfert périnatal ; il y en a en général une par région.

PEUT-ON ÉVITER L'ACCOUCHEMENT PRÉMATURÉ ?

Prévenir l'accouchement prématuré reste aujourd'hui un des grands soucis des médecins. En effet, la grande prématurité (moins de 33 semaines) et la très grande prématurité (moins de 28 semaines) sont responsables de la majorité des morts qui surviennent dans la période qui suit l'accouchement. Il en est de même pour les séquelles que gardera un enfant né trop prématurément.

Certes, la médecine a fait de grands progrès, et les soins donnés dans les centres de réanimation néonatale permettent la survie d'enfants qui autrefois étaient condamnés. Malheureusement, cela peut être au prix de séquelles plus ou moins graves. selon le degré de prématurité C'est pourquoi le meilleur traitement de la prématurité réside toujours dans la poursuite de la grossesse le plus long-temps possible près du terme : le meilleur incubateur pour le bébé, c'est sa mère.

La connaissance des causes de l'accouchement prématuré (p. 271) permet de mieux surveiller les grossesses, notamment :
• dépister les infections cervico-vaginale et urinaire
• éviter les grossesses gémellaires : c'est pourquoi, dans le cadre de l'aide médicale à la procréation, les médecins ne transfèrent qu'un embryon (p. 109)
• repérer les insertions anormales du placenta.

Ainsi, grâce à une meilleure surveillance de la grossesse et à une bonne hygiène de vie – vie calme, sans tabac, sans sport intense – il est possible d'espérer améliorer la situation.

Il y a aussi des cas précis où l'on peut prévenir l'accouchement prématuré par une intervention ; par exemple une malformation utérine que l'on corrige par la chirurgie ; et la béance du col qui, elle, est corrigée par un cerclage.

LE CERCLAGE DU COL

Il est destiné à traiter ce que l'on appelle une « béance » du col : le col se ferme mal et joue insuffi-samment son rôle de verrou à la partie inférieure de l'utérus. Cette béance peut être congénitale, ou avoir été provoquée par des dilatations forcées du col (par exemple après une fausse-couche spon-tanée ou une IVG tardive). Le cerclage est pratiqué entre deux mois et demi et trois mois, et consiste à fermer l'ouverture du col en passant un fil solide, comme pour fermer une bourse. Le cer-clage est fait le plus souvent sous anesthésie générale, parfois sous péridurale ; il nécessite une courte hospitalisation. Malgré le cerclage, il est souvent nécessaire de prendre des précautions jus-qu'à la fin de la grossesse, essentiellement en se reposant. Au-de là du 9e mois, ou au début de l'ac-couchement lui-même, le médecin ôte le fil. Si la maman est rhésus négatif, on lui injectera des gam-maglobulines (p. 260).

SI VOTRE BÉBÉ EST PRÉMATURÉ
Puisque dans 30 % des cas on ne sait pas pourquoi un enfant naît prématurément, vous n'avez pas de raison de vous culpabiliser si votre enfant naissait plus tôt que prévu, et si vous avez fait ce qui était raisonnable pour l'éviter.

Plus tard :
la grossesse prolongée

On parle de grossesse prolongée (15 % des femmes enceintes) lorsque sa durée va au-delà de 41 semaines d'aménorrhée et de terme dépassé (1 à 2 %) au-delà de 42 semaines. C'est le terme dépassé qui pose le plus de problèmes aux médecins.

Comment être certain du terme réel ?

C'est l'échographie du premier trimestre qui permet de dater précisément (à plus ou moins 3 jours) le début de grossesse, et donc son terme ; ce n'était pas possible auparavant sans disposer de ce moyen. D'ailleurs les pays les plus pauvres, qui ne disposent pas de cette possibilité, sont confrontés à des mamans qui stationnent plusieurs jours devant la maternité en attendant que le travail se déclenche spontanément ; ce qui est le cas le plus souvent, mais avec des risques pour le bébé lorsque le terme est réellement dépassé.

Quels sont les risques pour le bébé ?

Le placenta, véritable usine d'échanges entre la mère et l'enfant, fournit jusqu'à terme les aliments et surtout l'oxygène nécessaires au fœtus. Le terme dépassé, le placenta vieillit et fonctionne moins bien ; les apports au bébé deviennent insuffisants, d'où le risque de souffrance fœtale et même de mort *in utero*.

Que faire lorsque la grossesse se prolonge au-delà du terme ?

Il faut bien sûr se rendre à la maternité, surtout si vous percevez que les mouvements de votre bébé sont moins nets (c'est d'ailleurs un motif de consultation même si le terme n'est pas dépassé). Cela peut être le premier signe que la quantité de liquide amniotique dans lequel il baigne tend à se raréfier ; la grossesse qui se prolonge « chronologiquement » se prolonge aussi « biologiquement», avec les conséquences dues au vieillissement du placenta.

À la maternité, vous serez surveillée, avec des examens toutes les 48 heures, comportant des échographies pour contrôler la quantité de liquide amniotique ; et des enregistrements du rythme cardiaque (monitoring) pour apprécier le bien-être du bébé.

Quand l'accouchement sera-t-il déclenché ?

Il est recommandé de ne pas dépasser 42 semaines, et parfois d'intervenir plus tôt, si les contrôles montrent que le bébé supporte mal la prolongation de la grossesse.

En général, après l'information de la maman, le travail sera déclenché selon des moyens propres à chaque maternité (décollement des membranes, moyens mécaniques par sonde dans le col, ocyto-ciques, prostaglandines, etc.).

À la naissance, l'enfant que l'on qualifie de « post mature », a souvent un aspect un peu particulier qui peut étonner les parents : sa peau est plus fripée que chez l'enfant né à terme et elle ne porte plus aucune trace de couche graisseuse (appelée vernix). Elle élimine ses couches superficielles : on dit qu'elle desquame. Mais, habituellement, un bébé post mature ne nécessite pas de soins particuliers.

Peut-on programmer la date de l'accouchement ?

Oui c'est possible de déclencher artificiellement le travail avant son terme mais ce déclenchement doit faire suite à une information donnée par le médecin (avantages et inconvénients) ; il doit également être le fruit d'une décision partagée car c'est votre accouchement dont il est question.

Certaines mères sont tentées par l'accouchement « programmé », pour des raisons personnelles ou professionnelles. Certains médecins y sont favorables aussi pour une meilleure organisation du travail.

Tout déclenchement artificiel du travail implique l'acceptation de certains risques :

• Celui de se solder par un échec si les conditions locales nécessaires ne sont pas réunies, notamment le col doit être suffisamment ramolli et déjà entrouvert. On dit qu'il doit être « mûr ».

• Le risque, bien qu'ayant déclenché le travail, de provoquer un accouchement plus long, plus difficile, donc plus traumatisant pour l'enfant et pour la mère. Il arrive même que l'on soit amené à des situations dont la seule issue est la césarienne, intervention dont on aurait pu se dispenser.

• Quant au risque de faire naître un enfant prématuré, il a diminué grâce à l'échographie précoce qui permet de dater le début de la grossesse. Mais il n'a pas complètement disparu.

Il est donc possible de programmer la date de l'accouchement. Faut-il le faire pour autant ? En dehors de raisons médicales, il semble raisonnable de n'envisager cet accouchement avant terme que si un minimum de conditions sont réunies et que vous ayez de bonnes raisons pour cela (proximité du terme, maturité du col appréciée par sa souplesse et son début d'ouverture). Faute de ces conditions, on court le risque d'un échec du déclenchement et l'accouchement prévu par les voies naturelles se terminera par césarienne.

Aussi vaut-il mieux le plus souvent laisser le bébé choisir l'heure, le jour et le quartier de lune qui lui plairont le plus. Pourquoi ne pas laisser agir la nature, ce que font, d'ailleurs, la plupart d'entre vous ?

LE DÉCLENCHEMENT DU TRAVAIL EN PRATIQUE

Le déclenchement du travail peut être « d'indication médicale ». Sa date et sa réalisation sont le fruit d'une décision médicale en fonction de l'état de santé du bébé ou de la maman.

Le déclenchement peut être dit « de convenance ». Il s'agit alors d'un « accouchement programmé ». Il est d'ailleurs rarement proposé, et plutôt déconseillé, pour un premier accouchement.

Pour l'accouchement « de convenance », quelques conditions doivent être réunies :

- grossesse au-delà de 39 semaines ou 8 mois et demi

- « col favorable », c'est à dire mou et largement perméable au doigt.

L'entrée à la maternité se fait la veille ou le matin même, toujours après accord téléphonique car les salles d'accouchement peuvent être surchargées.

Le déclenchement se fait par une perfusion d'ocytocine précédée ou non de l'application dans le col ou le vagin d'un produit (prostaglandine) qui favorise la venue des contractions utérines.

Une rupture de la poche des eaux facilite le bon déroulement du travail dès qu'il a réellement débuté.

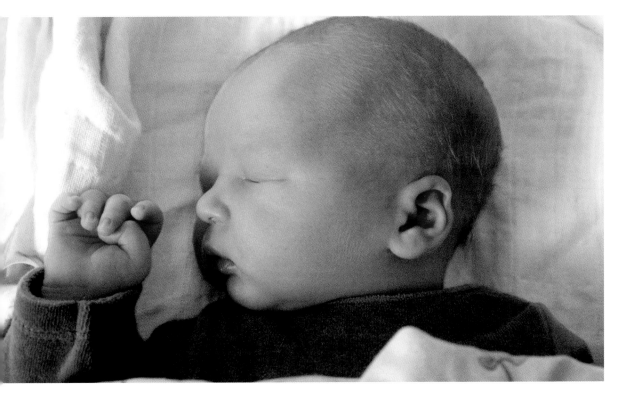

Comment choisir la maternité ?

Lorsqu'on demande aux parents quelles sont les principales raisons de choix d'une maternité, ils répondent : la proximité, la connaissance du médecin, la sécurité médicale, la qualité de l'accompagnement.

L'organisation des maternités

Au cours de ces dernières années, des normes ont été établies concernant la qualité des soins, l'équipement médical, ce qui a obligé à fermer certaines maternités qui n'avaient pas les critères de sécurité requis. La dernière enquête INSERM a montré que la concentration des maternités, qui a résulté de ces fermetures, a sans doute favorisé une meilleure organisation des équipes de garde (gynécologue-obstétricien, anesthésiste, pédiatre) avec une présence accrue dans les services ; et cela a probablement amélioré la sécurité de la naissance.

Les maternités sont désormais classées en trois niveaux selon leur équipement pédiatrique et maternel, c'est-à-dire unité de néonatalogie et unité de réanimation néonatale.

• **Les maternités de type I** disposent d'une unité d'obstétrique et pratiquent les actes pédiatriques courants. Ces maternités prennent en charge les femmes ayant une grossesse que l'on considère sans facteur de risque particulier, c'est-à-dire 90 % des grossesses. Et pourtant la tendance actuelle va vers une diminution de ce type de maternités.

• **Les maternités de type II** accueillent les mêmes femmes qu'en type I et celles dont les bébés auront besoin d'une surveillance en néonatologie, unité dont disposent ces maternités..

• **Les maternités de type III** disposent, en plus d'une unité d'obstétrique et d'une unité de néonatalogie, d'une unité de réanimation néonatale. Ces maternités accueillent les femmes chez lesquelles de grandes difficultés sont redoutées ; elles peuvent prendre en charge, en particulier des nouveau-nés très prématurés, de moins de 33 semaines, ou présentant un risque important, et notamment une prise en charge chirurgicale en cas de malformation décelée. Ces maternités sont généralement situées dans les CHU (Centres hospitaliers universitaires).

*Vouloir à tout prix accoucher dans une **maternité de type III**, selon le principe « Qui peut le plus, peut le moins », n'est pas forcément un bon choix. Vous risquez d'être déçue car ces maternités sont souvent encombrées et les sorties sont très précoces.*

Des critères personnels

Au-delà des questions de sécurité, vous avez peut-être des désirs personnels dans le choix de la maternité. Voici quelques questions que vous pouvez avoir envie de poser au moment de votre inscription : quel type de préparation à la naissance fait-on ? Peut-on, si on le désire, accoucher sans péridurale ? Quelles sont les alternatives pour soulager la douleur ? À la naissance, pourrez-vous garder votre bébé, bien au chaud sur vous, pour qu'il découvre, entre ses parents, le monde qui l'entoure ? Comment est accueilli le père : peut-il être présent à l'accouchement ? Peut-il être là en cas de césarienne ? Au cours des premiers soins pour le bébé ? Peut-il rester dormir s'il le désire ? S'il ne souhaite pas assister à l'accouchement, la sage-femme sera-t-elle plus présente pendant les contractions ? Comment sont organisées les visites : les aînés peuvent-ils venir? Si la maman désire allaiter, l'allaitement au sein est-il encouragé ? Quelle est la durée du séjour ? etc.

Vous aurez peut-être envie de poser des questions concernant directement l'accouchement : pendant la dilatation, peut-on aller et venir ? Y a-t-il une baignoire permettant, si on le souhaite, de se relaxer ? L'expulsion se passe-t-elle nécessairement en position gynécologique ou peut-on choisir sa position ? etc. Voyez également *Le projet de naissance* (p. 333)

En pratique

Avec ces différents éléments, comment choisir une maternité ?

• **Vous êtes suivie par un médecin.** C'est lui qui vous conseillera les maternités où vous pourrez accoucher. Vous en discuterez et vous choisirez ensemble l'établissement qui vous convient le mieux, selon votre état de santé et selon vos désirs personnels. De même, si vous êtes suivie par une sage-femme.

• **Vous désirez accoucher dans une maternité précise** ; dans ce cas, inscrivez-vous sans tarder. Selon l'équipement technique de cette maternité, et selon la manière dont votre grossesse évoluera, vous serez suivie dans cet établissement, ou bien l'équipe médicale vous dirigera vers un autre établissement, une maternité de type II ou III, si votre état de santé ou celui du bébé le justifient.

• Il est conseillé de choisir sa maternité **le plus tôt possible**. En effet si un petit incident survient au cours de la grossesse et vous oblige à consulter, c'est mieux que vous soyez connue et déjà inscrite dans cette maternité. Votre dossier médical sera enregistré et le médecin de garde pourra vous prendre en charge dans les meilleures conditions possibles. Passer d'une maternité à l'autre n'est pas une bonne chose.

Reste la question budget

Pensez-y au moment de votre inscription car il peut y avoir de grandes différences dans les frais à régler à la sortie :
- à l'hôpital ou dans une clinique conventionnée, vous pouvez accoucher sans avoir rien à débourser
- dans une clinique non conventionnée, la somme peut être plus ou moins importante (p. 431).

Au moment de votre inscription, il est donc nécessaire de bien vous renseigner. Demandez ce que vous aurez exactement à régler ; si les honoraires du médecin accoucheur et de l'anesthésiste sont compris dans le prix qui vous sera indiqué (car cela dépend des cas), etc. Cette précaution vous permettra d'établir votre budget et vous épargnera la surprise d'une note plus élevée que prévue. Et pensez que pourront s'ajouter à cette note tous les suppléments (boissons, communications téléphoniques, télévision, chambre seule, etc.). Certaines cliniques luxueuses ont des tarifs élevés, il vaut mieux les connaître avant de s'inscrire. Mais il y a des mutuelles qui, après entente préalable, peuvent couvrir une partie des frais. Renseignez-vous avant l'accouchement.

Préparez votre
retour à la maison

C'est un fait : les séjours à la maternité tendent aujourd'hui à devenir de plus en plus courts. Certaines mamans le regrettent car elles se sentent rassurées par la présence de l'équipe médicale. D'autres apprécient de partir le plus tôt possible. Dans certaines maternités, une sortie précoce est possible dès le deuxième jour pour les mamans qui le souhaitent mais sous certaines conditions (p. 396). Quelle que soit la durée de votre séjour, le retour à la maison a besoin d'être préparé, sinon il peut être éprouvant pour vous et pour toute la famille.

Un suivi à domicile

Bien avant la naissance, renseignez-vous auprès de la maternité pour connaître les habitudes de l'établissement, et notamment la possibilité d'un suivi à domicile après la naissance, soit par une sage-femme libérale, soit par une sage-femme de PMI, soit dans le cadre de l'hospitalisation à domicile.

Il existe en effet des forfaits spécifiques de surveillance de suites de couches à domicile, à partir du jour de l'accouchement jusqu'au septième jour. La sage-femme vient à la maison, elle vérifie que les saignements sont normaux, que l'utérus reprend sa place ; elle peut faire les soins nécessaires après une épisiotomie. Elle s'assure que la lactation s'établit bien, que la maman est confortablement installée pour allaiter, que le bébé tète correctement s'il est au sein et que, s'il est au biberon, la glande mammaire reste au repos. La sage-femme peut aussi aider à reconnaître les rythmes du bébé : la faim, le sommeil, et s'assurer qu'il s'adapte bien à sa nouvelle vie. Dans les jours qui suivent la naissance, les mamans se sentent parfois désemparées, avec une sensibilité exacerbée ; elles disent apprécier la présence et la compétence d'une professionnelle.

Au-delà de cette période du forfait, il est bien sûr possible de consulter le médecin ou la sage-femme. Et l'infirmière de PMI peut aussi passer à la maison pour vous guider dans les soins du bébé. Enfin, vous pouvez peut-être bénéficier des services d'une travailleuse familiale (qui s'appelle aujourd'hui « technicienne de l'intervention familiale et sociale à domicile »), voyez le service social de la mairie.

Le PRADO (Prise en charge de retour à domicile)

Les caisses d'assurance maladie ont récemment mis en place un suivi à domicile par une sage-femme libérale pour accompagner la maman lors de son retour à la maison. C'est ce qu'on appelle le PRADO. Ce service a également pour but de faire des économies en diminuant le séjour à la maternité.

Après avis de la sage-femme du service, une conseillère de l'assurance maladie du régime général vous rend visite à la maternité le lendemain de votre accouchement pour vous présenter le dispositif du PRADO et recueillir votre éventuelle adhésion. Elle conviendra d'un rendez-vous avec une sage-femme de votre choix pour deux visites à votre domicile. La première sera programmée pour le lendemain de votre sortie, la seconde interviendra dans les 48 heures suivantes. Durant sa visite, la conseillère pourra effectuer les démarches de rattachement du nouveau-né à votre dossier. La sortie de la maternité sera faite au plus tôt le 3e jour après l'accouchement.

Ce service est pour l'instant proposé avec certains critères médicaux, notamment si la grossesse et l'accouchement ont été normaux et si le bébé, né à terme, ne nécessite pas de soins particuliers. Il est en place dans la plupart des maternités et s'étend petit à petit aux assurées de la MSA et du RSI.

Certaines caisses proposent une inscription préalable, en cours de grossesse, pour une meilleure organisation au moment de la sortie. Renseignez-vous. Par ailleurs, vous trouverez plus facilement une sage-femme libérale disponible pour votre retour si vous avez pris contact avec elle avant la naissance.

L'organisation pratique

En même temps que vous préparerez ce que vous allez emporter à la maternité (voyez le chapitre 17), nous vous conseillons de prévoir également ce qui concerne l'organisation des premiers jours pour s'occuper de votre bébé : la table à langer, les couches, les produits de toilette, les vêtements ; prévoyez un endroit où vous serez installée confortablement pour donner le sein ou le biberon ; éventuellement le matériel pour préparer les biberons, plus l'eau minérale et le lait infantile. Pendant votre séjour à la maternité, votre conjoint vérifiera que tout est bien en ordre et prêt pour vous accueillir.

En ayant organisé votre retour à la maison, vous pourrez, avec votre compagnon, bien profiter des premiers jours avec votre bébé.

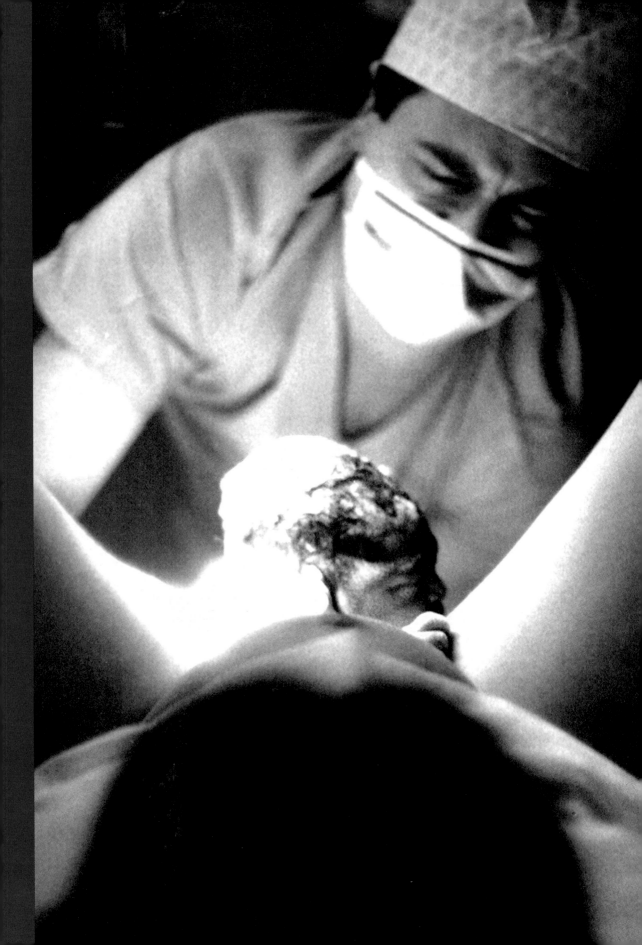

12 L'accouchement et la naissance

Le neuvième mois est celui de la lassitude, les futures mamans sont fatiguées, essoufflées, elles dorment mal, elles ont envie d'accoucher. Elles se sentent prêtes à se séparer de leur bébé pour enfin le prendre dans les bras. Avec des nuances, la plupart des mères éprouvent ce sentiment d'une étape qui se termine, à la fois physique et psychologique.

Voici venu le temps de l'accouchement. La future maman veut tout savoir de lui : comment il s'annonce, comment il débute, combien de temps il dure, s'il fera souffrir, quand il faut partir pour la maternité, etc.

Ce chapitre va s'efforcer de répondre à toutes ces questions, en commençant par quelques explications d'ordre anatomique qui permettent de comprendre le mécanisme de l'accouchement : les contractions utérines poussent l'enfant vers le bas, et celui-ci doit franchir plusieurs passages. Tout un chapitre, le suivant, traite de la douleur et de l'accouchement.

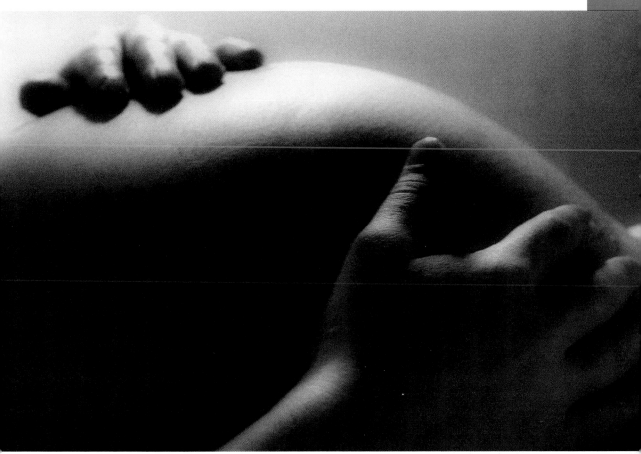

D'abord quelques explications

Voyez, page 289, la situation de l'enfant à la veille de la naissance. À l'intérieur de l'utérus, l'enfant est entouré comme dans un sac par deux fines membranes : l'amnios et le chorion. À l'intérieur de ce sac, le liquide amniotique est représenté par la partie bleutée qui entoure l'enfant.

À la partie inférieure de l'utérus se trouve le col qui, pendant toute la durée de la grossesse, reste fermé comme un verrou. L'accouchement sera la sortie de l'enfant hors de l'utérus, hors des voies génitales de la mère. Cette sortie ne peut se faire sans un moteur qui pousse l'enfant vers le bas. Ce moteur, ce sont les contractions de l'utérus qui vont avoir deux effets :
• elles vont ouvrir le col de l'utérus
• elles vont faire franchir à l'enfant le tunnel (la filière pelvigénitale) formé par le bassin osseux et les parties molles du périnée et de la vulve.

On peut considérer l'accouchement comme la résultante de différentes forces : les contractions utérines qui cherchent à pousser l'enfant dehors, la façon dont l'enfant s'adapte dans le bassin, la résistance liée au bassin et aux muscles. Voyons les forces en présence : le moteur utérin, l'enfant, puis le tunnel à franchir.

LE MOTEUR : L'UTÉRUS

L'utérus est un muscle formé de fibres musculaires lisses, comme celles de l'intestin ou du cœur par exemple. Ces fibres ont le pouvoir de se contracter de façon autonome, automatique, c'est-à-dire qu'elles échappent à la volonté : vous ne pouvez ni les diminuer, ni les augmenter. Cela ne veut pas dire que vous allez rester passive pendant votre accouchement, nous vous en reparlerons.

Les contractions apparaissent en général à partir du 6ᵉ mois de la grossesse et parfois plus tôt. Ces contractions sont ressenties par la future maman mais ne sont pas douloureuses. C'est seulement au moment de l'accouchement qu'elles entrent véritablement en scène, qu'elles agissent pour de bon.

UN JOUR LE MOTEUR SE MET EN MARCHE

Qu'est-ce qui, un beau jour, déclenche les contractions ? Pour l'instant, il est impossible de répondre d'une manière précise à cette question, mais il est vraisemblable que plusieurs facteurs entrent en jeu.

Le **fœtus** lui-même joue probablement un rôle important. Dans les jours et les heures qui précèdent l'accouchement, ses glandes surrénales deviennent hyperactives. Mais nous ne savons pas comment s'exerce cette influence. Une autre hormone est connue pour déclencher et entretenir les contractions : c'est l'*ocytocine* sécrétée par l'hypophyse. C'est elle que l'on emploie en perfusion intraveineuse au cours de l'accouchement pour renforcer et régulariser les contractions. À la fin de la grossesse, elle est sécrétée à la fois par l'hypophyse de la mère et par celle du fœtus.

Certains facteurs sont purement mécaniques : la **distension utérine**, qui existe en fin de grossesse, agit sur le col pour le forcer progressivement à s'ouvrir. Elle peut aussi agir sur le muscle utérin pour lui faire sécréter des substances actives sur la contraction : les prostaglandines. Fabriquées par l'utérus, le taux des prostaglandines augmente nettement en fin de grossesse.

Des **facteurs nerveux** interviennent également – comme des réflexes – dont le point de départ serait le col utérin. Il est fréquent que le simple toucher vaginal d'une femme à terme déclenche l'accouchement dans les 24 heures qui suivent. On ignore toutefois la nature exacte de ces réflexes.

En conclusion, on peut dire qu'aucun de ces différents facteurs ne paraît suffisant à lui seul pour déclencher l'accouchement. Mais il est possible qu'ils s'associent selon un mécanisme qui nous est encore inconnu, pour provoquer, puis entretenir et renforcer les contractions.

EFFET DES CONTRACTIONS

L'utérus commence donc à se contracter. Les contractions vont exercer leur force de haut en bas, c'est-à-dire du fond de l'utérus vers le col. Ce faisant, elles vont avoir une action sur le col : en effet,

EFFET DES CONTRACTIONS UTÉRINES
Les contractions utérines tendent à diminuer la longueur de l'utérus. Il se ramasse sur lui-même comme l'indiquent les flèches. Le fond de l'utérus est poussé du haut vers le bas, le col est tiré du bas vers le haut, la tête de l'enfant servant d'appui contre le col. Ainsi le col est-il amené à s'ouvrir et l'enfant à sortir.

à chaque contraction, les parois de l'utérus tirent le col vers le haut. Et c'est ainsi que peu à peu le col va s'ouvrir. Il est en effet indispensable, pour que l'enfant puisse sortir de l'utérus, que s'ouvre le col comme vous pouvez vous en rendre compte sur les schémas a, b, c, d, ci-dessous. Certes, au cours de la grossesse, le col a subi un ramollissement progressif qui rend son ouverture plus aisée, mais **il ne peut s'ouvrir que grâce à l'action des contractions utérines.**

... Dilater le col

Dans un premier temps, le col se raccourcit progressivement jusqu'à disparaître et se confondre avec le reste de l'utérus. On dit qu'il **s'efface**. Mais au début, il est encore fermé (schéma b). C'est dans un second temps que le col s'ouvre, et toujours sous l'influence des contractions. On dit alors qu'il **se dilate** (schéma c).

Cette dilatation est exprimée en centimètres. La dilatation complète du col correspond à une ouverture de 10 cm de diamètre. Les modifications du col s'évaluent par le toucher vaginal, pratiqué régulièrement au cours de la dilatation.

Au cours du premier accouchement, chez la primipare – la femme qui met au monde son premier enfant –, l'effacement et la dilatation du col constituent deux phénomènes bien distincts qui se suivent dans le temps. Chez la multipare – la femme qui a déjà eu des enfants – ils vont souvent de pair : le col s'efface et se dilate en même temps. L'enfant ne peut sortir de l'utérus tant que la dilatation du col n'est pas complète, et ce sont les contractions utérines seules qui produisent cette dilatation.

... Pousser l'enfant vers le bas

Les contractions agissent sur le col pour l'ouvrir, mais elles agissent également sur l'enfant : elles le poussent peu à peu vers le bas.

Cette descente progressive de l'enfant se fait simultanément à la dilatation du col. L'enfant ne pourra donc sortir de l'utérus que lorsque la dilatation sera complète.

L'EFFACEMENT ET LA DILATATION DU COL

On voit, dessinés schématiquement, la tête de l'enfant, le liquide amniotique (en bleu), les membranes de l'œuf (trait sombre), le tout à l'intérieur de l'utérus dont le col, en bas, s'ouvre dans le vagin.

 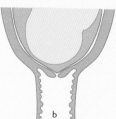  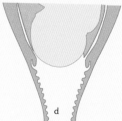

Au début de l'accouchement, le col de l'utérus est fermé.

Peu à peu, sous l'effet des contractions, le col perd sa longueur : on dit qu'il s'est effacé. Mais il reste encore fermé.

Le col en train de s'ouvrir : il se dilate. Les membranes retiennent le liquide amniotique qui forme une poche plus ou moins tendue contre le col : c'est la poche des eaux.

Col ouvert, poche rompue, la tête de l'enfant va maintenant pouvoir descendre pour sortir de l'utérus. Puis elle va traverser le vagin et la vulve dilatés au maximum.

Toujours sous l'effet des contractions, un peu de liquide amniotique s'accumule entre la tête du bébé et le pôle inférieur de l'œuf : c'est la poche des eaux (schéma c, page précédente). Son rôle est de répartir la pression des contractions utérines autour du col de l'utérus. Ainsi la douleur de la mère est atténuée et la tête du bébé est protégée.

Les contractions, après avoir ouvert le col, vont faire franchir à l'enfant le bassin maternel qui forme comme un tunnel.

LE TUNNEL À FRANCHIR : LE BASSIN MATERNEL

Le tunnel à franchir constitue ce qu'on appelle la *filière pelvigénitale*. C'est en la traversant que l'enfant rencontrera sur sa route divers obstacles.

Cette filière est d'abord formée par le **bassin osseux** (schéma 2 ci-contre) qui n'est pas extensible car il est constitué de quatre os solidaires et articulés les uns aux autres : le sacrum et le coccyx en arrière, les os iliaques droit et gauche sur les côtés et en avant, là où ces deux os se rejoignent pour former le pubis (ou *symphyse pubienne*).

Pendant la grossesse, l'enfant est situé au-dessus du pubis. Au cours de l'accouchement, il va devoir traverser le bassin, puis en sortir. L'orifice d'entrée du bassin, par où entre l'enfant, est encore appelé *détroit supérieur*. Il a un peu la forme d'un cœur de carte à jouer. L'orifice de sortie du bassin est appelé *détroit inférieur*. Cette filière est également formée de muscles et de tissus extensibles qui tapissent et s'insèrent sur les bords du bassin osseux : c'est ce que l'on appelle le **périnée** ou **bassin mou**, par opposition au bassin osseux qui est dur et inextensible.

Ce sont ces deux obstacles (bassin osseux et bassin mou) que l'enfant devra franchir simultanément au cours de sa descente (schéma 3).

A noter que les muscles du périnée (schéma 4) vont être soumis pendant l'accouchement à des tensions considérables, notamment lors de l'expulsion. Ce qui explique l'utilité des exercices proposés après l'accouchement pour renforcer le périnée (voir p. 348 et 400). Pour les accouchements suivants, le bassin mou sera franchi plus aisément, le chemin ayant été tracé, si l'on peut dire, par le premier enfant.

L'ENFANT

Au terme de la grossesse, au moment où va se déclencher l'accouchement, l'enfant est prêt à effectuer sa sortie. Vous l'avez vu, il est habituellement en position verticale, tête en bas, siège en haut, c'est-à-dire dans le fond de l'utérus, entouré par les membranes et par le liquide amniotique, qui le protègent (schéma 1).

Pour franchir les différents obstacles que nous venons de voir, l'enfant va effectuer toute une série d'évolutions qui vont lui permettre de s'adapter aux formes et aux dimensions du tunnel. La tête commence par franchir l'orifice supérieur du bassin, ou détroit supérieur. On dit qu'elle **s'engage**.

En même temps qu'elle s'engage, la tête s'oriente obliquement : c'est que l'orifice supérieur du bassin lui offre plus de place pour passer en oblique ; disons qu'il est plus facile d'entrer dans le bassin la tête tournée du côté droit ou du côté gauche, et fléchie vers le bas, que la tête droite ; c'est pourquoi l'enfant fait ce double mouvement : rotation oblique et flexion vers le bas. L'exemple classique pour comprendre

LE BASSIN MATERNEL

1. LA SITUATION DE L'ENFANT AVANT LA NAISSANCE

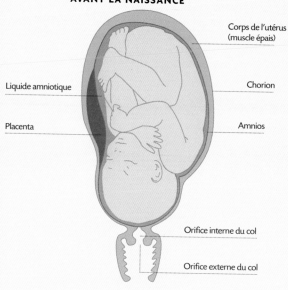

Corps de l'utérus (muscle épais)

Liquide amniotique

Chorion

Placenta

Amnios

Orifice interne du col

Orifice externe du col

Vous voyez sur ce schéma que le col de l'utérus a deux orifices : celui qui est vers le vagin (orifice externe) et celui qui est vers le bébé (orifice interne). En fin de grossesse, il est normal chez une femme ayant déjà eu un ou plusieurs enfants que l'orifice externe soit ouvert. L'orifice interne s'ouvrira au début du travail.

2. VU D'EN HAUT LE BASSIN OSSEUX DE LA FEMME

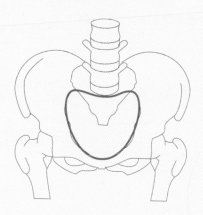

Nous voyons le détroit supérieur, les vertèbres lombaires, les os iliaques droit et gauche (larges surfaces), la symphyse du pubis (devant), le sacrum (bas de la colonne vertébrale) et le coccyx (bout du sacrum).

3. LES DIFFÉRENTS PASSAGES À FRANCHIR

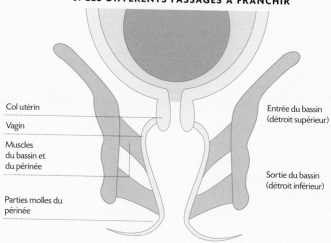

Col utérin

Vagin

Muscles du bassin et du périnée

Parties molles du périnée

Entrée du bassin (détroit supérieur)

Sortie du bassin (détroit inférieur)

4. LE PÉRINÉE

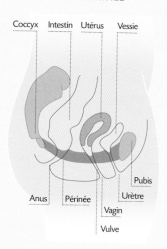

Coccyx Intestin Utérus Vessie

Anus Périnée Pubis Urètre Vagin Vulve

PRÉLUDE À L'ACCOUCHEMENT

Dans quelques heures, cet enfant sera né. Sur l'image de gauche, on voit la position de l'enfant et la place qu'il occupe dans le corps maternel. Sur l'image de droite, bien que l'utérus soit fermé, la tête de l'enfant va amorcer sa descente dans le bassin. C'est le prélude à l'accouchement – ressenti par la mère comme un poids au bas du ventre – quelques jours, parfois quelques heures avant les premières contractions.

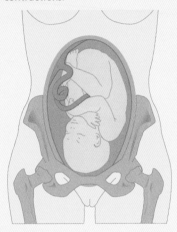
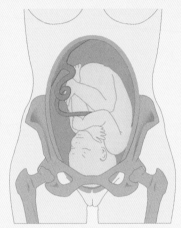

ORIENTATION ET ENGAGEMENT DU BÉBÉ

Comme vous le voyez sur ces schémas du canal osseux, l'enfant qui naît ne sort pas « tout droit » : il change deux fois d'orientation.
À gauche, la femme est représentée couchée, à droite le schéma la représente debout.

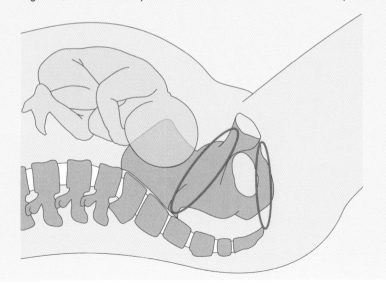
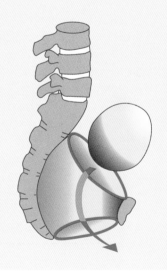

ce mécanisme est celui de l'œuf que l'on doit faire passer dans un anneau : l'œuf présenté dans son grand axe vertical franchit l'anneau ; présenté dans l'axe transversal, il ne peut pas passer (schéma 5). Cette amorce de descente, surtout pour un premier enfant, peut se produire à la fin de la grossesse, dans les jours qui précèdent l'accouchement. Elle est parfois ressentie douloureusement par la future mère.

Une fois le détroit supérieur franchi, la tête de l'enfant descend progressivement dans le bassin. Lorsqu'elle rencontre les muscles du périnée, au niveau du détroit inférieur, elle effectue une seconde rotation qui va l'amener dans un grand axe antéro-postérieur. En effet, au niveau de l'orifice de sortie du bassin, ou détroit inférieur, l'ouverture la plus grande est, non plus dans un diamètre oblique, comme au niveau de l'orifice supérieur, mais dans le sens antéro-posté-rieur. Là encore, la tête s'oriente pour profiter au mieux des dimensions maximales de l'orifice.

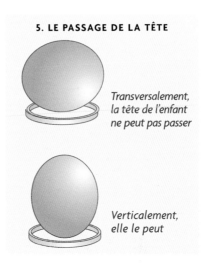

5. LE PASSAGE DE LA TÊTE

Transversalement, la tête de l'enfant ne peut pas passer

Verticalement, elle le peut

Ainsi, au cours de la traversée du bassin, l'enfant aura modifié deux fois l'orientation de sa tête, ce que vous pourrez constater sur les dessins ci-contre à gauche. En d'autres termes, l'enfant est entré dans le bassin en regardant son épaule (la droite ou la gauche), et il sort en regardant le sol.

Pour sortir du détroit inférieur, la tête de l'enfant, en appuyant, va étirer le périnée et la vulve (qui sont suffisamment élastiques pour permettre au bébé de naître). C'est la période d'expulsion. Elle correspond à « l'envie de pousser ». En effet, la pression de la tête sur les muscles du périnée déclenche le réflexe de pousser. Cet étirement est parfois associé à des sensations de plaisir sexuel, mais plus souvent à de la douleur. La sensation est parfois si surprenante, ou douloureuse, que la mère tente de résister, et contracte involontairement ses muscles.

La durée de cette période est toujours courte comparée à la phase de dilatation, au maximum 30 minutes. Et moins la mère résiste, plus la durée de l'expulsion est courte.

L'enfant est aidé

La descente progressive de la tête, cette traversée du tunnel, est facilitée par trois éléments.
• Les os du bassin sont soudés entre eux par des articulations. Or, à la fin de la grossesse – et c'est parfois assez douloureux – ces articulations se relâchent, relâchement qui élargit le bassin de quelques millimètres.
• Les os du crâne de l'enfant ne sont pas complètement soudés, leur soudure ne sera définitive que plusieurs mois après la naissance. Ainsi, le crâne de l'enfant garde-t-il une certaine malléabilité qui lui permet de se façonner à la taille du passage étroit qu'il doit franchir.
• Enfin, les parties molles – vagin et périnée – ont une élasticité naturelle.
  Pour terminer, deux remarques.
• Nous avons constamment parlé de la tête comme si elle seule importait : c'est ce qui se passe en pratique, car elle représente la partie la plus volumineuse de l'enfant. Quand la tête a franchi un obstacle, le reste du corps suit sans difficulté.
• Les différents mouvements effectués par l'enfant au cours de l'accouchement sont le résultat des contractions de l'utérus mais aussi de la façon dont le bébé s'adapte dans le bassin.

En résumé, il est important de comprendre que la contraction utérine constitue le moteur essentiel de l'accouchement. C'est elle qui permet la dilatation progressive du col et la descente de l'enfant, phénomènes qui se déroulent simultanément. Il n'y a pas d'accouchement normal sans contractions utérines régulières et efficaces.

L'accouchement comprend donc deux phases successives, et de durée inégale :
• la première (c'est la plus longue), la **dilatation** du col de l'utérus
• la deuxième (beaucoup plus courte), l'**expulsion** de l'enfant.

Vous retrouverez ces deux phases dans le film de l'accouchement que nous décrirons un peu plus loin (pp. 295 et suivantes). Après la naissance de l'enfant, une troisième phase terminera l'accouchement, la **délivrance** (p. 311), phase au cours de laquelle le placenta se décollera et sera expulsé.

LE CHEMIN DU BÉBÉ

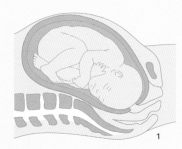
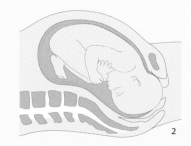

1, 2 et 3 : la dilatation (l'ouverture du col)

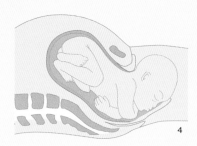

4 et 5 : l'expulsion (la sortie du bébé)

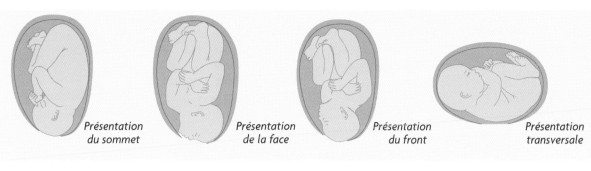

*Présentation
du sommet*

*Présentation
de la face*

*Présentation
du front*

*Présentation
transversale*

LES DIFFÉRENTES « PRÉSENTATIONS »

Le plus souvent – 95 fois sur 100 – l'enfant a la tête en bas au moment de l'accouchement. On appelle *présentation* la partie de l'enfant qui pénètre (qui s'engage) la première dans le bassin. Habituellement, la tête s'engage complètement fléchie, le menton sur le thorax, et présente le sommet du crâne (l'occiput) à l'entrée du bassin.

La présentation du sommet
Elle est la plus fréquente (95% des cas), c'est celle qui correspond à ce que vous lirez dans la description de l'accouchement.

La présentation de la face
Dans ce cas, la tête est complètement défléchie, rejetée en arrière. L'accouchement naturel est possible, mais il est souvent difficile, surtout chez la femme qui a son premier enfant. On a le plus souvent recours à une césarienne.

La présentation du front
La tête est en position intermédiaire entre la face et le sommet. L'accouchement par la voie naturelle est impossible (la tête présente à l'engagement un diamètre trop grand). La césarienne est nécessaire.

La présentation transversale
Elle est également appelée présentation de l'épaule. L'enfant se présente horizontalement, dos en haut ou en bas. La césarienne s'impose.

La présentation du siège
Ici l'enfant se présente le siège en bas, la tête se situant dans le fond de l'utérus. Ce sont soit les fesses (deux-tiers des cas), soit les pieds (un tiers des cas) – voir les schémas page suivante – qui se présentent en premier.

Le diagnostic de la présentation se fait en fin de grossesse, en palpant l'abdomen vers 7 mois 1/2 - 8 mois ; ce n'est en effet qu'au cours de cette période que l'enfant prend sa position définitive dans l'utérus. On peut confirmer le diagnostic par une échographie.

Si votre enfant se présente par le siège (3,6% des cas), ne vous étonnez pas de voir le médecin prendre certaines précautions. En effet, la difficulté, au moment de l'accouchement peut tenir au fait que la tête – qui sort la dernière du bassin – peut, selon son orientation et son volume, se blo-

Présentation du siège

quer dans le bassin, situation dangereuse pour le bébé. Aussi faut-il distinguer :

• les sièges de femmes ayant déjà accouché d'enfant de poids normal (ou *a fortiori* élevé) dont le bassin est normal. L'accouchement ici ne diffère guère de celui d'un accouchement habituel.

• Les sièges de femmes ayant leur premier enfant et pour lesquelles il est indispensable de réunir le maximum d'éléments de pronostic avant l'accouchement ; il faudra en particulier préciser le volume du bébé par une échographie et les dimensions du bassin par une radiopelvimétrie, ou par une mesure par scanner.

Quand l'enfant est encore en présentation du siège quatre à cinq semaines avant l'accouchement, le médecin, par manipulation du ventre de la mère, peut aider l'enfant à basculer pour l'amener la tête en bas ; c'est ce que l'on appelle « la version par manœuvres externes », qui réussit plus souvent chez la femme qui a déjà eu des enfants. En cas d'échec de la version, le médecin évaluera les possibilités d'un accouchement par les voies naturelles ou la nécessité de programmer une césarienne.

LA VERSION PAR MANŒUVRES EXTERNES EN PRATIQUE
- *Elle se fait à la maternité, sur rendez-vous*
- *un traitement visant à relâcher l'utérus est donné à la future maman*
- *le médecin contrôle par échographie la présentation, puis fait éventuellement un enregistrement du rythme cardiaque de l'enfant*
- *la version ne dure que quelques minutes*
- *un nouvel enregistrement du rythme cardiaque fœtal est parfois effectué*
- *si vous êtes rhésus négatif, et le père rhésus positif, une injection de gammaglobulines anti D vous sera faite*
- *vous quitterez la maternité après un peu de repos et vous pourrez regagner votre domicile.*

En cas d'accouchement par la voie naturelle, comme la poussée est plus longue, l'anesthésie péridurale est fréquemment proposée dès le début de la dilatation. Enfin, il est possible que la présentation du siège provoque une luxation de la hanche. Elle sera recherchée dès la naissance par l'examen du bébé. Au moindre doute, une échographie des hanches sera pratiquée.

Les autres méthodes pour faire tourner le bébé

L'**acupuncture** et l'**ostéopathie** n'ont pas vraiment fait preuve de leur efficacité pour faire tourner le bébé. De plus les manipulations du bébé par des non médecins sont déconseillées.

Certaines postures ont été proposées comme le **pont indien** : la maman est allongée, un gros coussin placé sous les fesses, les jambes sont écartées ; elle se tient ainsi une vingtaine de minutes matin et soir. Il n'est pas possible d'évaluer le taux réel de succès de cette posture. Ce qui est sûr, c'est que certains bébés, surtout lorsqu'il ne s'agit pas d'une première grossesse, tournent tout seuls.

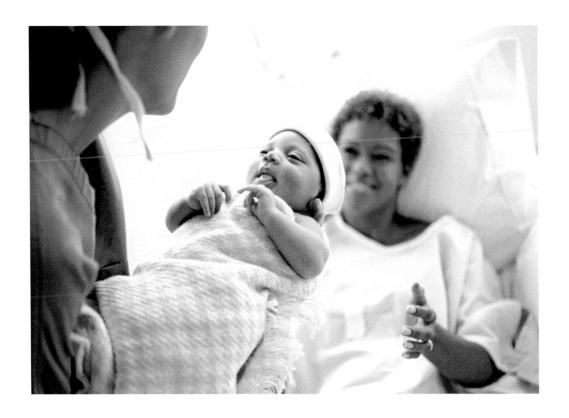

Le film de l'accouchement

COMMENT DÉBUTE UN ACCOUCHEMENT

L'accouchement ne débute pas toujours de façon nette, précise et stéréotypée, et il vous arrivera peut-être, surtout si vous accouchez pour la première fois, de vous demander si le moment est venu de partir pour la maternité.

Au moins en théorie, le début de l'accouchement est marqué par l'expulsion du bouchon muqueux et l'apparition de contractions utérines régulières et plus ou moins douloureuses.

Le bouchon muqueux

Il est constitué de sécrétions glaireuses, parfois teintées de sang, il bouche le col de l'utérus pendant la grossesse. C'est pourquoi, lorsqu'il est expulsé, la future mère pense qu'il faut partir aussitôt à la maternité. Ce n'est pas le premier signe qui doit vous déterminer, car cette expulsion peut précéder l'accouchement de 24 ou 48 heures, voire plus. Elle peut aussi passer inaperçue. Cette expulsion est le signe que le col de l'utérus commence à se modifier. Ce qui va vraiment marquer le début de l'accouchement, c'est l'apparition de contractions utérines particulières.

L'apparition de contractions utérines longues, régulières et douloureuses

Des contractions peuvent apparaître dans les derniers mois et surtout dans les dernières semaines de la grossesse. Vous pouvez les percevoir en plaçant la main sur le ventre : vous le sentez durcir de temps en temps. Mais ces contractions n'ont pas de rythme précis, pas de périodicité : elles sont anarchiques, courtes et en général peu douloureuses. Elles ne traduisent pas le début de l'accouchement.

Il en est de même de certaines douleurs, perçues tantôt comme une sensation de pesanteur, tantôt comme celle d'une distension osseuse et qui peuvent correspondre à l'engagement de la tête ou aux modifications du bassin. Mais ces douleurs ne s'accompagnent pas de contractions.

Ces contractions courtes, anarchiques, ces douleurs sans contractions n'indiquent pas le début de l'accouchement. C'est l'association contractions longues (plus d'une minute) et régulières qui signent vraiment le début de l'accouchement.

La douleur est le plus souvent présente, mais à des degrés divers selon les femmes. Certaines futures mamans disent avoir éprouvé à ce moment-là des sensations particulières : à la fois un sentiment d'être déconnecté de la réalité, d'être « ailleurs », et de la fatigue. Ces sensations sont probablement liées à la production de béta-endorphines, ces hormones de protection contre la douleur sécrétées par notre organisme.

Les premières contractions sont habituellement ressenties dans le ventre, mais elles peuvent aussi être ressenties au niveau des reins. Au début, les contractions sont peu intenses, pas toujours faciles à percevoir, se manifestant comme un simple pincement, ou comme la douleur qui accompagne souvent les règles.

Lorsque ces pincements sont si discrets qu'on n'est pas sûre qu'ils correspondent bien à des contractions, il y a un moyen simple de s'en assurer : il faut poser la main sur le ventre ; s'il durcit, c'est bien que l'utérus se contracte.

LES CONTRACTIONS QUI ANNONCENT L'ACCOUCHEMENT

Si c'est le fait de ressentir les contractions qui vous a donné l'alerte, peu à peu vous remarquerez que ces contractions auront d'autres caractéristiques qui achèveront de lever le doute :
* *les contractions sont régulières, elles reviennent selon un rythme précis, vous pouvez d'ailleurs noter le temps qui s'écoule entre deux contractions*
* *elles sont de plus en plus rapprochées*
* *elles sont de plus en plus longues*
* *elles sont de plus en plus intenses, de plus en plus douloureuses*
* *votre respiration devient plus ample au moment des contractions*
* *pendant les contractions, vous vous sentez « déconnectée » de la réalité*
* *entre les contractions, vous êtes gênée pour marcher.*

Vous aurez l'impression que les contractions montent comme une vague, qu'elles vous envahissent, se propagent comme une onde qui naît au milieu du dos, se divise en deux branches qui entourent les hanches, et se rejoignent dans le ventre en enserrant le corps comme une ceinture.

Lorsque vous aurez constaté que les faibles contractions du début, les petits pincements qui vous ont donné l'alerte sont finalement devenus ces contractions bien rythmées, de plus en plus rapprochées, de plus en plus longues, de plus en plus intenses, de plus en plus douloureuses, vous saurez que c'est vraiment la naissance de votre enfant qu'elles préparent.

LA DOULEUR ET L'ACCOUCHEMENT

Dans ce chapitre, nous parlons surtout de l'aspect dynamique et mécanique de l'accouchement : comment il débute, quelles en sont les principales phases, etc. La douleur sera abordée en détail au chapitre 13. Mais sachez d'ores et déjà qu'elle est plus ou moins forte selon les femmes, qu'elle n'est pas la même tout au long de l'accouchement. Et surtout, une fois que vous saurez reconnaître l'approche, la montée d'une contraction, votre attitude, à partir de ce moment-là, pourra, dans une certaine mesure, diminuer ou amplifier la douleur.

Comment être sûre que l'accouchement a bien commencé ?

Si vous hésitez encore, c'est possible, vous pouvez prendre un bain chaud. Vous pouvez aussi mettre à 10 minutes d'intervalle deux suppositoires d'un antispasmodique que vous aura peut-être prescrit le médecin ou la sage-femme. Il peut aussi s'agir d'un médicament à prendre par la bouche (Spasfon®). Si c'est un faux début de travail, les contractions s'estomperont et disparaîtront. S'il s'agit bien du début de l'accouchement, ni le bain, ni les médicaments n'auront d'action, les contractions continueront.

Pour le cas où vous n'auriez pas de médicament antispasmodique, ou pas de possibilité de prendre un bain chaud, ce seront les caractéristiques des contractions que nous avons décrites plus haut qui vous donneront une réponse. Et si, au contraire, les contractions restent irrégulières, n'augmentent ni en fréquence, ni en durée, ni en intensité, il y a de fortes chances pour qu'elles n'indiquent qu'un **faux début de travail**. Au bout de quelques heures, ces contractions disparaîtront comme elles sont venues. Et l'accouchement ne s'annoncera peut-être que quelques jours, ou même quelques semaines plus tard.

Les fausses alertes sont-elles fréquentes ? Elles se produisent dix à quinze fois sur cent, et le plus fréquemment au moment où la tête de l'enfant amorce sa descente dans le bassin.

Avant de partir, vous pouvez faire un mini-lavement (ou suppositoire). Cela vous évitera, quelques heures plus tard, lorsque vous aurez des envies de pousser et en même temps des fausses envies d'aller à la selle, de vous crisper pour vous retenir. Vous pourrez calmement laisser votre périnée se relaxer, sans crainte d'avoir envie d'aller à la selle sur la table d'accouchement. Mais si le suppositoire ne faisait pas d'effet, ne soyez pas gênée en cas d'émission de selles ou d'urines lors de l'expulsion. C'est fréquent puisque le bébé appuie sur le rectum, c'est banal pour l'obstétricien ou la sage-femme. Quant au papa, placé à la tête du lit, il ne sera pas confronté directement à l'incident.

La perte des eaux

Les femmes pensent souvent que le premier signe de l'accouchement est la perte des eaux. En fait celle-ci peut avoir lieu à des moments variables. Mais elle est toujours le signe qu'il faut se rendre à la maternité, que le travail ait ou non commencé.

La poche des eaux peut se rompre de façon imprévisible, avec ou sans contraction. Le liquide qui s'écoule est compris entre la tête du bébé et le col ; il est blanchâtre. Même après la rupture, le bébé baigne toujours dans le liquide et celui-ci continue d'être renouvelé jusqu'à la naissance.

La perte des eaux a généralement lieu pendant la dilatation. Si la rupture de la poche des eaux ne se fait pas spontanément, le médecin ou la sage-femme peut décider de la rompre lorsque le col est ouvert de 5 ou 7 cm, afin d'accélérer la dilatation et la descente du bébé. Mais la poche des eaux peut se rompre avant même que l'accouchement ait commencé (p. 298).

Si la poche des eaux ne se rompt qu'au moment de la naissance, les membranes restent sur la tête du bébé. On dit qu'il naît « coiffé ». Autrefois c'était considéré comme un signe de chance.

QUAND PARTIR POUR LA MATERNITÉ ?

Faut-il partir dès les premières contractions ? À la perte du bouchon muqueux ? À la perte des eaux ? Faut-il attendre d'avoir une quasi-certitude que l'accouchement a bien commencé ?

Disons tout d'abord qu'un premier accouchement dure entre 8 et 10 heures (p. 312). Et même si les accouchements suivants peuvent être moins longs, vous avez donc le temps de voir venir. Par ailleurs, vous tiendrez compte pour partir d'autres facteurs : distance de la maternité, densité du trafic, conditions météo, etc.

• Cela dit, il faut partir **rapidement** si la poche des eaux s'est rompue, même si vous n'avez pas de contractions (ci-dessous *La rupture prématurée des membranes*).

La perte du bouchon muqueux est rarement un signe de début de travail et ne nécessite pas de consultation lorsque vous êtes dans la période du terme.

• Et il faut partir **dès le début du travail** si une prise en charge médicale particulière est prévue pour votre accouchement.

Sinon, il n'y a pas de « moment idéal » pour partir à la maternité. Des contractions douloureuses, un doute sur la perte des eaux peuvent être des raisons suffisantes pour aller consulter. Une sage-femme de garde accueille les futures mères 24 heures sur 24 pour effectuer les consultations nécessaires. Si la sage-femme vous dit que vous pouvez rentrer chez vous, vous n'y serez pas « allée pour rien» mais vous serez soulagée puisque la consultation aura répondu aux questions qui vous inquiétaient.

Lorsque vous serez gênée pour marcher entre les contractions – c'est le signe que le bébé s'engage et que le col est bien dilaté –, n'attendez pas pour partir.

Une des angoisses de bien des futures mères, c'est de se retrouver seules, en pleine nuit, au moment de partir pour la maternité (par exemple si du fait de leur profession, leur compagnon se déplace souvent). Prévoyez des solutions de rechange, famille, amis, voisins. Si personne n'est disponible pour vous emmener, appelez le 15 : c'est en effet le médecin régulateur du SAMU qui organise le transport vers la maternité. En cas d'urgence, c'est le 15 qu'il faudra également appeler.

LA RUPTURE PRÉMATURÉE DES MEMBRANES (OU PERTE PRÉMATURÉE DES EAUX)

*Normalement, la poche des eaux se rompt pendant l'accouchement, c'est-à-dire lorsque vous serez déjà à la maternité. Mais il peut arriver que cette rupture survienne avant le début du travail. Vous vous en rendrez sûrement compte car l'écoulement du liquide amniotique est souvent abondant (un bon verre, parfois plus). Même si la perte vous paraît plus minime (il peut s'agir d'une simple fissure de la poche des eaux ou d'une confusion avec une perte d'urine) et même en l'absence de tout autre signe faisant penser que l'accouchement va commencer, vous partirez pour la maternité. **Si le liquide est teinté ou verdâtre, ce n'est pas normal et il convient de se rendre sans tarder à la maternité.** Si possible, vous partirez en voiture en position allongée ou semi-allongée. Tout se passera bien sans doute mais, lorsque la poche des eaux est rompue, il y a quand même des risques d'éventuelles complications. Si le travail n'a pas commencé, vous serez surveillée pour savoir s'il faut déclencher l'accouchement ou si l'on peut attendre qu'il se déclenche spontanément.*

L'ARRIVÉE À LA MATERNITÉ

Le moment de partir est venu. Vos deux valises, la vôtre et celle du bébé, sont déjà prêtes. (Au sujet de votre valise, et de celle du bébé, voyez *Qu'emporter à la maternité* chapitre 17). Ce n'est pas le moment de regarder si rien n'y manque. Votre mari ou votre mère auront toujours le temps de vous apporter ce que vous aurez oublié. Ne demandez pas à la personne qui vous conduit d'aller vite. Encore une fois, vous avez tout le temps.

Dans les taxis de New York, il y a un petit écriteau : « Sit back and relax », c'est-à-dire : « Installez-vous bien et détendez-vous. » Imaginez que vous avez ce petit écriteau devant les yeux.

Vous arrivez à la maternité. Une sage-femme vous accueille et vous accompagne dans la petite salle réservée aux premiers examens.

La sage-femme prend rapidement connaissance de votre dossier ou consulte votre carnet de maternité. Puis elle vous examine, comme lors des autres consultations prénatales : poids, tension, urines, mesure de la hauteur utérine, toucher vaginal et monitorage (c'est-à-dire enregistrement du rythme cardiaque du bébé et des contractions utérines).

Il y a trois possibilités :

• le col n'est pas encore assez modifié : la sage-femme vous donne un traitement qui arrête, ou au moins atténue, les contractions ; vous pouvez rentrer chez vous, en attendant que le travail commence. Si vous habitez loin de la maternité, les décisions de partir ou de rester seront prises au cas par cas.

• la poche des eaux est rompue alors que le travail n'a pas encore commencé : vous restez à la maternité

• le travail est commencé : vous êtes installée dans une salle de « pré-travail », ou en salle de naissance si la dilatation est bien avancée.

La sage-femme pourra vous dire à quel stade en est la dilatation. Vous avez vu que celle-ci passe par différents stades que l'on évalue en centimètres. Par exemple, la sage-femme vous dira : « Vous en êtes à 3 cm. » Vous serez alors installée dans une salle dite de « prétravail » , ou en salle de naissance si la dilatation est plus avancée.

Maintenant que vous avez passé le stade du doute, que vous êtes entre les mains expertes de la sage-femme, que vous savez qu'elle va s'occuper de vous régulièrement, vous n'avez qu'une chose à faire : vous détendre, et vous rappeler ce que vous devez faire pendant la dilatation — on vous l'a expliqué, si vous avez suivi des séances de préparation à l'accouchement. Et vous le retrouverez en détail à la page suivante. Peut-être, d'ailleurs, la sage-femme qui vous a préparée sera-t-elle à vos côtés pour vous le redire. Il est également possible que ce soit votre mari qui reste près de vous.

À son arrivée, le plus souvent, la future mère est accueillie chaleureusement. Si cela ne se passe pas ainsi (par exemple il y a beaucoup d'admissions en même temps et le personnel est surchargé), l'important est de ne pas vous énerver mais de vous concentrer sur vous et votre bébé. Vous savez que, le moment venu, toute l'équipe sera là pour vous soutenir et vous aider.

LA DILATATION

Cette première phase de l'accouchement, la dilatation, qui a commencé lorsque vous étiez chez vous et que vous avez senti les premières contractions, va maintenant se poursuivre.

Il n'est pas possible de vous dire combien de temps va durer la dilatation. Cela dépendra de plusieurs facteurs (p. 312). Elle est en général plus longue pour un premier bébé que pour les suivants.

Pendant cette période vous serez régulièrement surveillée par la sage-femme. Au cours de la dilatation, un certain nombre de gestes médicaux sont systématiquement pratiqués. Aucun n'est obligatoire, ce sont des mesures prises pour faciliter la surveillance. Les voici :

• pose du monitoring pour surveiller le rythme cardiaque de l'enfant et les contractions ; il sera posé plutôt de façon discontinue tant que vous n'aurez pas de péridurale

• pose d'une perfusion, obligatoire si vous avez une péridurale

• rupture artificielle de la poche des eaux pour rendre les contractions plus efficaces. Le geste est indolore, vous ne sentirez que l'écoulement du liquide chaud. Mais le col n'étant plus protégé par la poche, la pression est plus forte et la douleur est plus intense. La dilatation sera donc plus douloureuse mais plus rapide ; la péridurale est là pour protéger de la douleur.

• injection de médicament pour agir sur les contractions ou pour relâcher le col

• proposition de respirer dans un masque pour atténuer la douleur en l'absence de péridurale (un mélange d'oxygène et d'azote).

La sage-femme qui vous surveille note dans votre dossier la progression de la dilatation du col et de la descente du bébé dans le bassin. Elle établit ce qu'on appelle un « partogramme ».

Quand votre col sera complètement dilaté, commencera une nouvelle phase de l'accouchement qui correspond à la sortie de l'enfant. On appelle cette phase l'expulsion. C'est un terme médical qu'il faut bien employer, mais une mère n'expulse pas son enfant, elle le met au monde.

À noter : il n'est pas interdit de boire pendant la dilatation : eau, thé, etc.

CE QUE VOUS DEVEZ FAIRE PENDANT LA DILATATION

Les contractions, vous allez vite vous en rendre compte vous-même, sont involontaires : vous ne pouvez ni les augmenter, ni les diminuer, ni en modifier le rythme. Pour vous donner une idée de leur fréquence et de leur durée, en plein travail elles reviennent toutes les 3 à 5 minutes et durent au moins 1 minute.

Mais vous ne resterez pas passive pour autant. Votre attitude, votre comportement peuvent avoir une grande influence sur le déroulement de l'accouchement : il sera d'autant plus rapide que vous serez calme et détendue.

C'est le moment de mettre en pratique ce que vous avez appris en préparant votre accouchement : bien respirer, bien vous détendre et changer de position. Vous allez comprendre pourquoi.

Respirer

Lorsqu'un muscle se contracte, c'est-à-dire travaille, il consomme de l'oxygène. Et plus il se contracte, plus il en consomme. Or, votre utérus est en train de fournir un travail intense. Il a donc particulièrement besoin d'oxygène. Vous devez aussi continuer à en envoyer à votre enfant. Pour cela, le meilleur moyen : respirer bien régulièrement.

Vous détendre

Les contractions de l'utérus sont involontaires. Mais si vous ne pouvez les provoquer, vous pouvez les rendre plus ou moins douloureuses. En effet, que fait votre utérus ? Comme vous l'avez vu, il se contracte régulièrement pour ouvrir peu à peu le col.

Dans des conditions normales, le col s'ouvre graduellement jusqu'à la dilatation complète. Mais lorsque la mère est contractée, le col de l'utérus, qui a déjà tendance à résister à la dilatation, résiste encore plus. Il en résulte une douleur.

Pour expliquer cette douleur, le docteur Read, un des pionniers de l'accouchement sans douleur, faisait une comparaison avec la vessie : comme l'utérus, la vessie est fermée par un col. Au repos, celui-ci demeure contracté et empêche l'urine de s'écouler. Lorsque la vessie a besoin de se vider, le col qui la ferme se relâche, les parois de la vessie se contractent et expulsent l'urine. Mais si vous êtes obligée de vous retenir, vous vous contractez pour vous opposer à l'ouverture du col qui ferme la vessie. Cet effort, d'inconfortable devient rapidement douloureux, ou même intenable s'il se prolonge. La douleur ne disparaît que lorsque vous laissez la vessie dilater son col et se vider. Pendant la dilatation, il faut donc, pour ne pas contrarier la nature, que vous restiez bien détendue.

> **VOTRE BÉBÉ VA NAÎTRE**
> *C'est votre accouchement, c'est aussi la naissance de votre bébé. Ne vous concentrez pas uniquement sur le travail : pensez à votre enfant, aux efforts qu'il fait pour naître.*

QUELLES POSITIONS ADOPTER PENDANT LA DILATATION ?

Il n'y a pas de position meilleure qu'une autre. Dans cette phase, l'important est de **changer de position** car cela déclenche un mouvement des articulations qui fait de la place au bébé et facilite sa descente.

Changer de position permet d'atténuer la douleur. Par exemple, en étant assise, on peut se pencher en avant, en s'appuyant sur les coudes ou sur les mains : le bas du dos se relâche et les douleurs localisées à cet endroit s'atténuent. Certaines maternités proposent des objets permettant des mouvements. Par exemple un gros ballon sur lequel la femme s'assied : en le faisant légèrement rouler, elle fait bouger son bassin. Ou bien, assise ou debout, elle se tient à une barre et fait des étirements. Lorsque vous vous sentez fatiguée, installez-vous sur le côté, la jambe du dessus bien calée par un oreiller que vous apporterez en salle de naissance.

Certaines sages-femmes proposent aux futures mères de s'installer ainsi : à genoux, les coudes et les avant-bras reposant sur le dossier relevé du lit d'accouchement, et en écartant suffisamment les genoux pour que le ventre ne soit pas comprimé. Cette position permet de bien se détendre entre les contractions en posant la tête sur les avant-bras. Pendant la contraction, le bébé bénéficie de toute la place dans le bassin ce qui favorise sa descente. La maman peut rester dans cette position jusqu'à la sortie du bébé ; si le médecin ou la sage-femme le souhaitent, ils lui demanderont de s'installer sur le côté ou sur le dos au moment de l'expulsion.

En un mot, pendant la dilatation, la femme est libre de ses mouvements. La perfusion, la péridurale, le monitoring réduisent cette liberté mais ne vous obligent pas à rester sur le dos. La péridurale permet la station assise.

Quelle que soit la position que vous adoptiez, **détendez-vous** complètement en relâchant tous vos muscles. Ensuite, au moment où vous sentirez la contraction monter, évitez de vous crisper. Une sorte de réflexe de défense tend à vous raidir contre la contraction. Il faut lutter contre ce réflexe et, au contraire, vous détendre. Si au lieu de résister, vous « accompagnez » la contraction, vous verrez qu'elle deviendra plus familière, moins agressive, moins douloureuse. C'est ainsi que la dilatation se fera sans encombre et en vous faisant le moins souffrir. Le docteur Read disait : « À femme contractée, col contracté. À femme détendue, col relâché. » Rappelez-vous bien cette formule, elle vous sera précieuse. Lorsque la femme a confiance en elle et en l'équipe qui l'entoure, lorsque la présence de son mari est rassurante, la contraction « passe » mieux.

Pensez aussi à votre bébé, à votre joie de bientôt le voir. Il se sentira en sécurité et vous-même, vous aurez moins mal puisque vous vous concentrerez sur son bien-être à lui.

Si vous êtes encore chez vous, il peut être agréable de prendre un bain tiède et de vous décontracter, ce qui aide le col à se dilater grâce à la détente que procure le bain. Une seule condition : n'avoir pas perdu les eaux. Et si vous êtes déjà à la maternité, vous pourrez peut-être prendre ce bain sur place car certains établissements sont équipés de baignoires où l'on peut se relaxer pendant le travail.

Vous trouverez (pp. 344 et suivantes) des exercices qui vous apprendront à vous détendre complètement. Ce sont, entre autres, des exercices respiratoires. Voici comment les utiliser pendant la dilatation.

QUAND FAUT-IL RESPIRER ? QUAND FAUT-IL SE DÉTENDRE ?

Dès qu'une contraction approche (vous savez maintenant comment elle s'annonce), le rythme de la respiration change, l'inspiration est plus longue. Faites des respirations profondes en suivant ce nouveau rythme (p. 344). Le travail peut durer plusieurs heures, pensez à vous reposer et même à dormir entre deux contractions, selon vos besoins.

Dès que vous aurez senti que la contraction est passée, vous reprendrez votre respiration habituelle, vous vous détendrez le plus possible, c'est cela qui vous permettra de bien maîtriser la contraction suivante. Et, à chaque nouvelle contraction, vous ferez des respirations profondes. Respirez à votre rythme, sans forcer

Tout au long du travail, et plus particulièrement à la fin de la période de dilatation, surtout si la tête est déjà bien engagée, il est possible que vous ressentiez au cours des contractions le besoin de « pousser ». À ce stade, en poussant, vous n'aideriez pas le travail, vous le rendriez seulement plus douloureux. De plus, cela aboutirait, non à un gain, mais à une perte de temps. Pousser sur un col incomplètement dilaté gêne la dilatation, et prolonge la durée de l'accouchement. D'autre part, ces efforts prématurés de poussée risquent de vous fatiguer et de vous faire arriver en moins bonne forme au moment où, au contraire, vous devrez participer activement à la naissance de votre enfant et dépenser toute l'énergie musculaire dont vous disposez. Signalez à la sage-femme cette envie de pousser. Elle vous montrera des positions qui vous aideront à ne pas pousser : par exemple, à genoux, la tête penchée, appuyée sur les bras. Vous pouvez aussi faire des **respirations haletantes** (p. 345) qui vous empêcheront de pousser. Rassurez-vous, lorsque cela arrive, cette période est courte (pas plus d'une demi-heure).

Il arrive parfois au cours du travail que se produisent dans les bras et les jambes des fourmillements accompagnés de crampes et d'une certaine sensation de malaise général. Informez-en la sage-femme. Tout ceci disparaît très vite avec une injection intraveineuse de calcium.

LA SURVEILLANCE DU BÉBÉ

On a toujours surveillé l'état du bébé du début à la fin du travail, notamment par l'auscultation des bruits du cœur, mais de façon intermittente. Aujourd'hui, cette surveillance du bébé pendant l'accouchement, et aussi pendant la grossesse (p. 229), peut se faire de façon permanente par l'enregistrement du rythme cardiaque fœtal (RCF), appelé aussi monitoring du RCF. Ce « monitoring » (l'appareil s'appelle le cardio-tocographe) permet d'enregistrer et d'analyser le rythme cardiaque du bébé et les contractions utérines de la maman.

Pour cela, des capteurs sont posés sur le ventre de la mère et reliés à un appareil électronique enregistreur. Ainsi, on peut voir se dessiner les variations du rythme cardiaque du bébé en même temps que l'amplitude des contractions de la mère. Lorsque le bébé bouge, ou si vous changez de position, l'enregistrement devient parfois plus difficile : le cœur du bébé n'est plus en face du capteur et il y a perte du signal. Selon les appareils, une lumière rouge s'allume et au bout de quelques secondes ou minutes une alarme retentit. Ne vous inquiétez pas, tout continue à aller bien pour votre bébé et son cœur bat toujours normalement. Ces alarmes sont faites pour avertir la sage-femme que l'enregistrement ne fonctionne pas et qu'elle doit venir replacer les capteurs.

Grâce à ce monitoring, on peut dépister une anomalie du rythme cardiaque et, en fonction de l'importance et de la permanence de cette anomalie, prendre la décision de faire sortir l'enfant très rapidement, soit par les voies naturelles, soit par césarienne.

Si nécessaire, il est possible d'utiliser une autre technique (beaucoup moins répandue) : une goutte de sang est prélevée directement sur le cuir chevelu de l'enfant pour mesurer le Ph ou les lactates, ce qui permet de déceler indirectement un éventuel manque d'apport d'oxygène. Dans cette hypothèse, et en fonction des résultats, le médecin pourra prendre la décision de terminer rapidement l'accouchement, le plus souvent par césarienne, lorsque la dilatation n'est pas trop avancée.

L'EXPULSION : LA MISE AU MONDE

Lorsque la dilatation sera complète, la deuxième phase de l'accouchement va commencer, elle sera d'ailleurs plus courte : 20 à 30 minutes pour une première naissance, beaucoup moins pour les suivantes.

À ce stade, les contractions deviennent plus rapprochées et durent plus longtemps. La tête de l'enfant appuie sur les muscles du périnée. Cet appui vous donne le besoin de pousser et entraîne une réaction d'ouverture des muscles du périnée. Cette envie de pousser est souvent moins bien perçue lorsque vous êtes sous anesthésie péridurale. Quoiqu'il en soit, il est important que vos efforts de poussée soient bien dirigés. Suivez les conseils de la sage-femme ou du médecin.

Il peut arriver que, même à dilatation complète, vous n'ayez pas encore envie de pousser. Les contractions sont alors moins douloureuses : profitez de cette pause pour vous reposer.

Au moment de la dilatation, vous aviez essentiellement à supporter les contractions, à les laisser faire leur travail, en restant détendue. Maintenant au contraire, vous allez participer activement à la naissance de votre enfant, vous allez aider l'utérus à faire son travail pour pousser l'enfant vers le bas. L'enfant sort du tunnel osseux du bassin, il va franchir le tunnel plus souple formé par le vagin et par le périnée (p. 288). Vos efforts de poussée, s'ajoutant au travail de l'utérus et à la réaction d'ouverture du périnée, vont aider la tête à franchir ces obstacles.

La dilatation vous a fatiguée et vous avez peur de ne pas avoir la force de pousser. Ne vous inquiétez pas. Votre corps va secréter des hormones qui vont agir comme des stimulants et vous donner l'énergie pour ce grand moment.

CE QUE VOUS DEVEZ FAIRE PENDANT L'EXPULSION

Que faut-il faire pour aider l'utérus dans son travail à ce stade ? Abaisser le diaphragme et contracter les abdominaux. Ainsi, l'utérus comprimé de haut en bas par le diaphragme, d'avant en arrière par les abdominaux, accentuera sa pression sur l'enfant. Mais l'important c'est que vos efforts de poussée coïncident avec les contractions qui déclenchent l'étirement du périnée et l'ouverture de la vulve.

Pour y arriver, voici comment procéder.

La contraction s'annonce

Mettez-vous dans la position d'expulsion : dos relevé, cuisses écartées, pieds dans les étriers. Ou peut-être : les jambes posées sur des sortes de demi-gouttières rembourrées sur lesquelles genoux et mollets prennent appui, ceci est la position classique d'accouchement (voyez aussi p. 305). Relâchez bien le périnée. Faites une bonne respiration profonde (p. 344).

La contraction est là

Bouche fermée, inspirez profondément, c'est ainsi que vous abaisserez au maximum le diaphragme. Arrivée au sommet de l'inspiration, bloquez votre souffle. Puis, contractez fortement vos muscles abdominaux à partir du creux de l'estomac pour appuyer le plus possible sur l'enfant et le pousser vers le bas, tout en vous efforçant de garder le périnée bien relâché.

C'est le traditionnel « inspirez, bloquez, poussez ». Pour vous aider à pousser, saisissez des deux mains les barres soutenant les étriers, et tirez sur vos mains. Dans l'effort, vos épaules se soulèvent du lit : c'est bien, faites le dos rond ; inclinez la tête sur la poitrine.

Ne vous inquiétez pas si vous n'arrivez pas à bloquer votre souffle aussi longtemps que dure la contraction, c'est difficile à faire. Pour vous aider, rejetez par la bouche l'air que vous avez dans les poumons, reprenez rapidement une bouffée d'air, bloquez de nouveau votre souffle et continuez à pousser jusqu'à la fin de la contraction.

La contraction est passée

Vous venez de fournir un violent effort ; maintenant faites une respiration profonde en inspirant et en expirant largement.

Entre deux contractions

Relâchement musculaire pour récupérer vos forces et respiration normale. Sauf indication du médecin, ne poussez pas entre les contractions.

En lisant ce qui précède, vous vous demandez peut-être si vous saurez bien distinguer les moments où il faut pousser, ceux où il faut vous détendre. Ne vous faites pas de souci, le médecin ou la sage-femme, à côté de vous, suivront la progression de l'enfant et vous guideront.

Contrairement à ce que les femmes redoutent souvent, cette phase de l'expulsion n'est pas la plus pénible de l'accouchement : le col est complètement ouvert, il ne résiste plus. Les contractions utérines sont perçues de façon moins douloureuse que pendant la dilatation. Certaines femmes ne poussent pas parce qu'elles ont peur que la tête de l'enfant n'ait pas la place de passer. Elles se représentent le vagin comme il est en dehors de la grossesse. Or, en fait, il est très différent, il s'est préparé pour le passage de l'enfant (p. 146).

Grâce à vos efforts, la tête de l'enfant commence à apparaître dans l'ouverture de la vulve et l'on peut voir les cheveux. À chaque contraction, la vulve se dilate davantage et une plus grande partie de la tête apparaît. À un certain moment, on vous demandera de ne plus pousser. C'est en effet alors au médecin ou à la sage-femme de dégager lentement et progressivement la tête hors de la vulve. À ce stade, ne soulevez pas la tête, laissez-la bien sur le lit, cela vous évitera de pousser ; et pour vous aider, faites la respiration haletante, comme à la fin de la dilatation (p. 345).

Vous verrez qu'il est impossible de respirer de la sorte et de pousser en même temps. Et lâchez les barres que vous teniez : vous n'avez plus d'effort à fournir, au contraire. Un effort de poussée risquerait de faire sortir brutalement la tête et de provoquer une déchirure plus ou moins importante du périnée.

Les fortes contractions vous ont peut-être fait un peu oublier votre bébé. Il va bientôt venir au monde. Préparez-vous à l'accueillir.

DIFFÉRENTES MANIÈRES DE POUSSER

« Inspirez, bloquez, poussez » : c'est la base de la préparation classique, la technique de poussée le plus souvent recommandée pendant toute l'expulsion. C'est ce que nous venons de vous décrire.

Une autre proposition est faite au sujet de la poussée, qui, d'après leurs auteurs, protège mieux le périnée et évite les prolapsus. C'est en particulier la proposition du docteur Bernadette de Gasquet (p. 346) ; elle parle de **poussée en expiration freinée**, voici sa méthode.

« Lorsque le réflexe de poussée se manifeste, les abdominaux se resserrent spontanément sur le bébé et le poussent en avant. À ce moment-là, la mère n'a pas à pousser en force le bébé vers le bas (ce qui forcerait également sur la vessie) : elle « se retire » de l'enfant, le laissant glisser à travers le périnée qui s'ouvre devant lui.

« La poussée en expiration freinée se fait mieux lorsque la mère est accroupie ou assise et que, dans cette position, elle peut s'étirer : par exemple en s'accrochant au cou de son mari, ou à une barre, ou en étant soutenue sous les aisselles. Cet étirement accentue le serrage abdominal et relâche le périnée. Sinon on peut aménager la position gynécologique classique : allongée sur le dos les genoux étant ramenés sur la poitrine, la mère les repousse de ses mains ; en faisant ce geste, elle augmente la pression abdominale ». Dans cette même position, vous pouvez aussi, en ayant les coudes bien ouverts, tirer les genoux vers vous, pendant que votre mari les retient légèrement.

Vous trouverez le détail de cette méthode dans le livre de B. de Gasquet **Bien-être et maternité**, *Éditions Albin Michel. Ainsi que dans son DVD :* **Positions d'accouchement**, *dans lequel l'auteur explique bien, entre autres informations, comment utiliser les différents accessoires (ballon, coussin, etc.) lors de la préparation à la naissance et au moment de l'accouchement.*

Ces différences dans la manière de respirer, de pousser, peuvent paraître un peu compliquées, mais nous vous en parlons pour que vous ne soyez pas prise au dépourvu si ce que la personne qui est à vos côtés vous demande est différent de ce que je vous ai décrit dans ce livre. De toute façon, vous ne serez pas seule, vous aurez une sage-femme près de vous ; au fur et à mesure du déroulement de l'accouchement, elle sera là pour vous guider, pour vous aider.

D'AUTRES POSITIONS POUR ACCOUCHER ?

Selon les pays, les cultures, les époques, la manière d'accoucher a varié. Les femmes ont été assises, accroupies, debout, allongées. Aujourd'hui, la position encore la plus répandue dans les maternités est la position classique : la mère est sur le dos – allongée ou en position semi-assise –, elle a les jambes relevées et les cuisses écartées. Pour l'accoucheur et pour la sage-femme, c'est la position qui favorise le mieux leur travail au moment de la sortie de l'enfant.

Depuis quelques années, une nouvelle tendance se dessine. Certaines maternités proposent d'autres positions d'accouchement, souvent en fonction des préférences des sages-femmes et de ce qu'elles ont exposé au cours des séances de préparation.

• **Accoucher allongée sur le côté** (du côté du dos du bébé car cela facilite sa descente). La jambe du dessus est surélevée et repliée vers la poitrine, en appui sur un étrier. Cette position entraîne moins de douleurs lombaires et un meilleur relâchement du périnée. Elle permet un aussi bon contrôle du périnée par la sage femme que la position couchée classique. Elle est très courante en Grande-Bretagne.

• **Accoucher accroupie** sur un siège spécial appelé « siège hollandais ». Cette position profite de l'effet de la pesanteur et favorise un bon relâchement du périnée (moins de déchirure, semble-t-il). L'expulsion se fait lentement, en expirant, avec probablement moins de compression des gros vaisseaux, et donc moins d'hémorroïdes.

Une variante de cette position, plus fréquemment proposée : la femme est accroupie sur une table d'accouchement disposant d'un arceau auquel elle s'accroche et d'un cale pied pour prendre appui jambes écartées.

• **Accoucher debout**. Cette position est peu pratiquée pour le moment. Pour qu'elle soit confortable, il convient que la maman soit soutenue par une large sangle abdominale passée autour du corps, laquelle sangle est accrochée au plafond de la salle d'accouchement.

En position verticale, il semble que le travail soit mieux supporté avec une meilleure répartition des charges et donc moins de douleurs.

• **Accoucher à quatre pattes ou à genoux**. Encore peu pratiquée en France, cette position, buste relevé en appui, semble atténuer la douleur des contractions car elle libère le sacrum du poids de l'utérus.

Insistons sur un point important : il semble indispensable que le père soit associé au choix de la position d'accouchement et fasse part de ce qu'il souhaite ou ressent. Pour certains hommes, des positions (à quatre pattes par exemple) sont difficiles à accepter et, si elles sont imposées, peuvent compromettre l'équilibre futur du couple.

Il est difficile de conseiller une position d'accouchement plutôt qu'une autre car, nous l'avons dit, cela dépend de l'organisation de la maternité et de la pratique des sages femmes. Il est certain que ce serait bien que les mères puissent choisir la position dans laquelle elles se sentent le mieux puisque, au fil des années, la position classique n'a pas montré de supériorité évidente par rapport aux nouvelles. Et, au-delà de la position choisie, un accouchement réussi dépend à la fois de la capacité de la maman à être détendue et concentrée et de l'accompagnement de la sage-femme, qui soutient la femme tout en étant très vigilante sur les règles de sécurité.

L'ÉPISIOTOMIE

Le dégagement de la tête hors de la vulve peut être plus délicat dans certaines conditions : gros enfant, périnée très résistant ou fragile. Le médecin ou la sage-femme peut être amené pour faciliter la sortie du bébé, et limiter la pression sur le périnée, à pratiquer une incision du périnée : c'est l'épisiotomie.

L'épisiotomie est moins pratiquée aujourd'hui parce que les études ont montré qu'elle était souvent injustifiée. La position pendant la poussée influe sur sa fréquence. Sur le dos et avec une péridurale, l'épisiotomie est plus souvent nécessaire. Elle est moins fréquente avec une position sur le côté, à quatre pattes, accroupie, car le périnée subit moins de pression. L'absence de péridurale peut laisser plus d'élasticité au périnée mais seulement si la douleur n'est pas intense. Dans le cas contraire la douleur va bloquer le périnée.

Lors de la visite de la maternité renseignez-vous sur ce qui est proposé. La préparation à la naissance est un autre moment pour expérimenter et réfléchir aux positions possibles qui vous conviennent. Mais il arrive que malgré une position adaptée les tissus restent trop dur ou sont trop fragiles et l'épisiotomie est inévitable.

Les femmes redoutent l'épisiotomie, c'est compréhensible, elles ont peur que cela fasse mal. L'incision n'est pas douloureuse : le passage de la tête du bébé comprime les terminaisons nerveuses du périnée, ce qui le rend insensible. La cicatrice peut rester sensible, voire douloureuse, une dizaine de jours après l'accouchement.

> **MOINS D'ÉPISIOTOMIES**
> LEUR NOMBRE A DIMINUÉ DE FAÇON IMPORTANTE, PASSANT DE 50,9 % EN 1998 À 26,8 % EN 2010 (ENQUÊTE INSERM).

La réfection du périnée est nécessaire s'il y a eu une épisiotomie préventive ou à la suite d'une déchirure lors du passage du bébé. Ce moment est parfois mal supporté par les mamans qui le trouvent désagréable et ont envie d'en terminer avec cette dernière phase de l'accouchement. Soyez patiente, le médecin a besoin d'un peu de temps, d'abord pour insensibiliser le périnée par une anesthésie locale, si la péridurale ne fait plus son effet ; ensuite, il doit pouvoir faire son travail de chirurgie réparatrice dans les meilleures conditions possibles, ce qui n'est pas toujours facile, notamment en cas de déchirure un peu complexe.

LE PREMIER CRI

La tête une fois sortie, le médecin ou la sage-femme dégage une épaule, puis l'autre. Le reste du corps de l'enfant suit sans difficulté.

Votre enfant est né : ses narines se dilatent, son visage se plisse, sa poitrine se soulève, sa bouche s'entrouvre. Pour la première fois de sa vie, il respire. Il pousse un cri. La sensation que vous éprouverez en entendant ce premier cri est difficile à décrire : immense émotion, satisfaction intense mêlée de fierté ; une certaine peine à réaliser que cet enfant que vous venez de porter neuf mois en vous est maintenant à côté de vous ; lassitude à cause de l'effort intense que vous venez de fournir.

Ces sentiments seront riches, multiples, envahissants. D'ailleurs, vous ne chercherez pas à les analyser, ce qui comptera d'abord pour vous ce sera de faire connaissance avec votre bébé, de le regarder, de le sentir contre vous. Dès la minute de la naissance, on pose l'enfant sur le ventre de sa maman, ainsi le contact mère-enfant est aussitôt établi, ou plutôt rétabli. La mère peut mieux sentir l'enfant, le toucher, mieux percevoir la réalité de son corps. Et lorsque le père est témoin de la naissance, cette soudaine réalisation du triangle est bouleversante. Parfois il faut un peu de temps pour que les parents se sentent à l'aise avec leur bébé. Peu importe, la relation s'établira petit à petit grâce aux contacts affectifs qui vont se nouer entre vous trois. Ne vous inquiétez pas si votre bébé ne crie pas en naissant : un enfant en pleine forme, plein de vitalité, peut ne pas crier, cela arrive.

VOUS DÉCOUVREZ SON VISAGE

Il y a maintenant dans la salle de naissance une personne de plus : votre bébé. Avec son premier cri, ou ses premiers vagissements, vous découvrez son visage. Le nouveau-né est posé sur votre ventre, encore mouillé du liquide amniotique. La sage-femme le sèche aussitôt avec un petit drap, puis elle le couvre avec une couverture que vous avez peut-être apportée pour qu'il ne se refroidisse pas ; pour la même raison, elle va lui mettre un petit bonnet sur la tête.

Impressions et émotions
autour de la naissance

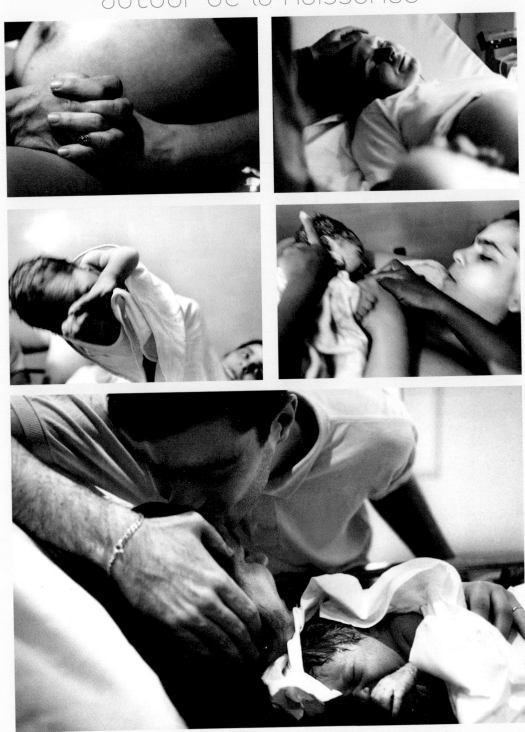

En quelques minutes, la **naissance** d'une famille

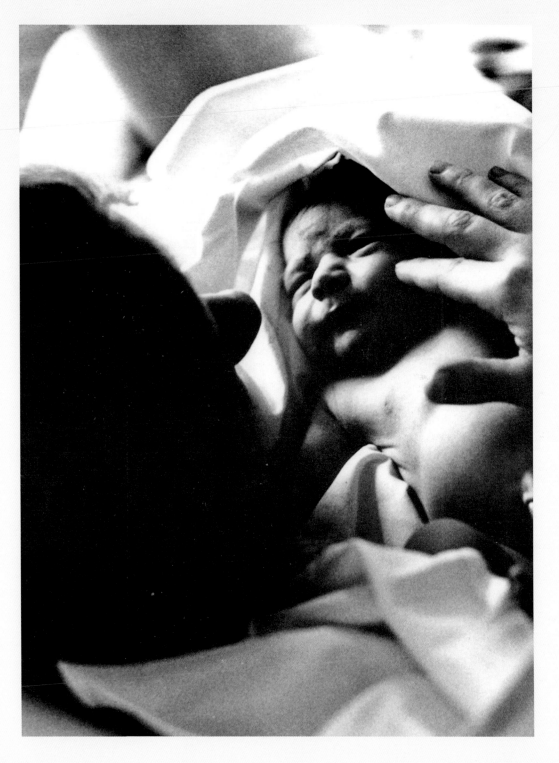

LE PREMIER EXAMEN

Il s'est passé juste une minute depuis la naissance, et la sage-femme a déjà fait un examen – **le test d'Apgar** – pour s'assurer que les fonctions vitales de votre bébé se sont bien adaptées à la vie aérienne :

• sa peau est devenue rose

• son attitude est tonique

• il réagit vigoureusement

• il respire sans effort

• son cœur bat aussi rapidement qu'avant sa naissance, entre 120 et 160 battements par minute (il suffit de poser ses doigts sur la cage thoracique pour le vérifier).

Ces éléments sont facilement observés sans vous séparer de votre bébé ; ils attestent que le cœur, les poumons, la circulation sanguine et le système nerveux s'adaptent à la vie en dehors de l'utérus. Votre bébé n'a plus besoin du placenta pour vivre. Il est autonome.

La sage-femme vérifie que vous n'avez pas de saignements anormaux. Si tout va bien, par discrétion, on vous laisse tous les trois quelques instants, tout à l'intimité de votre rencontre avec ce bébé que vous avez imaginé, et qui peut être si différent. La sage-femme, ou le médecin, pose deux pinces sur le cordon et le coupe entre les pinces. Ce geste est absolument indolore. Le cordon est constitué d'une gelée et ne contient aucun nerf sensitif. Selon les maternités, on prélève parfois quelques millilitres de sang du cordon pour mesurer le Ph et les lactates (p. 303). Un bracelet d'identité est posé au poignet du bébé.

SUR L'ACCUEIL DU NOUVEAU-NÉ, *voyez aussi page 314.*

Si vous souhaitez allaiter, et si votre bébé manifeste son envie de téter, vous pouvez le mettre au sein dès maintenant. Sinon, installez-le dans le creux de votre bras, regardez-le, laissez-lui le temps de vous regarder, vous et son père. Ces contacts visuels des premiers instants permettent au nouveau-né d'établir un lien très fort avec ses parents.

Lorsque tout s'est bien passé, le bébé naît dans un état de vigilance particulière qui lui permet de retrouver ce qu'il connaissait avant la naissance, et d'être rassuré : l'odeur de sa mère, les bruits de son cœur, sa voix, la voix de son père...

Parfois le bébé a plus de mal à s'adapter à son nouvel environnement : il peut avoir des glaires dans la gorge, il faudra aspirer les mucosités qui le gênent ; il peut respirer plus difficilement, il aura besoin d'un peu d'oxygène pour reprendre de la vigueur. Votre bébé recevra d'abord les soins indispensables et vous ferez plus ample connaissance quand tout ira bien. Si la maman a été éprouvée par un accouchement un peu difficile, le père peut prendre le relais et, dès que le cordon est coupé, garder son bébé contre lui.

Les réflexes, qui seront vérifiés dans les jours suivant la naissance, sont déjà présents : le bébé rampe vers le sein en remontant une jambe après l'autre, c'est le réflexe de la marche automatique (qui sera testé le bébé étant debout) ; il oriente sa bouche vers le mamelon, c'est le réflexe d'orientation ; puis il sort sa langue et cherche à téter : c'est le réflexe de fouissement ; il tête le sein dès que le mamelon est dans sa bouche, c'est le réflexe de succion ; il referme ses doigts sur votre doigt ou le sein, c'est le grasping. Tous ces réflexes témoignent du bon état du système nerveux et correspondent à une adaptation indispensable pour survivre sans la protection utérine, ni le placenta.

LES PREMIERS SOINS

Maintenant que vous avez fait connaissance avec votre bébé, les premiers soins peuvent commencer. L'enfant est posé sous une lampe chauffante car il ne sait pas encore maintenir sa température à 37°. Il va être pesé, recevoir des gouttes pour protéger ses yeux d'une éventuelle infection. En général, il sera mesuré à l'examen de sortie de la maternité, lorsqu'il sera plus détendu et que ses jambes s'allongeront d'elles-mêmes. Si votre bébé est recouvert de mucosités, celles-ci sont nettoyées. En revanche, l'enduit (le vernix) est laissé car il protège contre le froid. Selon les établissements, le bébé est baigné après la naissance, ou plus tard, à l'heure habituelle de la toilette.

Votre enfant est ensuite habillé avec les vêtements que vous avez apportés. Vous pouvez le garder contre vous, le laisser dans les bras de son père, ou demander qu'on le mette dans son berceau.

Avant la sortie de la maternité, votre bébé sera vu par un médecin. Si vous souhaitez que votre enfant soit suivi par un pédiatre de votre choix, celui-ci peut venir l'examiner à la maternité.

Au cours de votre séjour, la sage-femme vous demandera l'autorisation de prélever un peu de sang au talon ou sur la main de votre nouveau-né pour pratiquer le test de Guthrie. C'est le nom d'un des tests sanguins de dépistage effectué à la naissance, aujourd'hui étendu à d'autres maladies. Les maladies dépistées sont la phénylcétonurie, l'hypothyroïdie, l'hyperplasie des surrénales et la mucoviscidose. Dans certains cas (notamment dans le département des Antilles, ou en métropole si les deux parents sont originaires des Antilles, d'Afrique ou d'un pays du pourtour méditerranéen), un dépistage de la drépanocytose est aussi proposé. Ce test doit être fait entre 72 et 96 h de vie. Si vous sortez avant qu'il soit effectué, il sera fait à la maison par la sage-femme ou le médecin.

LA DÉLIVRANCE

Tout n'est pas encore tout à fait terminé pour vous. Dans les minutes qui suivront la naissance de l'enfant, vous ressentirez encore quelques contractions utérines, mais beaucoup moins intenses que celles de l'accouchement. Elles ont pour résultat de décoller le placenta qui adhérait à l'utérus. Quand le placenta est décollé, le médecin ou la sage-femme appuie sur l'utérus, et le placenta est alors expulsé. C'est ce qu'on appelle la délivrance. Et lorsque la mère pousse, en serrant bien le ventre, le placenta sort tout seul, sans que cela fasse mal. Le placenta est examiné par le médecin ou la sage-femme. S'il en manque un fragment, on procède à une révision utérine (p. 323).

Si l'on a été amené à faire une épisiotomie, celle-ci est alors recousue sous anesthésie locale, ou sous anesthésie péridurale, si vous en avez eu une pour l'accouchement. Ce petit acte chirurgical est un peu désagréable mais c'est un geste qui est fait rapidement.

Enfin, après une toilette locale, vous resterez sous surveillance pendant environ deux heures, puis vous serez reconduite dans votre chambre.

LA DÉLIVRANCE DIRIGÉE
Pour diminuer la perte de sang lors de l'accouchement, il a été démontré que l'injection d'ocytociques dès la sortie des épaules du bébé était un moyen très efficace. Cette « délivrance dirigée » est aujourd'hui systématiquement pratiquée presque partout dans le monde.

LA DURÉE DE L'ACCOUCHEMENT

Il est impossible de vous dire : « un accouchement dure tant d'heures », car trop de facteurs peuvent faire varier cette durée. Les statistiques permettent cependant de donner un ordre de grandeur : une femme, pour mettre au monde son premier enfant, a besoin en moyenne de 8 à 10 heures, pour le deuxième de 5 à 6, c'est-à-dire, près de 3 heures de moins.

L'accouchement d'un deuxième enfant dure moins longtemps parce que le col de l'utérus et le vagin, ayant déjà été dilatés, offrent moins de résistance à une nouvelle dilatation.

Mais ces chiffres ne sont que des moyennes établies sur quelques milliers d'accouchements, et votre accouchement pourra être plus rapide ou plus lent. Une chose est certaine : aujourd'hui, on ne laisse plus traîner un accouchement en longueur ; on dispose de moyens efficaces pour en régulariser le déroulement et en réduire la durée. La dilatation du col est la phase la plus longue. Elle représente près des neuf dixièmes de la durée totale, c'est-à-dire sept à huit heures pour un premier enfant, quatre à cinq pour un deuxième.

L'expulsion, par contre, ne dure en général que 20 à 25 minutes dans le premier cas, et moins de vingt minutes dans le second. Parfois même pour un deuxième enfant, l'expulsion suit immédiatement la dilatation complète.

Voici quelques-uns des facteurs qui peuvent écourter, ou au contraire, prolonger l'accouchement :
• la présentation : l'accouchement d'un « siège » est un peu plus long que celui d'un « sommet »
• la puissance et la fréquence des contractions qui varient beaucoup selon les femmes
• la mobilité de la maman pendant la phase de dilatation : le mouvement favorise la descente du bébé.

QUI SERA LÀ ?

Certaines lectrices nous ont demandé de parler des personnes qui seront présentes lors de l'accouchement. Nous comprenons leur souhait mais il est difficile d'être très précis car cela dépend de l'organisation de la maternité.

En ce qui concerne l'équipe médicale, il y a une différence entre l'hôpital public et les cliniques privées. A l'hôpital, la sage-femme effectue l'accouchement sans le médecin lorsqu'il n'y a pas de difficulté et elle est généralement assistée d'une auxiliaire puéricultrice ou parfois d'une infirmière. Dans une clinique, le médecin est généralement prévenu de l'arrivée de la maman par la sage-femme, qui le rappelle pour le moment de la naissance du bébé. L'hôpital, certaines cliniques, et surtout les CHU (Centre Hospitalier Universitaire), participent à la formation des professions de santé et, avec votre accord, des étudiants peuvent être présents : sages-femmes, infirmiers, médecins. Selon les circonstances, par exemple pour des jumeaux ou en cas de naissance prématurée, l'anesthésiste et le pédiatre sont également présents. Si vous souhaitez que seuls les professionnels indispensables soient là, parlez-en avec le médecin ou la sage-femme lors de votre admission, ou au cours des consultations, ou lors de la préparation à la naissance, pour que votre intimité soit respectée.

Du côté de la famille, cela dépend du désir des parents. Le père peut être présent dans toutes les maternités, nous en parlons ci-dessous. S'il ne peut venir, ou s'il ne le souhaite pas, la mère peut désirer avoir quelqu'un d'autre près d'elle (sa mère, sa sœur, une amie).

Et que penser de **la présence des enfants** que certains parents souhaitent ? Aucun des arguments entendus jusqu'ici ne nous a convaincus de l'opportunité de cette présence. L'argument principal des parents est de dire : « Le bébé sera mieux accepté par ses frères et sœurs. » Autrement dit, les parents se mettent à la place des enfants, sans pouvoir imaginer le choc que pourrait produire tout de suite, et plus tard, l'image de la naissance. Un accouchement peut être émouvant, merveilleux, mais aussi très violent. De quel droit imposer à un enfant une scène aussi impressionnante, aussi chargée d'émotions ? Est-on bien sûr de ne pas le choquer ? Voir sa mère dans cette position, la voir mettre au monde, peut-être dans la douleur et le sang, celui qui deviendra son frère ou sa sœur peut le troubler profondément. Le risque de le perturber semble plus grand que le plaisir qu'il pourrait en ressentir. Et même si l'enfant ne dit rien, ce n'est pas sûr qu'il ne soit fortement marqué.

LE PÈRE

« Vais-je assister à la naissance de notre enfant ? » Certains pères ne se posent pas la question : ils seront là, bien sûr, pour accompagner leur femme et accueillir leur bébé. D'autres pères hésitent : être présent, c'est se retrouver face à des images enfouies dans ses rêves ou ses fantasmes, c'est être confronté à un ensemble de sensations fortes et complexes (p. 91).

Être là...

La plupart des pères viennent, et comme mari (pour être aux côtés de leur femme), et comme père (être là pour le grand moment). « Bien sûr je vais assister à l'accouchement, cela va de soi. J'étais là pour la naissance de notre premier enfant, on se sent très forts, très proches. Je sais que ma femme trouve dans ma présence à la fois du calme et de l'énergie. » « J'ai voulu être là pour l'accueillir, j'ai pu le prendre dans mes bras, il avait à peine 10 minutes. »

On trouve aussi des différences entre les pères selon le temps de présence à l'accouchement : à côté de celui qui ne quitte pas sa compagne, il y a le père présent seulement pendant une partie de l'accouchement, et qui n'assiste pas à la sortie du bébé. D'autres fois au contraire, le père demande à la sage-femme de le prévenir au moment de la naissance, car il trouve trop long le temps du travail. Il arrive enfin que le père qui avait décidé d'être là ait, au dernier moment, un empêchement. Vrai ? Ou fuite ?

Et où se met le père quand il est dans la salle d'accouchement ? Souvent, impuissant à aider sa femme à mieux supporter la violence de ce qu'elle vit, et se sentant désemparé, le père se met dans un coin de la pièce. Il se fait le plus discret possible, dans une position assez inconfortable où il se sent un peu inutile, spectateur exclu de l'action. Il reste là jusqu'au moment où l'enfant naît ; alors le père retrouve une place, où il peut vivre le plaisir d'accueillir son enfant, et la joie de partager ce moment particulièrement fort avec la femme qu'il aime.

Mais le père peut aider sa compagne pendant le travail : par sa présence, par sa proximité, par son contact physique, par sa main sur le ventre, près du bébé, par son bras autour du cou de sa femme. Si le père sent qu'il peut aider, sa main rassurera. Il peut par exemple donner le brumisateur d'eau, installer les oreillers ou passer le masque à oxygène ; ou encore aider sa femme à changer de position, à se mettre debout à côté du lit d'accouchement. Ce sont de petits gestes qui apportent chaleur et réconfort.

Au sujet de la place du père dans la salle d'accouchement, une amie sage-femme nous a demandé de rappeler à celui-ci qu'en fait il n'est bon ni pour lui ni pour sa femme qu'il se mette exactement en face d'elle pendant la naissance (et encore moins de filmer cet instant). Sa vraie place, sa bonne place, c'est d'être à côté d'elle.

... Ou ne pas être là

Du côté de la mère, les réticences à la présence du père peuvent être diverses et souvent emmêlées.

• Désir de vivre seules ce moment si important de leur vie de femme, de se prouver qu'elles sont capables de mener à bien leur accouchement sans aide, mais aussi désir de vivre cet accouchement comme elles le veulent avec le droit de crier si elles en ont envie.

• Peur d'exposer leur intimité, peur d'offrir à l'homme qu'elles aiment un spectacle peu flatteur et que ce spectacle compromette leurs relations sexuelles futures, peur de la peur du mari, surtout si une intervention est nécessaire et qu'il risque de s'évanouir. En cas d'intervention, certains médecins font sortir le père, d'autres acceptent qu'il reste.

D'ailleurs, lorsqu'un homme ne vient pas, c'est souvent l'angoisse qui le retient : angoisse de voir, en vrai, la scène imaginée et de ne pas la supporter : impuissance devant la douleur de sa femme, peur des actes médicaux, crainte, comme sa femme, que leurs relations sexuelles en pâtissent.

Et lorsqu'un accouchement précédent s'est mal passé, le père hésite à venir : « Il a fallu utiliser les forceps et on m'a demandé de sortir. J'ai entendu le bébé pleurer, on m'a dit de revenir, et quel choc : ma femme avait les pieds dans les étriers, une paire de ciseaux qui pendait de la région vaginale, il y avait du sang partout, les forceps par terre, j'étais bouleversé. »

On a si souvent dit au père que sa place était dans la salle d'accouchement qu'il promet en général de venir, mais, s'il change d'avis, il se croit obligé comme un mauvais élève d'inventer une excuse : « J'avais un rendez-vous urgent », ou « J'ai raté le train. » Si c'est l'angoisse qui le retient d'être auprès de sa femme, il vaut en effet mieux qu'il s'abstienne ; rien n'est plus contagieux que la peur. Or une femme, à ce moment-là, a besoin de calme avant tout. Mais comme l'a dit une mère : « Qu'il n'aille pas trop loin. S'il est dans le couloir à portée de voix, c'est déjà rassurant. »

UN CHOIX PERSONNEL
Pour un homme, décider d'assister ou non à la naissance de son enfant, est vraiment un choix qui doit être libre (comme doit l'être, par exemple, pour la mère, la décision d'allaiter). Des médecins regrettent l'attitude de certaines équipes médicales qui, lorsque le père n'est pas présent à l'accouchement, se posent aussitôt des questions sur « la qualité du couple ». Les attitudes qui entourent la naissance sont plus que de simples gestes, elles ont des prolongements psychologiques et affectifs, une signification profonde. Elles ne doivent être dictées ni par l'entourage, ni par la mode. C'est au père et à la mère de voir ensemble ce que profondément ils souhaitent, ils prendront alors leur décision. Et l'équipe médicale a un rôle à jouer pour accueillir et soutenir les pères, qu'ils soient présents ou non en salle de naissance.

L'ACCUEIL DU NOUVEAU-NÉ

Le temps est heureusement loin où le nouveau-né était manipulé sans ménagement pour lui faire pousser son premier cri, puis vite emmené loin de ses parents pour subir des examens médicaux. Les équipes médicales ont pris conscience du fait qu'il faut assurer au bébé une certaine continuité avec le monde qu'il vient de quitter : il sort d'un abri liquide, chaud, douillet, obscur, bien clos et il se trouve

UN PEU D'HISTOIRE
*En 1974, un obstétricien, Frédérik Leboyer, publiait un livre et un film : « Pour une naissance sans violence »
(Éditions du Seuil) dont l'impact a été considérable car il dénonçait les souffrances inutiles qu'infligeait au nouveau-
né la violence de certaines pratiques obstétricales bien établies. Prendre conscience de la difficulté de venir au
monde, trouver les gestes pour un autre accueil à la naissance, dans un climat de douceur et de sérénité : on le doit
à Frédérik Leboyer et à ceux qui l'ont suivi.*

projeté dans le bruit, la lumière vive, l'agitation, les manipulations, la pesanteur. Il faut donc le traiter
avec douceur, ne pas l'aveugler, éviter tout geste brutal. Si l'accouchement s'est déroulé normalement, si tout va bien, les premiers examens peuvent attendre. Le père, la mère, le nouveau-né se
voient enfin, ils ont besoin de ce moment d'intimité.

« Peau à peau »

La sage-femme, qui a accompagné la maman pendant l'accouchement, a à cœur de favoriser au mieux
les liens mère-père-enfant. Dès sa sortie, le bébé est soigneusement essuyé et séché pour qu'il n'ait
pas froid, puis posé en « peau à peau » sur sa maman, bien installé sur le côté. Le visage est également
tourné de côté pour une meilleure surveillance, le nez, la bouche sont bien dégagés. Le peau à peau
est comme une bouillotte, il permet au bébé de ne pas se refroidir. Un petit bonnet est appliqué sur
sa tête pour les mêmes raisons de confort et de chaleur. Les soins nécessaires (poids, soin du cordon,
soin des yeux, etc.) peuvent se faire plus tard, par exemple au moment où la maman regagne sa
chambre. Toujours dans l'idée de ne pas refroidir l'enfant, le bain n'est plus systématique.

Dans la première heure qui suit la naissance, le bébé est dans un état d'éveil calme. Il peut découvrir tranquillement, en confiance, le monde qui l'entoure. Sur le ventre de sa maman, il va retrouver
les bruits du cœur et les mouvements de la respiration qui l'ont accompagné durant neuf mois. Sous
la main de sa mère qui le caresse, en entendant la voix familière de ses parents, le bébé se détend.

Échanges de regards

Regardez-le, laissez-le vous regarder. Tous les parents sont surpris et émus par l'intensité et la profondeur du regard de leur nouveau-né. Ces premiers échanges visuels sont un moment fondateur de
l'établissement du lien parents-enfant. Même s'il y a une difficulté, par exemple le bébé doit être
placé en couveuse, il est important de permettre ces échanges de regards.

Puis, si on lui laisse le temps, le bébé rampe vers le sein et il commence à téter avec vigueur. À ce
moment-là aussi, il retrouve des sensations d'avant la naissance : le liquide amniotique et le colostrum
ont des goûts et des odeurs proches.

Que de chemin parcouru en une ou deux générations, lorsque l'enfant, dès la naissance, était « kid-
nappé » par les professionnels pour accomplir des gestes essentiellement techniques ! Même si dans
la réalité quotidienne des salles de travail, avec la succession imprévisible des accouchements, cette
attention et ce respect du nouveau-né ne sont pas présents partout, bon nombre de professionnels
sont aujourd'hui sensibilisés à cet état d'esprit et se préoccupent autant de la qualité de l'accueil du
nouveau-né que de sa santé physique.

La césarienne

Le médecin vous a annoncé qu'une césarienne allait être programmée, ou pourrait être envisagée si les circonstances de l'accouchement la rendait nécessaire. Vous êtes peut-être déçue, voire un peu inquiète. Ou, au contraire, vous vous sentez presque rassurée que l'arrivée de votre bébé soit ainsi planifiée. La césarienne est aujourd'hui très répandue : en France, elle concerne environ 20 % des accouchements. Il faut noter que depuis quelques années les chiffres sont stables et n'augmentent plus. On est toutefois loin des chiffres de certains pays d'Amérique du Sud (Brésil par exemple) ou d'Asie (comme le Vietnam) : presque un accouchement sur deux a lieu par césarienne, essentiellement pour des raisons de convenance, plus rarement par nécessité médicale.

On distingue en général deux types de césarienne : l'une programmée, ou « prophylactique », c'est-à-dire prévue à l'avance ; l'autre décidée au cours du travail, selon différents degrés d'urgence. Les conditions de réalisation de l'intervention sont identiques ; par contre ce que ressent l'équipe médicale et surtout la maman est très différent. La césarienne programmée se fait dans le calme, à un moment où chacun est déjà à son poste. La césarienne non programmée se pratique dans une ambiance un peu tendue, et même parfois de grande urgence, où chaque minute compte. L'équipe (obstétricien, anesthésiste, sage-femme, pédiatre, infirmiers) doit se mobiliser rapidement ; quant à la maman, elle peut vivre difficilement cette situation, surtout si elle ne comprend pas pourquoi il faut réagir si vite.

LA CÉSARIENNE PROGRAMMÉE

En France, près de la moitié des césariennes sont programmées, en général vers la 39e semaine, c'est-à-dire 10 à 15 jours avant le terme.

Pour quelles raisons programme-t-on une césarienne ?

La future maman a déjà eu une césarienne et les raisons de cette nouvelle césarienne sont les mêmes que lors de la grossesse précédente : c'est probablement le motif le plus fréquent (voir p. 322).

Une césarienne peut également être programmée parce que l'on estime que la poursuite de la grossesse jusqu'à son terme fait courir un risque à l'enfant : prééclampsie, diabète, placenta *prævia* recouvrant le col, certains types de grossesses gémellaires, âge « avancé » de la maman avec notamment une grossesse obtenue par procréation assistée, retard de croissance intra-utérin sévère ; ou tout simplement parce que le médecin estime qu'il y a un faisceau d'arguments en faveur de la césarienne et qu'il ne « veut faire courir aucun risque » à sa patiente. La décision de la césarienne est en général prise lors de la dernière consultation.

Dans certains cas, le médecin vous dira qu'une césarienne sera peut-être pratiquée mais qu'il est possible de tenter l'accouchement par les voies naturelles ; si nécessaire, la césarienne se décidera en cours de travail. Vous serez ainsi préparée à cette éventualité.

Césarienne de convenance ?

Une césarienne peut être exceptionnellement programmée à la demande de la future mère, le plus souvent par peur de l'accouchement. La césarienne, comme toute intervention chirurgicale, n'est pas un acte anodin. Le médecin va essayer de comprendre les raisons d'une telle demande, il va expliquer à la maman qu'un accouchement naturel - qui peut être envisagé dans son cas - pourra se passer dans les meilleures conditions de sécurité et de confort. Il revient au médecin de faire en sorte que la décision médicale soit partagée entre la future mère et lui.

LA CÉSARIENNE PROGRAMMÉE EN PRATIQUE

Lors de la dernière consultation prénatale, ou lors d'une visite proche du terme, le médecin organise l'intervention avec les possibilités du bloc opératoire. Il vous précise le jour et l'heure. Il vérifie que vous avez passé la consultation anesthésique et que votre carte de groupe sanguin est conforme. Il prescrit les bas de contention que vous apporterez à la maternité.

Le jour J-1

La veille de l'intervention, vous êtes accueillie à la maternité par une sage-femme qui vérifie le contenu du dossier médical ; la sage-femme effectue un monitoring pour s'assurer que le bébé va bien et elle vous donne les informations sur le déroulement de la césarienne prévue le lendemain. Le personnel de la maternité vous installe ensuite dans votre chambre. Une épilation des poils du pubis est effectuée par une infirmière ou une aide-soignante. Un repas léger est servi. En général l'anesthésiste passera vous voir, sauf s'il est occupé par une urgence. Il précisera d'être à jeun (sans manger) au moins 6 heures avant l'intervention.

Le jour J

Le jour de l'intervention, vous prenez une douche, vous enfilez les bas de contention et ôtez, si vous en portez, bijoux, vernis à ongles, lentilles (les lunettes peuvent être conservées). Puis vous vous rendrez au bloc opératoire, le plus souvent à pied. Les vêtements du nouveau-né seront remis à la sage-femme ou à la puéricultrice. C'est le papa, s'il le souhaite, qui habillera votre bébé.

En salle d'opération

Les différents gestes ou attitudes – comme dans ce qui a précédé – peuvent varier selon les maternités.
• Vous êtes installée sur la table d'opération et l'abdomen ainsi que la région vulvaire sont nettoyés à la Bétadine® par l'infirmière du bloc.
• L'infirmière met en place la sonde urinaire : le geste est indolore car il est fait avec une petite anesthésie locale (spray) ; la sonde urinaire est posée pour que le chirurgien ne soit pas gêné par une vessie pleine au cours de l'opération.
• Puis l'anesthésiste installe la péridurale ou la rachianesthésie (p. 336) en vous plaçant en position assise, dos bien rond pour faciliter l'introduction de l'aiguille, pendant que le chirurgien et l'infirmière se préparent.
• Vous vous allongez légèrement sur le côté et un nouveau badigeonnage est effectué avec l'antiseptique, puis des champs opératoires sont mis en place (sorte de draps qui protègent la zone de l'opération) et la césarienne peut commencer.

L'acte chirurgical

Le chirurgien incise d'abord la peau, puis les différentes couches de tissus entre la peau et les muscles. Il écarte les muscles de la paroi abdominale et aborde la cavité abdominale. L'utérus est alors incisé transversalement à sa partie basse puis le bébé est extrait en saisissant sa tête, ou ses pieds s'il se présente en siège. Tout ceci est totalement indolore. La maman perçoit les contacts des mains du chirurgien et les manœuvres chirurgicales qu'elle peut voir se refléter dans le scialytique qui éclaire le champ opératoire. Elle peut entendre les bruits du bistouri électrique lors de la coagulation des vaisseaux sanguins et celui de l'aspiration du liquide amniotique. Mais le plus souvent l'anesthésiste, ou l'infirmière anesthésiste, l'accompagne et lui parle pour éviter le stress. Et le papa (lorsqu'il est présent) est à ses côtés : l'attente de la naissance se fait à deux.

Dès sa sortie, le bébé est présenté à sa maman qui peut le toucher, l'embrasser. S'il n'y a pas de difficultés opératoires, il est placé sur la poitrine de la maman comme lors d'un accouchement par les voies naturelles. Puis, tandis que le chirurgien finit l'opération, il est emmené par son papa et la sage-femme dans la salle d'accueil des nouveau-nés pour une petite toilette. Le bébé peut être confié à son papa, si celui-ci le souhaite, en un « peau à peau » sur sa poitrine, tous les deux confortablement installés dans un fauteuil. Un moment inoubliable disent les pères.

LE PAPA EN SALLE D'OPÉRATION ?
Certains parents le demandent et cela est possible si le chirurgien et l'anesthésiste sont d'accord. Quand tout est prêt, et s'il n'y a pas une grande urgence, le papa est introduit en salle d'opération habillé en tenue de bloc (blouse, masque, gants...) et il s'assied à côté de l'anesthésiste, proche du visage de sa femme.

La fin de de l'opération consiste à refermer l'utérus et la paroi abdominale puis la peau. On utilise de plus en plus des fils résorbables que l'on n'a pas besoin de retirer. Au total la césarienne a duré moins d'une heure.

La salle de réveil et le retour dans la chambre

Après la césarienne, la maman est installée en salle de réveil, parfois avec son bébé et le papa. Elle est surveillée pendant au moins deux heures au cours desquelles les « constantes » (tension artérielle, pouls, oxygénation) sont vérifiées toutes les 15 minutes ; les pertes de sang sont particulièrement surveillées, ainsi que la bonne rétraction de l'utérus et des antalgiques sont prescrits selon les douleurs ressenties. La maman peut regagner sa chambre environ deux heures après la naissance, à condition qu'elle puisse bouger les jambes, que les constantes soient stables et que la douleur ne soit pas trop forte.

LES JOURS QUI SUIVENT

Vous continuerez d'être très surveillée pendant au moins 24 heures ; une perfusion peut être laissée en fonction de la situation. La sonde urinaire sera retirée le lendemain. Il est possible de boire dès le retour dans la chambre et de manger légèrement 6 heures après la naissance.

Un léger endolorissement peut persister au niveau de la cicatrice. En revanche une « vraie douleur » n'est pas normale ; si c'était le cas, il faut la signaler car elle peut nécessiter l'avis du chirurgien.

Les suites de la césarienne sont habituellement simples mais la fatigue est parfois plus grande les premiers jours. Les deux premiers jours, les contractions de l'après-naissance, ou tranchées, sont plus douloureuses car elles se font sur un utérus cicatriciel plus sensible. De plus, elles peuvent être accompagnées de douleurs abdominales liées à la reprise du transit intestinal. Durant cette période, un régime adapté est recommandé.

Il est possible qu'il y ait, au bout de 48 heures, un petit drain à enlever au niveau de la cicatrice (tous les chirurgiens n'en mettent pas).

Vous vous lèverez le jour de l'intervention. Alors que vous n'aurez fait que quelques pas, ce premier lever pourra vous sembler difficile. Ne vous découragez pas, dès le 2e ou 3e jour, vous pourrez aller et venir facilement. En attendant, le personnel de la maternité prendra en charge les soins de votre nouveau-né (changes, bains, etc.), et vous vous occuperez de lui pour les repas.

Une césarienne n'empêche pas d'**allaiter** quand la maman le souhaite. La montée de lait peut être simplement plus tardive (4e-5e jour au lieu du 2e-3e jour), compte tenu de la plus grande fatigue.

La présence du père ou d'une personne proche est bien utile les premières 24 heures pour installer le bébé dans vos bras ou au sein, sans dépendre de la disponibilité de l'équipe de la maternité. Si vous bénéficiez d'une chambre seule, certains établissements acceptent que le papa puisse dormir sur place.

Reposez-vous bien ces premiers jours (demandez à vos amis d'attendre un peu pour vous rendre visite). D'autant plus que votre séjour sera un peu plus long que pour un accouchement normal par voie basse (sortie au 4e-5e jour en moyenne) et qu'il vous sera plus agréable de profiter de vos visiteurs en fin de séjour.

Le préjudice esthétique est quasiment nul puisque l'intervention est presque toujours pratiquée par une incision basse, transversale, cachée dans les poils du pubis. Dans les semaines qui suivent, la **cicatrice** peut devenir saillante et provoquer des démangeaisons. C'est transitoire. La cicatrice n'aura son aspect définitif qu'environ 8 mois après l'accouchement.

L'**ablation des fils** est un moment redouté par les mamans mais, à vrai dire, ce n'est guère justifié aujourd'hui, pour plusieurs raisons. Certains chirurgiens font ce qu'on appelle un « surjet intradermique » et dans ce cas il n'y a rien à enlever : le fil se dissout sous la peau. Si d'autres font un surjet « sur » la peau, il suffit de tirer sur le fil qui coulisse simplement. D'autres enfin mettent des agrafes minuscules et leur ablation à l'aide d'un instrument adapté est indolore.

Certaines mamans souffrent de ne pas pouvoir s'occuper tout de suite de leur bébé et elles ressentent souvent de la culpabilité (voyez plus loin). Si elles le souhaitent, elles peuvent en général rencontrer la psychologue de la maternité qui est là pour les écouter et les soutenir.

LE RETOUR À LA MAISON

Si tout va bien, il a lieu entre le 4e et le 5e jour après la naissance. Un traitement anticoagulant peut être prescrit, avec contrôle des plaquettes par le laboratoire, si les conditions médicales (risque de thrombose) le rendent nécessaire. Selon les régions et les réseaux périnataux, une sage-femme et/ ou une puéricultrice passe à domicile (p. 396) pour vérifier que tout va bien et vous apporter l'aide nécessaire.

Le saignement vaginal dure quelques semaines, comme pour un accouchement par les voies naturelles. Il est préférable d'attendre qu'il soit terminé pour prendre un bain mais les douches sont autorisées dès le lendemain de la naissance. L'activité sexuelle, forcément ralentie, peut être reprise en fonction du désir. Il n'y a pas de délai médicalement justifié pour cette reprise.

Quand vous serez rentrée chez vous, vous éprouverez le besoin de vous reposer, c'est normal. Vous retrouverez peu à peu votre énergie d'avant la grossesse. Évitez de porter des charges lourdes pendant au moins un mois et demi (p. 397). Quant à la rééducation périnéale, elle peut être prescrite après un accouchement par césarienne. C'est au chirurgien d'en décider avec vous .

Attention ! Plutôt que votre médecin traitant qui n'est pas au courant des données de l'intervention, **il faut contacter la maternité devant tout signe anormal** (cicatrice rouge et douloureuse, douleurs, fièvre, saignements).

LA CÉSARIENNE NON PROGRAMMÉE

La césarienne non programmée est pratiquée au cours du travail d'un accouchement qui était prévu par les voies naturelles, ou bien en urgence avant même le début du travail. La prise en charge (intervention, suites opératoires, retour à la maison, etc.) est la même que pour la césarienne programmée.

LA CÉSARIENNE AU COURS DU TRAVAIL

Les raisons sont multiples :
• Elles peuvent tenir à des raisons « mécaniques », avec un bébé qui se place mal pendant le travail ou dont la tête est mal fléchie (p. 293) ; ou bien au bassin de la maman avec des dimensions insuffisantes mais c'est plus rare. Il peut s'agir aussi d'une stagnation de la dilatation qui est souvent la conséquence d'un problème mécanique méconnu.

• Les anomalies du rythme cardiaque fœtal témoignant que le bébé ne supporte plus les contraintes du travail sont une indication fréquente à « passer en césarienne », comme le disent les médecins. Il peut s'agir aussi d'une urgence qui survient au cours du travail.

LA CÉSARIENNE EN URGENCE AVANT LE TRAVAIL

C'est le domaine de l'urgence et parfois même de l'extrême urgence lorsqu'il y a un risque vital pour la mère et aussi pour l'enfant : saignement anormal et inexpliqué, fièvre chez la maman qui s'aggrave et témoigne d'une infection, procidence du cordon. Citons également la prééclampsie, l'hématome rétro-placentaire, le placenta *praevia* qui saigne anormalement ou le placenta *accreta* (p. 322).

Code rouge, orange, vert

En fonction du degré d'urgence défini par le médecin ou la sage-femme, les différents intervenants (chirurgien, anesthésiste, pédiatre, infirmière) sont prévenus selon un code afin de faciliter l'organisation des soins.

• Code rouge : c'est l'extrême urgence. Entre la décision de la césarienne et la naissance, il ne faut pas dépasser 15 minutes.

• Code orange : c'est une menace à court terme pour la mère et pour l'enfant et le délai entre décision et naissance ne doit pas dépasser 30 minutes.

• Code vert : pas de danger à court terme et le délai entre décision et naissance peut être de 1 heure.

Quel que soit le code, il faut bien comprendre que les différents temps de la césarienne tels que exposés plus haut peuvent se télescoper, surtout en code rouge. Les explications fournies aux parents peuvent être succinctes : la priorité est évidemment donnée aux gestes techniques. Mais une fois le bébé né, la maman en sécurité en salle de réveil, le médecin redevient disponible pour les explications nécessaires. Et après avoir vérifié que tout va bien pour le bébé, la sage-femme pourra donner au papa les premières informations sur ce qui a conduit à la décision de l'intervention.

APRÈS UNE CÉSARIENNE NON PROGRAMMÉE

Le médecin passe voir la maman le soir ou le lendemain ; il peut ainsi expliquer tranquillement les raisons de cette césarienne et pourquoi il estime que l'événement à l'origine de cette urgence a de fortes chances de ne pas se reproduire ; cela peut rassurer les mamans pour une grossesse suivante et les réconforter. Les mères ont souvent un sentiment d'échec, celui d'avoir « raté leur accouchement », tout en comprenant que cette césarienne urgente a permis de sauver leur bébé.

Reprendre confiance si vous vous sentez frustrée ou déçue

Avoir une césarienne est mal vécu par certaines mamans : « La naissance m'a échappé » disent-elles souvent. Ces sentiments de déception et de frustration sont d'autant plus fortement ressentis que la césarienne n'était pas programmée, ou qu'une séparation avec leur nouveau-né a eu lieu. Dans ces cas s'ajoutent le souvenir de l'urgence de la situation et l'inquiétude qui l'a accompagnée, la rapidité de ce qui s'est passé, le contact trop bref avec leur bébé, l'impression d'avoir été dépossédée de cet événement si important.

Le lendemain de l'intervention, les mamans sont souvent un peu abattues et ne se sentent pas toujours en harmonie avec leur conjoint : les papas sont rassurés que tout se soit bien passé, les mamans gardent un sentiment d'inachevé. De plus, elles souffrent du manque d'autonomie des premiers jours et de leur incapacité à s'occuper du bébé.

Prendre contre soi rapidement son bébé, en peau à peau, est souvent pour la mère une façon de réparer, de combler ce qui a manqué. L'équipe de la maternité favorise dès la naissance les contacts corporels entre la maman et son nouveau-né et facilite le plus possible les soins que la maman peut donner à son bébé (le change, la toilette) ; si nécessaire, la puéricultrice donne momentanément au papa le rôle que la maman ne peut assumer, du moins dans les 2 ou 3 premiers jours. Une rencontre avec la psychologue de la maternité est souvent proposée. En étant soutenue par son conjoint et par toute l'équipe médicale et paramédicale, en partageant son ressenti, sa culpabilité, la femme prend peu à peu confiance en elle et se sent vraiment la mère de son bébé.

Mais nous avons reçu des **témoignages** de mamans disant avoir bien vécu la césarienne, parce que le travail s'éternisait, que la douleur restait trop présente, parce qu'elles savaient que ce n'était pas possible de faire autrement. Elles ont été soulagées d'avoir enfin leur bébé dans les bras et comblées par son regard, son contact. « La naissance a été émouvante et magnifique, notre petite fille nous a été présentée, toute fraîche, après avoir poussé son premier cri. J'ai pu lui parler, l'embrasser, frotter ma joue furtivement contre la sienne, puis elle est partie pour les premiers soins et pour un long tête à tête avec son papa pendant que l'intervention se terminait. La première tétée "de bienvenue" a un peu attendu mais j'étais en de bonnes mains, ma fille aussi, et son papa a pu dès le début de sa vie prendre toute sa place et lui apporter la chaleur et l'amour dont elle avait besoin », nous a écrit Audrey.

POUR PLUS D'INFORMATIONS SUR LA CÉSARIENNE, *voyez le site www.cesarine.org*

LA CÉSARIENNE : ET APRÈS ?

Certaines mamans pensent qu'à une césarienne ne peut succéder qu'une nouvelle césarienne. Ce n'est pas exact. On programmera une nouvelle césarienne si les indications de la première césarienne sont toujours présentes (diabète, gros bébé, bassin étroit, etc.). Ou si le médecin qui suit la grossesse estime que c'est préférable. C'est lui le seul juge.

Dans le cas contraire, un accouchement par les voies naturelles peut être envisagé et, dans de nombreux cas, il se passera sans difficulté. Néanmoins, c'est un accouchement qui réclame une surveillance renforcée à cause du risque de rupture de la cicatrice de la précédente césarienne. Ce risque est exceptionnel pendant la grossesse. Et il est rare (autour de 1 %) pendant le travail. Il est annoncé par des douleurs persistantes, malgré la péridurale, un saignement anormal, une dilatation du col qui stagne ou des signes d'anomalies du rythme cardiaque foetal au monitoring. Dans ce cas, la césarienne se fait au cours du travail.

Par contre il est juste de dire qu'une césarienne précédente augmente le risque d'avoir une nouvelle césarienne pour l'accouchement suivant. Mais ce n'est pas automatique. Et vous n'avez pas à être inquiète si on vous propose un accouchement par les voies naturelles : il y a de nombreuses chances pour qu'il se passe très bien et vous serez plus particulièrement surveillée.

LE PLACENTA ACCRETA
Il s'agit d'une insertion anormale du placenta qui pénètre dans le muscle utérin au niveau de la cicatrice d'une précédente césarienne ; l'augmentation des césariennes explique l'augmentation de fréquence du placenta accreta. Cette anomalie, qui peut être évoquée par l'échographie et confirmée par l'IRM, entraîne un haut risque d'hémorragie pendant l'accouchement ; celui-ci doit avoir lieu impérativement en milieu chirurgical.

Forceps, ventouse et autres interventions

Le forceps et la ventouse

• Le forceps un instrument composé de deux sortes de « cuillères », destiné à saisir la tête de l'enfant pour l'aider à descendre et à sortir. Il peut se poser sous péridurale s'il y en a une en cours, mais aussi dans certains cas sous anesthésie locale. Les conditions d'application du forceps sont aujourd'hui bien codifiées. Si un forceps est nécessaire lors de votre accouchement, vous n'aurez rien à redouter, ni pour vous-même, ni pour votre enfant. À la place du forceps, certains praticiens utilisent des « spatules » qui ont la même fonction.

• La ventouse (ou *vacuum extractor*) est un instrument en matière souple, ou métallique, qui est mis en place sous la tête de l'enfant au moment d'une contraction, et donc en même temps qu'une poussée. Elle permet, par la flexion de la tête, de faciliter son passage. Les indications de la ventouse sont pratiquement les mêmes que celles du forceps. L'usage de l'une ou l'autre dépend des habitudes du médecin.

À noter que l'application du forceps peut laisser des traces sur les joues du bébé, mais elles sont passagères. Il en est de même pour la ventouse, où une petite bosse se dessine au sommet de la tête à l'endroit où la ventouse a été appliquée. La trace disparaît en moins de 24 heures.

La délivrance artificielle

Vous avez vu (p. 311) qu'habituellement le placenta se décollait tout seul, grâce aux contractions utérines qui réapparaissent dans les minutes suivant la naissance de l'enfant. Il arrive, pour des causes diverses (manque ou mauvaise qualité de ces contractions, adhérence anormale du placenta), que le placenta ne se décolle pas ou se décolle partiellement. Le risque est alors l'hémorragie qui peut parfois être grave et tout à fait inattendue. C'est une des raisons qui font déconseiller l'accouchement à la maison. Le médecin doit introduire la main dans l'utérus afin de décoller artificiellement le placenta. Cette intervention se fait grâce à l'anesthésie de la péridurale. Elle se fait sous anesthésie générale, s'il n'y a pas eu de péridurale, et s'accompagne d'une injection d'antibiotiques.

La révision utérine

Il arrive qu'une hémorragie apparaisse après l'accouchement et la délivrance. Le médecin doit alors en chercher la cause. Elle est en général due à un fragment de placenta ou de membrane resté dans l'utérus. Pour l'extraire, le médecin fait le même geste que celui de la délivrance artificielle (introduction de la main dans l'utérus), sous anesthésie péridurale, ou générale.

Le thrombus vaginal

Cette complication de l'accouchement, peu fréquente, est liée à la rupture d'un vaisseau du système veineux vaginal profond (qui est particulièrement congestionné lors de la phase d'expulsion). Cette rupture, qui a eu lieu à l'intérieur du vagin, ne se voit pas au début. Peu à peu le saignement, d'abord contenu par les tissus, va se manifester par un gonflement, souvent douloureux mais la douleur peut être masquée par le péridurale. Ce gonflement peut prendre des proportions considérables et il nécessite une intervention chirurgicale lorsque la perte de sang devient importante.

Un accouchement plus naturel

Accoucher dans une maternité, avec la médicalisation, la rotation du personnel, l'anonymat des futures mères, est redouté par certains parents. « Mettre un enfant au monde est un acte naturel. Cet événement n'arrive pas si souvent dans une vie et nous souhaitons le vivre selon notre goût, à notre rythme », disent-ils.

L'ACCOUCHEMENT À LA MAISON

Il tente certains couples : parce qu'ils ont envie de l'intimité de la maison, de son ambiance familiale ; parce qu'ils se sentent très en confiance avec la sage-femme qui les a suivis tout au long de la grossesse et qui s'engage à les accompagner ; parce qu'ils ont entendu des récits de naissance à domicile qui les ont fait rêver.

Mais notre système de santé n'est pas favorable à cette solution. Même si un dossier a été fait dans une maternité proche du domicile, même si un éventuel transfert est toujours prévu, la plupart des professionnels de santé déconseillent l'accouchement à la maison car ils craignent des complications et des risques accrus à cause de l'éloignement de l'hôpital. D'ailleurs très peu de sages-femmes le pratiquent.

La sécurité d'une maternité n'empêche pas de respecter votre intimité, de répondre à vos attentes en tenant compte de vos craintes. Il y a certainement des établissements qui peuvent encore progresser dans ce sens. Mais il y en a de plus en plus qui s'organisent pour créer un cadre plus chaleureux, plus convivial, pour que la future mère soit en relation avec une seule sage-femme. La rédaction d'un projet de naissance (p. 333) peut permettre d'exprimer ce que vous souhaitez.

PLATEAUX TECHNIQUES ET SALLES NATURELLES

Quelques maternités permettent aux sages-femmes libérales d'accéder à leur plateau technique. Cela permet aux femmes d'accoucher avec la sage-femme qui a suivi la grossesse et préparé la naissance. La surveillance du travail et l'accouchement ont lieu en milieu hospitalier et la maman rentre chez elle deux heures après la naissance. En cas de complications l'équipe de l'hôpital prend le relais.

CIANE
Le CIANE (Collectif interassociatif autour de la naissance) regroupe des associations de parents et d'usagers. Il est à l'origine de nombreuses initiatives dans le domaine de la naissance (projet de naissance, salles physiologiques, présence continue du père à la maternité, etc.). Ciane.net

Par ailleurs, des maternités ont créé des **salles de naissance physiologique**, ou salles naturelles, où l'on respecte la demande d'une naissance moins médicalisée. Une telle salle peut être équipée d'une baignoire pour se détendre pendant le travail ; de lianes de traction pour adopter des positions relaxantes ; d'une table d'accouchement qui permet de choisir la position la plus confortable, etc. Ce lieu a le même encadrement médical que les autres salles d'accouchement, avec les mêmes règles de sécurité et de fonctionnement administratif. À suivre...

LES MAISONS DE NAISSANCE

Elles existent chez nos voisins suisses, anglais, allemands depuis de nombreuses années. Il s'agit d'une maison, ou d'un local, géré par des sages-femmes. Celles-ci y accueillent les futurs parents pour les consultations, la préparation à la naissance. Les femmes peuvent y accoucher à condition de n'avoir aucune pathologie. Ces maisons sont en liaison avec une maternité à laquelle il sera fait appel si un problème se présentait. En France, la loi autorise l'ouverture de maisons de naissance depuis 2014. Elles doivent être attenantes à une maternité. Le retour à la maison se fait deux heures après l'accouchement car il n'est pas prévu de lit d'hospitalisation. À suivre également...

L'accouchement anonyme

L'accouchement anonyme (anciennement appelé sous X ou sous le secret) donne la possibilité à la mère de mettre son enfant au monde sans donner son identité : toute femme prise en charge dans une maternité peut accoucher anonymement. L'enfant sera alors confié à l'adoption et ne pourra pas connaître l'identité de sa mère.

Il est en effet des situations où une femme est confrontée à une détresse si grande, à un isolement si profond, qu'elle se sent dans l'impossibilité matérielle et psychologique de s'occuper de son enfant. Il peut arriver qu'une naissance hors mariage la mette en danger, ou bien sa grossesse est issue d'un viol, ou tout autre cas dramatique. Il est important que la femme parle rapidement à des profession-nels qui pourront l'aider et la soutenir : médecin, sage-femme, psychologue, assistante sociale.

L'accouchement au secret permet de donner naissance au bébé tout en préservant l'anonymat de la femme. Cet anonymat peut malheureusement être préjudiciable à l'enfant en l'empêchant plus tard de connaître ses origines. C'est pourquoi, si elles le souhaitent, les mères peuvent – ce qu'elles ne savent pas toujours – laisser des renseignements dans le dossier de l'enfant, par exemple une lettre, un message enregistré, leur nom dans une enveloppe scellée, des précisions sur le père ; ainsi l'enfant pourra avoir accès à sa majorité, s'il en fait la demande, à des informations sur son histoire. Certains adultes nés « anonymement » ressentent fortement le besoin d'avoir des renseignements sur leurs parents de naissance. Cela peut leur permettre de donner un sens au geste de leur mère biologique et les aide à penser qu'ils n'étaient pas un « mauvais » bébé et qu'elle n'était pas une « mauvaise » mère.

Une loi cherche à concilier le droit des enfants à connaître leurs origines et celui des femmes à mettre leur enfant au monde dans l'anonymat. Voyez page 447.

Pour en savoir plus sur ce sujet (place de la filiation biologique dans notre société, recherche des ori-gines...), nous vous conseillons le livre de Sophie Marinopoulos et Catherine Sellenet : *Moïse, Œdipe, Superman... De l'abandon à l'adoption*, Fayard.

13

La douleur et l'accouchement

- Un accouchement est-il toujours douloureux ?

- La préparation à la naissance et à la parentalité

- Les anesthésies au cours de l'accouchement

Il n'y a plus de fatalité à « accoucher dans la douleur ». Les futures mamans bénéficient aujourd'hui d'aides nombreuses pour vivre leur accouchement en toute conscience et être soulagées d'une grande part de la douleur.

Nous parlerons d'abord de cette douleur que les femmes ne ressentent pas toutes de la même manière. Puis, nous aborderons les moyens de la supporter, de l'accepter ou de la supprimer : en se préparant à la naissance et/ou en ayant recours aux différentes anesthésies possibles au cours de l'accouchement.

Un accouchement est-il toujours douloureux ?

Lorsque l'utérus se contracte pour ouvrir le col, dès le début du travail, ses contractions sont perceptibles. D'ailleurs, si la future mère ne sentait pas son utérus se contracter, elle ne saurait pas que le travail a commencé. Mais cette perception n'est en général pas d'emblée douloureuse. Puis, les contractions augmentent d'intensité, parfois la poche des eaux se rompt, et la douleur apparaît, plus ou moins tôt, plus ou moins forte.

Oui, la douleur obstétricale existe, **mais**, et ce « mais » est important, elle est éminemment variable. Car la douleur n'est pas toujours perçue de la même façon. Cela dépend de la fatigue, de la peur, du stress, des expériences précédentes, etc. Certaines femmes mettent leur enfant au monde sans souffrir, sans besoin de médicament. Et d'autres ont très mal, elles se sentent dépassées par la douleur et elles ont besoin d'une anesthésie. Entre ces deux extrêmes, tous les degrés existent.

La douleur est donc variable selon les femmes. Elle varie aussi selon le moment de l'accouchement. Pendant la dilation, lorsqu'il y a douleur, elle est intermittente, elle correspond au moment précis où l'utérus se contracte. En dehors des contractions, la douleur disparaît ou s'atténue et la maman peut se reposer. Pendant l'expulsion, la douleur n'est plus due aux tensions sur le col mais à l'étirement du périnée et de la vulve : elle est alors plus ou moins continue jusqu'à la naissance du bébé mais dure peu de temps puisque cette phase est courte. Pour certaines femmes cet étirement est intolérable et pour d'autres c'est « comme une fleur qui s'ouvre ». C'est ce qu'ont dit plusieurs mamans, nous a rapporté une sage-femme, pour décrire le moment de la naissance de leur bébé. Et encore une fois, entre ces deux extrêmes, toutes les nuances existent.

Par ailleurs, tout au long de l'accouchement, l'organisme produit des hormones, les beta-endorphines, qui atténuent la douleur. Le stress, la peur, la fatigue empêchent ces hormones d'agir. Au contraire, tout ce qui rassure, qui détend, favorise leur action. Et si la maman se sent en confiance avec l'équipe qui la prend en charge, la douleur est moins forte.

FUTURES MÈRES PRÉPARANT
LEUR ACCOUCHEMENT
LEUR NOMBRE A AUGMENTÉ POUR
UN PREMIER ACCOUCHEMENT : IL
EST PASSÉ DE 67 % EN 2003 À 73 %
EN 2010 (ENQUÊTE INSERM).

La douleur peut aussi être provoquée par des facteurs organiques, anatomiques. Dans certains cas, la tête du bébé est orientée de telle manière dans le bassin qu'elle provoque des douleurs lombaires plus difficiles à supporter que les douleurs ordinaires (c'est ce qu'on appelle « accoucher par les reins »).

En fait, il est bien difficile de savoir comment la douleur est ressentie. Certaines femmes ne disent rien pendant l'accouchement et se plaignent le lendemain d'avoir eu très mal. D'autres crient, se lamentent, jurent que plus jamais elles n'accoucheront ; mais elles déclarent plus tard qu'en fait elles n'ont pas tellement souffert, et qu'elles seraient ravies d'avoir un autre enfant.

D'ailleurs certaines mamans auraient voulu pouvoir crier ; elles n'ont pas osé le faire. Il est vrai que cela peut faire peur à une autre future mère près d'accoucher ; cela peut aussi dérouter l'équipe médicale. Alors que le cri n'est pas nécessairement l'expression d'une grande douleur ; ce peut être aussi le moyen de soulager une tension trop forte.

Enfin, d'autres femmes supportent bien les contractions, les laissent passer sans panique et mettent au monde leur bébé non sans rien sentir mais sans souffrir et sans anesthésie.

Intensité, étrangeté, violence : l'accouchement confronte les femmes à un effort physique et à des émotions inhabituels. Comment faire face ? Et lorsque la douleur s'installe, forte ou supportable, comment l'accepter, la diminuer ou même la supprimer ?

En France, la réponse est avant tout médicamenteuse, avec en premier lieu l'anesthésie péridurale, même s'il existe d'autres produits analgésiques (voyez la fin de ce chapitre). La réponse peut aussi être une préparation psychologique et physique, puisque la douleur dépend également de l'appréhension, de l'accompagnement, des positions de la maman et du bébé pendant le travail (chap. 14). Certaines futures mères pensent qu'elles n'ont pas besoin de préparation puisqu'une césarienne est prévue ou que la péridurale est facilement proposée à la maternité qu'elles ont choisie. C'est dommage parce que la préparation aborde bien d'autres points que celui de la douleur et la façon de la surmonter. D'ailleurs, aujourd'hui, on parle de *préparation à la naissance et à la parentalité*. Les séances font une grande place à l'accueil du bébé, aux premiers liens parents-enfant, aux difficultés éventuelles dans la construction de ces liens et à l'aide qui peut alors être apportée.

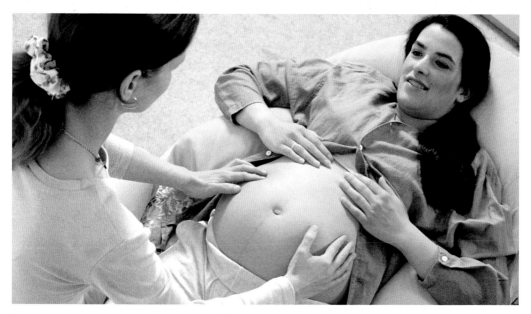

La préparation à la naissance et à la parentalité

La préparation à la naissance est issue de ce qu'on a appelé « l'accouchement sans douleur ». La plupart des mamans d'aujourd'hui ne savent pas de quoi il s'agit et pourtant c'est une approche de l'accouchement qui, dans les années 1950, a complètement transformé le vécu des futures mères. En les informant sur ce qui se passait en elles, sur la vie de leur bébé, sur la façon dont il allait naître, en leur proposant une préparation afin de dominer la douleur, « l'accouchement sans crainte et sans douleur » a montré aux femmes qu'elles pouvaient se réapproprier leur corps et se sentir, avec leur bébé, au centre de cet événement unique.

Cela a été un premier pas vers d'autres découvertes : le lien entre douleur et émotion, la continuité de la vie intra-utérine et de la vie après la naissance, les compétences du nouveau-né et les interactions précoces entre les parents et leur bébé. Cela a aussi permis aux professionnels de la naissance de comprendre l'importance de leur accompagnement, de leur présence en salle de naissance, en dehors de tout acte médical.

Voici les principes de la préparation à la naissance et à la parentalité. Dans le chapitre suivant, vous trouverez le détail des exercices à faire ainsi que d'autres méthodes proposées (yoga, haptonomie, etc.).

Les points forts de la préparation

Le but de la préparation à la naissance est d'aider la femme à mettre au monde son enfant dans les meilleures conditions possibles. Au cours des séances, la future mère apprend à mieux connaître son corps, ses modifications pendant la grossesse et l'accouchement. Elle découvre comment elle peut s'adapter physiquement et psychologiquement à ces transformations. Le père est invité à participer aux séances

POUR TOUT RENSEIGNEMENT SUR LA PRÉPARATION,
notamment sur les recommandations faites aux professionnels, ou pour connaître le déroulement de l'entretien précoce, consultez le site de la Haute Autorité de Santé www.has-sante.fr rubrique préparation à la naissance et à la parentalité.

pour pouvoir accompagner et aider sa femme. La préparation à la naissance peut être animée par une sage-femme ou un médecin – le plus souvent, c'est une sage-femme qui s'en charge.

Dans la préparation, il y a une partie d'information sur la grossesse, l'accouchement, le séjour à la maternité, l'allaitement, le nouveau-né, les premières relations parent-bébé, et une part importante est donnée aux activités corporelles, aux respirations, à la relaxation.

Ces points concernent toutes les futures mamans, même si une césarienne est prévue ou si vous souhaitez absolument avoir une péridurale. D'ailleurs toutes les formes d'accouchement sont abordées au cours des séances, y compris la césarienne. Les objectifs de la préparation sont précisés par des recommandations professionnelles. Chaque sage-femme a sa façon de les atteindre : exercices physiques, yoga, activités en piscine, etc.

La préparation se fait en huit séances

Les séances sont remboursées à 100 % dès la déclaration de grossesse. La première séance est individuelle. Toutes les femmes n'ont pas les mêmes demandes, les mêmes craintes, les mêmes atouts pour les affronter. Elles ont besoin d'intimité, d'une relation de confiance pour s'exprimer sur ces sujets sensibles. Leur compagnon également. C'est pourquoi la première séance individuelle fait l'objet d'un « entretien précoce », si possible dès la déclaration de grossesse, en fin de premier trimestre (p. 211). Les éléments de cet entretien peuvent être consignés dans votre dossier médical ; et soit à la fin de l'entretien, soit en fin de grossesse, ce document sera complété et un résumé vous sera remis pour faire un lien avec la sage-femme qui vous accueillera en salle de naissance pour l'accouchement ; il pourra aussi servir à rédiger votre « projet de naissance » (page suivante).

Si vous avez de nouvelles demandes, si votre situation évolue, n'hésitez pas à demander à la sage-femme une seconde entrevue : une consultation consacrée à ce sujet peut compléter ce premier entretien.

Les sept autres séances peuvent se faire en groupe, avec six femmes enceintes maximum. Certaines sages-femmes libérales proposent des séances individuelles, ou en couple, ou en groupe avec au maximum trois futures mamans, plus les conjoints s'ils le désirent.

Souvent les séances de préparation sont complétées par des **entretiens** entre les femmes qui vont accoucher, par des entretiens avec des mères et des pères qui viennent d'avoir leur enfant, par la projection d'un film sur l'accouchement. La sage-femme chargée de la préparation cherche à installer un climat de confiance. Cette confiance réciproque est un des éléments importants de la préparation. Les futures mères peuvent s'exprimer librement et notamment parler de leurs angoisses et de leurs peurs. Et pour une future mère, pouvoir parler de ce qui la préoccupe est sûrement un élément important de détente. Il existe aussi des groupes destinés aux seuls futurs pères. Enfin, dans le cadre des séances de préparation à la naissance, une visite de la maternité peut être organisée par la sage-femme. Les femmes apprécient de se familiariser avec ces lieux un peu mystérieux, de voir de près, dans la salle d'accouchement, les différents appareils (monitoring par exemple).

Les bienfaits de la préparation

L'intérêt d'une préparation est grand, les futures mères sont plus détendues, elles le disent, les futurs pères le confirment. Les Caisses d'assurance maladie reconnaissent les bienfaits de la préparation puisqu'elles recommandent aux femmes de la suivre. Il faut évidemment que la préparation soit bien faite. Mais de l'avis de certains, ce n'est pas toujours le cas : séances trop peu nombreuses, commencées trop tard, se limitant parfois à quelques exercices de gymnastique ou à quelques explications, des diapositives ou un film.

Enfin, la préparation ne suffit pas à garantir un bon accouchement, encore faut-il que la future mère soit bien accueillie à son arrivée à la maternité et bien accompagnée pendant le travail ; ces deux éléments sont déterminants pour créer un climat de détente et de confiance.

Heureusement il y a d'excellentes préparations, faites par des sages-femmes motivées et passionnées. Alors, si vous avez envie de suivre une préparation, comment savoir si elle est bien faite ? Avant de s'inscrire, les futures mères se renseignent sur l'organisation de la maternité (possibilité de péridurale, présence du père, etc.). Renseignez-vous également sur la préparation à l'accouchement : la première séance est-elle individuelle ? Le père est-il encouragé à venir aux séances ? Combien y-a-t-il de femmes enceintes par groupe ? Combien de temps dure une séance ? Parlez-en aussi à des futures mères ayant suivi la préparation ou ayant accouché dans cette maternité.

LE PROJET DE NAISSANCE

Il est probable que vous vivrez mieux votre accouchement si la sage-femme de la salle de naissance connaît vos besoins, vos aspirations, vos craintes. À l'exemple des Anglo-saxons qui l'utilisent depuis plusieurs années, les professionnels recommandent aujourd'hui aux parents de rédiger un « projet de naissance ».

Nous vous conseillons de préparer ce projet pendant la grossesse et en concertation avec la sage-femme qui suit votre préparation ; celle-ci vous indiquera les possibilités qui existent là où vous allez accoucher. Sachez toutefois que votre projet pourra ne pas être suivi en fonction des nécessités médicales dont est responsable le professionnel.

Le but de ce petit document est de faciliter la communication entre vous et la sage-femme de la salle de naissance, à un moment où vous et votre conjoint êtes concentrés sur l'arrivée du bébé, sur les contractions, et où la sage-femme est concentrée sur le déroulement médical. Vous pouvez noter par exemple que vous préférez marcher le plus longtemps possible plutôt que d'avoir une péridurale rapidement — ou le contraire. Vous pouvez aussi préciser que vous souhaitez garder votre bébé en peau à peau avant les premiers soins. La sage-femme saura ainsi mieux s'adapter à vos besoins. Si votre conjoint ne veut pas couper le cordon, mentionnez-le : la sage-femme ne lui posera pas la question, ce qui pourrait le mettre mal à l'aise, etc., etc.

EST-IL CONSEILLÉ DE FAIRE LA PRÉPARATION DANS LA MATERNITÉ OÙ L'ON VA ACCOUCHER ?

C'est mieux car cela vous permettra, en principe, de connaître quelques sages-femmes, de visiter les locaux et de recevoir des informations spécifiques à cette maternité (faut-il apporter les vêtements et les couches pour le bébé, où est la porte d'entrée la nuit... et mille autres détails utiles).

Mais ce n'est pas une obligation, et si vous avez l'impression que la maternité n'est pas bien organisée pour ces séances, ou si les horaires ne vous conviennent pas, ou pour toute autre raison, vous pouvez faire la préparation en ville, une sage-femme peut même venir à domicile si vous êtes au repos.

Cette question du lieu de votre préparation ne se posera peut-être pas. Aujourd'hui, certaines maternités ne font plus de préparation, pour des questions d'organisation. Dans ce cas, on vous donnera des adresses de sages-femmes libérales, qui reçoivent à leur cabinet ou se déplacent.

N'attendez pas trop pour vous renseigner et choisir la solution qui vous convient le mieux.

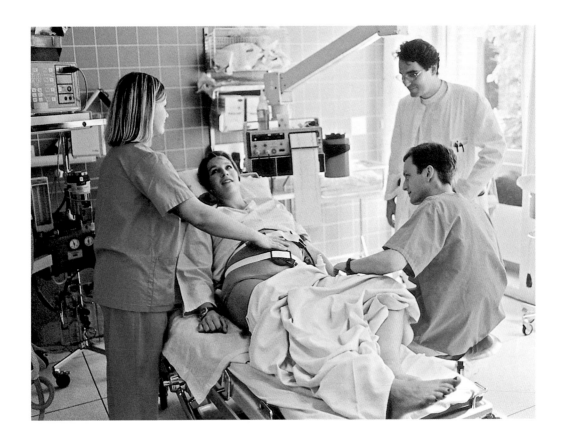

Les anesthésies
au cours de l'accouchement

Certaines futures mères n'acceptent plus aujourd'hui d'affronter la douleur, quelle que soit son intensité, et ceci est parfaitement légitime : soit parce qu'elles trouvent inutile de souffrir, soit parce qu'elles sont particulièrement angoissées et que l'accouchement leur paraît une épreuve insurmontable, ou encore parce qu'elles gardent d'une précédente naissance un souvenir trop pénible. Ces femmes n'envisagent pas d'accoucher sans anesthésie.

D'autres mamans n'ont pas envie de souffrir mais elles souhaitent essayer de vivre cette expérience ; elles se disent qu'elles demanderont - ce qui est possible - une anesthésie si la douleur dépasse ce qu'elles peuvent supporter. Cette question de l'anesthésie pourra être abordée avec la sage-femme au cours de la préparation, notamment dans le cadre du projet de naissance.

Ajoutons que l'anesthésie n'est pas toujours un choix : avec plus de 20 % de césariennes, un accouchement sur cinq en nécessite une. En outre, une complication peut parfois survenir : douleur trop intense, forceps, et là aussi l'anesthésie sera inévitable.

L'ANESTHÉSIE PÉRIDURALE

L'anesthésie péridurale, développée en obstétrique à partir des années 1980, a été une révolution car elle constituait un extraordinaire progrès dans le domaine de la lutte contre la douleur. En effet, elle n'insensibilise que la partie inférieure du corps (celle qui souffre) tandis que la mobilité reste conservée. C'est pourquoi elle a eu rapidement autant de succès auprès des femmes.

TOUTES LES FEMMES PEUVENT-ELLES AVOIR UNE ANESTHÉSIE PÉRIDURALE ?

Oui, toutes les femmes qui le désirent peuvent bénéficier d'une péridurale, à condition, bien évidemment, qu'il n'y ait pas de contre-indication médicale.

En pratique, la possibilité d'une péridurale dépend beaucoup de l'organisation de la maternité. Dans certaines, on comptabilise 90 % de péridurales, dans d'autres beaucoup moins. Pour autant, est-il souhaitable que chaque accouchement ait lieu sous péridurale, comme cela se passe dans certaines maternités, même si la femme ne l'a pas demandé ? Ce n'est pas sûr.

D'abord cela accentuerait la médicalisation de l'accouchement si souvent critiquée.

Ensuite les femmes ne demandent pas toutes une anesthésie. Elles veulent se rendre compte de ce qu'est la douleur de l'accouchement, si elles peuvent la dominer, et elles ont envie de voir comment elles y parviendront. D'ailleurs, comme nous en avons parlé au début de ce chapitre, un accouchement n'est pas toujours très douloureux.

Enfin, le seul fait de savoir qu'elle peut avoir une péridurale détend souvent la mère, à tel point que, parfois, elle ne la demande pas, étonnée de constater qu'elle supporte bien la douleur de la contraction.

Les femmes ont obtenu ce qu'elles voulaient, la péridurale pour toutes. Mais elles doivent garder un droit encore plus précieux : pouvoir faire respecter leur choix. Il s'agit de votre grossesse, de votre accouchement, c'est donc bien normal que ce soit votre désir qui l'emporte. C'est à vous, après y avoir réfléchi, et en avoir parlé avec votre mari, vos amies, dans les groupes de préparation, avec la sage-femme, avec le médecin, de prendre *votre* décision.

Parler à son médecin, n'est pas toujours facile. Pourtant, il est important de pouvoir dire non, sous peine de renoncer à ses goûts, ses désirs. Il faut pouvoir dire non si on ne veut pas connaître le sexe du bébé avant la naissance, non si on ne veut pas d'anesthésie péridurale, non à un déclenchement de l'accouchement (sauf pathologie bien sûr) si on veut attendre le terme. Lorsqu'on attend un enfant, on est parfois en état de moindre résistance, comme à la merci de l'avis des autres et on n'ose pas donner le sien. C'est votre grossesse, votre enfant, un grand moment de votre vie, n'hésitez pas à dire ce que vous désirez vraiment.

Mais quel que soit votre choix, vous devrez bénéficier d'une consultation avec l'anesthésiste. Cette consultation est faite pour évaluer votre état médical et non pas pour vous inciter à demander une péridurale (p. 337).

> ANESTHÉSIE : QUELQUES CHIFFRES
> LA PRISE EN CHARGE DE LA DOULEUR PAR UNE PÉRIDURALE OU UNE RACHIANESTHÉSIE EST PLUS FRÉQUENTE : ELLE A CONCERNÉ 82 % DES FEMMES EN 2010 AU LIEU DE 75 % EN 2003 (ENQUÊTE INSERM).

COMMENT SE PRATIQUE L'ANESTHÉSIE PÉRIDURALE ?

Pour insensibiliser toute la moitié inférieure du corps, on injecte entre deux vertèbres lombaires un produit anesthésique qui se répand autour des enveloppes de la moelle épinière (dont l'une est appelée *dure-mère*, d'où le nom de cette anesthésie) et qui agit sur les nerfs qui en partent. La moelle épinière baigne elle-même dans un liquide appelé liquide céphalo-rachidien (schéma ci-dessous).

Cette injection indolore – car on fait d'abord une anesthésie locale – peut être faite en une seule fois comme n'importe quelle piqûre. Elle est faite par l'intermédiaire d'un petit cathéter qui est laissé en place, ce qui permet, en cas de besoin, de réinjecter du produit anesthésique sans faire une nouvelle piqûre. Dix minutes après l'injection du produit, la douleur disparaît. Il est possible à la femme de contrôler elle-même l'injection du produit, en fonction de ce qu'elle ressent. Certaines mamans ne veulent pas avoir mal mais ne souhaitent pas supprimer toutes les sensations.

Auparavant, on a placé une perfusion intraveineuse : elle permet de contrôler et de traiter rapidement d'éventuelles modifications de la tension artérielle que peut entraîner la péridurale. Mais la perfusion a surtout pour but d'administrer des médicaments (ocytociques) qui permettent de régulariser et de renforcer les contractions, parfois atténuées par la péridurale.

Il faut signaler qu'avec une péridurale la femme ressent moins le besoin de pousser au moment de l'expulsion. Cela doit encore plus l'inciter à faire des séances de préparation à l'accouchement.

La femme peut se lever quelques heures après l'accouchement, au début soutenue et aidée pour tester ses réactions.

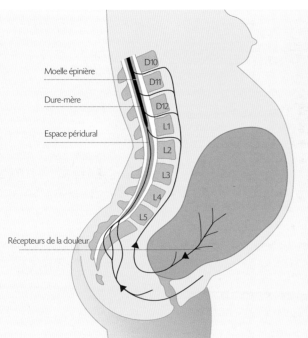

Moelle épinière
Dure-mère
Espace péridural
Récepteurs de la douleur

D10
D11
D12
L1
L2
L3
L4
L5

LA PÉRIDURALE

L'espace péridural est celui où l'on injecte le produit anesthésique pour réaliser l'anesthésie péridurale. L'injection se fait entre deux vertèbres lombaires, à un endroit où il n'y a plus de moelle épinière proprement dite. La zone pointillée représente le liquide anesthésique en train de se répandre derrière la dure-mère. La péridurale est laissée en place une à deux heures après l'accouchement pour le cas où une complication surviendrait.

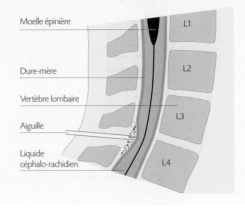

Moelle épinière
Dure-mère
Vertèbre lombaire
Aiguille
Liquide céphalo-rachidien

L1
L2
L3
L4

LA CONSULTATION AVEC L'ANESTHÉSISTE

Elle est obligatoire au cours du dernier trimestre de la grossesse, qu'une anesthésie soit prévue ou non. Le médecin vérifiera que l'anesthésie n'a pas de contre-indication chez la future mère. Un bilan sanguin, appréciant notamment la coagulation sanguine, sera fait ultérieurement, dans les jours ou les heures précédant l'accouchement.

PEUT-ON FAIRE UNE PÉRIDURALE À N'IMPORTE QUEL MOMENT DE L'ACCOUCHEMENT ?

Oui c'est possible mais sous certaines conditions :
• être certain que le travail d'accouchement a vraiment commencé
• et au cours du travail, et même en fin de travail, il ne faut pas que la femme soit trop agitée, ce qui pourrait gêner la pose.

Savoir que la péridurale peut être posée à n'importe quel moment du travail est rassurant pour les mamans qui souhaitent essayer d'accoucher sans péridurale mais ne sont pas sûres d'y arriver.

Quelques établissements proposent des anesthésies péridurales qui permettent à la mère de se déplacer. Cela demande un dispositif particulier pour surveiller en permanence le rythme cardiaque du bébé.

Y A-T-IL DES CONTRE-INDICATIONS ?

Oui, quelques-unes. Certaines sont connues avant l'accouchement : infections de la peau, déformation importante de la colonne vertébrale ou antécédents chirurgicaux, affections neurologiques, troubles de la coagulation sanguine. Certains **tatouages** importants, ou surtout mal placés (dans la zone de ponction), peuvent être une contre-indication.

D'autres n'apparaissent qu'au moment de l'accouchement ou pendant le travail : hypoxie aiguë de l'enfant, hémorragies, éclampsie. L'anesthésie péridurale est également contre-indiquée si la mère a de la fièvre en début de travail.

LA PÉRIDURALE EST-ELLE DANGEREUSE POUR LA MÈRE OU POUR L'ENFANT ?

La péridurale est devenue un des gestes les plus courants de la pratique obstétricale. L'enfant ne court aucun risque puisqu'il s'agit d'une anesthésie locale qui ne diffuse que très peu dans le sang maternel. Pour la femme, on doit parler d'incidents plus que d'accidents. Il peut s'agir :
• de vertiges et de maux de tête, qui ne se produisent que lorsque l'aiguille d'injection est allée trop loin ; ils régressent en deux à trois jours
• de douleurs lombaires
• de sensations de décharges électriques dans les jambes ; elles disparaissent en quelques heures
• il peut y avoir une douleur au niveau de la ponction mais elle finit par disparaître.

LES ÉCHECS DE LA PÉRIDURALE

Il peut arriver que le médecin n'arrive pas à installer la péridurale. Il peut aussi y avoir des échecs partiels : une moitié du corps est bien insensibilisée mais l'autre ne l'est pas ou mal.

LA PÉRIDURALE INFLUENCE-T-ELLE LE DÉROULEMENT DE L'ACCOUCHEMENT ?

Bien que l'anesthésie réduise l'intensité des contractions, en règle générale elle diminue la durée de l'accouchement et le rend plus « facile ». L'enfant lui-même en bénéficie. En effet lorsque les femmes sont tellement angoissées que le travail n'avance plus, on constate que, sous péridurale, le col se dilate mieux, et les contractions se régularisent. On évite ainsi un accouchement traînant en longueur et un enfant souffrant d'un travail prolongé. D'autre part, si survient au cours de l'accouchement la nécessité d'un geste quelconque : application de forceps, délivrance artificielle, suture de l'épisiotomie ou même césarienne, aucune anesthésie supplémentaire n'est alors nécessaire. Dans certains cas, la péridurale est conseillée : accouchement gémellaire, accouchement par le siège.

PÉRIDURALE OU NON ? FAUT-IL SE DÉCIDER PENDANT LA GROSSESSE ?

Vous allez bien sûr en parler avec le médecin ou la sage-femme. Mais quelle que soit votre décision, sachez qu'elle n'est pas irrémédiable.

Si vous souhaitez absolument une anesthésie péridurale, cela sera pris en compte et noté dans votre dossier. Mais si tout se passe bien, et si vous n'éprouvez pas le besoin d'une anesthésie, elle ne vous sera, bien sûr jamais imposée, sauf indication médicale.

En revanche, si vous avez décidé d'accoucher sans péridurale, vous verrez de toute façon l'anesthésiste en consultation. Si une complication survenait, laissant prévoir que l'expulsion serait difficile et nécessiterait par exemple un forceps, ou si la douleur atteignait une intensité et une durée supérieure à ce que vous aviez imaginé, vous seriez peut-être soulagée qu'on vous propose une anesthésie.

LES AUTRES ANESTHÉSIES

LA RACHIANESTHÉSIE

C'est, comme la péridurale, une anesthésie dite loco-régionale qui insensibilise la moitié inférieure du corps. Techniquement, la rachianesthésie est plus facile à faire que la péridurale et elle agit plus rapidement. Il n'y a pas de cathéter à mettre en place. Mais sa durée d'action est limitée à environ une heure car on ne peut pas réinjecter de produit anesthésique. Elle est donc utilisée pour la césarienne, ou pour un forceps, ou en fin de dilatation car la naissance est proche.

L'ANESTHÉSIE LOCALE

On injecte dans les muscles du périnée, ou un peu plus profondément, un produit anesthésique (de la xylocaïne par exemple). L'anesthésie locale permet, sans douleur pour la femme, de faire ou de recoudre une épisiotomie, d'appliquer un forceps, mais elle n'atténue pas la douleur de la contraction utérine.

LE PROTOXYDE D'AZOTE

En fin de dilatation, le protoxyde d'azote peut être proposé. C'est un mélange de gaz (oxygène et azote) qui se respire dans un masque. Cela aide le col à se relâcher et améliore l'oxygénation des tissus. Ainsi, la douleur baisse.

L'ANESTHÉSIE GÉNÉRALE

Aujourd'hui l'anesthésie générale n'est plus pratiquée que lorsqu'il y a une contre-indication à la péridurale et à la rachianesthésie, ou en cas d'urgence lorsque péridurale ou rachianesthésie n'auraient pas le temps d'agir.

L'anesthésie générale a l'inconvénient d'endormir complètement la maman. Une femme qui n'a ni

senti ni vu naître son enfant a parfois du mal à croire que ce bébé à côté d'elle à son réveil est le sien ; elle peut même avoir de la peine à réaliser qu'elle a vraiment accouché.

Aujourd'hui les professionnels de la naissance sont bien avertis de ces éventuelles difficultés. C'est pourquoi, lorsque la maman est bien réveillée et qu'elle a son bébé dans les bras, la sage-femme ou le médecin lui font le récit des premiers instants de son enfant. Votre conjoint pourra aussi vous raconter le moment où il a pris votre nouveau-né dans les bras. Ainsi le lien que vous aviez avec votre bébé avant la naissance sera maintenu.

PRÉPARATION OU ANESTHÉSIE ?

Après avoir lu ce chapitre sur les différentes possibilités de diminuer ou de supprimer la douleur de l'accouchement, vous vous demandez peut-être que choisir, que décider ?

En fait, la question ne se pose pas ainsi. Quelles que soient les circonstances, la préparation n'est pas une alternative à l'anesthésie mais participe au bon déroulement de la grossesse et de l'accouchement. Avoir une anesthésie, qu'elle soit nécessaire médicalement (césarienne, forceps ou position du bébé qui gêne sa descente et l'ouverture du col), ou souhaitée par la future mère, n'empêche pas de suivre une préparation. Se préparer, c'est apprendre à connaître son corps en train de se transformer ; c'est comprendre ce qui se passe et ce qui va arriver, et donc être rassurée ; c'est le plaisir de faire des exercices physiques et respiratoires, adaptés à la grossesse, qui permettent de se sentir bien, maintenant et au moment de la naissance ; c'est pouvoir rencontrer d'autres futurs parents et échanger des expériences ; c'est se préparer à accueillir son bébé, à devenir parent.

C'est pourquoi, même si une césarienne est programmée ou si vous avez choisi d'avoir une péridurale, nous vous conseillons de préparer votre accouchement, préparation classique, yoga, haptonomie, piscine... Vous ne le regretterez pas.

14

Comment préparer son accouchement

- Se préparer physiquement : exercices respiratoires et musculaires, relaxation

- D'autres façons de se préparer à accoucher : yoga, haptonomie, sophrologie…

Comment préparer votre accouchement ? Tout **ce livre est fait pour vous préparer à accueillir votre bébé**, pour que vous l'aidiez à venir au monde. D'abord, bien sûr, en vous racontant comment se passe un accouchement. Au premier surtout, on connaît peu les détails. Un long chapitre en parle, lisez-le plusieurs fois, vous vous familiariserez avec l'inconnu, vous serez ainsi plus détendue.

Se préparer à accueillir un enfant, c'est aussi peu à peu faire sa connaissance. Après avoir lu le chapitre 5, votre bébé ne sera plus un inconnu pour vous. D'ailleurs vous ne l'êtes pas non plus pour lui. Vous le verrez lorsqu'il reconnaîtra votre voix et celle de son père.

Dans ce chapitre, nous allons vous parler des exercices respiratoires et musculaires. Ils ne constituent pas l'essentiel de la préparation comme on le croit parfois, mais ils en sont le complément indispensable pour être en forme pendant la grossesse, pour aborder l'accouchement en connaissance de cause, pour prendre l'habitude de la relaxation, car même si l'on sait ce qui va se passer, il est normal d'être légèrement tendue.

Se préparer physiquement

Les exercices conseillés sont de trois sortes : les uns respiratoires, les autres destinés à assouplir les muscles qui joueront un rôle important au cours de l'accouchement ; les troisièmes vous apprendront le relâchement musculaire, la relaxation.

Ces exercices sont autant destinés à préparer votre accouchement qu'à faciliter votre grossesse, et à vous permettre de retrouver rapidement votre ligne, parce que vous aurez, par un entraînement régulier, conservé à vos muscles leur tonus et leur élasticité. Ces exercices veulent aussi vous aider à vous sentir mieux dans votre corps : apprendre à vous relaxer, à vous déplacer, à vivre ces mois d'attente avec sérénité.

Faites les exercices lentement, calmement. Alternez les exercices respiratoires avec les exercices musculaires. Faites les mouvements dans une pièce bien aérée et, si le temps le permet, ouvrez toute grande la fenêtre. Pour les faire, choisissez le moment qui vous convient le mieux mais ne les faites pas pendant la digestion. L'idéal est de prendre le temps chaque jour de s'installer pour s'entraîner pendant une vingtaine de minutes. Les futures mamans qui n'ont pas cette disponibilité feront les exercices complets une fois par semaine et utiliseront dans leur vie quotidienne les postures apprises : debout, assise, pour se baisser, porter un autre enfant, etc... Par exemple, assise dans un transport en commun, vous pouvez être attentive à votre respiration et à la justesse de votre posture.

Si vous suivez des séances de préparation, ces exercices qui sont, à de petites variantes près, ceux qu'on vous indiquera, vous permettront de les refaire plus facilement chez vous, ou bien de les commencer à votre convenance.

Et si vous êtes peu entraînée ? Ne vous inquiétez pas, la sage-femme qui sera près de vous pendant l'accouchement vous apportera toute l'aide dont vous avez besoin. Et comme l'a dit le docteur Read, un des pionniers de l'accouchement sans douleur : « Le principal avantage des exercices, c'est qu'ils permettent à la femme de rester en bonne forme physique pendant sa grossesse et de lui apprendre à bien respirer et à se détendre convenablement. Toutefois, une femme qui n'aura pu faire aucun exercice, mais qui aura bien appris comment se passe un accouchement, mettra son enfant plus facilement au monde que celle qui a un corps d'athlète et qui ignore tout de l'accouchement. »

EXERCICES RESPIRATOIRES

Ces exercices vont être utilisés pendant le travail (phases de dilatation et d'expulsion). **Vous pouvez les pratiquer dès le 4ᵉ mois et jusqu'à l'accouchement pour vous entraîner**. Ils vous apporteront en plus bien-être et détente. Vous pouvez les faire couchée, jambes pliées, soutenues par un coussin ou une chaise, ou bien assise sur un ballon, ou en tailleur sur le sol (*figures 1, 2, 3, 4*).

Lorsqu'on respire, on ne fait pas attention à la façon dont l'air rentre et sort de l'organisme. Voici comment prendre conscience de la manière dont vous respirez.

Installez-vous bien, assise ou couchée ; mettez une main sur la poitrine, l'autre sur le ventre. Si vous êtes assise, soyez bien stable, sans tension. Si vous êtes allongée, sentez votre dos posé sur le sol, les jambes soutenues par le coussin ou la chaise (si vous avez mal au bas du dos, la chaise vous soulagera davantage). Lorsque vous serez détendue, vous sentirez que votre ventre et votre poitrine se soulèvent et s'abaissent en même temps (*figures 1 et 2*). Vous sentirez que ces mouvements d'ouverture et de fermeture sont liés à ceux de vos côtes et modifient la pression dans l'abdomen, jusque dans le bassin et le périnée : la pression augmente quand l'air rentre et que les côtes s'ouvrent, la pression s'allège quand l'air sort et que les côtes se ferment. Ainsi la respiration est importante pour faire travailler le périnée, nous en parlerons plus loin.

La respiration profonde

Quand vous aurez bien pris conscience de la manière dont vous respirez, expirez à fond. Puis inspirez profondément par le nez, en gonflant le ventre et la poitrine (*figure 1*). Soufflez par la bouche, en laissant descendre le ventre et la poitrine. Faites cela très lentement. Recommencez plusieurs fois de suite.

Pour que cette respiration profonde soit bien efficace, voici ce que certaines sages-femmes conseillent : imaginez que l'air monte le long de l'utérus, le long de cette ligne brune qui se dessine peut-être sur votre ventre. Lorsque vous arrivez au bout de l'inspiration, pour ne pas bloquer votre respiration, commencez à expirer en imaginant que vous soufflez le long de votre colonne vertébrale vers le bas, en direction du périnée et du col de l'utérus. Votre respiration s'inscrit ainsi dans un cercle qui entoure l'utérus et votre bébé. L'image du cercle aide l'expiration à bien s'enchaîner à l'inspiration.

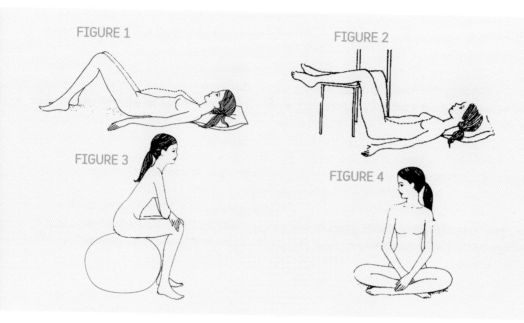

FIGURE 1

FIGURE 2

FIGURE 3

FIGURE 4

Au début, vous éprouverez peut-être une sensation de blocage au niveau des côtes. Petit à petit, cette sensation disparaîtra. Au bout de quelques jours, votre respiration sera de plus en plus facile, à la fois plus lente et plus profonde. À ce moment-là, vous commencerez à faire l'exercice dans d'autres positions : en marchant, par exemple.

Ainsi, **dès les premières contractions, vous pourrez faire ces respirations profondes** en les adaptant au nouveau rythme qui s'installe à chaque contraction. Pensez à l'image du cercle qui entoure l'utérus et votre bébé. En expirant vers le bas du dos, vous relâchez cette partie du corps, ce qui fait de la place à l'enfant. L'objectif de ces respirations profondes est d'aider chaque contraction à agir sur le col de l'utérus pour l'ouvrir et pousser le bébé. En même temps vous continuerez à bouger, à vous déplacer entre les contractions : cela sera plus agréable pour vous et cela favorisera également la dilatation du col et la descente du bébé. Si vous vous sentez fatiguée, reposez-vous bien entre les contractions, essayez même de dormir un peu.

La respiration profonde sera aussi un bon entraînement pour les abdominaux dont la pression sera importante au moment de la sortie de l'enfant.

La respiration haletante

Inspirez, puis expirez légèrement, sans faire de bruit. Seule la partie supérieure de la poitrine doit bouger ; le ventre reste presque immobile. Il ne s'agit pas de respirer de plus en plus vite, l'important est de bien expirer sans que le ventre bouge. Il est préférable de respirer ainsi bouche ouverte.

Cette respiration est vite fatigante, elle n'est pas à faire longtemps. Vous l'utiliserez uniquement au plus fort des contractions qui donnent envie de pousser alors que ce n'est pas encore le moment – si cela vous arrive. Et au moment du dégagement de la tête du bébé, pendant les quelques secondes d'étirement du périnée. Si vous accouchez sur le dos, vous referez encore pendant quelques secondes cette respiration haletante au moment du dégagement de la deuxième épaule de votre bébé.

Vous pouvez vous entraîner de temps en temps, bien détendue et bien concentrée sur les expirations. Si vous respirez trop vite, ou si vous n'expirez pas suffisamment, vous ressentirez peut-être des fourmillements dans les mains ou une sensation de vertige : votre organisme consomme trop d'oxygène et les muscles commencent à se tétaniser. C'est sans gravité et cela cesse dès que vous respirez à nouveau normalement. Si cela arrive en salle d'accouchement, la sage-femme vous aidera à respirer calmement ; si le stress est important, elle peut vous donner du calcium ou du magnésium et tout rentrera dans l'ordre.

La respiration au moment de la poussée

Cette respiration concerne la dernière phase de l'accouchement : la descente de l'enfant jusqu'à sa sortie. Il en existe deux variantes.

• **La respiration bloquée.** Cette technique est celle du traditionnel « inspirez, bloquez, poussez » (p. 305). Pour vous y entraîner, faites l'exercice suivant : inspirez à fond ; arrivée au sommet de l'inspiration, retenez votre souffle, gonflez le ventre, comptez mentalement jusqu'à 5, puis rejetez l'air par la bouche. Peu à peu vous arriverez à compter jusqu'à 10, 20 ou même 30, c'est-à-dire retenir votre souffle et gonfler le ventre une demi-minute.

• **L'expiration freinée.** C'est une autre technique (p. 305). Après une inspiration abdominale profonde, faite en gonflant le ventre, l'air est expiré très doucement par la bouche, en rentrant le ventre ; les abdominaux sont contractés le plus possible. C'est le même principe que la respiration profonde, mais on insiste sur la contraction des abdominaux pour aider le bébé à sortir. Pour vous entraîner, vous pouvez, par exemple, souffler dans un ballon de baudruche.

Il n'est pas nécessaire de s'exercer à ces deux respirations avant le neuvième mois.

Au moment de l'accouchement, il vous sera possible d'utiliser la première technique, la respiration bloquée, ou la seconde technique, l'expiration freinée, selon ce que vous ressentirez, selon ce que vous indiquera la sage-femme et ce qui sera le plus efficace. Dans l'un et l'autre cas, la poussée sera facilitée par une bonne position du bassin : installez les jambes sur les étriers, remontez les genoux sur la poitrine, votre dos sera bien à plat. Les mains peuvent être placées sous les genoux ou à l'intérieur des genoux, coudes relevés vers l'extérieur.

EN PRATIQUE

Les différentes respirations correspondent aux différentes phases de l'accouchement :
• La respiration profonde va accompagner la dilatation du col ; la dilatation dure plusieurs heures, respirez à votre rythme, sans vous fatiguer
• Vous pourrez utiliser la respiration haletante si vous avez envie de pousser avant l'ouverture complète du col
• Au moment de la poussée, vous ferez soit la respiration bloquée, soit l'expiration freinée
• Et au moment de la sortie du bébé, vous pourrez faire pendant quelques secondes la respiration haletante.
À la première lecture, vous aurez peut-être de la peine à faire la différence entre ces respirations et leur efficacité selon les événements. Mais vous allez vite vous familiariser avec elles. Et, lors de votre accouchement, vous serez de toute façon guidée par la sage-femme, qui sera à vos côtés.

EXERCICES MUSCULAIRES

Ces exercices sont à faire du 4ᵉ au 7ᵉ mois, jusqu'à l'accouchement si vous n'êtes pas gênée par votre ventre.

Étirement du dos et des épaules

Figure 5 : cet exercice permet de se détendre ; à genoux au sol, les mains, les bras et le front calés sur un ballon, les fesses se situant entre les genoux et les talons pour ne pas tirer sur les abdominaux. Respirez à fond 2 ou 3 fois selon ce qui est confortable pour vous puis faites une pause. A chaque expiration votre ventre se serre, et il se relâche lorsque vous reprenez de l'air. Renouvelez 3 fois.

> **LES BALLONS DE GROSSESSE**
> *sont à la mode. Il en existe de plusieurs tailles : ceux de 65 cm sont bien adaptés aux exercices d'assouplissement des muscles et du bassin et pour prendre conscience du périnée.*

Élongation des cuisses et souplesse des articulations du bassin

Après avoir trouvé votre stabilité sur le ballon et avoir profité de la souplesse de cette assise, faites cet exercice : **assise sur le ballon**, jambes bien écartées, faites rouler le ballon sous une cuisse, puis sous l'autre. Gardez le dos droit, les pieds bien à plat au sol. Certaines mamans craignent parfois l'instabilité du ballon, il faut donc s'y habituer peu à peu.

• **Figure 6 :** accroupissez-vous comme l'indique la figure. Au début, vous aurez du mal à garder les pieds à plat sur le sol. Vous sentirez les muscles de vos mollets et de vos cuisses se tendre douloureusement. N'insistez pas trop : il suffira de quelques jours pour que vous fassiez l'exercice sans peine. Habituez-vous à prendre cette position chaque fois que vous avez à vous baisser, au lieu de vous pencher en avant. Apprenez à descendre et remonter genoux écartés, dos bien droit et surtout évitez de vous cambrer. Pour vous aider, faites une respiration profonde et redressez-vous sur l'expiration en prenant bien appui sur le sol. Si vous n'y arrivez pas sans vous cambrer, mettez-vous à genoux et remontez en prenant appui sur un pied posé au sol, l'autre genou encore au sol. Votre compagnon peut vous aider, surtout si vous avez du mal à descendre pieds plats : il vous tient bien les mains et reste debout pendant que vous descendez en vous laissant aller en arrière.

• **Figure 4** (p. 345) : asseyez-vous en tailleur, talons sous les fesses, genoux décollés du sol. Gardez le dos bien droit. Au début, vous vous fatiguerez vite. Pour vous délasser, allongez les jambes devant vous. Quand vous aurez pris l'habitude de cette position, qui aide à l'élongation des cuisses et à la souplesse des articulations du bassin, adoptez-la pour lire, regarder la télévision, etc. Si cette position est difficile pour vous, placez un petit coussin sous les fesses.

FIGURE 5

FIGURE 6

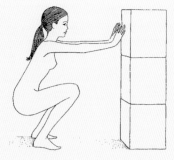

Élasticité du périnée

Le périnée est cet ensemble de muscles qui va être soumis à de fortes tensions pendant l'accouchement (p. 288). Il faut, dans un premier temps, prendre conscience de la situation exacte du périnée ; dans un deuxième temps, faire des exercices pour le renforcer et l'assouplir.

Pour prendre conscience du périnée

Lorsque votre vessie éprouve le besoin de se vider, faites la contraction qui contrarie ce besoin. De même quand vous avez envie d'aller à la selle. Les muscles que vous avez contractés en avant et en arrière forment le périnée. Ce sont ces muscles que vous devez assouplir. Pour cela, il faut donc contracter en même temps les muscles qui ferment le canal urinaire et ceux qui ferment le rectum.

FIGURE 7

Pour renforcer et assouplir le périnée :

• **Figure 7** : assise, légèrement penchée en avant, les genoux écartés l'un de l'autre, les avant-bras et les coudes posés sur les cuisses : vous contractez lentement et avec douceur le périnée, vous maintenez la contraction quelques secondes, tout en respirant normalement, puis vous la relâchez le double de temps. Cet exercice peut être fait aussi bien assise que debout, vous pourrez le répéter une douzaine de fois, 2 ou 3 fois par jour. Vous pourrez sans inconvénient faire le mouvement jusqu'à l'accouchement.

Pour bien muscler le périnée, l'exercice doit être fait avec une certaine force, et tenu 5 secondes au moins à chaque fois. S'il y a déjà eu des petites fuites urinaires, l'exercice sera fait en douceur, sans à-coups. Cet exercice est aussi recommandé après l'accouchement.

• **Assise sur un ballon**, vous pouvez faire des mouvements de bassin comme pour dessiner un cercle au sol avec le ballon, tout en contractant légèrement le périnée : vous sentirez que la contraction s'adapte aux mouvements du reste du corps.

Avec un périnée souple, l'accouchement est plus facile, et surtout par la suite, les problèmes urinaires (fuites, incontinence) sont moins fréquents.

Les « abdominaux »

On déconseille les exercices abdominaux classiques qui mobilisent les jambes et le tronc, car ils risquent de distendre la paroi abdominale, de favoriser les prolapsus et l'apparition d'une incontinence.

En revanche, les exercices de **rentré de ventre** entretiennent la musculature des abdominaux, favorisent la poussée et accélèrent la récupération d'un ventre plat après l'accouchement. Ces exercices diminuent aussi les sensations de pesanteur dans le bas du ventre, et améliorent les problèmes de constipation. Il n'y a pas de risque de déclencher des contractions. Voici comment faire l'exercice : allongée ou assise sur un ballon, vous faites des respirations profondes (p. 344) en rentrant bien le ventre et en contractant le périnée lors de l'expiration. Vous pouvez faire cet exercice plusieurs fois par jour.

Contre les « maux de reins » : mouvement de bascule du bassin

À mesure qu'il augmente, le poids de l'enfant vous incite à vous cambrer de plus en plus, et maintient une tension permanente sur la région lombaire. C'est la principale cause du mal au dos et « aux reins » dont se plaignent toutes les femmes enceintes. Pour vous soulager, il faut que vous fassiez le mouvement

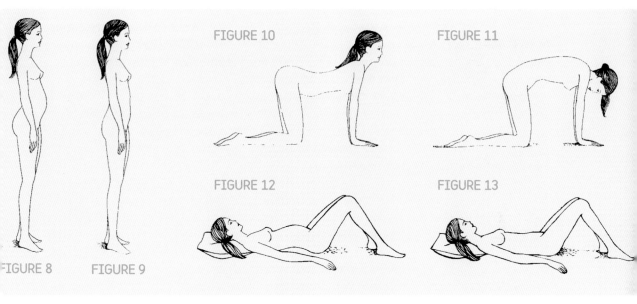

FIGURE 8

FIGURE 9

FIGURE 10

FIGURE 11

FIGURE 12

FIGURE 13

inverse de la cambrure, en basculant le bassin. La sensation de bascule du bassin est souvent plus facile à éprouver assise sur un ballon, ensuite vous ferez l'exercice dans d'autres positions.

Faites décrire au ballon un cercle sur le sol : pour cela, vous allez pencher le bassin à droite par exemple, de telle sorte que la fesse droite appuie sur le ballon et que la gauche soit légèrement relevée, puis faites rouler votre bassin vers l'avant en rentrant les fesses pour sentir l'appui sur l'arrière du bassin ; penchez le bassin à gauche ensuite : fesse gauche en appui et fesse droite un peu relevée, puis faites rouler le bassin en arrière en étirant le bas du dos pour sentir l'appui sur l'avant du bassin. Respirez largement pendant chaque mouvement et rentrez bien le ventre sur l'expiration.

Voici maintenant comment faire l'exercice debout :

• **1er temps** : comme indiqué *figure 8*, dos creux, ventre en avant, placez la main gauche sur le ventre, la droite sur les fesses. Inspirez.

• **2e temps** *(figure 9)* : contractez lentement et progressivement les muscles abdominaux, serrez les fesses en les poussant en avant et vers le bas. Expirez.

Faites maintenant le même mouvement de bascule du bassin, mais en vous mettant à quatre pattes : bras bien tendus et verticaux, mains à 30 cm l'une de l'autre, cuisses également verticales et genoux à 20 cm l'un de l'autre.

• **1er temps** *(figure 10)* : étirez le dos vers le bas en éloignant les fesses des épaules, redressez la tête, relevez les fesses. Inspirez en faisant le mouvement et en relâchant le ventre.

• **2e temps** *(figure 11)* : arrondissez le dos comme un petit chat, contractez le ventre, serrez les fesses au maximum en les abaissant vers le sol, baissez légèrement la tête entre les bras. Expirez en faisant le mouvement.

• Le même mouvement peut être fait en alternant la respiration sur les deux temps : inspirez en arrondissant le dos (vous contracterez moins le ventre) et expirez en creusant le dos et en relevant les fesses (cela permet un meilleur relâchement du bassin).

La bascule du bassin peut aussi être faite en position allongée *(figures 12 et 13)* : couchée sur le dos,

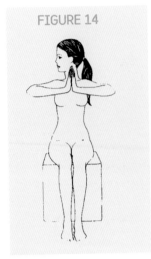

FIGURE 14

jambes en crochet, faites de petits mouvements alternatifs du bassin pour coller et décoller la région lombaire du sol (contrôlez éventuellement en glissant une main sous les reins). Il est important de rechercher la fluidité du mouvement et la sensation des muscles qui travaillent plutôt que la contraction en force.

Ce mouvement de bascule du bassin vous permettra de porter sans fatigue votre enfant, il assouplira l'articulation colonne vertébrale-bassin, et évitera de distendre vos abdominaux. Faites cet exercice lentement, 6 fois debout ou assise sur un ballon, 6 fois à quatre pattes et 6 fois allongée.

Pour garder une belle poitrine

Avant tout, tenez-vous bien droite, en maintenant les épaules en arrière. Puis faites travailler régulièrement les muscles qui soutiennent les seins.

• **1ᵉʳ exercice** *(figure 14)* : coudes levés à la hauteur des épaules, doigts écartés, les mains se touchant par les premières phalanges : appuyez aussi fort que possible les mains l'une contre l'autre. Cessez d'appuyer, mais sans écarter les mains, baissez les coudes, puis recommencez. (10 fois)

• **2ᵉ exercice** : levez les bras à l'horizontale, puis rejetez-les en arrière en allant le plus loin possible. Ramenez-les le long du corps. (10 fois)

• **3ᵉ exercice** : décrivez avec les bras bien tendus à l'horizontale des cercles complets, aussi amples que possible. (10 fois).

LA RELAXATION

Ces exercices apportent détente et bien-être : ils peuvent être pratiqués pendant toute la grossesse et après l'accouchement.

Arriver à se relaxer, c'est-à-dire se détendre complètement physiquement et mentalement, n'est pas un exercice facile. Pour le réussir, au début il faut le pratiquer dans de bonnes conditions de calme et de tranquillité. Puis, quand vous serez bien entraînée, vous arriverez à vous détendre, même dans un environnement moins favorable.

Prévoyez 10 à 15 minutes pendant lesquelles vous ne serez pas dérangée : portable éteint, vessie vidée, lunettes ôtées. Puis étendez-vous sur votre lit si le matelas n'est pas trop mou, sinon par terre sur une couverture. Prenez soin de placer les coussins comme indiqué figure 15 (un sous la tête, l'autre sous les genoux, le troisième servant d'appui aux pieds) de manière que toutes les parties du corps soient bien soutenues et n'aient pas d'effort à faire pour rester dans la position indiquée.

L'exercice que vous allez faire a pour but d'obtenir la décontraction de tous les muscles de l'organisme en même temps. Pour y parvenir, il faut d'abord que vous vous rendiez compte de la différence qu'il y a entre contraction musculaire et décontraction. Pour cela, vous allez contracter, puis relâcher l'un après l'autre les différents muscles de votre corps. Concentrez-vous sur ce que vous devez faire, et effectuez lentement chaque mouvement. Commencez par la main droite : serrez le poing, mais sans vous crisper ;

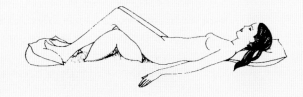

FIGURE 15

maintenez la tension quelques secondes, relâchez-la progressivement. Puis contractez maintenant le bras lentement ; maintenez la tension quelques secondes ; relâchez-la doucement. Faites la même chose avec la main et le bras gauches. Ensuite passez aux jambes. Contractez et relâchez successivement les doigts de pied, les muscles du mollet, des cuisses. Maintenez chaque fois la contraction quelques secondes pour vous habituer à bien distinguer contraction musculaire et relâchement. Des membres, passez au reste du corps : contractez les muscles des fesses, ceux de l'abdomen, du périnée, etc.

Inspirez toujours en contractant, expirez en relâchant la tension. Une détente totale ne pouvant être obtenue sans un réel effort de concentration, au début ne consacrez que 5 minutes par jour à la relaxation sinon vous vous lasseriez au lieu de vous détendre.

La première séance peut être consacrée à la prise de conscience des muscles du visage (fermez bien les yeux et la bouche, contractez les mâchoires, le front, etc.). Puis vous introduirez les autres muscles au fur et à mesure des séances, en fonction de votre capacité à ressentir le relâchement de chacun des muscles. Voici un test pour vérifier le relâchement complet : détendez votre bras puis demandez à quelqu'un de le soulever. Si la personne y parvient sans rencontrer de résistance et si, lorsqu'elle relâche le bras, il retombe inerte, la détente était parfaite. Faites le même essai avec un pied ou une jambe. Il vous faudra plusieurs jours pour arriver à ce stade.

Essayez maintenant d'obtenir le relâchement de tous les muscles du corps à la fois. Respirez profondément 3 ou 4 fois. Puis, en inspirant, contractez tous vos muscles, ceux des bras, des jambes, du ventre, du périnée, du visage. Restez ainsi 3 ou 4 secondes. Puis relâchez-vous complètement en expirant. Si vous êtes parfaitement détendue, vous devez avoir les paupières mi-closes, la bouche légèrement entrouverte, la mâchoire un peu pendante. Peu à peu, un grand sentiment de bien-être va vous envahir. Votre respiration sera régulière et paisible.

La relaxation est une bonne préparation au sommeil. Si vous faites cette séance le soir, vous pouvez vous laisser glisser doucement vers le sommeil. Si vous la faites après les exercices musculaires, restez ainsi 10 à 15 minutes.

Ne vous levez pas brusquement après votre séance de relaxation, la tête risquerait de vous tourner. Faites auparavant 2 ou 3 respirations profondes, étirez bras et jambes, asseyez-vous, puis enfin levez-vous doucement.

Vers le 6e ou le 7e mois, lorsqu'en se développant votre enfant deviendra plus pesant et plus encombrant, vous serez mal à votre aise couchée sur le dos, car vous aurez de la peine à respirer. À partir de ce moment-là, faites votre exercice couchée sur le côté, le poids du bébé reposant sur le lit. Si vous avez un coussin de relaxation, il vous aidera à bien vous installer.

D'autres façons
de se préparer à accoucher

C'est la préparation classique (issue de la psychoprophylaxie obstétricale) qui est la plus souvent proposée (p. 331). Mais d'autres préparations existent : yoga, , haptonomie, sophrologie, eutonie, hypnose, en piscine. Elles peuvent faire partie du cadre de la préparation à la naissance et être remboursées si elles sont faites par un médecin ou une sage-femme. Mais elles peuvent aussi être pratiquées en plus, pour le plaisir, pour le bien-être qu'elles apportent. Aller fréquemment à la piscine, faire régulièrement du yoga est une bonne façon de préparer son corps à l'accouchement et d'apprendre à se relaxer.

LE YOGA

Nous avons demandé au docteur de Gasquet, qui a une longue expérience de préparation à l'accouchement par le yoga, de nous en parler.

« Ce yoga n'est ni acrobatique, ni mystique, ni ésotérique. Il s'agit d'une écoute du corps, de ce nouveau corps "habité". Le connaître pour lui donner les meilleures chances de remplir sa mission : faire d'une femme une mère, d'un embryon un enfant. Ainsi les séances ne sont pas centrées uniquement sur l'accouchement, mais elles permettent une continuité corporelle avant, pendant, après la naissance. »

Le yoga demande un travail personnalisé : en fonction de la morphologie de la mère, de la position de l'enfant. Par exemple une femme mesurant 1,45 m a la même hauteur utérine qu'une femme de 1,75 m. Certaines postures seront bien pour l'une et pas pour l'autre. Certains bébés ont le dos à droite dans l'utérus. En général, dans ce cas, les mères ne peuvent pas rester allongées sur le dos. Il leur faudra des postures adaptées.

YOGA : OÙ S'ADRESSER ?
*Pour avoir des adresses de professeurs, adressez-vous à la Fédération nationale des enseignants de yoga,
Tél. : 01 42 78 03 05
info@fney.asso.fr*

Les exercices sont toujours mis en relation avec la vie quotidienne – par exemple pour se baisser, pour se relever d'un fauteuil. Ils s'accompagnent d'une information notamment anatomique, d'explications des différents problèmes physiques d'une grossesse. Les exercices sont fonction de la demande des futures mères.

Les thèmes qui reviennent régulièrement sont les suivants : fatigue, insomnie, nausée, angoisse (surtout au début ou à la fin de la grossesse), douleurs dans le dos, problèmes circulatoires, digestifs, etc.

Autour de ces thèmes, les exercices proposés apportent des soulagements souvent immédiats, mais surtout ils constituent une recherche par les futures mères sur elles-mêmes, sur leur propre corps, sur leur manière de le faire bouger, de le ménager. L'objectif est une véritable « éducation » à partir de l'analyse des mauvais mouvements, des sources de tension, des compensations personnelles... Aucun exercice n'est donné comme un modèle à reproduire, c'est une proposition à essayer, à ressentir, à aménager en fonction de soi. Le tout est toujours rythmé par la respiration, la détente du ventre, l'écoute du bébé. Le père est convié aux séances. Sa présence permet tout un travail à deux beaucoup plus motivant. Une préparation spéciale est en général proposée sur le périnée, toujours dans la double perspective de la tonification et de l'élasticité.

En ce qui concerne l'accouchement, l'apprentissage porte essentiellement sur la respiration, les positions de la mère, la concentration, l'« état d'esprit ». La respiration est lente et profonde pendant la dilatation. Les positions dépendent de la présentation de l'enfant et du moment. Il n'y a pas une seule possibilité pour soulager la femme, mais plusieurs (un enfant situé haut dans l'utérus provoque chez la mère l'envie d'être verticale, de marcher).

La poussée se fait sans blocage, sur l'expiration. Cela suppose un apprentissage, une maîtrise du diaphragme, du périnée, des abdominaux. Moins violente, cette poussée est tout aussi efficace si elle est faite au bon moment (cela suppose que la femme sache reconnaître le moment où elle doit pousser).

Quant à « l'état d'esprit », il résulte de la confiance en soi, de la sécurité et d'éléments de concentration que l'enseignant doit favoriser.

« Après l'accouchement, conclut Bernadette de Gasquet, les mères peuvent revenir – avec ou sans leur bébé – pour connaître les exercices à faire après la naissance. »

L'HAPTONOMIE PÉRINATALE

Nombreux sont les couples qui souhaitent un accompagnement haptonomique, avant, pendant et après la naissance. Nous employons à dessein le terme de couple car il s'agit d'un accompagnement de la parentalité naissante et la présence du père est naturellement indispensable. Dans certaines situations particulières, des séances sont réalisées avec une femme seule, sans compagnon. Dans ce cas, une autre personne peut accompagner la mère et son bébé.

Qu'est-ce que l'haptonomie périnatale ?

L'haptonomie fait partie des sciences humaines, son objet d'étude est la physiologie affective des contacts inter-humains ; et son but, l'amélioration de la communication affective entre les êtres humains. D'inspiration phénoménologique, sa connaissance ne peut être théorique, mais nécessite une expérience émotionnelle. C'est un art de mettre en jeu un contact réel, un contact établi avec tact permettant une ouverture affective, dans une atmosphère de confiance réciproque.

L'approche haptonomique périnatale vise à accompagner, dès le début de la vie intra-utérine, la parentalité en développement d'un couple qui découvre la présence de son enfant. Elle est centrée sur la rencontre affective de la mère, du père et de leur enfant (ou de leurs enfants si ce sont des jumeaux), et sur le plaisir d'être ensemble.

Voici les grandes étapes de l'accompagnement des parents et de leur bébé, guidés par un spécialiste formé en haptonomie.

L'accompagnement compte une huitaine de séances. Il s'agit toujours d'accueillir le couple en préservant son intimité, ce qui exclut le travail en groupe. Les effets psycho-corporels de la relation de tendresse qui s'instaure retentissent sur la mère et le père. C'est pourquoi il est intéressant d'entreprendre les séances dès le début de la grossesse, au plus tard au 6e mois. Néanmoins, le plus souvent, l'accompagnement commence entre le 3e et le 4e mois.

HAPTONOMIE : OÙ S'ADRESSER ?
Vous pouvez vous procurer la liste des praticiens en écrivant au CIRDH (présidente Dominique Décant-Paoli, vice-présidente Catherine Dolto) cirdhfv@haptonomie.org www.haptonomie.org

Les parents éprouvent alors un véritable émerveillement lorsqu'ils ressentent les capacités du bébé à répondre à une invitation affective. Le père, guidé par le praticien en haptonomie, fait la différence entre un contact qui lui permet de sentir le bébé bouger et un contact invitant sa femme et leur bébé dans une rencontre. La femme témoigne toujours que ce contact est plus léger, différent du quotidien, et qu'il est vécu comme une réelle rencontre à trois. Les parents sont invités à retrouver ces rencontres chez eux.

Pendant les séances suivantes, l'accompagnant sensibilise le père à des gestes destinés à favoriser la détente et le confort de sa femme, ce qui peut éviter les douleurs lombaires et les tensions diverses pendant la grossesse. Cela permet à la maman de retrouver aussi un sentiment de confort et d'équilibre dans le port de son bébé *in utero*. La qualité affective qui imprègne ces gestes procure à la maman un sentiment de sécurité et un bien-être dont bénéficie le bébé.

À partir du 7e mois, l'accompagnant aide le couple à développer sa propre capacité à vivre ensemble le temps du travail et de la naissance du bébé. Ce que le père a vécu pendant l'accompagnement haptonomique prénatal peut l'aider à dépasser ses appréhensions. D'autant plus qu'il a vécu une expérience personnelle qui l'a préparé à pouvoir aider sa femme.

L'accompagnant fera prendre conscience, pressentir, à la maman ce que peut être la descente du bébé pendant le travail. Grâce à un contact spécifique du père, la mère fera l'expérience de sa capacité à dépasser son seuil de vulnérabilité, à rester présente à son bébé et à le soutenir pendant les contractions. Le couple sera sensibilisé au choix des positions et à la mobilité qui facilitent la descente du bébé.

Pour le moment de la naissance proprement dite, la maman apprend à ressentir la différence entre une poussée volontaire (expulsion) et une poussée spontanée guidée (« éduction », conduire dehors), qui ouvre le chemin au bébé et qui protège le périnée. Enfin l'accompagnant sensibilise les parents à la façon de porter le bébé lorsqu'il sera né, de sorte qu'il ne soit pas manipulé mais soutenu, invité tendrement à participer.

Au moment de la naissance, en toute sécurité sur le giron de sa mère, l'enfant prend contact avec le monde, entouré par la chaleur, l'odeur du corps maternel, la perception auditive de sa voix, la présence paternelle, et le croisement des regards.

Les enfants ainsi accompagnés manifestent le plus souvent une ouverture au monde pleine de confiance et de quiétude.

Au cours des séances post-natales, il s'agira à la fois d'accompagner le couple dans les gestes quotidiens autour du bébé, et d'aider la maman pendant la période des suites de couches.

> **HAPTONOMIE : POUR EN SAVOIR PLUS**
> - *L'Haptonomie, amour et raison*, de Frans Veldman (Editions PUF)
> - Association **Bien-Traitance** formation et recherches, www.bien-traitance.com
> - *L'haptonomie périnatale*, CD Rom du Dr Catherine Dolto, CNRS, Circo- Gallimard.

LA SOPHROLOGIE

Pour la préparation à la naissance, l'approche sophrologique regroupe différentes techniques de relaxation. Elle a été mise au point en Espagne par le Pr A. Aguirre de Carcer.

La séance débute ainsi : d'une voix lente et douce, le *terpnos logos*, le sophrologue conduit à une prise de conscience corporelle et à une relaxation progressive, qui permettent à la future mère d'atteindre le « niveau sophroliminal » : c'est un état « au bord du sommeil », où la conscience est particulièrement perméable. La future mère va alors renforcer et mémoriser ce qui est positif en elle (sensations, images) et éliminer ce qui la dérange, les pensées parasites, négatives... Puis, dans cet état de relaxation profonde, elle va s'entraîner à vivre positivement par anticipation et dans l'imagination une situation future : contractions, départ à la maternité, dilatation du col, poussée, période postnatale... C'est la sophro-acceptation progressive.

La future mère se familiarise ainsi avec ce qu'elle a ressenti, elle a davantage confiance en elle, elle se sent capable de porter, mettre au monde et s'occuper de son enfant.

Comme le yoga et l'haptonomie, la sophrologie ne consiste pas en l'apprentissage de gestes ou techniques, mais représente un chemin personnel physique et psychique.

> **SOPHROLOGIE : OÙ S'ADRESSER ?**
> Pour tous renseignements, vous pouvez vous adresser à la Société française de sophrologie,
> Tel. : 01 40 56 94 95
> contact@sophrologie-francaise.com
> Syndicat des sophrologues professionnels www.syndicat-sophrologues.fr

L'HYPNOSE

Au cours de la grossesse et de l'accouchement, l'hypnose peut être une aide efficace pour les futures mamans et de plus en plus de médecins la proposent aujourd'hui. L'hypnose se définit comme un « état dissocié de la conscience ». On parle aussi d' « éveil paradoxal », en référence au sommeil paradoxal qui est la période du rêve. On peut donc imaginer une période d'éveil durant laquelle nous rêvons : le corps est ici et l'esprit est ailleurs. Cette dissociation correspond à une « transe hypnotique », c'est ainsi qu'on appelle l'état d'hypnose. Habituellement notre cerveau reçoit, véhiculées par nos cinq sens, des informations qui provoquent une réaction. Mais parfois aucune donnée n'est analysée car notre système cérébral travaille sous une autre forme. Ainsi, lors d'un trajet connu, ne vous est-il jamais arrivé, une fois à destination, de n'avoir aucun souvenir de votre parcours ? Vous étiez en « transe hypnotique ».

Dans cet état particulier, nous sommes très sensibles à la suggestion. Il est alors possible de débloquer des situations permettant un changement ; le patient peut trouver ses propres ressources pour dépasser ses difficultés. En aucun cas on ne peut suggérer une proposition que la personne ne souhaiterait pas : il est impossible de la manipuler. Vis-à-vis de la douleur, on n'enlève pas la sensation mais on propose une « contre-sensation » aboutissant à rendre le ressenti douloureux plus confortable. C'est de la dissociation.

Dans le cadre de la grossesse, deux pistes sont utilisées. La première consiste à gérer la douleur lors du travail de l'accouchement. Pendant la grossesse, la future mère s'entraîne - avec l'équipe de la maternité formée à cela - à se dissocier à chaque contraction, de façon à en diminuer le ressenti désagréable. La deuxième concerne plus particulièrement la fécondation *in vitro*. La ponction d'ovocyte peut être réalisée sous hypno-sédation (hypnose plus ou moins associée à une anesthésie légère) et rend cette étape moins médicalisée. Il a en outre été constaté que la réussite de l'implantation de l'œuf était grandement améliorée..

L'EUTONIE

L'eutonie (créée par Gerda Alexander au Danemark en 1938-1940) a longtemps été pratiquée par les masseurs kinésithérapeutes ; elle est depuis quelques années utilisée dans les cours de préparation à la naissance.

La spécificité de l'eutonie est d'aider la future maman à être attentive à ce qui se passe dans son corps afin qu'il y ait le moins de tensions possible. Les exercices proposés sont simples, se pratiquent dans différentes positions (assise, debout, allongée) de façon individuelle, avec le papa, ou avec d'autres femmes enceintes. On utilise des ballons, des balles de tennis, des demi-bûches en bois.

Il s'agit de prendre conscience de son corps et de ses transformations pendant la grossesse. La femme enceinte apprend à observer, à écouter ce qu'elle ressent dans le moment présent. L'équilibre est recherché dans la détente, pas dans la tension. On fait plaisir au corps pour qu'il s'en souvienne.

L'eutonie trouve sa place également dans les séances post-natales.

LA PRÉPARATION EN PISCINE

Cette préparation a plusieurs avantages :
• **une bonne relaxation**, que la future maman peut faire agréablement, allongée sur des tapis mousse, ou calée par des flotteurs
• **un bon entraînement musculaire** : les mouvements se font aisément grâce à la diminution de l'action de la pesanteur, la femme dans l'eau se sent à nouveau légère
• enfin, **la respiration et le souffle** se travaillent facilement dans l'eau avec des exercices d'apnée et d'expiration freinée.

Cette activité aurait aussi un effet favorable sur certains troubles dont se plaignent beaucoup de femmes enceintes : douleurs du dos et du bassin, constipation, varices par exemple. Après l'accouchement, les mouvements en piscine

PRÉPARATION EN PISCINE : OÙ S'ADRESSER ?
Fédération des activités aquatiques d'éveil et de loisirs, Tél. : 01 43 55 98 76
www.fael.asso.fr
contact : faael@free.fr

permettraient également une meilleure récupération musculaire et physique.

Les femmes apprécient de se retrouver, de faire ensemble des jeux collectifs, des marches dans l'eau. Il faut enfin signaler que la piscine est en général plus chauffée quand elle est réservée aux femmes enceintes.

Pour être efficace, il est important que le groupe de futures mamans soit restreint ; qu'une sage-femme donne des informations sur la grossesse, la naissance, et explique l'intérêt des exercices et des respirations pour l'accouchement. Au-delà de douze futures mamans, ces séances en piscine peuvent être une façon agréable de faire de l'exercice, mais il ne s'agit pas de préparation à la naissance.
• Pour répondre à quelques lectrices, ajoutons que si dans certaines maternités la dilatation se fait dans une baignoire d'eau à température du corps, il y a vraiment très peu d'accoucheurs qui pensent que la naissance elle-même puisse se faire dans l'eau.

UNE PRÉPARATION DE QUALITÉ
Vous le voyez, il y a plusieurs façons de se préparer à l'accouchement. Qu'il s'agisse de la préparation faite par un médecin ou une sage-femme, ou d'autres activités physiques, renseignez-vous avant de vous décider.
La préparation à la naissance ne se borne pas à apprendre quelques respirations ou à faire quelques exercices. C'est un travail corporel complet qui permet de prendre conscience des modifications du corps et de s'y adapter. C'est une information sur la grossesse, l'accouchement, les soins au bébé et les premières relations avec lui. C'est un nombre peu élevé de participantes. C'est un médecin ou une sage-femme disponible, qui sait écouter et conseiller. Avant de vous inscrire, ayez ces critères en tête.
Pour pratiquer d'autres activités prénatales (piscine, sophrologie, etc.), il est important de choisir des personnes compétentes, par exemple en demandant des adresses à leurs organismes professionnels, ou en vous renseignant auprès de la maternité ou d'autres futures mamans.

15

Votre enfant est né

Joie, fatigue, surprise et étonnement :
dans la vie d'un couple, dans le corps d'une femme,
peu de minutes vont paraître plus chargées
d'émotion, vont compter autant que ces secondes
de la naissance.
Votre bébé est enfin dans vos bras, vous l'appelez
par son prénom choisi avec amour, vous ne vous
lassez pas de le regarder.
Plus rien ne sera comme avant.

Se voir enfin,
se reconnaître

L'approche de l'accouchement provoque souvent une certaine tension qui peut durer des premières contractions douloureuses jusqu'à la naissance. Mais l'impatience, l'effort du travail et la fatigue, parfois l'énervement ou l'inquiétude, s'effacent pour laisser place au soulagement, l'infini soulagement de voir enfin leur enfant : les parents en pleurent, en rient, en pâlissent, en deviennent tout rouges d'émotion et de joie.

Les parents veulent d'abord être rassurés sur la santé de leur bébé et, même si le médecin ou la sage-femme les ont tranquillisés, ils n'en finissent pas de l'observer, de scruter la moindre imperfection. Cela leur semble même plus urgent à savoir que le sexe – d'autant plus que, souvent, ils le connaissent déjà. En même temps, ils ont envie de prendre leur temps, de contempler tranquillement leur enfant, de le voir ramper vers le sein ou déjà attentif aux voix.

Les parents sont surpris, étonnés lorsqu'ils regardent leur nouveau-né : ils le trouvent différent de l'image qu'ils s'en faisaient ; surtout la mère, qui peine parfois à identifier ce bébé comme le sien – comme celui qu'elle portait dans son ventre et qu'elle imaginait.

La première émotion passée, la mère éprouve souvent une autre sensation, un peu désagréable : alors qu'elle attendait depuis des mois que son enfant se sépare d'elle, maintenant qu'il vient de la « quitter », elle sent en elle comme un grand vide. Comme l'a écrit une lectrice : « J'avais l'impression de m'ennuyer de mon ventre. » Pour la plupart des mères, cette sensation de vide est fugitive, rapidement elle se transforme en une impression de plénitude, d'accomplissement : « C'est mon bébé, je suis sa mère ».

La naissance déroute parfois la mère qui éprouve une sensation d'étrangeté : devant le berceau, elle ne sent pas monter en elle l'amour maternel qu'elle s'attendait peut-être à éprouver tout de suite. « Il a besoin de moi, saurai-je m'en occuper ? » Les doutes peuvent venir de l'inexpérience si l'enfant est un premier-né, mais ils sont accentués par la fatigue qui suit toujours l'accouchement.

Ces émotions fortes, que la mère les perçoive distinctement ou qu'elles restent confuses, vont heureusement s'effacer lorsqu'elle aura son bébé dans les bras ; en voyant son nouveau-né se détendre, mieux respirer, la confiance va renaître. En le touchant, en le caressant, en le nourrissant, elle renouera avec son enfant un lien physique qui la rassurera. Et ce seront les débuts d'une longue histoire d'amour.

Cette histoire ne s'écrira pas en un jour, l'amour maternel n'est pas toujours un coup de foudre, il se développe souvent au contact de l'enfant, lentement, et grandit avec lui. Nous aurons bientôt l'occasion d'en reparler.

Quant aux pères, leur émotion après l'accouchement s'exprime de façons diverses. Ils sont heureux et fiers : « Ma femme allait bien, mon bébé allait bien, alors moi aussi. » Ils sentent qu'une étape est franchie : « J'ai été à la hauteur, j'ai réussi à être là : ce que ma femme attendait de moi et dont j'avais peur de ne pas être capable. » Certains sont si bouleversés qu'ils peuvent juste dire : « C'est trop beau, comme je suis heureux ! » ou « Quelle chance d'avoir ce bébé ! ». D'autres sont plus affectifs et s'adressent déjà au nouveau-né : « Ma jolie, te voici enfin. » Certains pères, peut-être pour se protéger de cette émotion qui les envahit, s'expriment de manière parfois inattendue : « J'ai dit : qu'il est laid ! En fait il était fripé et il avait déjà des poches sous les yeux, à cet âge-là ! » « J'étais fasciné par ses pieds ; je me suis dit : celle-là, ça sera une basketteuse ! »

La femme, pour devenir mère, a vécu neuf mois de grossesse et un accouchement, elle a porté physiquement et psychiquement son enfant. C'est différent pour le père. Même s'il a déjà noué des liens avec son bébé avant la naissance, le grand moment de la vie d'un homme qui devient père, surtout d'un premier enfant, se situe en général quand il prend son nouveau-né dans les bras. La paternité lui arrive alors souvent comme un choc.

Un autre geste important pour le père peut être la déclaration de l'enfant à la mairie. Il faut avoir

SI VOUS AVEZ UN MAUVAIS SOUVENIR DE VOTRE ACCOUCHEMENT

Vous ne vous attendiez pas à ce que votre accouchement se passe si mal alors que votre grossesse s'était si bien déroulée. Vous avez peut-être eu une césarienne en urgence, ou bien il a été nécessaire d'extraire votre bébé difficilement avec les forceps ou la ventouse. Ou encore il a fallu des soins très techniques, voire des transfusions pour juguler une hémorragie. Vous avez été très inquiète, consciente que vous vous trouviez comme dépossédée de votre corps et des décisions médicales vous concernant. Votre état a peut-être même nécessité un séjour en réanimation. Vous vous sentez alors angoissée, insatisfaite, comme privée d'une expérience que vous aviez idéalisée. Vous pouvez éprouver des difficultés à allaiter votre bébé, à vous occuper de lui, avec le sentiment de ne pas être une « bonne mère » en laissant votre nouveau-né aux soins des puéricultrices.

N'hésitez pas à solliciter les soignants pour parler de tout cela. Vous aurez probablement la visite d'un psychologue de la maternité. Il est regrettable de garder pour soi, certaines fois très longtemps, des blessures liées à un accouchement mal vécu. Exprimer sa souffrance et savoir qu'elle est reconnue, puis avoir des explications, comprendre pourquoi on a fait tel ou tel geste, permet de ne plus repenser à cet événement de façon exclusivement douloureuse, de « s'alléger » en quelque sorte et d'envisager l'avenir de façon positive. En outre vos réactions permettront à l'équipe médicale de mieux comprendre le ressenti des futures mères et de progresser dans l'aide qu'elle peut leur apporter.

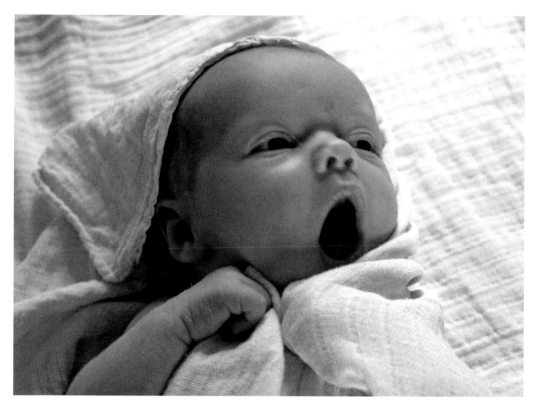

assisté à ce qu'on appelle une formalité, mais qui en réalité est un acte important dans la vie d'un homme, pour comprendre tout ce qu'elle représente.

Et votre bébé ? Comment va-t-il réagir ? Comme quelqu'un qui a besoin que vous le preniez dans vos bras, que vous le regardiez, que vous lui parliez, que vous le reconnaissiez, que vous l'entouriez. Il a besoin de votre attention, de votre chaleur pour s'éveiller dans ce monde où il vient d'atterrir. Dès la naissance, un enfant est réceptif, attentif à la voix, aux regards, aux gestes, aux soins de ceux qui l'entourent.

Il suffit de voir la manière dont un nouveau-né réagit quand T. Berry Brazelton s'adresse à lui : il prend délicatement le nouveau-né dans ses mains, lui parle doucement, lui fait suivre du regard un objet qu'il passe devant ses yeux, le fait réagir à un son, etc. Ceux qui ont vu les films de Bernard Martino : *Le bébé est une personne* ont été fascinés par les mimiques de T. Berry Brazelton, par les réactions surprenantes du bébé et par le dialogue qui s'engage sous leurs yeux. On observe même des sourires dès la naissance. Certains parlent de « sourires aux anges » mais on constate que des états de grand bien-être s'accompagnent de vrais sourires.

La précocité de ces réactions va avoir des conséquences rapides et importantes : dès la naissance, l'enfant s'intéresse à la personne qui le tient dans ses bras, qui le regarde, la réciproque est vraie, des liens se nouent.

Par une autre voie, ces observations rejoignent celles qui ont été faites il y a déjà longtemps : le nouveau-né arrive au monde avec un besoin vital qu'on l'aime, il a autant soif d'affection, que de lait.

Mais allons maintenant voir votre bébé, le regarder de plus près, faire le tour de ses possibilités, pour mieux faire connaissance avec lui.

Le nouveau-né

Un nouveau-né n'est pas toujours joli à naissance. Il est souvent rouge et fripé. Sa tête est parfois déformée, ses cheveux raides et ses mains violettes. Ne vivez pas dans l'idée que votre enfant sera un bébé joufflu le jour de sa naissance, vous risquez d'être déçus. Il lui faudra peut-être encore quelques semaines pour être un joli nourrisson.

Dès sa naissance, l'enfant se met à crier et à respirer. Il manifeste ainsi son indépendance vis-à-vis de l'organisme maternel. Jusque-là, en effet, il en était entièrement dépendant, relié au placenta par le cordon ombilical qui lui amenait les aliments et l'oxygène dont il avait besoin pour vivre et pour se développer. Ce passage de la vie placentaire à la vie autonome nécessite des transformations importantes de son organisme. Certaines fonctions s'adaptent progressivement, telle la fonction digestive ; d'autres vont devoir le faire brutalement, d'une minute à l'autre, dès la naissance : c'est le cas, par exemple, de la respiration.

L'EXAMEN DU NOUVEAU-NÉ
À LA NAISSANCE
EST DÉCRIT PAGE 310.

La respiration

Dès la sortie des épaules, la première respiration s'instaure. Cette respiration, qui est le premier signe de la vie, naît avec l'enfant. Avec une rapidité étonnante, un profond bouleversement s'est produit dans l'organisme du nouveau-né. Quelques secondes avant de naître, le fœtus vivait encore de l'oxygène que sa mère lui fournissait. Son sang, partant du cœur, arrivait au placenta (par les artères ombilicales), se chargeait d'oxygène qu'il puisait dans le sang maternel, et revenait au cœur (par la veine ombilicale). Le placenta jouait donc le rôle de poumon. Les poumons du fœtus ne fonctionnaient pas encore.

L'enfant naît. Il est séparé du placenta. Il faut qu'il se procure lui-même son oxygène. Il ouvre la bouche, l'air s'engouffre dans ses poumons, les déplie, les gonfle, relève brutalement les côtes qui s'écartent. La cage thoracique se soulève. Les poumons deviennent roses et spongieux. Le sang venant du cœur se précipite dans les vaisseaux pulmonaires à la recherche de l'oxygène qui vient d'arriver : la circulation cœur-poumon est établie. En général, l'enfant pousse un cri vigoureux, ce qui montre que l'air passe bien dans les poumons.

Le nouveau-né respire maintenant comme un adulte. Mais pendant un an sa respiration sera irrégulière, tour à tour superficielle ou profonde, rapide ou ralentie. Le cœur bat très vite, de 120 à 130 fois par minute en moyenne, presque deux fois plus vite que chez l'adulte. Le sang ne met que 12 secondes pour accomplir une révolution complète. Chez l'adulte, il en met 32. Le cordon ombilical bat encore quelques minutes. Lorsqu'il cessera de battre, la sage-femme posera les pinces pour le couper.

Le poids et la taille

« Combien pèse-t-il ? » C'est une des premières questions que posent les parents à la naissance. Dans l'esprit du grand public, le chiffre optimal est de 3,5 kg. C'est déjà celui d'un gros bébé. La moyenne est de 3,3 kg (100 g de plus pour les garçons, 100 g de moins pour les filles), et, entre des bébés nés à terme, on peut noter des écarts considérables : certains bébés pèsent 2,5 kg, d'autres 4 kg et même plus. Ce qui concerne l'enfant pesant moins de 2,5 kg est traité au chapitre 10.

Plusieurs facteurs peuvent faire varier le poids du nouveau-né :
• d'abord l'hérédité, c'est-à-dire la stature du père et de la mère, la tendance familiale
• le rang de la naissance : en général chez une même femme, le deuxième enfant pèse un peu plus que le premier, et le troisième plus que le deuxième
• l'état de santé de la mère : certaines maladies peuvent soit augmenter le poids de l'enfant (diabète, obésité), soit au contraire le diminuer (toxémie)
• le repos de la mère pendant la grossesse : il est conseillé lorsqu'on a constaté que le fœtus était de petit poids
• enfin le tabac : le bébé dont la mère a continué de fumer pendant la grossesse est en général de plus petit poids que la moyenne.

Par contre le régime alimentaire ne joue qu'un rôle mineur et indirect sur le poids de l'enfant (à l'exception des grandes dénutritions qui ne se voient pas en France). Mais une restriction importante, ou une suralimentation, peuvent entraîner des complications chez la maman (par exemple une hypertension) ce qui risque d'avoir un retentissement sur la santé du bébé.

Dans les jours qui suivront sa naissance, votre enfant perdra du poids et cette perte de poids est normale. Il ne faut donc pas s'en inquiéter. Classiquement, la perte de poids est inférieure à 10 % du poids du corps. Au-delà, cette perte peut être normale mais il est préférable d'en parler avec un professionnel de santé afin de vérifier qu'il n'y a pas de problème particulier. La perte de poids est due en partie au fait que l'enfant évacue les déchets qui occupent encore son intestin ; elle est due également à l'élimination d'œdèmes, normaux chez le bébé, et provoqués par un excès d'eau dans les tissus. Dès le troisième jour, l'enfant commencera à reprendre du poids ; et entre le cinquième et le dixième jour, il aura retrouvé son poids de naissance.

Certains bébés ont un poids supérieur à la moyenne soit par hérédité, soit à cause du diabète de leur mère ; dans ce cas, ils seront soumis à une plus grande surveillance. À l'inverse, un bébé de petit poids peut « pousser » très vite après la naissance.

La taille, qui est en moyenne de 50 cm à la naissance, ne varie guère de plus de 2 ou 3 cm autour de ce chiffre, d'un bébé à l'autre.

L'aspect général

Ce qui vous frappera peut-être le plus lorsque vous verrez votre enfant, c'est que les proportions des diverses parties de son corps sont différentes de celles de l'adulte : le nouveau-né n'est pas un adulte en miniature. La tête est très volumineuse. Elle représente à elle seule un quart de la longueur totale, au lieu d'un septième. Le tronc est plus long que les membres. L'abdomen est légèrement saillant.

Les premiers mouvements de votre enfant vous paraîtront désordonnés. Ils le sont en effet, car le système nerveux, celui qui dirige les gestes, est imparfaitement développé chez le nouveau-né. Les mouvements ne s'organiseront qu'à mesure que le système nerveux se développera.

Une demi-heure après sa naissance, le petit poulain est sur ses pattes et trottine ; le petit veau aussi. L'enfant devra attendre un an pour pouvoir marcher. Mais dès la naissance, le bébé est capable de ramper vers le sein et de le trouver : c'est beaucoup !

L'attitude

Dans la première heure de vie, l'éveil du nouveau-né est souvent étonnant. Le bébé ouvre les yeux, cherchant à découvrir son nouvel environnement. Bien au chaud sur le ventre de sa maman, il redresse la tête et cherche lui-même le sein. « Quand on a posé ma fille sur mon ventre, elle avait la tête redressée et "regardait" autour d'elle comme si elle se demandait dans quel monde elle avait atterri », nous a écrit une lectrice. Puis, après la première tétée, le bébé reprend la position qu'il avait avant la naissance : bras et jambes fléchis, poings serrés, yeux fermés. Il faudra parfois plusieurs jours pour retrouver un moment d'éveil de la même qualité, c'est tout à fait normal.

La tête et le visage

Le bébé a du mal à tenir la tête car elle est volumineuse par rapport aux muscles du cou. Ne vous inquiétez pas si votre enfant arrive au monde avec une tête un peu déformée, crâne asymétrique ou en pain de sucre, bosse d'un côté ou de l'autre, etc. (« Il avait la tête cabossée », m'a écrit une lectrice.) Ces petites déformations sont très fréquentes. Elles sont dues aux fortes pressions que la tête subit lors de l'accouchement ou a une position trop appuyée sur les os du bassin pendant la grossesse. En dix ou quinze jours, elles disparaissent, et le crâne s'arrondit.

Si votre enfant est né par *ventouse*, la petite bosse sur le sommet du crâne, souvent importante, disparaîtra sans laisser aucune trace, en quelques jours. Il en est de même pour les traces sur le crâne ou sur le visage, dues à la naissance par *forceps*.

Les os du crâne, qui ne sont pas encore soudés, sont séparés par des espaces de tissus fibreux,

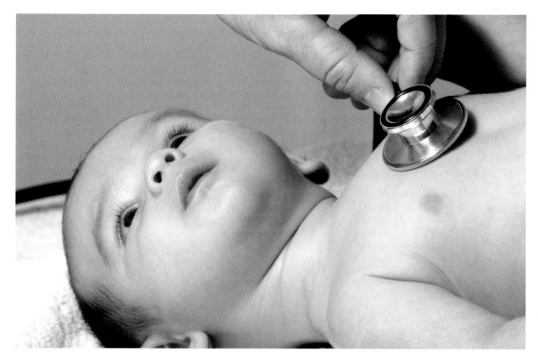

les *sutures*. En deux points, ces espaces s'élargissent pour former les *fontanelles*. Vous sentirez vous-même ces zones molles en passant votre main sur le crâne du bébé. La plus grande, juste au-dessus du front, a la forme d'un losange. La plus petite se trouve à l'arrière du crâne. Les fontanelles se rétréciront peu à peu jusqu'à se fermer complètement, la plus petite vers 8 mois, la plus grande vers 18 mois.

• **Les cheveux**. Certains bébés naissent avec une chevelure abondante et généralement noire. D'autres sont presque chauves. Consolez-vous si votre bébé fait partie des seconds. Les premiers perdent la plus grande partie de leurs cheveux dans les semaines qui suivent la naissance. Par la suite, les cheveux repoussent plus clairs et plus fins.

• **Les yeux** sont très grands, leur taille a déjà les deux tiers de ceux de l'adulte. Les paupières sont larges, les cils et les sourcils apparents mais très fins. Le nouveau-né pleure sans larmes. Celles-ci n'apparaissent que vers la 4e semaine, souvent même plus tard. Le nez est court et aplati, l'oreille volumineuse par rapport à la face, mais bien dessinée, quoique son lobule ne soit pas encore formé. La bouche paraît démesurément grande, avec le maxillaire inférieur peu développé. Le cou est très court et donne l'impression que la tête repose directement sur les épaules.

La peau

À la naissance, la peau est recouverte d'un enduit sébacé blanchâtre, le vernix. Aujourd'hui, on laisse le vernix car il joue un rôle protecteur. Cependant la quantité de vernix est extrêmement variable d'un enfant à l'autre et ne vous étonnez pas si votre enfant naît avec très peu de cet enduit sur la peau. Le vernix sera absorbé par la peau pendant les premières heures de vie. Chez les enfants nés après le terme, le vernix a déjà disparu.

Les premiers jours, la couche superficielle de la peau se détache et le bébé pèle. Cela se fait progressivement si l'enfant est né en avance, en quelques heures s'il est à terme. La peau du nouveau-né est sèche, on peut noter comme des coupures sur les poignets et le coup de pied. Il ne faut pas s'inquiéter, un petit massage avec du liniment oléocalcaire est suffisant. Le duvet qui recouvrait tout le corps au 7e mois persiste sur les oreilles et le dos.

Souvent, on peut remarquer, à la racine du nez, une tache rougeâtre bifurquant en Y entre les deux sourcils. C'est l'aigrette du nouveau-né ; elle persistera quelques mois, puis disparaîtra. Les ongles des mains et des pieds sont bien apparents. Résistez à la tentation de couper des ongles trop longs ; cela risquerait de provoquer une infection.

L'ictère du nouveau-né

Souvent, dans les premiers jours, la peau – ainsi que les yeux – prend une couleur jaune, plus ou moins prononcée : c'est l'ictère physiologique du nouveau-né. Cet ictère est dû à l'excès d'un pigment jaune, la bilirubine.

Avant la naissance, ce pigment était éliminé par le placenta. Après la naissance, c'est le foie du bébé qui doit faire ce travail et la « mise en route » demande parfois quelques jours. Dans ce cas précis, on parle d'*ictère physiologique*, c'est à dire naturel. Cette fonction d'épuration du foie est encore plus difficile à se mettre en place lorsque l'enfant naît prématurément : ceci explique que tous les prématurés présentent en général un ictère.

Des pathologies peuvent aussi expliquer l'ictère : il s'agit d'une incompatibilité de groupe sanguin (dans le système A, B ou O ou dans le système Rhésus) ou d'une infection bactérienne. Dans ce cas, l'ictère est souvent précoce, apparaissant avant la 24e heure de vie.

Depuis plusieurs années, le traitement de l'ictère est simple et sans danger. Le taux de bilirubine est surveillé, soit par des prises de sang, soit par un appareil spécial qui indique le taux par simple contact avec la peau. En fonction de l'âge du bébé, de son poids, du taux de bilirubine, on propose un traitement par photothérapie, c'est-à-dire par une « lampe spéciale » qui ne présente aucun risque. Le bébé est installé dans une couveuse ou un berceau, simplement vêtu d'une couche. Ses yeux sont protégés. Autour du berceau, on installe une lampe avec des tubes de lumière bleue et blanche. Cette lumière détruit le pigment de bilirubine qui est ensuite éliminé dans les urines.

Ce traitement est très efficace et suffit pour les ictères dits physiologiques. Dans ce cas, les bébés ont souvent besoin de 24 à 48 heures de photothérapie. Rassurez-vous, cela ne veut pas dire que votre bébé va être loin de vous pendant tout ce temps. La photothérapie ne se fait pas en continu, mais par périodes de 2 à 3 heures. En dehors de ces séances, votre bébé sera avec vous. L'ictère diminue en général à partir du 5e jour.

Pour les ictères liés à une incompatibilité sanguine, les taux de bilirubine sont en général plus élevés et il est parfois nécessaire d'effectuer une exsanguino-transfusion en plus de la photothérapie

Enfin, les enfants allaités au sein peuvent présenter un ictère plus prolongé (3 semaines environ). Cet ictère n'est pas dangereux car les taux de bilirubine ne sont pas très élevés et il n'y a pas lieu, en général, de prévoir de photothérapie. Cet ictère n'empêche pas le bébé de sortir de la maternité ni l'alimentation au sein.

La température

Vous vous demandez peut-être pourquoi, dans l'atmosphère surchauffée de la maternité, votre enfant est si couvert. C'est parce que, en naissant, l'enfant a tendance à se refroidir. Il n'est pas encore capable de régler tout seul sa chaleur. Il faut qu'on le fasse pour lui. Il vient de vivre pendant neuf mois dans une température toujours égale de 37°, la vôtre. Subitement, il se trouve dans une atmosphère de 22°, celle de la maternité. Malgré ses vêtements, il va se refroidir de 1° à 2,5°, et ne reviendra qu'au bout de deux jours environ à une température de 37°. À la maison, vous n'aurez pas à le couvrir autant.

L'appareil urinaire et digestif

Il n'est pas rare d'observer une émission d'urine dans les premières minutes qui suivent la naissance. Cela n'est pas étonnant car l'appareil urinaire fonctionnait déjà avant (comme vous l'avez vu au chapitre 5). De même, l'intestin élimine dans les deux premiers jours une substance verdâtre, presque noire, visqueuse, collante, ayant l'aspect du goudron : c'est le méconium, fait d'un mélange de bile et de mucus. Vers le troisième jour, les selles deviennent plus claires, puis jaune doré et pâteuses, au nombre d'une à quatre par jour, parfois même à chaque tétée, pendant les premières semaines.

Les organes génitaux

Souvent, les seins des bébés, aussi bien garçons que filles, sont gonflés à la naissance.
Si on les pressait, il en sortirait un liquide semblable au lait. C'est parce qu'une petite quantité de l'hormone qui provoquera la montée laiteuse chez la mère est passée à travers le placenta dans le sang du bébé avant la naissance, et a stimulé le fonctionnement des glandes mammaires. Ne vous en inquiétez pas, et surtout n'y touchez pas ; dans quelques jours, les seins seront tout à fait normaux.

De même, si vous remarquiez dans les couches de votre petite fille quelques gouttes de sang, il ne faudrait pas vous affoler. Cette autre activité des glandes génitales, qui apparaît une fois sur vingt, disparaît également en quelques jours. Ces phénomènes caractérisent ce que l'on appelle « la crise génitale du nouveau-né ».

QU'ENTEND-IL ? QUE VOIT-IL ? QUE SENT-IL ?

50 cm, 3,3 kg, peu de cheveux et la peau fripée, voilà donc comment se présente un nouveau-né. Mais quelles sont ses perceptions, que voit-il en arrivant au monde, qu'entend-il ? Est-il sensible aux multiples stimulations qui l'entourent ?

Pendant des siècles, pour la plupart, la réponse a été catégorique : le nouveau-né ne voit pas et n'entend rien. C'était la fameuse théorie du « bébé tube digestif » qui soutenait que l'enfant, au moins pendant plusieurs semaines, n'était sensible qu'aux sollicitations de son estomac ; il fallait donc essentiellement le nourrir et le changer.

Quand on découvre aujourd'hui ce dont un nouveau-né est capable, quand on admet qu'il devait bien en être ainsi hier et que les mères devaient bien le sentir, on a peine à croire que ces mères aient toutes partagé des théories aussi radicales et aussi négatives. Mais peut-être, ces théories étant surtout émises par des hommes, médecins et scientifiques, on peut se demander si des opinions contraires venant de femmes auraient eu des chances d'être entendues.

Aujourd'hui, le changement est complet. On a une image tout-à-fait différente du nouveau-né : il entend, voit, sent, ressent. Vous avez d'ailleurs vu ses sens s'éveiller peu à peu pendant la vie fœtale. Ces découvertes ne se sont pas faites en un jour : elles sont le fruit de longues recherches entreprises par des équipes nombreuses et simultanément dans divers pays. Et elles continuent à progresser.

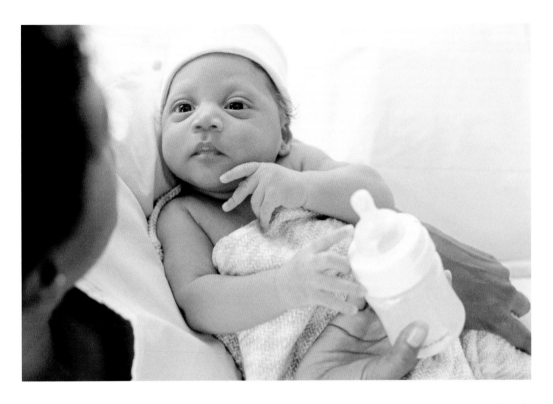

Donc, un premier constat : le nouveau-né est plus précoce et plus doué qu'on ne le croyait. Dans le domaine de la vision, de l'audition, de l'odorat, voici ce qu'on peut dire aujourd'hui de l'état des recherches.

La vision

Dès sa naissance l'enfant voit, mais sa vision n'est pas la nôtre : elle est un peu plus floue. Il ne voit pas bien de loin, mais de près (de 20 à 40 cm) sa vision est bien meilleure que ce que l'on croyait. S'il ne voit pas encore les détails des visages, il en reconnaît les traits principaux. Il ne peut fixer que les visages qui sont face à lui car son champ visuel est essentiellement central.

Le nouveau-né est sensible aux différences de lumière : si tout d'un coup, il y en a trop, il est gêné, cligne des yeux ou les ferme complètement. Attention à l'excès de lumière pendant les premières semaines.

Il est sensible à ce qui brille ; ainsi il peut suivre des yeux une boule brillante. Les chercheurs ont constaté également que dès les premiers jours, le nouveau-né est attiré par une forme ovale, mobile présentant des points brillants. Ce n'est pas un rébus, c'est l'ensemble correspondant au visage humain. Le bébé peut suivre ce visage s'il bouge, et si pendant ce temps on lui parle, le bébé cligne des yeux. Ce visage est d'ailleurs précisément à la bonne distance pour lui, environ 25 cm.

C'est parce qu'il n'a pas eu l'occasion de l'exercer avant la naissance que la vision du nouveau-né n'est pas très développée (bien que certains chercheurs aient montré que déjà dans le ventre de sa mère l'enfant est sensible à une forte lumière, l'observation a été signalée p. 121). Mais cette vision va faire des progrès rapides. Le bébé cherche à voir même la nuit ; dans le noir il ouvre les yeux, les ferme, regarde d'un côté, de l'autre ; on a pu l'observer grâce à des rayons infrarouges.

Et dans ce domaine de l'activité visuelle, il y a de grandes différences d'un enfant à l'autre. On a l'impression que certains bébés passent leur temps à « regarder », alors que d'autres passent leur temps à dormir. Cette différence de rythme de développement se retrouvera dans tous les domaines tout le long de l'enfance.

Un mot pour finir : les nouveau-nés ont souvent l'air de loucher parce que les muscles de leurs yeux ne sont pas encore assez développés pour coordonner les mouvements.

L'ouïe

Elle est plus développée que la vision, c'est normal, le nouveau-né a déjà beaucoup entendu durant sa vie fœtale, au moins pendant les trois derniers mois. Il n'est donc pas étonnant de le voir sursauter si une porte claque ou s'il entend un bruit violent ; et son oreille étant déjà exercée, elle lui permet de distinguer des sons très proches les uns des autres. Et même lorsqu'il dort à poings fermés, si on chuchote près de lui, il remue légèrement, sa respiration se modifie, il cligne des yeux. Si l'on continue à parler doucement, il s'agite et finit par se réveiller. Avant la naissance, le bébé entendait déjà la voix de ses parents (p. 120). À la naissance, ces voix, l'enfant va les reconnaître.

Enfin on remarque que lorsqu'il y a vraiment trop de bruit autour de lui, l'enfant arrive à s'isoler. T. B. Brazelton rapporte qu'un enfant à qui l'on faisait un test pénible commença par crier, puis subitement s'arrêta ; malgré les bruits aigus et les lumières brillantes il s'endormit ; le test terminé, les appareils retirés, le nouveau-né s'éveilla aussitôt et se mit à crier. Ce sommeil brutal est une forme de retrait, le bébé se protège ainsi de stimulations trop importantes.

Le toucher

Le nouveau-né est très sensible à la manière dont on le touche, aux manipulations. Certains gestes le calment, d'autres au contraire l'agitent. Cela, les parents le découvrent très vite, mais cette sensibilité de la peau et du contact remonte très loin dans la vie de l'enfant : dans le ventre de la mère, il a réagi aux mains de ses parents se posant sur lui ; il a senti le liquide l'entourer ; il s'est frotté aux parois de l'utérus ; au moment de l'accouchement, l'action répétée des contractions sur son corps l'aide à sortir à l'air libre. Après la naissance, le bébé ressent avec malaise le vide autour de lui. Le petit berceau bien douillet, l'instinct que nous avons de le prendre contre nous, calment et rassurent l'enfant. Dans les couveuses, on a observé que pour apaiser le bébé, il suffisait de lui caler le dos et même le haut du crâne, contre une couverture roulée, ou un oreiller. Si votre bébé est prématuré et que, dans sa couveuse, il n'a pas l'air bien à l'aise, voyez avec la puéricultrice s'il ne serait pas possible de l'installer ainsi.

Certains parents aimeraient bien masser leur bébé, mais ne savent pas trop comment s'y prendre. Parlez-en avec la sage-femme qui saura vous indiquer quelques gestes de base. Pensez à le faire dans une pièce suffisamment chaude.

L'odorat

Une expérience est devenue classique : si on présente à un nouveau-né deux compresses, l'une ayant été en contact avec le sein de sa mère et l'autre non, le bébé se tourne vers la compresse maternelle. L'expérience a été effectuée il y a une trentaine d'années par Mac Farlane le 10e jour après la naissance. Depuis, H. Montagner et B. Schaal l'ont effectuée le 3e jour, puis dès la naissance par ce dernier. D'ailleurs, c'est principalement grâce à son odorat qu'un bébé reconnaît l'approche du sein maternel.

ODEURS ET SAVEURS
*Les réactions
d'un nouveau-né
de quelques heures.*

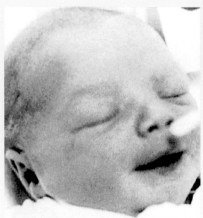

On fait sentir au bébé un coton imbibé d'odeur de banane, il a l'air ravi.

On dépose sur la langue du bébé du sucre, cela lui plaît.

Le goût

Le nouveau-né a 12 heures ; si on met sur ses lèvres un peu d'eau sucrée, il a l'air ravi ; si on y met une goutte de citron, il fait la grimace. Tout comme *in utero*, dès la naissance, l'enfant fait la distinction entre le sucré, le salé, l'acide, l'amer. Le sucré le calme, l'amer ou l'acide l'agite. C'est ce qu'illustrent les photos reproduites ci-dessus.

Les bébés sont très tôt sensibles aux goûts car ce sens s'est déjà exercé avant la naissance. Et depuis toujours les femmes qui allaitent savent que certains aliments donnent bon goût au lait, par exemple le cumin, le fenouil, l'anis vert. Ainsi le bébé tète avec plaisir, et la sécrétion lactée augmente. En comparaison, le bébé nourri au lait industriel a une nourriture bien fade et sans surprise !

Comment a-t-on pu établir si précisément le degré de sensibilité du nouveau-né ? Certaines fois par des moyens très simples, d'autres fois en ayant recours à des moyens plus sophistiqués.

Moyens simples comme l'observation directe de chaque réaction du bébé à une stimulation : tourner la tête ; réagir à un bruit sourd, lointain, léger, ou au contraire cesser de réagir aux mêmes bruits ; crier ou au contraire cesser de crier ; cligner des yeux ; remuer les pieds ; crisper les membres, sursauter ; chaque geste, même le plus discret, chaque mimique ou chaque cri a un sens.

Comme il est difficile de tout noter, de tout remarquer à la fois, les chercheurs prennent des kilomètres de films sur les bébés dans les situations les plus variées, dans les bras de leur père, de leur mère, du pédiatre ; en face d'objets, de formes et de couleurs diverses, en face de lumières d'intensité variée, etc. Puis ils passent ces films au ralenti, arrêtent l'image, reviennent en arrière et notent toutes les réactions de l'enfant. Grâce aux possibilités des films vidéo, aucun détail n'échappe à l'œil de l'observateur.

L'enregistrement du rythme cardiaque du bébé a permis de nombreuses observations. C'est en particulier grâce à lui qu'on a pu constater qu'un bébé était plus sensible à une voix féminine qu'à une voix masculine. Dans le premier cas le rythme cardiaque ralentissait, dans le second il n'y avait pas de changement.

De même, pour savoir plus finement à quels sons réagit un nouveau-né, on fait l'expérience suivante : on lui met dans la bouche une tétine, dans la tétine un capteur qui enregistre le rythme des

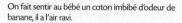

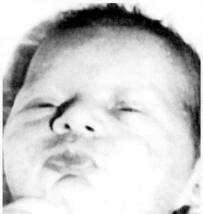
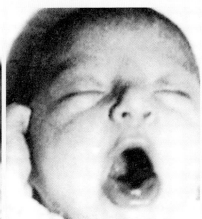

L'odeur de l'œuf pourri le fait hurler.

Une goutte de jus de citron lui fait faire la grimace.

Une goutte de sulfate de quinine (amer) : le bébé proteste vivement.

mouvements de succion. Puis on fait entendre au bébé différents sons ; il réagit par des mouvements de succion : c'est l'accélération ou la diminution du rythme de ces mouvements qui permet de constater que le bébé est plus ou moins sensible aux différents sons présentés.

Ainsi ce nouveau-né que l'on croyait naguère si démuni, si fermé au monde dans lequel il arrivait, on l'a découvert prêt au contraire à réagir aux nombreuses stimulations de son environnement et de son entourage, programmé biologiquement pour éprouver tout un éventail de sensations.

Ce « on » recouvre l'ensemble de la société. Mais je suis persuadée et l'ai souvent dit, que la mère, elle, depuis toujours sentait que son enfant en savait plus sous ses yeux mi-clos qu'on ne le croyait autour d'elle. Ce qui change aujourd'hui, c'est le regard que cette société porte sur l'enfant, la manière dont elle le considère, manière qui à son tour va avoir – a déjà – une influence certaine sur l'enfant.

LA « COMPÉTENCE » DU NOUVEAU-NÉ

Lorsque la mère caresse son enfant ou le prend dans ses bras, elle sent qu'il réagit à son contact parce que son visage s'apaise : si elle lui parle et qu'il s'arrête de bouger, elle comprend qu'il a perçu ce que sa voix comportait de sollicitation. L'enfant réagit à son tour par une mimique, puis la mère sourit, et ainsi de suite. Et sans cesse, de l'enfant à la mère, un va-et-vient de questions et de réponses s'établit : ils communiquent.

Lorsqu'une mère voit son bébé gêné par la lumière et la détourne, il rouvre les yeux. Si l'enfant appelle, sollicite à son tour et qu'on lui répond, sa mimique est encore une fois une réponse.

Cette sensibilité du nouveau-né aux stimulations les plus diverses, à la voix, au contact, aux gestes, à la lumière, aux odeurs se traduit donc chez lui par toute une gamme de comportements et d'émotions qui à leur tour provoqueront chez la mère, chez le père ou chez l'adulte qui s'occupe de lui, des réactions.

C'est cela qu'on a appelé la « compétence » du nouveau-né : la possibilité qu'il a, grâce à son équipement sensoriel et à sa sensibilité émotionnelle, de répondre aux stimulations les plus diverses, et de déclencher des réactions dans l'entourage. Cet enchaînement de stimulations et de réactions constitue des **interactions**.

T. BERRY BRAZELTON
Pédiatre américain, spécialisé en recherches sur le nouveau-né, T. Berry Brazelton est connu dans le monde entier, particulièrement en France où il a publié plusieurs livres qui sont devenus des ouvrages de référence. C'est en grande partie grâce aux travaux de T.B. Brazelton et à l'examen médical qu'il a mis au point, le NBAS (Neonatal Behaviour Assessment Scale, échelle du comportement néonatal) que l'on a pu évaluer, apprécier les interactions précoces parents-bébé et la « compétence » du nouveau-né.

Un des buts du NBAS est de montrer aux parents tout ce dont leur nouveau-né est capable, de les sensibiliser à la stupéfiante variété des réactions que l'enfant possède déjà. Grâce à cet examen, les parents observent leur nouveau-né avec un œil neuf, voient chaque réaction comme pouvant être le langage avec lequel le bébé va communiquer avec eux.
• Nous attirons votre attention sur ce mot de « compétence » qui pourrait évoquer des capacités, une autonomie que le bébé n'a pas encore. C'est pourquoi nous le mettons entre guillemets : il s'agit de possibilités qui, de plus, ne peuvent se développer que dans une relation, un échange.
À propos de la « compétence » du nouveau-né, ajoutons :
• D'un enfant à l'autre, il y a de grandes différences ; on peut dire que chaque nouveau-né a sa personnalité : qu'il s'agisse des besoins en sommeil, des pleurs, de ses réactions lorsqu'on le touche, etc., chaque bébé a sa manière de réagir. Le sachant, les parents seront attentifs à sa personnalité, à ses particularités.
• Dans la journée, les nouveau-nés ont certes des moments d'éveil et d'échanges, mais ils dorment quand même la plupart du temps. Les premiers jours, ne le réveillez pas (par exemple si vous avez une visite), respectez son besoin de calme.

ÉCHANGES ET ATTACHEMENT

Chaque parent a sa manière d'entrer en contact avec son enfant. Chaque enfant a sa manière de répondre. Ces interactions précoces vont favoriser chez le bébé sa recherche de satisfaction à travers ses premières perceptions (odeur, chaleur de sa maman, contact par la peau ou le regard).

POUR EN SAVOIR PLUS
Sur la compétence du nouveau-né, l'attachement, les relations précoces parents-enfants, vous pouvez lire les ouvrages de T. Berry Brazelton : **La Naissance d'une famille** *et* **Points forts, les moments essentiels du développement** *(Livre de Poche).*

Parlons d'abord du lien mère-enfant
Pour la plupart des mères, la rencontre avec leur enfant commence par le regard. Elles aiment que leur bébé soit éveillé, le voir les yeux fermés trop longtemps peut les inquiéter. « J'ai l'impression qu'il n'est pas vivant, tout change quand ses yeux sont ouverts… J'ai envie de lui parler, j'ai l'impression qu'il est là. » Par leur insistance à le désirer éveillé, certaines mères parviennent même à lui faire ouvrir les yeux.

Lorsqu'une mère regarde avec tendresse son enfant, c'est

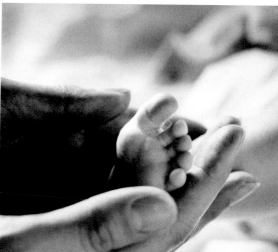

comme si elle lui parlait ; l'enfant lui répond en clignant de l'œil, en ouvrant la bouche, en bougeant les bras ; le bébé perçoit l'intention de l'échange. À son tour, la mère répond, pas seulement avec les yeux, mais en lui parlant, en le caressant comme s'il comprenait l'essentiel.

Et voilà au départ une source de différence d'un enfant à l'autre : un enfant éveillé recevra plus de stimulations qu'un enfant somnolent, stimulations qui le développeront plus rapidement. Sarah est une enfant très éveillée, les échanges avec l'entourage sont multiples, variés. Elle progresse à grands pas, vocalise et sourit. David au même âge dort presque toute la journée, il n'a d'échanges qu'au moment des repas et du bain, puis retourne... à ses rêves. Sa mère ne peut s'empêcher de comparer : « Il n'est vraiment pas vif, quand je pense à sa sœur. » Tout en réalisant que son petit garçon a une autre personnalité et d'autres qualités.

D'autres mères aiment communiquer avec le bébé surtout en le touchant, en le caressant, en le portant ; ce contact est rassurant pour elles et apaisant pour le bébé. « Ce que j'aimais, disait une mère, c'était porter ma fille. J'ai fait des kilomètres dans les couloirs de la maternité en la serrant dans mes bras, je suis sûre qu'elle retrouvait le balancement qu'elle avait connu dans mon ventre, et je la sentais si bien que ça me faisait vraiment plaisir. »

Les réactions dont le bébé est capable dans les premiers jours vont avoir une conséquence importante : elles montreront à sa mère qu'elle est capable de comprendre son enfant, de communiquer avec lui et que celui-ci perçoit ce qui se passe.

LA TÉTÉE

Pour bien des mères le grand moment de la communication c'est la tétée : côté bébé, toutes les sensations sont réunies, contact, satisfaction d'être nourri, sollicitation du goût, de l'odorat, c'est le bien-être ; et du côté de la mère, sentiment de plénitude, de jouissance physique et de satisfaction de pouvoir nourrir son enfant.

Au début une mère en doute, surtout avec son premier enfant, mais lorsqu'elle voit qu'à des stimulations les plus diverses – elle le caresse, elle le porte, elle lui parle – il répond et qu'il en est heureux, cela est gratifiant et lui donne confiance dans ses propres capacités ; cela lui montre que visiblement elle apporte à son enfant ce qu'il attend d'elle.

En d'autres termes, la compétence du nouveau-né à entrer en relation avec sa mère, à tisser des liens avec elle, va peu à peu lui donner l'assurance de sa propre compétence. Le grand psychologue J. de Ajuriaguerra a résumé cette constatation en une phrase devenue célèbre : « C'est l'enfant qui fait la mère », phrase à mettre en réserve dans sa mémoire pour les jours où l'on doute... La théorie de l'innéité de l'instinct et de l'amour maternel est trompeuse ; il faut du temps pour devenir mère...

Pour parler du tissage des premiers liens, nous parlons d'abord de la mère pour des raisons simples. À la maternité le bébé est près de sa maman, à la maison il passe deux mois en tête à tête avec elle presque toute la journée. Par tous les pores de sa peau, la mère va donc nouer avec son enfant des liens premiers et particuliers, et lui avec elle (comme il le ferait d'ailleurs avec toute personne remplaçant sa mère). C'est si vrai qu'au moindre trouble on se tourne en général vers la mère pour l'en rendre responsable.

Et du côté du père, comment se nouent les liens ?

Bien sûr, certains pères se sentent au début un peu « extérieurs ». « La mère connaît son bébé d'emblée, alors que moi je n'ai rien senti dans mon corps. Elle comprend les besoins du bébé ; il pleure et aussitôt sa maman dit : il a faim, ou il a trop chaud. Moi, il a fallu que j'apprenne cela », nous a dit un père. Ce sentiment peut être accentué si la mère développe une relation exclusive avec son enfant. Cette attitude ne va pas aider le père à prendre sa place et à engager les premiers échanges.

Il n'empêche que la plupart se sentent père très tôt : « Il a été tout de suite mon bébé, il n'a que 8 jours, il ne voit pas encore bien, mais je sais qu'il me reconnaît. » Et cet autre père : « Dès le deuxième jour, j'ai pensé : c'est une autre vie qui commence, rien ne sera plus comme avant. » Certains hommes réalisent très vite l'importance que le bébé représente dans leur vie et le plaisir qu'ils ont à s'occuper de lui. Il n'est pas nécessaire de leur rappeler leurs « devoirs » : « J'aime pouponner. Je trouve très plaisant de donner le bain et le biberon. »

La qualité des liens que le père va nouer avec son enfant sera proportionnelle à l'intérêt manifesté, l'intérêt manifesté grandira au fur et à mesure des réponses que le père recevra de son enfant, et leur attachement réciproque grandira aussi avec le temps, la fréquence et la qualité des échanges.

Et l'enfant appréciera d'autres sensations ; que son père lui donne le biberon, lui parle ou le change, tout en lui est autre : ses gestes, sa voix, ses mains, son contact, son odeur, la manière de le prendre et de le porter.

INTERACTIONS

T. B. Brazelton a observé que très tôt, dès la 3e-4e semaine, le bébé manifeste un comportement différent envers chacun de ses parents. Avec la mère, les gestes du bébé sont doux, comme s'il savait que l'interaction qu'il allait avoir avec elle serait calme, mesurée ; avec le père, le visage du bébé s'éclaire, son corps se tend, comme s'il savait que son père allait jouer avec lui.

Une fois que le contact s'est établi, que le dialogue s'est engagé entre les parents et l'enfant, tous les moyens sont bons pour communiquer, non seulement par le toucher et les yeux, mais aussi par la parole, les mimiques, les sourires. Et tout devient «jeu». Certains parents hésitent à se laisser aller à ce jeu, à cet échange, ils ont peur de bêtifier avec des guili-guili, des areu-areu. Ce langage absolument naturel est tout à fait indispensable aux parents aussi bien qu'à l'enfant dans les premières semaines

de la vie. Non seulement l'enfant aime à répondre à ces stimulations de l'adulte, mais il les attend. Et s'il ne les reçoit pas, il fera tout pour les susciter. Des chercheurs ont observé que sous l'effet du regard de son nouveau-né, une mère pouvait se pencher vers lui et commencer à lui parler.

Dès la naissance, le bébé a besoin d'entrer en contact avec son entourage ; il a besoin qu'on s'occupe de lui, qu'on le reconnaisse. Si le message envoyé est reçu, l'enfant est satisfait, le contact est établi. Si, malgré son insistance et ses efforts, on ne lui répond pas, à la longue il risque d'être frustré, de se mettre en retrait, et son développement en pâtira ; c'est là l'origine de certaines carences affectives.

Au fur et à mesure que l'enfant grandira, il aura d'autres moyens d'expression et de contact dans des moments d'éveil de plus en plus longs : vocalises, sourires et nouveaux gestes. Puis viendront demain la parole et la marche. Les interactions vont évoluer et s'enrichir tant en nature qu'en intensité, aussi bien du côté des parents que de l'enfant.

Communiquer, échanger, tisser des liens, c'est peu à peu s'attacher. **L'attachement** est une œuvre de longue haleine, faite de contacts quotidiens à travers lesquels vous faites connaissance de votre enfant. Il est fait de vagues d'amour qui vous inondent, de moments d'anxiété qui vous stressent, de doutes, de questionnements. Vous découvrez votre bébé, il vous montre qu'à son tour il vous reconnaît. Chacun des signes qu'il vous envoie vous touche et vous lie plus à lui. La relation est faite d'échanges : nous donnons et nous recevons de notre enfant. Vous n'en prendrez peut-être pleinement conscience que le jour où pour la première fois vous serez obligés de vous séparer de votre enfant, ou le jour où il sera malade ; c'est souvent l'inquiétude qui révèle la vraie mesure de l'attachement.

LES DIFFICULTÉS DE L'ATTACHEMENT

Certaines circonstances rendent difficiles les échanges avec un bébé. Les bébés ne sont pas tous du type « il est sage, il est facile et dort bien ». Certains pleurent beaucoup, d'autres refusent de manger, et souvent dès le début. **Le bébé qui pleure** très souvent inquiète ses parents : que se passe-t-il ? A-t-il mal quelque part ? A-t-il faim ? A-t-il besoin d'être rassuré ? Des angoisses surgissent qui accroissent la tension du bébé.

L'enfant qui refuse de téter, qui tète trop, trop vite, ou trop longtemps, qui ne prend pas de poids, qui a des ennuis digestifs inquiète également. Les mères pensent spontanément qu'un de leur premier rôle est de nourrir leur enfant et les difficultés d'alimentation de leur bébé les fragilisent.

Il y a aussi les cas moins connus et pourtant fréquents de **bébés hypersensibles** qui ne supportent pas qu'on les touche. « Il se tortille comme un ver, je n'aime pas lui donner son bain, c'est une véritable gymnastique. C'est épuisant. » Certains bébés sont très sensibles de nature. D'autres peuvent être ainsi parce qu'ils ont vécu un accouchement difficile ou qu'ils n'étaient pas bien placés dans leur vie intra-utérine. Ils ont besoin que les gestes accompagnant le bain soient particulièrement doux.

Ces difficultés ne facilitent pas les échanges détendus avec son enfant, ce qui est bien décevant lorsqu'on se faisait une joie de pouponner tranquillement. La relation avec leur bébé est particulièrement difficile pour les mères déprimées ; celles-ci subissent les cris qui les persécutent et deviennent vite insupportables. Dans ce contexte, la mère ne doit pas attendre pour se faire aider.

Le personnel des maternités est aujourd'hui mieux formé aux difficultés psychiques entourant la naissance et il est sensibilisé aux effets néfastes de certains commentaires désobligeants, négatifs, qui peuvent être faits aux parents, tels que : « Ce bébé va vous en faire voir » ou « Elle est capricieuse ». Ces réflexions sont devenues rares mais peuvent encore être présentes dans les discours. Essayez de ne pas en tenir compte. Et discutez très vite avec d'autres membres de l'équipe de la maternité des difficultés d'attachement que vous rencontrez.

Lors du retour à la maison, si vous vous sentez fatiguée, énervée par les pleurs de votre bébé et si vous n'arrivez ni à le calmer ni à vous détendre, voyez avec votre compagnon comment il peut vous soutenir ; n'hésitez pas à vous entourer de vos proches, à prendre contact avec un pédiatre ou votre médecin traitant, avec la consultation de PMI, avec une sage-femme libérale.

Heureusement, dans bien des cas, le rythme consolation-pleurs arrive à se rétablir facilement ; souvent avec l'aide du père lorsqu'il peut prendre en charge le bébé ; avec l'aide aussi du temps et de la maturation de l'enfant.

ALLÔ PARENTS BÉBÉ
Votre bébé pleure beaucoup, il dort mal, il a des troubles de l'alimentation... Vous êtes inquiets, fatigués, débordés. Des professionnels de la petite enfance sont là pour vous écouter, vous soutenir et, si nécessaire, vous orienter vers des structures adaptées. Allô Parents Bébé : 0 800 00 3456 (numéro vert). www.alloparentsbébé.org

DÉPRESSION ET ATTACHEMENT
Lorsqu'une maman est déprimée, l'attachement entre elle et son bébé a de la peine à s'installer de façon harmonieuse. La maman est silencieuse, passive, elle ne réagit pas aux sourires, aux appels du bébé. Et peu à peu, l'absence de réponse va provoquer chez l'enfant soit un retrait (il ne demande plus rien), soit un manque (il pleure sans cesse). D'autres mamans accablent leur enfant de sollicitations : il va essayer de répondre mais il va être rapidement débordé. Un état d'agitation, d'excitation, d'irritabilité peut surgir et entraîner des troubles du sommeil, des troubles digestifs, parfois même un retard de développement. Pour ces mères, pour leur bébé, il est important qu'un soutien composé des proches et parfois même de professionnels se mette en place sans tarder.

Et si, après la naissance, une séparation était nécessaire ?

Lorsque l'état de santé du bébé nécessite un transfert dans un service de néonatologie, les difficultés s'accumulent. Comment tisser des liens avec un enfant pris en charge par une équipe médicale? Comment prendre sa place de parent? Comment supporter le « vide » alors qu'on s'attendait à rentrer à la maison avec son bébé ? Comment ne pas se sentir coupable d'avoir donné la vie trop tôt ou d'avoir un bébé différent? Est-ce d'ailleurs raisonnable de s'attacher à un enfant dont l'avenir est incertain ?

Ces réactions sont normales. Et il est vrai que lorsqu'on sépare les parents de leur bébé, que les parents sortent de la maternité sans leur enfant, qu'ils s'inquiètent loin de lui, ils peuvent avoir de la peine à s'attacher ; et après une longue séparation, la reprise des liens pose souvent des problèmes.

Heureusement, aujourd'hui, les parents peuvent entrer dans le service de néonatologie de jour comme de nuit, voir leur enfant, le toucher, le caresser, participer aux soins avec le personnel. Dès que cela est possible, l'équipe soignante propose aux parents des moments de « peau à peau » avec sa maman ou son papa, des temps de découverte mutuelle.

Lorsque les parents constatent que même un prématuré né à 7 mois peut se tourner au son de la voix, réagir à une caresse, ils réalisent à quel point leur présence est précieuse pour l'enfant. Ils se rendent compte du rôle actif qu'ils peuvent jouer dans sa guérison ou simplement dans sa croissance et sont moins désemparés. Les services de néonatologie conseillent aux mamans d'allaiter pour le bien être de l'enfant, pour adoucir le temps de la séparation et que la maman sente le lien avec son bébé.

En soutenant les parents durant le séjour de leur enfant à l'hôpital, en les aidant à faire sa connaissance et à devenir parents malgré le peu d'intimité, on a constaté qu'on facilitait les relations parents-enfants au retour à la maison et dans les premiers mois. Et que de véritables liens se créaient entre l'équipe hospitalière et les parents : ceux-ci, qui étaient parfois envahis par un sentiment d'incompétence et de solitude, se sentaient alors soutenus et reprenaient confiance en eux-mêmes.

Et si votre bébé naissait avec un handicap ?

Les personnels de maternité sont aujourd'hui sensibilisés et formés pour que l'annonce d'un handicap éventuel à la naissance soit aussitôt associée à un accompagnement particulier des parents et un accueil encore plus individualisé de leur bébé. La réactualisation récente d'une circulaire ministérielle témoigne de cette préoccupation. Le texte précise à l'équipe médicale et soignante ce qui est souhaitable pour aider au mieux les parents quel que soit le handicap du bébé : veiller à ce que la maman ne soit pas seule au moment de l'annonce, que le père soit là, ou une personne proche ; respecter l'intimité des parents lors de l'entretien, qu'il ait lieu par exemple dans un bureau si la maman n'est pas dans une chambre seule ; parler devant le bébé pour qu'il ait bien sa place auprès de ses parents. Pendant le séjour à la maternité, la présence chaleureuse de l'équipe est importante, à la fois pour répondre aux besoins du bébé, soutenir les parents et leur donner toutes les informations qu'ils souhaitent. Au moment de la sortie, le relais sera passé à d'autres spécialistes, les parents sentiront ainsi une continuité autour de leur enfant.

Si cela ne se passait pas ainsi, n'hésitez pas pendant votre séjour à la maternité à faire appel à la puéricultrice, à la sage-femme ou au pédiatre de l'équipe pour leur demander des entretiens particuliers et organiser le retour à la maison. Dans certains cas, une consultation avec l'échelle de Brazelton (NBAS, p. 374) peut permettre aux parents de voir de façon plus spécifique les compétences de leur enfant, quel que soit son handicap. Renseignez-vous auprès de votre pédiatre ou d'un CMP (Centre-Médico-Psychologique).

LA PERTE DU BÉBÉ QU'ON ATTENDAIT

Il arrive que des circonstances empêchent tout avenir à ce bébé qu'on attendait : parce qu'il est mort avant la date à laquelle il aurait dû naître, ou pendant l'accouchement, ou juste après ; c'est ce qu'on appelle la mort périnatale. La perte de leur bébé représente un véritable choc pour les futurs parents. Ils subissent cet événement comme une catastrophe, à la fois incompréhensible et injuste. « Tout allait si bien pourtant. Aujourd'hui nous sommes dans la peine et le chagrin. Voir un bébé, voir le bonheur des autres mères, m'est très douloureux. »

Dans ces situations particulièrement difficiles, les parents sont aujourd'hui soutenus et aidés.

L'accompagnement du deuil périnatal

Il y a quelques années, on pensait que lorsqu'un enfant mourait *in utero*, ou en naissant, il valait mieux que les parents ne le voient pas. On ne leur indiquait pas toujours le sexe, on souhaitait qu'ils l'oublient vite et qu'ils attendent un autre enfant le plus tôt possible. C'était « la conspiration du silence ». En somme, on niait que cet enfant mort eût jamais existé. Mais comment un nouvel enfant pourrait-il prendre la place de l'enfant décédé ? On connaît le poids qu'ont dû supporter certains de ces enfants « de remplacement ».

Aujourd'hui, on pense au contraire que les parents doivent pouvoir « faire le deuil » de cet enfant avec lequel il ont vécu tant de mois, et retrouver ainsi un certain apaisement. Mais qu'entend-on par cette expression « faire son deuil », reprise si souvent dans les médias, au risque de devenir une sorte d'injonction et d'obligation à l'oubli ? Le travail de deuil est un processus inconscient et complexe qui se fait chez toute personne confrontée à la perte d'un être cher ou d'un objet aimé, travail qui s'accomplit tout au long d'une évolution propre à chacun et à son histoire. Au cours de l'épreuve, des émotions intenses peuvent surgir, des comportements inhabituels (peu d'appétit, grande fatigue, impression de vide), les douleurs physiques et psychiques se superposent ou se mélangent. Ces réactions durent le temps du deuil, puis s'atténuent et conduisent à la séparation progressive, et non à l'oubli, d'avec l'être aimé.

Pour faire le deuil de leur enfant, les parents doivent pouvoir comprendre ce qui s'est passé. Il est important pour eux de rencontrer des professionnels de santé qui pourront leur apporter, dans la mesure du possible, des réponses à leurs questions. Les parents peuvent ou non voir leur bébé, toiletté et préparé pour ce moment si particulier. Ils peuvent emporter avec eux les photos prises par la sage-femme, ou bien elles resteront à leur disposition dans le dossier. L'équipe médicale leur propose de préparer un enterrement, de donner un prénom à leur enfant, de le déclarer à l'état-civil, de l'inscrire sur le livret de famille.

Bien des parents ont pu surmonter ces moments douloureux grâce à l'attitude des soignants, formés actuellement à traiter cette situation avec l'infinie délicatesse qu'elle réclame, toujours respectueux des réactions immédiates des parents, de leur personnalité, de leur culture. Certains parents, qui ont tenu à voir leur enfant décédé, témoignent : « Nous l'avons senti profondément, nous devions voir notre bébé. Nous avons longuement regardé notre fille, ses longs cils, son petit nez bombé, la bouche de son papa. Ensuite, nous avons pu ouvrir notre cœur et notre esprit à ce que nous disaient les médecins, les sages-femmes, la famille. » « Il avait l'air paisible, cela m'a apaisée, détendue de le prendre dans mes bras. Je ne l'oublierai jamais. »

La présence dans l'équipe d'un pédopsychiatre, d'un psychologue, peut faciliter le dialogue entre les parents, les aider à maintenir la communication dans le couple et éviter le ressentiment qu'ils pourraient éprouver l'un envers l'autre. Parler ensemble de ce deuil, exprimer leur chagrin, leurs émotions, peut atténuer ou même éviter qu'un décalage s'installe dans leurs douleurs respectives. Le mari souffre, mais le plus souvent en silence. Il reprend ses activités, s'investit dans son travail. Sa douleur est d'autant plus grande qu'il se sent incapable de réconforter sa compagne et craint de s'effondrer devant elle. Ce sentiment d'impuissance le conduit parfois à des attitudes d'incompréhension et de colères vis-à-vis d'elle. La femme, elle, se réfugie dans le silence et la solitude. C'est une étape nécessaire, à la mesure de l'attachement qui s'est construit entre elle et son enfant. Cette étape va lui permettre de prendre du recul par rapport à ce qu'elle a vécu.

> **VIVRE SON DEUIL**
> Cette association se propose d'aider les parents qui vivent ces situations si difficiles. Vivre son deuil
> Tel : 01 42 38 08 08
> (écoute téléphonique).
> vivresondeuil.asso.fr
> Contact : fevsd@vivresondeuil.asso.fr

Si la douleur persiste, chez l'un ou chez l'autre, il existe des maternités ou des associations qui proposent un travail d'accompagnement sous forme de groupes de paroles.

Peu à peu la vie va reprendre son cours, différemment d'une personne à l'autre. La douleur sera moins vive, les parents n'oublieront pas leur bébé mais pourront penser à lui avec plus de sérénité. Et à l'avenir.

Faut-il parler de la perte du bébé aux frères et sœurs ?

Les parents peuvent être tentés de la passer sous silence pour protéger leurs enfants. Et pourtant les psychologues conseillent de parler de la perte de leur petit frère ou sœur aux plus grands. Ce n'est pas facile, il faut essayer de le dire simplement. En parler évite des angoisses, des souffrances qui peuvent passer inaperçues et laisser des traces. Ce partage de l'épreuve renforce les liens à l'intérieur de la famille. Et l'attention portée aux autres enfants réhabilite en quelque sorte les parents dans leur fonction.

L'environnement familial, les amis

L'entourage croit souvent que le chagrin qui suit la perte d'un bébé avant la naissance est moindre que celui éprouvé pour un enfant plus âgé. Or le sentiment de perte ressenti par les parents est aussi fort qu'après la mort d'une personne aimée depuis longtemps. L'entourage, par souci de bien faire, essaie maladroitement d'atténuer le chagrin des parents. Le choix des mots et des paroles de consolation témoigne souvent du sentiment d'impuissance ou de malaise qu'éprouvent la famille, les amis. Certaines formules toutes faites, ou certains commentaires qui visent à gommer la douleur et le chagrin, peuvent choquer les parents. « Vous êtes jeunes, vous aurez d'autres enfants. » Ou au contraire : « Ne sois pas enceinte trop vite, il ne faut pas oublier. » « J'ai porté mon bébé pendant 7 mois, je l'ai senti bouger. Comment imaginer que je vais l'oublier ? » nous a écrit une lectrice.

Sans pouvoir toujours l'exprimer, les parents ont besoin de se sentir entourés mais ils attendent une présence discrète faite principalement d'une écoute qui leur permette de parler, d'échanger.

La perte du bébé qu'on attendait peut se produire dans d'autres circonstances. Le **diagnostic prénatal** fait parfois découvrir chez le bébé à naître de graves anomalies. Les parents se trouvent alors confrontés à l'angoissante décision de l'interruption médicale de grossesse (p. 184).

*Sur la mort périnatale, voici deux livres destinés aux professionnels mais qui peuvent intéresser des parents : **La bien-traitance envers l'enfant, des racines et des ailes**, Danielle Rapoport, Belin, et **Ces bébés passés sous silence**, Frédérique Authier-Roux, Érès.*

16

Après la naissance : votre bébé et vous

Pendant les semaines qui suivent la naissance,
vous avez un grand programme à remplir,
vous vous sentez peut-être un peu dépassée,
ou débordée. Avec votre bébé à vos côtés, votre
mari plein d'attentions, et ce livre pour vous aider,
vous allez voir, **tout va bien se passer.**
Dès la naissance, votre bébé va spontanément
se diriger vers le sein pour téter. Souhaitez-vous
le laisser faire car vous avez envie de l'allaiter ?
Peut-être ne désirez-vous pas cette première tétée
car vous pensez le nourrir au biberon ?
Une autre interrogation va surgir rapidement :
comment mon corps va-t-il se transformer,
se réadapter ?
Et au milieu de ces considérations pratiques,
vous vous sentirez peut-être abattue.
Est-ce le *baby-blues* ?
Voici quelques pages à lire à tête reposée
pendant que votre bébé dort.

Sein ou biberon :
comment se décider ?

C'est une décision que vous avez peut-être prise avant la grossesse. Dans certaines familles, dans certaines cultures, la question ne se pose pas : une maman nourrit au sein, ou au contraire au biberon. Mais les mois d'attente, les discussions avec votre conjoint, avec la sage-femme, les exemples de vos amies, peuvent vous rendre hésitante.

Sein ou biberon ? Les réponses apportées ont évolué au fil des années. Hier, le côté pratique du biberon était mis en valeur : les journées s'organisent plus facilement et on sait ce que prend le bébé, entendaient les mères. Aujourd'hui la tendance s'est inversée, probablement parce que le discours médical a changé : des médecins ont encouragé les mères à allaiter, ayant remarqué que les bébés nourris au sein résistaient mieux aux infections. Des études confirmèrent ces observations. Résultat : l'allaitement au sein est maintenant valorisé et le nombre de mères qui allaitent a augmenté.

Comment se décider ? Nourrir au sein ou au biberon, c'est choisir entre deux aliments, lait maternel ou lait industriel (appelé lait infantile). C'est aussi une autre façon de procéder, une intimité, une proximité différente, une autre disponibilité. Pour vous aider dans votre décision, entrons dans le détail de ces deux allaitements.

L'ALLAITEMENT AU SEIN

Les études scientifiques montrent que le **lait maternel** est bénéfique pour le bébé.

• Le lait de chaque espèce est adapté au petit de l'espèce correspondante et tous ces laits sont différents les uns des autres. Le lait maternel humain est adapté à la spécificité du bébé humain.

• Plus le bébé est prématuré, plus le lait maternel est important pour lui : son système digestif est fragile, il est sensible aux infections.

• Les premiers jours, le lait a un aspect particulier : c'est le colostrum, souvent jaune ou orangé, très riche en protéines et en vitamines. Sa composition évolue de jour en jour pour s'adapter aux besoins du nouveau-né.

• Le lait maternel est facile à digérer, presque toujours bien supporté. Son goût varie avec l'alimentation de la maman et sa composition change au cours de la tétée.

• Le lait maternel protège l'enfant contre certaines infections en lui apportant les anticorps maternels. Il assure ainsi une protection naturelle pendant la durée de l'allaitement.

• Un allaitement exclusif d'au moins quatre mois diminue le risque d'allergie chez le nourrisson. Et le risque d'obésité diminue également.

• Il n'y a pas de risque de suralimentation, le bébé prend ce dont il a besoin.

Parlons maintenant de **l'allaitement** lui-même.

• Nourrir au sein est profitable à la mère car cela favorise le retour à la normale de l'appareil génital : il y a une connexion étroite entre les glandes mammaires et l'utérus. Lorsque l'enfant tète, il déclenche un réflexe qui provoque des contractions utérines ; celles-ci aident l'utérus à revenir à ses dimensions normales.

• Allaiter au sein, c'est accepter pour un moment que les seins aient un rôle nourricier et non plus érotique. Cela peut gêner l'homme et aussi la femme. En parler avant la naissance permet de s'y préparer.

• C'est s'attendre à ce que les seins changent de volume, à ce qu'il y ait des écoulements de lait entre les tétées, c'est aussi éprouver des sensations nouvelles pendant que le bébé tète, parfois de plaisir ou de douleur. Faire quelques massages des bouts de sein est une façon de s'y habituer.

• C'est accepter de ne pas connaître la quantité de lait que prend le bébé, ce qui inquiète certaines mères. Les repères s'apprennent vite : à la maternité, vous serez aidée par les sages-femmes et les puéricultrices ; ensuite, si besoin, vous serez conseillée par une association de soutien à l'allaitement.

• Une expérience précédente difficile d'allaitement au sein, ou de sevrage, peut faire hésiter une maman à recommencer. Mais peut-être n'avait-elle pas eu à ce moment-là tous les conseils nécessaires ? Peut-être qu'avec ce nouveau bébé cela va se passer différemment ? Rencontrer d'autres mères dans une association peut aussi être utile.

• Le père a toute sa place lorsque la mère allaite. Il est là pour faciliter l'organisation quotidienne, pour que la mère

L'ALLAITEMENT AU SEIN
LE TAUX D'ALLAITEMENT MATERNEL À LA MATERNITÉ, QUI AVAIT BEAUCOUP AUGMENTÉ ENTRE 1998 ET 2003, A CONTINUÉ DE PROGRESSER EN 2010 (ENQUÊTE INSERM).

puisse se reposer, se consacrer à d'autres tâches, à d'autres plaisirs en dehors des tétées. Une fois que l'enfant est nourri, il y a encore beaucoup à faire pour s'occuper de lui : le porter, le baigner, le cajoler, l'apaiser...

Si vous choisissez d'allaiter

Il est important que ce soit une décision de couple. Vous aurez besoin du soutien de votre mari, aussi bien physiquement que psychologiquement. Ce sera sa façon à lui de participer au bien-être de votre bébé.

Combien de temps allaiter ?

Il n'y a pas de durée minimum. Toute quantité reçue par le bébé lui apporte des nutriments de qualité. Le relais peut à tout moment être pris avec du lait infantile. Par exemple, certains bébés ne prennent jamais de biberon : ils passent du sein à une alimentation diversifiée à la cuillère et boivent à la tasse.

L'allaitement abîme-t-il la poitrine ?

En fait, ce n'est pas l'allaitement mais la grossesse qui modifie la poitrine, puisqu'elle provoque une augmentation suivie d'une diminution de volume des glandes mammaires. En empêchant une diminution trop brusque du volume de ces glandes, l'allaitement serait même plutôt bénéfique. Pour la même raison, arrêter la montée de lait sans précautions suffisantes peut abîmer la poitrine.

Cela dit, il y a des tissus plus fermes que d'autres. Certaines femmes ont allaité plusieurs enfants et gardent une poitrine parfaite. D'autres ont des seins tombants et vergeturés sans avoir jamais allaité. Et puis il y a la gymnastique faite avant l'accouchement et le sport (la natation en particulier) qui contribuent à la fermeté des muscles soutenant les seins.

Comment allaiter discrètement ?

Certaines mamans ne souhaitent pas allaiter devant des tiers, par pudeur. Rassurez-vous, vous allez vite apprendre à mettre facilement votre bébé au sein. Au bout de quelques jours, vous ne serez plus obligée de regarder ce qu'il fait, vous le glisserez sous votre tee-shirt, ou sous un foulard couvrant le sein, et votre bébé arrivera tout seul à prendre le sein. En attendant, si vous souhaitez allaiter discrètement à la maternité, vous demanderez à l'équipe de faire sortir les visiteurs.

Comment la mère qui travaille peut-elle allaiter ?

Le report de trois semaines du congé prénatal sur le congé postnatal peut permettre d'allaiter plus facilement jusqu'à la reprise du travail. Ensuite, si vous le souhaitez, il sera possible de continuer à allaiter. La crèche ou l'assistante maternelle donneront des biberons de votre lait que vous aurez tiré chez vous ou sur votre lieu de travail, et votre bébé tétera le sein lorsque vous vous retrouverez. Vous pourrez aussi choisir un allaitement mixte : tétées au sein lorsque vous serez avec votre bébé et biberons de lait infantile lorsqu'il sera gardé.

> **« HÔPITAL AMI DES BÉBÉS »**
> *L'Unicef a lancé un label « Hôpital ami des bébés » dont l'objectif est de promouvoir les changements nécessaires pour que les hôpitaux deviennent des lieux favorables à l'allaitement. Plus de 16 000 institutions dans le monde ont déjà reçu ce label, par exemple tous les hôpitaux de Suède. En France, ce label a été décerné aux maternités de Lons-le-Saunier (Jura), Cognaq (Charente), Mont-de-Marsan (Landes), Arcachon (Gironde), à l'hôpital de Saint-Affrique (Aveyron), à la clinique Adassa de Strasbourg (Bas-Rhin) et à la maternité « Les Bluets » à Paris.*

L'ALLAITEMENT AU BIBERON

De grands progrès ont été réalisés dans la fabrication des **laits infantiles**.

• Ils sont adaptés aux besoins nutritionnels du bébé et leur composition est règlementée. Ils sont fabriqués à partir de lait de vache, de chèvre (autorisé récemment), de protéines de soja ou de riz. Les laits à base de soja ou de riz sont donnés sur avis médical.

• Il existe plusieurs types de lait. Par exemple, certains peuvent être enrichis en ferments lactiques, ou contenir des substances épaississantes, pour améliorer leur digestibilité et diminuer les régurgitations. Le médecin vous conseillera sur leur utilité.

• Pour certains bébés intolérants aux protéines de lait de vache, il existe des préparations dont les protéines ont reçu un traitement particulier : ce sont les laits hypoallergéniques. Là aussi, le médecin vous conseillera.

• Pour les bébés allergiques, il existe des laits spéciaux, sans protéines de lait de vache ou sans lactose. Ces laits sont délivrés sur ordonnance.

• Le lait infantile est généralement vendu en poudre et il faut le reconstituer avec de l'eau. La stérilisation des biberons n'est pas indispensable, ce qui est pratique. Mais le lait reconstitué doit être consommé rapidement pour empêcher le développement des germes.

Dans certaines familles, pour certaines mamans, nourrir avec un **biberon** est évident.

• Avec le biberon, les horaires et les quantités sont plus faciles à prévoir, c'est rassurant. L'organisation de la journée est plus simple.

• Le père, ou une autre personne, peut remplacer la maman pour nourrir le bébé. C'est un des avantages des biberons et les pères apprécient ce contact qu'ils peuvent avoir avec leur enfant.

• Des mères apprécient d'avoir une relation moins fusionnelle avec leur enfant. Elles aiment le « peau à peau » avec leur bébé, sentir son corps contre le leur, mais pas au point de donner le sein.

• Il arrive que le biberon soit imposé par des motifs d'ordre médical car il existe quelques rares contre-indications à l'allaitement maternel : prise de certains médicaments, maladie infectieuse, par exemple le sida. Une chirurgie mammaire avec déplacement du mamelon empêche la lactation de se mettre en place. Il existe aussi des contre-indications transitoires : une maladie de la maman ou du bébé.

VOTRE DÉCISION

La plupart des mamans se décident pendant la grossesse, voire avant, mais elles savent que ce choix n'est pas inébranlable. Une maman nous a dit qu'elle changea d'avis après avoir lu que son bébé se dirigeait spontanément vers le sein à la naissance : elle trouvait naturel de le laisser faire. Mais une autre maman n'a pas apprécié les sensations de cette première tétée et a préféré donner le biberon.

Vous ne souhaitez pas allaiter ? Vous n'êtes pas un cas à part. Nous avons parlé plus haut des

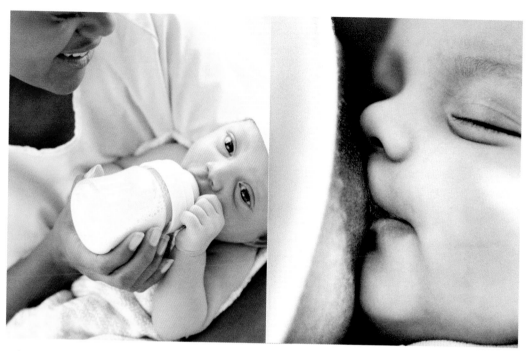

raisons de choisir le biberon. Il y a aussi des mères qui simplement ne désirent pas allaiter sans avoir de motivation précise ou consciente.

Surtout, ne vous sentez pas coupable. La décision vous appartient, c'est la meilleure pour vous et votre bébé, celle qui vous permettra de le nourrir en toute tranquillité, dans un plaisir partagé. Sachez dès maintenant que la digestion d'un bébé est parfois délicate au début et que c'est rarement le lait qui est en cause. Elle va s'améliorer avec le temps et la maturation du système nerveux de l'enfant.

Vous désirez allaiter : là aussi c'est votre décision, vous seule pouvez la prendre, comme vous prendrez celle du sevrage. L'allaitement maternel est souvent simple, parfois plus compliqué, notamment au début. Certaines mères se découragent et abandonnent alors que si elles étaient soutenues, elles reprendraient confiance en elles et pourraient allaiter leur enfant. Il existe de nombreuses associations qui aident les mères désirant allaiter. Voyez les adresses page suivante. Et renseignez-vous (à la maternité, auprès de la sage-femme, à la PMI), il existe peut-être un groupe d'aide à l'allaitement dans votre ville. Dans ces groupes, vous trouverez soutien, encouragements, conseils.

Allez aussi dans ces groupes si vous n'arrivez pas à vous décider : voir des bébés nourris au sein peut vous aider à prendre conscience de ce dont vous avez envie pour vous et votre bébé. Lorsque votre enfant naîtra, vous saurez mieux si vous souhaitez le laisser aller vers le sein.

Et quelle que soit votre façon de faire, sachez que vous vous attirerez des commentaires, voire des critiques. À la maman qui donne le biberon : « Ah bon, tu ne lui donnes pas le sein ? C'est dommage », ou bien : « Tu ne fais pas chauffer le lait ? C'est pour ça que ton bébé régurgite (ou a le hoquet) ». À la maman qui donne le sein : « Il est toujours au sein, il a toujours faim, ton lait n'est pas assez nourrissant », « Tu le laisses trop longtemps au sein, cela va lui donner de mauvaises habitudes ». Il vaut mieux le savoir à l'avance pour ne pas être déstabilisée par ces réflexions et les prendre au contraire avec philosophie.

AIDE À L'ALLAITEMENT
• *Leche League,*
BP 18, 78620 L'Étang-la-Ville.
Tel. : 0 139 584 584
www.lllfrance.org
• *Solidarilait,*
Tel : 01 40 44 70 70
www.solidarilait.org
• *Vous pouvez vous adresser à la*
**Coordination française pour
l'allaitement maternel** *(COFAM) :*
www.coordination-allaitement.org ;
web@coordination-allaitement.org

Si, même après cette lecture, vous avez de la peine à prendre une décision, vous pouvez commencer à allaiter, quitte à vous arrêter par la suite, ce qui est toujours possible. En revanche, si l'on a commencé à donner le biberon, c'est difficile de se mettre à allaiter quelques jours plus tard.

Nous ne pouvons pas nous étendre plus longtemps sur le sujet ici. Nous en parlons en détail dans *J'élève mon enfant* : manière de donner le sein, horaires des tétées, régime de la maman (alimentation et vie quotidienne), soins des seins, sevrage, etc. Et la mère qui n'allaite pas trouvera dans ce livre tout ce qui concerne la préparation des biberons, quel lait choisir, horaire et quantité, etc.

Voici néanmoins quelques informations concernant l'**alimentation des premiers jours**. Sachez tout d'abord que, juste après la naissance, le bébé manifeste le besoin de sucer mais il n'a pas particulièrement faim car son estomac est rempli de liquide amniotique.

Vous allaitez au sein

La première tétée a lieu de préférence en salle d'accouchement, dans l'heure qui suit la naissance. La sage-femme ou la puéricultrice vous aidera à vous installer : en position semi-allongée ou sur le côté, le bébé encore en peau à peau contre vous, vous le soutenez au niveau des fesses pour qu'il se dirige vers le sein et prenne le mamelon. Votre bébé va téter 5 minutes, 10 minutes, ou plus si vous le laissez faire. Cela va dépendre de votre sensibilité et de son tempérament ; si la tétée est inconfortable pour vous (par exemple des tiraillements dans le sein), arrêtez-la et demandez de l'aide pour vous réinstaller et donner l'autre sein. Si votre bébé s'endort, vous lui donnerez l'autre sein plus tard ; s'il dort plus de 3 heures, stimulez-le doucement (en le prenant contre vous) pour qu'il prenne le sein et que la lactation s'établisse bien. C'est inutile de faire la toilette du mamelon avant la tétée, inutile également de faire les premiers soins avant cette première tétée. Le bébé fait rarement un rot après la première tétée car la quantité bue est faible (mais les éléments constituant le colostrum sont très nutritifs). Les deux ou trois premiers jours la quantité bue reste faible, puis augmente rapidement entre le quatrième jour et la fin du premier mois, pour rester assez stable ensuite pendant 6 mois.

Vous donnez un biberon

Le premier biberon est généralement donné plus tard que la première tétée au sein, lorsque vous serez de retour dans votre chambre. Certains bébés peuvent recevoir un peu d'eau sucrée (glucose 10 %) en salle d'accouchement. La quantité de lait infantile augmente petit à petit, jour après jour. Le bébé prend entre 10 et 30 ml par biberon le premier jour, entre 20 et 40 ml le deuxième, entre 30 et 50 ml le troisième, etc., pour arriver à environ 90 ml à la fin de la semaine. Les quantités bues par le bébé sont souvent variables d'un biberon à l'autre.

Le bébé va prendre entre 5 et 8 biberons par 24 heures les premiers jours ; le temps de digestion est d'au moins 2 h 30, plutôt 3 h. Les biberons de la maternité sont stérilisés, tout prêts avec 90 ml de lait ; il suffit de visser une tétine stérile. Un biberon ouvert se conserve une demi-heure environ, le reste doit être jeté. À la maison, la stérilisation des biberons n'est pas nécessaire.

Les suites de couches

Après la naissance, que va-t-il maintenant se passer en vous ? La grossesse et l'accouchement ont apporté de si profondes modifications à votre organisme qu'un délai de plusieurs semaines sera nécessaire pour que ces modifications s'estompent : certaines disparaîtront, d'autres laisseront leur marque. Après avoir porté un enfant, le corps d'une femme est différent, c'est pourquoi un deuxième accouchement peut ne pas se passer de la même manière que le premier. Les organes vont peu à peu retrouver leur place et leur taille. Ainsi, par exemple, l'utérus qui faisait saillie dans l'abdomen, va en six semaines retrouver sa situation dans le bassin. Parallèlement, le vagin et la vulve retrouvent leur tonicité habituelle, les ovaires et les trompes reprennent leur place. Mais bien sûr, cette remise en place des différents organes va se produire peu à peu.

C'est cette période de réadaptation qui dure six à huit semaines que l'on appelle les **suites de couches**. Elle se termine par la réapparition des règles : c'est le **retour de couches**.

Dans cette période des suites de couches, il faut distinguer
• les premiers jours où vous serez à la maternité
• les semaines suivantes où vous reprendrez peu à peu, chez vous, votre vie d'avant la naissance.

VOUS ÊTES À LA MATERNITÉ

Pendant ces quelques jours que vous passerez à la maternité, une de vos principales préoccupations devrait être de bien vous reposer, de « récupérer ». Car si l'accouchement est un acte naturel, il est cependant fatigant.

QUAND VOUS LÈVEREZ-VOUS ?

On recommande aux mères de se reposer pendant une huitaine de jours, mais en se levant chaque jour un peu plus. Tout en prenant quelques précautions.
• Dans les heures qui suivent l'accouchement, ne vous levez pas pour la première fois sans la présence de quelqu'un, parent ou infirmière. Il n'est pas rare à ce moment-là d'avoir des petits vertiges, et sans une aide on risque de tomber.
• Dès le lendemain de l'accouchement, vous pourrez bien sûr aller et venir dans la chambre ou dans les couloirs. Ne forcez pas cependant, et ne cherchez pas à en faire trop.

Rapidement après l'accouchement, on conseille quelques mouvements de gymnastique qui ont également pour but d'activer la circulation et de fortifier les muscles.

Vous trouverez ces exercices plus loin. Si le médecin ou la sage-femme sont d'accord, vous pourrez les commencer dès le deuxième jour. Faites-les progressivement comme indiqué, et continuez-les pendant plusieurs semaines pour retrouver rapidement votre ligne.

LE RETOUR DE L'UTÉRUS À LA NORMALE

Dans les heures qui suivent l'accouchement, l'utérus commence à reprendre son volume normal. On dit qu'il s'involue. En même temps, il se débarrasse de la muqueuse qui entourait l'œuf : la *caduque*. Les débris de la caduque sont expulsés en même temps que le sang qui s'écoule de l'espace laissé par le placenta en se décollant : l'ensemble forme les *lochies*. D'abord fortement teintées de sang et abondantes, les *lochies* s'éclaircissent ensuite, et deviennent moins abondantes. L'écoulement dure cependant plusieurs semaines, parfois jusqu'au retour de couches. Il n'est pas rare d'observer un écoulement plus important, vers le douzième jour après l'accouchement : c'est *le petit retour de couches*.

Chez les femmes qui ont déjà eu des enfants, les contractions de l'utérus après l'accouchement sont en général douloureuses pendant deux à trois jours. Ces douleurs, que l'on appelle parfois *tranchées*, et qui sont assez semblables aux douleurs des règles, sont souvent plus fortes lorsque le bébé tète à cause de l'étroite connexion qui existe entre les seins et l'utérus. Des calmants seront donnés pendant quelques jours si cela est nécessaire.

LE PÉRINÉE ET L'ÉPISIOTOMIE

Même s'il n'y a pas eu d'épisiotomie, le périnée peut être sensible les jours suivant l'accouchement, du fait de la distension provoquée par le passage du bébé. Il peut aussi être irrité par des éraillures, des petites écorchures, sur la muqueuse (particulièrement à l'occasion des mictions). En deux ou trois jours de patience vous retrouverez votre confort. Si vous avez eu une épisiotomie, la cicatrisation peut être irritante et gênante, surtout vers le 4e-5e jour. Si après 2 ou 3 semaines, la cicatrice continuait à être douloureuse, notamment lors de la station assise, signalez-le au médecin ou à la sage-femme ; il y a probablement un œdème et un traitement est possible.

Si malgré tout une certaine gêne persiste, il est possible de « reprendre » une épisiotomie ou une déchirure. Cette petite intervention chirurgicale se fait sous anesthésie locale et dure une demi-heure maximum ; elle peut se faire quelques mois après l'accouchement, ou même quelques années.

Pour différentes raisons, certaines femmes hésitent à parler des douleurs, ou de la gêne qu'elles ressentent localement, autour et à cause de l'épisiotomie, et au moment des relations sexuelles. Nous ne saurions trop les encourager à en parler avec le médecin.

LES SOINS AU PÉRINÉE

Que vous ayez eu ou non une épisiotomie, voici les soins à effectuer.

Les soins locaux seront faits plusieurs fois par jour, aussi souvent et aussi longtemps que nécessaire, car les premiers jours, les pertes de sang sont très abondantes. L'idéal serait qu'après chaque toilette intime (faite de préférence à main nue, avec un savon liquide neutre, non parfumé, rincée à l'eau froide pour éviter des œdèmes), vous restiez un moment les fesses à l'air, allongée sur une serviette de toilette. Cela permettra un séchage naturel, et évitera le frottement sur les serviettes périodiques (les tampons vaginaux sont très déconseillés). Si cela est possible, vous pouvez utiliser le sèche-cheveux pour éliminer toute trace d'humidité. Mais attention, il s'agit de sécher, pas de dessécher… Les injections vaginales sont à proscrire.

Pour raffermir le périnée, voyez l'exercice recommandé page 400. Enfin, dans les jours qui suivent l'accouchement, il est conseillé de rester le plus possible allongée pour éviter l'appui sur le périnée.

L'INTESTIN ET LES URINES

La constipation est fréquente après l'accouchement. Il est très important de ne pas « forcer » car tout effort excessif de poussée risque de faire apparaître prolapsus ou incontinence urinaire.

Ce qui est efficace, c'est de faire plusieurs fois par jour des exercices de rentré de ventre en soufflant à fond pendant 10 secondes. Cela réalise un massage interne des intestins et facilite leur évacuation.

Par ailleurs, la formation d'un bourrelet d'hémorroïdes n'est pas rare. Il sera traité par des soins locaux. Demandez conseil à la sage-femme.

> **SI LA CONSTIPATION PERSISTE**
> *n'hésitez pas à utiliser des suppositoires qui ont une action mécanique (demandez conseil au pharmacien) ; un laxatif doux, un petit lavement peuvent aussi être efficaces.*

L'INCONTINENCE URINAIRE

Dans quelques cas, notamment après une anesthésie péridurale, la maman ne peut vider spontanément sa vessie. Cette rétention d'urines est toujours passagère et disparaît en 24 heures, mais elle peut nécessiter un ou deux sondages.

À l'inverse, certaines femmes (10 % au moins) ne peuvent retenir leurs urines surtout lorsqu'elles font un effort (toux, marche, etc.). Cette incontinence urinaire peut se voir après l'accouchement le plus banal mais elle est plus fréquente après les accouchements longs et difficiles (gros enfant, application de forceps par exemple). Il arrive aussi qu'elle survienne avant même l'accouchement, dans les dernières semaines de grossesse.

Dans la plupart des cas, cette incontinence va régresser rapidement en quelques semaines, sans traitement. Des exercices simples peuvent aider à la guérison, comme contracter les muscles du périnée (comme pour retenir un gaz ou se retenir d'aller à la selle).

Les incontinences persistantes sont beaucoup plus rares. Il importe alors de les signaler au cours de la consultation postnatale (n'attendez pas plusieurs mois pour consulter). On vous conseillera certainement de faire une rééducation de la vessie et du périnée. Celle-ci, remboursée par la Sécurité sociale, est généralement faite par une sage-femme, mais parfois aussi par un kinésithérapeute spécialisé ou un médecin.

La **rééducation** se fait en 10 séances, à raison de 2 par semaine ; elle débute par des exercices musculaires, elle apprend en particulier à contracter les muscles du périnée. La femme peut contrôler elle-même la qualité de ses efforts : une sonde vaginale est reliée à un appareil qui enregistre ses contractions sur une courbe, la femme est ainsi incitée à améliorer sa performance à chaque tentative. Enfin, des séances d'électrostimulation sont généralement associées à cette rééducation. Le rééducateur est auprès de vous et contrôle et accompagne ce que vous faites.

Le plus souvent les symptômes disparaissent. Cela dépend de la persévérance (des séances d'entretien sont nécessaires), et surtout de l'intensité des troubles : en cas d'incontinence vraie et importante, une intervention chirurgicale est quand même parfois nécessaire à plus ou moins long terme.

La continence anale peut être fragilisée après l'accouchement (difficulté de retenir un gaz). Ne soyez pas gênée d'en parler au médecin ou à la sage-femme, cela se rééduque.

LA TOILETTE

Les douches sont possibles dans les heures qui suivent l'accouchement. Les douches chaudes sont même recommandées en cas de forte montée de lait afin de diminuer les tensions au niveau des seins. L'idéal serait de finir la douche par des douches fraîches sur le périnée et les jambes, car l'eau chaude peut provoquer des œdèmes.

Les bains ne sont conseillés qu'à l'arrêt de tout saignement.

LES SEINS

Pendant que certains organes régressent, d'autres se développent et s'apprêtent à entrer en fonction : ce sont les glandes mammaires. Après la naissance, l'organisme est prêt à nourrir l'enfant pendant quelques mois.

Pendant la grossesse, ces glandes, sous l'action des ovaires et du placenta, se sont multipliées. De même, les petits canaux qui conduiront le lait au mamelon (schéma p. 145). C'est la première phase de la lactation. L'hypophyse s'est mise à sécréter une nouvelle hormone, la *prolactine*, qui déclenchera la production du lait. Mais cette hormone n'est là qu'en attente. Elle n'agira que lorsqu'il n'y aura plus le placenta. L'accouchement a lieu, le placenta est expulsé. Le sang transporte la prolactine de l'hypophyse aux glandes mammaires. Celles-ci se mettent alors à fonctionner. C'est pourquoi on fait téter le bébé pour la première fois en salle d'accouchement, dans l'heure qui suit sa naissance.

N'hésitez pas à mettre votre bébé au sein alors que vos seins semblent vides. Ils ne sont jamais tout à fait vides. Outre l'aspect alimentaire, la succion du sein déclenche aussi la sécrétion d'ocytocine, une hormone qui favorise les contractions utérines et donc le décollement et la sortie du placenta. L'ocytocine contracte également les canaux pour que le lait sorte du sein. Et plus la glande mammaire sera vidée du lait produit, plus la production sera importante.

Souvent vers le 3e ou le 4e jour, les seins sont plus tendus. Ceci est dû au flux sanguin largement augmenté dans le sein pour faire face à la production de lait. C'est la deuxième phase de la lactation, appelée aussi **montée laiteuse**. Les veines sont plus visibles, bleutées. Vous pouvez aussi remarquer que votre bébé tète plus vigoureusement, la déglutition est plus bruyante et il est possible que les seins coulent spontanément. Le lait devient plus blanc, voire transparent à certains moment. Vers le 12e jour, le colostrum fait place au lait définitif.

La glande mammaire a parfois du mal à se faire à sa nouvelle tâche. Toute tension, contrariété ou douleur peuvent bloquer l'action de l'ocytocine et ainsi gêner la sortie du lait. Les seins deviennent alors durs et la production de lait est transitoirement ralentie, jusqu'à ce que les canaux se contractent à nouveau et que le lait s'écoule. Cette deuxième phase est quelquefois source d'inconfort pour la maman avec une légère augmentation de la température et des seins congestionnés. Vous les masserez doucement sous la douche pour que le lait s'écoule, ou vous les envelopperez de chaud ou de froid (par exemple avec un gant de toilette), selon ce qui vous fait du bien.

Dans les heures qui précédent la naissance, le mamelon devient très sensible. Respectez cette sensibilité et ne laissez pas votre bébé trop longtemps au sein le premier jour : privilégiez plutôt des tétées de 10 à 20 minutes, fréquentes (de 6 à 12 ou 15 tétées réparties sur 24 heures). Petit à petit, le nombre de tétées va diminuer.

Si vous ne désirez pas allaiter

Signalez-le au médecin ou à la sage-femme. Les traitements ont évolué et il est recommandé aujourd'hui de ne pas bloquer la lactation mais d'aider à ce qu'elle régresse physiologiquement, en quelques jours. Un traitement homéopathique peut aider à soulager les tensions et limiter la production de lait qui s'arrête entre une à trois semaines. Si vous n'êtes pas opposée à ce que votre bébé tète, mettez-le au sein pour vous soulager et donnez-lui un biberon le reste du temps. C'est un allaitement de transition qui durera quelques jours, et la lactation se tarira d'elle-même, sans médicament.

LE SÉJOUR À LA MATERNITÉ

Il est de plus en plus court : aujourd'hui bien des femmes sortent dès le troisième jour, parfois même avant (voyez page suivante « les sorties précoces »). En cas de césarienne, le séjour dépasse rarement cinq-six jours. La présence des sages-femmes, des auxiliaires de puériculture ou des puéricultrices est rassurante pour certaines mères et la prise en charge des repas permet un repos allongé dans la journée plus régulier qu'à la maison. Mais les allées et venues du personnel, les

visites et les pleurs des autres bébés empêchent parfois de se reposer.

Pendant leur séjour, les mamans se plaignent souvent des conseils divergents des différents professionnels. Cela ajoute au désarroi fréquent dans cette période. Vous serez moins déstabilisée si vous avez eu des informations pendant la grossesse. C'est un des buts de ce livre, ainsi que de la préparation à la naissance.

Quelle que soit la durée de votre séjour, profitez-en pour découvrir votre enfant, suivre ses progrès, qui, vous le verrez, seront très rapides. Après chaque tétée, gardez votre bébé un moment près de vous avant de le recoucher : pas de meilleure occasion de faire connaissance que ce moment où le bébé, heureux d'être nourri, sourit s'il est dans les bras de sa mère.

Vous ferez aussi connaissance avec votre enfant en le changeant, en lui faisant sa toilette. Aujourd'hui, la mère est invitée à s'occuper de son bébé très tôt, dès les premières heures. Ainsi, en rentrant chez elle, elle est déjà experte en puériculture au lieu d'être désemparée comme elle pouvait le craindre.

Si vous n'entreprenez pas de rédiger l'album de bébé, ce que souvent on abandonne vite, vous pouvez suivre la suggestion de cette lectrice : gardez les journaux parus au moment de la naissance ; les actualités, la mode, les événements divers seront des souvenirs amusants pour vos enfants.

Pour finir, une petite recommandation. Une amie sage-femme nous a dit : « Les mamans sont si contentes de montrer leurs bébés à leurs amis qu'elles arrivent à la fin de la journée épuisées par trop de visites. Et le bébé l'est également. » Pour votre repos, pour le sien, les premiers jours, essayez de n'avoir pas trop de visites. Si un jour vous avez vraiment envie de vous reposer complètement, dites-le à la sage-femme ou à l'infirmière, elle comprendra et elle fera le barrage.

SI VOUS VOUS SENTEZ FATIGUÉE,
et que vous ayez envie de rester un peu plus longtemps à la maternité, parlez-en à la surveillante, elle vous dira si c'est possible.

VOUS RENTREZ CHEZ VOUS

Certaines maternités acceptent un départ dès le deuxième jour. Une **sortie précoce** est possible sous certaines conditions : pas de complication médicale pendant la grossesse ni l'accouchement, pas de risque de complication dans les jours suivants, ni pour la maman ni pour le bébé. Ces sorties précoces sont généralement organisées avec des sages-femmes (libérales ou hospitalières et détachées du service) qui effectuent des visites à domicile tous les jours pendant 3 ou 4 jours. Le médecin traitant et le service de PMI participent parfois à cette surveillance. Cet accompagnement à domicile est d'ailleurs possible quelle que soit la durée de votre séjour à la maternité. Si vous souhaitez allaiter, cet accompagnement peut vous aider à surmonter les premières difficultés.

LE PRADO
Au moment du retour à domicile, les Caisses d'Assurance Maladie proposent à certaines mères un accompagnement par une sage-femme libérale : c'est ce qu'on appelle le PRADO. Voyez page 281.

Si vous sortez plus tôt que 72 h après la naissance, le test de Guthrie (p. 311) sera fait à domicile par la sage-femme ou le médecin. La visite médicale obligatoire dans les 8 jours suivant la naissance doit être prévue, même si votre bébé a été vu par un médecin à la maternité.

LE RETOUR À LA MAISON

C'est toujours un événement. Les mamans ont hâte de retrouver leurs habitudes, les aînés, d'installer leur bébé dans son berceau, de s'en occuper à leur rythme, de le présenter à l'entourage. Elles ont envie de vivre leur bonheur en famille, de le partager avec leur conjoint. Mais souvent les mamans ont aussi la crainte du surplus de travail, quelques doutes sur l'organisation au début, et l'appréhension de s'occuper du bébé sans le soutien des professionnels de la maternité. Lorsque la grossesse ou l'accouchement ont été compliqués, il y a la fatigue, le moral en baisse, parfois une difficulté à s'asseoir ou à rester debout à cause d'une cicatrisation de l'épisiotomie, peut-être des seins tendus avec une lactation qui s'installe tout juste ou des doutes parce qu'elle tarde.

Vous vous imaginiez resplendissante de bonheur avec votre nouveau-né dans les bras et vous vous trouvez parfois bien désemparée ! Heureusement, grâce au congé de paternité, le père est là et apporte un soutien bienvenu. Une sage-femme libérale, votre médecin traitant, une infirmière de PMI peuvent vous soutenir et venir à domicile. Il y a aussi les associations d'aide à l'allaitement dont vous avez peut-être pris les coordonnées soit lors des séances de préparation à la naissance, soit à la maternité. Si vous n'en connaissez pas près de chez vous, voyez p. 390.

Se ménager

Une fois rentrée chez vous, **tâchez de vous reposer** encore une bonne dizaine de jours, même un peu plus si vous le pouvez. Mieux vous vous reposerez pendant les suites de couches, plus vite vous pourrez reprendre votre vie active sans fatigue excessive. N'essayez pas de forcer la nature : il faut six semaines à vos organes pour revenir à leur état normal, et quelques mois à l'organisme pour qu'il retrouve complètement ses forces. Pendant cette période, évitez de vous fatiguer, ne montez pas trop d'escaliers, ne portez pas de lourdes charges, ne faites ni courses ni ménage importants, faites une bonne sieste après le déjeuner. Ce n'est pas toujours possible à moins que vous ayez près de vous, pendant les deux premières semaines, quelqu'un pour vous aider, mère, belle-mère, amie, aide extérieure, etc. Évidemment, si votre mari pouvait prendre quelques jours de congé supplémentaires, ce serait l'idéal.

Une spécialiste, le docteur Odile Cotelle, voit tous les jours des femmes qui ont porté des charges trop lourdes et dont le dos et le périnée ont souffert. C'est pourquoi elle nous demande de faire la recommandation suivante : pendant les mois qui suivent l'accouchement, faites tout pour **éviter les poids excessifs** ; essayez de vous faire livrer les provisions, beaucoup de magasins s'en chargent. Certains couffins et certaines poussettes sont trop lourds pour être portés seule, faites-le à deux. D'ailleurs, au moment d'acheter une poussette, à qualité égale, choisissez la plus légère. Quand vous portez votre bébé, essayez de ne pas porter d'objets lourds en même temps (par exemple un sac de provisions, une poussette) ; même si cela demande plus de temps, il vaut mieux faire plusieurs voyages. Lorsque Bébé est dans son sac-kangourou, placez-le – presque entre les seins – le plus haut possible et veillez à ce qu'il ne ballotte pas : c'est plus confortable pour lui et mieux pour vous. Enfin, si vous devez soulever quelque chose d'un peu lourd, pensez à contracter en même temps le périnée et le ventre.

LES RELATIONS SEXUELLES APRÈS L'ACCOUCHEMENT

Au début, une mère est plus soucieuse de son nouveau-né que de sa sexualité ; il y a la fatigue, la réalité du quotidien qui montre que les soins au bébé demandent un grand investissement. « Il y a aussi un temps pour retrouver son corps », dit une mère. Le vécu physique et psychique de l'accouchement (présence ou non d'une cicatrice périnéale, images et ressenti de la naissance du bébé par les voies vaginales) joue aussi un rôle dans le retour du désir au sein du couple. Et le père peut se sentir mal à l'aise, ayant peur de faire mal à sa femme, étant parfois perturbé par le côté nourricier des seins. Le couple doit trouver un nouvel équilibre, cela prend souvent quelques semaines.

Pour faire face à la sécheresse vaginale, plus fréquente en cas d'allaitement, il existe des gels lubrifiants. N'hésitez pas à consulter votre médecin ou votre sage-femme en cas de douleurs

La contraception après la naissance

Le couple a envie de reprendre ses relations amoureuses, mais en même temps il ne souhaite pas avoir trop vite un autre bébé. Et il sait que la contraception dans les semaines qui suivent la naissance pose différentes questions. C'est pourquoi nous avons consacré plusieurs pages à ce sujet, à la fin de ce chapitre.

LE RETOUR DE COUCHES

On appelle ainsi les premières règles qui surviennent après l'accouchement. Habituellement, ces règles sont un peu plus abondantes et plus longues que les règles normales. Le retour de couches peut être précédé d'une ovulation, qu'on allaite ou non.

La date du retour de couches varie selon que la mère allaite ou non son enfant. Un allaitement maternel complet, sous certaines conditions (voir MAMA p. 409), bloque généralement le fonctionnement des ovaires et l'ovulation ; les règles sont donc habituellement absentes, et le retour de couches survient seulement après la fin de l'allaitement, voire plusieurs mois après l'arrêt complet. En l'absence d'allaitement, le retour de couches se produit entre six et huit semaines après l'accouchement. Si vous prenez un traitement pour empêcher la lactation (traitement anti-prolactine), le retour de couches est possible plus tôt. Puis les cycles habituels reprennent, mais il se peut qu'ils soient légèrement perturbés pendant quelque temps.

LA CONSULTATION POSTNATALE

Quelques semaines se sont passées depuis l'accouchement. C'est le moment de faire un bilan complet. Un examen gynécologique et général est indispensable pour s'assurer que l'appareil génital et l'organisme tout entier ont retrouvé un état satisfaisant. Si la grossesse et l'accouchement se sont passés sans complications, la sage-femme peut pratiquer l'examen. Certaines femmes se sentent suffisamment bien pour ne pas avoir envie de subir cet examen. Pourtant celui-ci est important pour faire le point sur l'état de votre périnée, et pour envisager, si nécessaire, une rééducation appropriée.

Enfin, vous pouvez vous trouver confrontée à trois sortes de problèmes :
• une aggravation des troubles antérieurs ; par exemple si vous aviez une mauvaise circulation qui avait provoqué des varices et des hémorroïdes
• la persistance de troubles apparus au cours de la grossesse, comme une incontinence urinaire
• enfin, l'apparition de nouveaux problèmes : par exemple, certaines femmes souffrent de douleurs abdominales persistantes.

Faites une petite liste pour ne rien oublier lorsque vous irez à la consultation.

Certaines femmes, par pudeur, hésitent à aborder des domaines qui leur semblent trop personnels, par exemple la difficulté de la reprise des rapports sexuels. Difficultés psychologiques, conjugales ont parfois des causes physiques que le médecin saura traiter.

VOTRE RÉGIME POUR RETROUVER LA LIGNE

Pour retrouver votre poids d'avant la naissance, vous aurez vraisemblablement quelques kilos à perdre. Normalement, un régime alimentaire classique (voir ci-dessous) vous aidera à perdre l'excédent de poids.

Si vous allaitez, ce n'est pas le moment de faire un régime amaigrissant. Attention quand même à ne pas grossir, cela ne faciliterait pas la lactation et vous empêcherait plus tard de retrouver facilement votre poids.

Si vous n'allaitez pas ou si vous n'allaitez plus, voici quelques suggestions pour vous aider à retrouver votre taille et votre poids d'avant la grossesse, sans aller trop vite.

Vous pouvez garder la même répartition en trois repas principaux et un goûter. Le goûter est important (indispensable si vous allaitez) ainsi que le petit déjeuner, surtout si vous n'en preniez pas avant la grossesse.

La meilleure solution pour maintenir son poids et sa forme est d'avoir une alimentation équilibrée, sans grignotage, et une activité physique régulière.

Votre alimentation en pratique

• une part de viande, poisson ou œuf par jour, avec de la viande rouge ou du boudin noir 2 fois par semaine, et des abats (foie, rognons) 2 à 3 fois par mois pour reconstituer vos réserves de fer
• un produit laitier (lait, fromage, laitage) 3 fois par jour
• des légumes et des fruits : au total, au moins 5 portions par jour
• des féculents ou produits céréaliers à chaque repas, sous forme de pain ou pâtes, riz, semoule, légumes secs, en entrée ou en plat principal
• des matières grasses en quantité modérée et en les variant (un peu de beurre sur les tartines ou les légumes, une cuillère d'huile pour les crudités)
• un produit sucré de temps en temps pour se faire plaisir.
Et buvez suffisamment, environ 1,5 litre par jour, de l'eau de préférence.

La gymnastique et les sports

L'exercice physique sera un bon moyen pour vous aider à retrouver la ligne : il ne fait pas vraiment maigrir mais il aide à se remuscler ; il peut, en plus, par l'équilibre qu'il procure, régulariser l'appétit. Voyez plus loin quelques exercices à faire après l'accouchement.

Quant à une activité sportive, elle sera reprise progressivement, et plus tardivement si vous allaitez en raison du volume des seins qui peuvent gêner certaines activités. Le vélo, la marche, la natation sont excellents. À noter que les baignades sont possibles dès que les lochies (écoulement utérin après l'accouchement) ont disparu. Il vaut mieux éviter de muscler l'abdomen avant d'avoir repris la musculation du périnée ; tenez-en compte si vous faites des exercices en salle. Le footing, le tennis, l'équitation seront repris plus tardivement, comme toute activité physique qui entraîne des pressions abdominales répétées de haut en bas.

LES EXERCICES ABDOMINAUX CLASSIQUES
que tout le monde connaît (pédalages, ciseaux) ne peuvent être faits qu'après avis du médecin ou de la sage-femme, car ils créent une trop forte pression à l'intérieur du ventre, pression qui appuie sur le périnée et risque de le distendre.

EXERCICES À FAIRE APRÈS L'ACCOUCHEMENT

Dès le deuxième jour – sauf avis contraire du médecin – vous pourrez faire dans votre lit les exercices suivants :

POUR RAFFERMIR LE PÉRINÉE

Faites l'exercice indiqué (p. 348), mais en position allongée, couchée sur le dos, jambes repliées et écartées : pendant quelques secondes contractez les muscles qui ferment la vulve et le vagin en retenant une envie d'uriner. Gardez bien les genoux écartés sur les côtés pendant tout l'exercice, les fesses étant relâchées et posées sur le sol, et le ventre bien souple ; tout en continuant de respirer normalement.

Le stop-test consiste à arrêter quelques secondes le jet urinaire au début de la miction (action d'uriner). Cet exercice, qui a été longtemps recommandé, est aujourd'hui plutôt déconseillé. En effet, s'il est trop pratiqué, il peut entraîner chez certaines femmes des infections urinaires.

POUR DURCIR LE VENTRE

Couchée sur le dos, jambes parallèles repliées, inspirez profondément, puis, en soufflant, rentrez le ventre au maximum, pendant 5 secondes au moins, si possible dix ; contractez en même temps le périnée ; puis détendez-vous et recommencez. Cet exercice ne comporte aucune contre-indication. Il n'est pas spectaculaire et cela peut sembler monotone de ne faire que cela mais il peut suffire pour retrouver un ventre plat. Vous pouvez répéter cet exercice plusieurs fois par jour (au moins 50 fois, réparties dans la journée, pour obtenir un résultat visible).

POUR ACTIVER LA CIRCULATION DANS LES JAMBES

Couchée sur le dos, jambes allongées :
• exercice de rotation des pieds autour de la cheville : décrivez un cercle avec vos pieds dans un sens puis dans l'autre (3 fois)
• flexion et extension des pieds : repliez le pied sur la jambe, puis étendez-le lentement et au maximum comme si vous vouliez toucher du bout des orteils un objet placé quelques centimètres plus loin (3 fois)

À répéter de nombreuses fois dans la journée, mais à ne pas faire plus de trois fois de suite : sinon les jambes risquent de devenir douloureuses, en provoquant des courbatures.

POUR GARDER LES SEINS FERMES ET BIEN MAINTENUS

Lorsque vous n'allaiterez plus, vous pourrez recommencer les exercices indiqués au chapitre 14 pour garder une belle poitrine. Si vous n'allaitez pas, vous pourrez les faire dès le quinzième jour.

Sur le remboursement concernant les massages, exercices, rééducation périnéale à faire après l'accouchement, voyez chapitre 17.

APRÈS LA NAISSANCE, QUE FAIRE SI VOTRE CORPS A CHANGÉ ?

Après un accouchement, certaines femmes sont déroutées de se retrouver avec un autre corps : ce n'est plus celui de la grossesse, dont elles éprouvaient de la fierté, ce n'est pas non plus celui d'avant la naissance. En plus, la transformation brutale de ce « corps plein » en un « corps vide » peut troubler.

Sur le plan esthétique, tant du corps que du visage, la maternité peut avoir des conséquences qui varient avec chaque femme, mais qui ont tendance à augmenter avec le nombre des grossesses. Certaines femmes pensent qu'il y a un prix à payer pour la naissance d'un enfant, et elles se résignent. Elles oublient leur propre corps, tant elles sont préoccupées du bien-être de leur bébé. D'autres mères sont débordées, elles ont l'impression de n'avoir ni le temps, ni l'énergie de s'occuper d'elles-mêmes. D'autres enfin se posent des questions sur ces changements : vont-ils se maintenir, s'atténuer ou disparaître.

LES SEINS

Après la grossesse et l'allaitement, les seins vont diminuer de volume mais peut-être resteront-ils plus gros, ou au contraire perdre du volume, comme s'ils avaient littéralement « fondus ». Faites les exercices conseillés pendant la grossesse (chap. 14), portez un bon soutien-gorge... et soyez patiente. Il faut un peu de temps aux seins pour qu'ils retrouvent leur tonicité habituelle.

LE VENTRE

Le ventre peut rester distendu, les muscles abdominaux ne jouant plus leur rôle de sangle naturelle. La prévention est essentielle : c'est la gymnastique pendant la grossesse (p. 347), et après l'accouchement (p. 400). Dans ce domaine la persévérance est indispensable car on ne retrouve de bons muscles qu'après plusieurs mois d'exercices physiques réguliers. Un régime alimentaire aidera à éliminer l'excès de graisse. Pour retrouver un ventre plat, les massages ne sont pas efficaces. Quant aux appareils électriques vendus dans le commerce, ce sont vraiment des gadgets.

À PROPOS DE LA CHIRURGIE ESTHÉTIQUE

Certaines femmes ont envie de faire appel à la chirurgie esthétique lorsque leurs seins restent trop gros, ou s'ils ont perdu du volume, ou bien si la peau du ventre reste distendue, plus ou moins « fripée ». Voici quelques remarques à ce sujet.

La chirurgie esthétique ne peut s'envisager au plus tôt qu'un an après l'accouchement. Ce n'est pas une décision à prendre rapidement. Il faut laisser du temps au corps pour qu'il retrouve sa silhouette et son aspect d'avant. Cela vous laissera le temps de savoir si vous êtes toujours sûre de désirer une intervention. Par ailleurs, vous savez que la chirurgie esthétique coûte cher, élément qui aura son importance pour prendre une décision.

Ensuite, pour recourir à la chirurgie esthétique, il est conseillé d'attendre d'avoir eu le nombre d'enfants désirés. Une nouvelle grossesse risque de remettre en cause les résultats obtenus. Et certaines interventions peuvent compromettre un prochain allaitement.

Enfin, bien sûr, les interventions doivent être pratiquées par des spécialistes compétents. Demandez à votre médecin s'il connait des adresses, sinon le conseil de l'ordre des médecins vous renseignera.

LES MASSAGES

Le massage du dos et des jambes peut soulager les sensations de fatigue, de lourdeur ou de douleurs diverses. Il est aussi un élément de bien-être. En revanche, le massage du ventre doit respecter certaines précautions. Un effleurage peut améliorer le transit intestinal, mais il ne faut pas « malaxer » la peau ni les muscles afin de ne pas les étirer et de ne pas les distendre. Ceci nuirait à la récupération progressive d'un ventre plat.

LE POIDS ET LA SILHOUETTE

Il faut compter six mois pour retrouver son poids, et environ un an pour retrouver son tour de taille. Il est important de perdre peu à peu les kilos superflus sous peine de voir s'installer une vraie obésité. Si au bout de ces six mois, vous n'arrivez pas à retrouver votre poids d'avant la naissance, parlez-en au médecin. Il vous conseillera peut-être de consulter un nutritionniste.

SI VOUS SOUFFREZ D'ACNÉ
et si vous allaitez votre bébé, ne prenez aucun traitement, interne ou externe, sans avis médical.

LA PEAU

Le masque de grossesse (p. 51) disparaît spontanément en quelques mois ; il en est de même de la pigmentation anormale de la ligne médiane abdominale, au-dessous de l'ombilic. Mais, pour cela, il faut s'exposer le moins possible au soleil ; et, ce qui est moins connu, si l'on accouche en hiver, il faut encore faire attention l'été suivant pour que des taches brunes n'apparaissent pas.

De la cicatrice de césarienne nous parlons page 319.

LES VARICES

Elles régressent en général presque complètement après une première grossesse. Ceci sera de moins en moins vrai au fur et à mesure que les grossesses se répéteront.

Les médicaments peuvent agir sur les troubles parfois entraînés par les varices (crampes, sensation de jambes lourdes) mais peu, ou pas, sur les varices elles-mêmes. Aussi, en cas de préjudice esthétique important faut-il s'orienter selon les cas :
• vers la sclérose (injection de produits dans les veines pour diminuer leur volume)
• ou vers la chirurgie qui consiste à enlever une, ou les deux grosses veines de chaque membre inférieur (intervention appelée stripping).

Le médecin vous indiquera ce qui convient le mieux dans votre cas. De toute manière continuez à suivre les conseils donnés (p. 193). Quant aux hémorroïdes, comme les varices, elles relèvent, selon leur importance et les troubles qu'elles entraînent, des médicaments, des scléroses ou de la chirurgie.

L'incontinence urinaire : nous avons parlé à différents endroits de cette autre conséquence possible de la maternité (pp. 195-393).

Ce petit chapitre a été écrit à la demande de plusieurs lectrices, mais il ne faut pas que sa lecture vous inquiète. Les traces laissées par la maternité sont variables d'une femme à l'autre. Certaines n'ont ni varices ni vergetures. Même après plusieurs naissances, de nombreuses femmes retrouveront un ventre plat, etc. De plus, le « préjudice esthétique » est vécu de façon bien différente selon les femmes. Certaines ne supportent pas leurs seins qu'elles trouvent trop gros, alors que d'autres aiment leur poitrine épanouie.

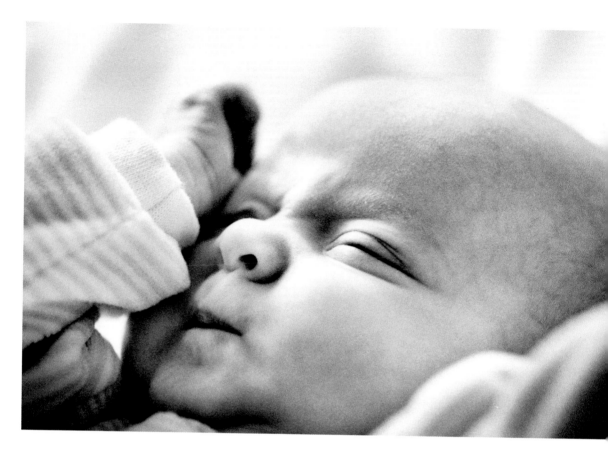

Les « idées bleues »

Vous êtes rentrée chez vous ; vous avez retrouvé votre maison ; votre enfant est installé dans le berceau que vous avez préparé avec amour. Vous avez toutes les raisons d'être heureuse et d'envisager l'avenir avec optimisme. Or il se peut, au contraire, que vous vous sentiez fragile, d'humeur instable, changeante, prête à pleurer à tout moment. Cette réaction est fréquente après l'accouchement.

LE *BABY-BLUES*

Vous venez de subir un bouleversement profond, au physique et au moral. Votre organisme tout entier a participé au travail considérable de l'accouchement. Les modifi-cations hormonales sont particulièrement importantes à ce moment-là, et, vous vous en rendez compte vous-même, les remaniements psychologiques également. Vous avez vécu une attente de neuf mois, dont le terme a été peut-être mêlé d'angoisse et d'énervement. Vous êtes encore fatiguée, et vous vous

> *Le baby-blues concerne près de la moitié des femmes venant d'accoucher. Il survient le plus souvent entre le 3ᵉ et le 6ᵉ jour après la naissance.*

trouvez tout d'un coup responsable des soins à donner à votre enfant. En plus, votre petit bébé, vous ne le connaissez pas encore bien, vous ne comprenez pas toutes ses réactions, ni peut-être ses pleurs. C'est pour toutes ces raisons que vous êtes inquiète, énervée, prête à pleurer.

Si ce *baby-blues* survient alors que vous êtes à la maternité, parlez-en au personnel médical. Les accoucheurs, les sages-femmes, les puéricultrices savent qu'un grand nombre de femmes peuvent vivre un moment difficile, et qu'il faut leur apporter un soutien particulier. Certaines puéricultrices laissent se reposer les mamans qui en ont besoin et leur proposent de garder leur bébé à la nurserie le temps que ces mères le souhaitent. Et certains hôpitaux ont des psychologues attitrés : les mères peuvent parler, exprimer leurs craintes, et se sentir entourées et comprises. Ces professionnels savent apporter chaleur et réconfort à des femmes qui doutent de leurs capacités maternelles. Lorsque la mère peut trouver une aide à la maternité, il y a des chances pour que la dépression ne s'installe pas.

WWW.MAMAN-BLUES.FR
L'association **maman blues** *s'adresse aux femmes qui éprouvent des difficultés à se sentir mère, qui s'attendaient à éprouver joie et bonheur et sont fatiguées et débordées par l'arrivée de leur bébé. Ce site, non médical, leur propose écoute, soutien et conseils.*

Si cela n'était pas le cas, et que vous continuiez à être déprimée après votre retour à la maison, ne restez pas seule. Voyez avec votre mari, votre compagnon, comment vous pouvez vous organiser pour vous reposer. Peut-être votre mère, une amie, une sœur, peuvent-elles venir vous aider pendant quelques jours. Parlez-en avec votre médecin traitant, ou la sage-femme, ou voyez avec la PMI s'il est possible de mettre en place une aide à domicile.

Vous pouvez aussi aller dans un groupe d'aide à l'allaitement (adresses p. 390). Rencontrer d'autres mères, les écouter, leur parler pourra vous redonner confiance. Il existe des lieux d'accueil enfants-parents. Là aussi renseignez-vous auprès de la sage-femme de la PMI, de la CAF. Et tâchez de rester en contact avec le psychologue que vous aurez vu à la maternité.

UN SENTIMENT DE VIDE

Cet accouchement, vous l'avez attendu avec quelle impatience ! Et maintenant que cet enfant que vous avez abrité et protégé vous a quittée, vous avez peut-être l'impression d'un vide à la fois physique et moral. C'est normal. Toutes les femmes qui viennent d'accoucher ressentent cette impression, plus ou moins marquée. Dans bien des cas, l'allaitement est une bonne chose dans la mesure où il permet aux liens de se renouer. Mais dans d'autres cas il peut être source de stress, surtout si le bébé ne tète pas bien.

Et puis, vous craignez de ne pas savoir vous occuper de cet enfant qui vous paraît si fragile. Dites-vous que votre intuition vous guidera avec une sûreté dont vous serez vous-même étonnée. Sachez aussi que votre enfant est plus solide que vous ne croyez, surtout si vous le laissez vous stimuler. Votre bébé peut vous aider.

Voici ce que nous a écrit Julie : « J'ai vécu pleinement ma grossesse. Attendre un enfant tellement désiré, ne faire qu'un avec lui, c'est une expérience merveilleuse et unique. Si bien que la séparation physique d'avec mon bébé a été un petit traumatisme psychologique. Plus de gros ventre, je ne le sentais plus bouger. Bien sûr, je pouvais tenir mon bébé dans mes bras, voir son visage, mais il n'était plus en moi. Et puis j'ai éprouvé un sentiment de grande inquiétude pour cet enfant que j'ai aimé dès les premiers instants : j'avais peur qu'il lui arrive quelque chose, alors qu'à l'intérieur de mon ventre, il était protégé. Ce sentiment d'attachement intense m'a submergé plusieurs jours, je pleurais sans cesse car je prenais conscience de la grande responsabilité qui m'attendait. Heureusement, mon mari m'a soutenue, rassurée. Aujourd'hui, tout est rentré dans l'ordre et chaque jour qui passe nous comble de bonheur. »

L'AMOUR MATERNEL A SOUVENT BESOIN DE TEMPS POUR S'EXPRIMER

Cette fragilité émotionnelle d'après l'accouchement s'accentue lorsque la mère n'est pas envahie dès le premier jour par l'amour maternel. Si cela vous arrive, ne croyez pas que vous soyez une mauvaise mère. L'amour maternel n'est pas toujours un coup de foudre. Il ne se développe souvent que peu à peu, semaine après semaine.

Prenez chaque jour un moment, après avoir baigné, nourri, changé votre bébé, pour vous asseoir près de lui, lui parler, lui sourire. Il est très sensible à votre présence. S'il pleure, ne fermez pas la porte de sa chambre, prenez-le dans vos bras. On vous dira que c'est une mauvaise habitude. Est-ce bien sûr ? Lorsqu'un bébé pleure, ce n'est pas par caprice. C'est qu'il a besoin d'une présence, et qu'on s'occupe de lui. Les pleurs, c'est sa manière d'appeler.

Lorsque votre enfant vous adressera son premier sourire, les moments difficiles que vous avez traversés seront oubliés. Lisez ces quelques lignes de France Quéré qui peut-être vous apaiseront : « Tu es là, et j'aime à te serrer dans mes bras, comme dans un songe. J'aime contenir ton épaule dans le creux de ma main, ton corps dans la courbe de mon bras. Voici : une conversation entre nous commence. Pendant des années nous allons bâtir ensemble le grand rêve exaucé ce matin. Notre imagination sera la reine, ta chambre le vert paradis. Nous rirons ensemble, nous jouerons, nous inventerons des histoires, notre vie sera poésie. Si ce n'est pas le bonheur, cela, qu'on me dise comment ça s'appelle » (*La Femme avenir*, France Quéré, Éditions du Seuil).

UNE VRAIE DÉPRESSION

Le plus souvent, le *baby-blues* disparaît en quelques jours. Plus rarement, mais quand même dans 10 % des cas, une vraie dépression du post-partum s'installe. Les symptômes sont plus marqués : la maman se sent triste, découragée, anxieuse, elle n'a plus le goût de s'occuper des tâches quotidiennes, parfois même elle n'arrive pas à s'intéresser à son bébé. D'autres troubles peuvent survenir : du sommeil, de l'appétit, de la vie sexuelle. Ces signes sont ceux d'une dépression qui ne disparaîtra pas toute seule. Malgré ces difficultés, certaines mamans hésitent à consulter ; elles pensent que ce qu'elles éprouvent est dû à la fatigue qui accompagne toute naissance ; parfois, elles se sentent coupables de ne pas éprouver la joie attendue, surtout lorsque la grossesse a été désirée. Et pourtant, il est important que la maman voie un médecin sans tarder qui pourra l'aider : accoucheur, généraliste, pédiatre de l'enfant, consultation de PMI, voire la consultation de l'hôpital le plus proche. Des médicaments, un soutien psychothérapeutique aideront la maman à retrouver un équilibre, à se sentir apaisée.

Écoutez ce que nous a écrit Christine : « Je me suis retrouvée devant un véritable gouffre. Je pleurais sans raison, j'étais terrifiée par les sentiments destructeurs et les pensées négatives qui m'envahissaient. J'ai cru que j'allais perdre la raison. J'ai vu un psychiatre qui m'a écoutée, sans me juger. Pourriez-vous dire à vos lectrices qu'une maman peut passer par des moments très difficiles, et s'en sortir. »

Six mois pour un bébé

Si vous avez une activité professionnelle, et que la date de reprise du travail dépend de votre décision, vous vous demandez peut-être quand la reprendre : tout de suite ? Un peu plus tard ? Qu'est-ce qui est meilleur pour l'enfant ? Pour vous-même ?

Il est difficile de donner un avis ; s'il est un domaine où le désir personnel, celui du couple, les possibilités financières interviennent, c'est bien celui-là. Les circonstances économiques actuelles rendent pour certaines le choix particulièrement difficile.

Des mères veulent retravailler tout de suite, le pouponnage ne les tente pas. D'autres désirent rester un moment chez elles et pour l'enfant et pour elles-mêmes, et elles le peuvent. D'autres le voudraient, mais cela ne leur est pas possible financièrement ou professionnellement.

Le congé postnatal est de dix semaines. Certaines mères s'arrangent pour y ajouter leur mois de vacances, ou un congé sans solde. Il y a maintenant la possibilité de reporter trois semaines du congé prénatal après l'accouchement. Faisons un souhait : que toutes les mères puissent bénéficier de six mois après la naissance. Le bébé pourrait s'adapter en douceur à sa nouvelle vie. De son côté, la mère aurait le temps de se remettre complètement, de souffler.

Les six premiers mois de la vie d'un enfant sont importants, il s'y passe des événements à ne pas manquer pour bien connaître son enfant, sa façon de s'exprimer, ses formidables capacités à réagir, mais aussi sa très grande dépendance. De plus, les connaissances actuelles sur le développement du tout jeune bébé, sur sa psychologie, sur la précocité des interactions parents-bébé, entraînent chez les mères qui vont reprendre leur travail doute, culpabilité, regret de passer à côté de moments précieux. Tout ceci n'est pas simple à concilier et à aménager. C'est pourquoi six mois de congé donneraient un vrai choix à toutes les mères sans déranger vraiment leur carrière. Ils donneraient à la mère et à l'enfant la possibilité d'un bon départ.

Et d'ailleurs, on pourrait envisager que le congé prévu puisse se partager entre le père et la mère, comme dans certains pays nordiques. Cela commence à se faire en France.

UN AUTRE BÉBÉ ?

Nos lectrices posent souvent la question : « Au point de vue médical, quel est l'intervalle idéal entre deux naissances ? » Bien sûr, il ne peut y avoir de réponse précise. Mais le bon sens dit qu'il est préférable que deux grossesses ne soient pas trop rapprochées. D'autre part, des études montrent que ce sont les bébés conçus entre dix-huit et vingt-quatre mois après la naissance précédente qui ont le moins de risque d'être de petit poids ou de naître prématurément. De plus comme environ 20 % des naissances ont lieu en France par césarienne, un délai d'un an avant une nouvelle conception est souhaitable afin que la cicatrisation de l'utérus soit complète.

D'ailleurs, la psychologie s'accommode bien de cet intervalle. Dans le cas cité plus haut, lorsque le nouveau bébé naîtra, l'aîné aura 2 ans 1/2 - 3 ans, âge réputé charmant. C'est souvent à ce moment-là que les parents se sentent prêts à accueillir un autre enfant.

Mais d'autres éléments pourraient, dans certains cas, modifier ces considérations, notamment l'âge des parents (p. 20). Au fur et à mesure que passent les années, les chances de devenir enceinte diminuent. Ainsi, il faut deux fois plus de temps pour concevoir un enfant à 35 ans qu'il n'en faut à 25. N'attendez pas trop.

La contraception après la naissance

Clore un livre sur la naissance par un chapitre sur la contraception peut sembler paradoxal. Et pourtant... Vous venez d'accoucher et vous êtes tout à la joie de cette naissance. La proximité de l'accouchement, les soins à votre bébé, l'absence de règles depuis 9 mois, vous ont fait oublier la question de la contraception. Mais, contrairement à ce que croient de nombreux couples, les suites de couches ne représentent pas une période toujours infertile. Que vous preniez un traitement anti-prolactine, ou que vous allaitiez complètement, ou tout simplement selon votre propre fonctionnement biologique, une ovulation est possible avant le retour de couches, entre 15 jours, 6 semaines, 6 mois... ou même plus, après l'accouchement.

C'est pourquoi nous vous conseillons d'aborder le sujet de la contraception avec le médecin ou la sage-femme dès la fin de la grossesse. Sinon vous en parlerez au cours du séjour à la maternité. Notez que si vous avez bénéficié d'une aide médicale à la procréation, et que vos cycles sont irréguliers, voire s'il y a une absence de règles, cela ne certifie pas qu'une ovulation soit absolument impossible. Et même des trompes non fonctionnelles n'empêchent pas totalement une grossesse.

Le choix d'un moyen de contraception va dépendre de vos souhaits personnels : désirez-vous être à nouveau enceinte sans trop attendre (tout en sachant que médicalement il est préférable de laisser passer un an entre l'accouchement et la grossesse suivante), ou non ? Est-ce que le moyen de contraception que vous utilisiez jusqu'à maintenant vous satisfaisait ou préféreriez-vous en changer ? Il est de toute façon important de connaître les méthodes utilisables dans les semaines qui suivent la naissance, d'autant plus qu'il est difficile de prévoir à l'avance si votre compagnon et vous-même souhaiterez reprendre assez vite votre vie amoureuse. Les femmes, les couples, n'ont pas tous envie d'avoir des rapports sexuels rapidement après la naissance. Ils préfèrent exprimer autrement les besoins de tendresse, le plaisir.

LES SEMAINES QUI SUIVENT L'ACCOUCHEMENT

Qu'il y ait allaitement ou pas, la période des suites de couches (les 6 à 8 premières semaines) est à part : la tonicité du vagin, la taille de l'utérus et le processus d'involution (p. 392 *Le retour de l'utérus à la normale*) qui entraîne des contractions, sont à prendre en compte. C'est pourquoi diaphragme, cape, anneau vaginal et stérilet ne sont pas recommandés. Il est également souhaitable d'attendre 3 semaines après l'accouchement pour commencer la contraception hormonale (pilule, implant, patch, anneau vaginal). Certains médecins ou sages-femmes la prescrivent dès le retour à la maison ; il faut alors savoir que les hormones prises avant le retour de couches entraînent plus facilement des saignements irréguliers.

En fonction de votre mode de vie, de vos souhaits, le médecin ou la sage-femme étudiera avec vous ce qui est envisageable. Et d'autres moyens de contraception peuvent être utilisés pendant cette période, voyez le tableau page suivante.

QUEL MOYEN DE CONTRACEPTION UTILISER APRÈS L'ACCOUCHEMENT ?

Moyens de contraception	Mode d'allaitement		À partir de quel moment après la naissance		
	Allaitement maternel	Allaitement artificiel	Premiers jours après la naissance	Après 3 semaines	Après 6 semaines
Micropilule progestérone	oui	oui	éviter	oui	oui
Minipilule œstroprogestative ou patch	non	oui	éviter	oui	oui
Stérilet	oui	oui	non	éviter	oui
Implant	éviter	oui	éviter	oui	oui
Anneau vaginal	non	oui	éviter	non	oui
Diaphragme ou cape	oui	oui	non	non	oui
Préservatif	oui	oui	oui	oui	oui
Spermicides seuls	Oui, selon les produits utilisés	oui	non	non	oui
MAMA*	oui	non	oui	oui	oui
Retrait	Peu efficace	Peu efficace	Peu efficace	Peu efficace	Peu efficace

* Selon des critères stricts (p. 409)

Source HAS (Haute Autorité de Santé)

LES DIFFÉRENTS MOYENS DE CONTRACEPTION

Voici une revue des différents moyens de contraception, des plus anciens et dits « naturels » aux plus modernes et hormonaux, certains très efficaces, d'autres moins.

LE RETRAIT

La méthode consiste à interrompre le rapport avant l'émission du sperme (ou éjaculation). Cette méthode n'est pas adaptée lorsqu'il y a des rapports successifs et elle est peu fiable.

LA MÉTHODE DE LA TEMPÉRATURE

La courbe de température permet de connaître la date de l'ovulation et les périodes de fécondité (chap 1). Cette contraception est peu fiable après l'accouchement car la période ovulatoire est difficilement repérable avant le retour de couches.

LA MAMA (Méthode de l'Allaitement Maternel et de l'Aménorrhée)

La prolactine secrétée pendant l'allaitement bloque l'ovulation avec certaines conditions :
• vous allaitez exclusivement, sans donner aucun complément, ni d'eau, ni de lait
• le sein est stimulé par la succion du bébé ou par une excrétion au tire-lait au moins 6 fois par 24 heures
• l'espace entre deux tétées ou stimulations ne dépasse jamais 6 heures
• vous n'avez pas eu de retour de couches.

Si vous avez un rapport sexuel et que votre bébé espace ses tétées de plus de 6 heures, ou tète moins de 6 fois dans les 24 heures dans les 5 jours suivants, vous devez stimulez vos seins pour revenir à ce schéma des 6 tétées et moins de 6 heures entre elles : ceci pour empêcher une ovulation de survenir tant que les spermatozoïdes peuvent être encore actifs (environ 5 jours, exceptionnellement une semaine). Si les règles surviennent, prenez une pilule contenant exclusivement de la progestérone (voir plus loin).

Cette méthode de la MAMA est sûre si vous respectez ce principe de 6 tétées, au moins toutes les 6 heures, les 6 premiers mois, sans règles et si, en cas de changement de schéma, vous suivez les précautions mentionnées ci-dessus.

LE PRÉSERVATIF MASCULIN

Ses avantages principaux sont sa totale innocuité (il en existe aujourd'hui sans latex) et sa facilité d'emploi au cours du rapport lui-même. En plus, il diminue fortement le risque de MST (maladies sexuellement transmissibles) Ses inconvénients sont d'être mal accepté par un certain nombre d'hommes et surtout d'entraîner 5 à 8 % d'échecs. Ceux-ci sont exceptionnellement dus à une rupture du préservatif dont la fabrication est soigneusement contrôlée. Les échecs sont plutôt le fait d'une mauvaise utilisation :
• emploi de préservatifs à la seule période présumée féconde du cycle, celle-ci étant mal calculée
• mise en place trop tardive juste avant l'émission du sperme
• retrait trop tardif après l'éjaculation.

Malgré tout, le préservatif reste un bon moyen de contraception. Par ailleurs, on peut augmenter son efficacité par l'utilisation conjointe, par la femme, d'un produit spermicide. Enfin, à cette période des suites de couches, l'usage de préservatifs autolubrifiants peut faciliter des rapports parfois difficiles.

LES SPERMICIDES

Ils ont pour propriété d'immobiliser les spermatozoïdes. Ils se présentent sous des formes diverses et sont composés de deux produits différents : le benzalkonium, compatible avec l'allaitement maternel, et le nonoxynol-9 qui passe dans le lait maternel et n'est donc pas recommandé pendant l'allaitement. Ils sont disponibles en pharmacie sans ordonnance.

• Les crèmes, gels et mousses sont surtout destinés à être utilisés avec un diaphragme ou comme méthode d'appoint au préservatif masculin pour en améliorer l'efficacité.

• Les ovules, de mise en place très facile, fondent tout seuls dans le vagin, mais il faut impérativement les renouveler (comme les spermicides) en cas de nouveau rapport. Les tampons ou éponges sont efficaces pendant 24 heures et permettent ainsi des rapports rapprochés et répétés. Par contre, ils ont l'inconvénient de devoir être retirés au bout de 24 heures.

L'efficacité des spermicides est bonne à condition de respecter leur mode d'emploi, et d'éviter l'usage du savon et des bains moussants qui annulent leur action. Si l'on veut faire une toilette après le rapport, il faut utiliser des savons ou produits spéciaux faits par les fabricants de spermicides. Certaines femmes sont rebutées par les manipulations nécessaires (comme pour les autres moyens locaux de contraception).

LE DIAPHRAGME (OU LA CAPE)

Le diaphragme est un appareil en latex, en forme de petite coupe, que la femme place elle-même dans le vagin. Il présente ainsi, dans le fond du vagin, un obstacle à l'ascension des spermatozoïdes. On le recouvre d'une crème ou d'une gelée spermicide afin de doubler la barrière mécanique d'une protection chimique. Moins utilisés pendant plusieurs années, le diaphragme est à nouveau « à la mode » (on le trouve facilement sur internet). La cape est plus petite et se place directement sur le col. Comme pour le diaphragme, il existe différentes tailles et c'est la sage-femme ou le médecin qui vous prescrira celle qui vous va. Diaphragme et cape ne sont efficaces que lorsque les organes génitaux sont revenus à la normale, c'est-à-dire au moins 6 semaines après l'accouchement. La visite postnatale vous le confirmera.

LE STÉRILET

Appelé aussi dispositif intra-utérin (DIU), le stérilet est recouvert de progestérone ou d'un fil de cuivre. Il doit être changé tous les 4 à 5 ans. Le cuivre perturbe le pouvoir fécondant des spermatozoïdes et rend la glaire cervicale moins perméable aux spermatozoïdes.

L'insertion du stérilet ne peut être pratiquée que par un médecin ou une sage-femme (dans la pratique la pose est le plus souvent effectuée par un médecin); elle ne nécessite ni hospitalisation ni anesthésie, elle est quasiment indolore. Elle se fait de préférence à la fin des règles. Au stérilet est attaché un fil qui sort du col et que vous pouvez sentir dans le vagin avec le doigt. Ceci vous permet de contrôler que votre stérilet est bien en place. Le stérilet entraîne parfois des pertes de sang irrégulières pendant quelques semaines. Son efficacité est excellente puisqu'on compte à peine 1 à 2 % de grossesses avec les stérilets au cuivre et moins de 1 % avec le stérilet à la progestérone.

Un grand avantage du stérilet est de ne nécessiter aucun soin particulier, aucune précaution. Il a toutefois aussi des inconvénients :

• dans 5 % des cas, le stérilet est expulsé

• en cas d'infection des trompes ou de l'utérus, qui se manifestent en général par des saignements ou des douleurs, il est absolument nécessaire de l'enlever et de prendre le relais avec un autre moyen de contraception.

Placer un stérilet dans les suites de couches immédiates ne se fait pas en pratique courante. Le médecin évaluera cette possibilité en fonction de votre histoire personnelle et médicale.

LA CONTRACEPTION HORMONALE (PILULE, IMPLANT, PATCH, ANNEAU)

Les moyens de contraception hormonale sont efficaces pour empêcher la fécondation mais ils ne sont pas tous utilisables dans les suites de couches (p. 408). La contraception hormonale est délivrée sur ordonnance d'un médecin ou d'une sage-femme car il y a de rares contre-indications et des précautions d'emploi que nous décrivons plus loin.

LA PILULE

La pilule est composée d'hormones normalement sécrétées par l'ovaire au cours du cycle, l'œstrogène et la progestérone. Le dosage et la répartition entre œstrogène et progestérone diffèrent selon les marques et ces différences peuvent permettre à chaque femme de trouver l'équilibre qui lui convient le mieux pour éviter ou limiter d'éventuels effets secondaires (nausées, augmentation de l'appétit, saignements). Certaines pilules ne contiennent que de la progestérone (micropilule). Le dosage hormonal de chaque comprimé empêche la maturation du follicule et donc l'ovulation ((sauf Microval®, voir plus loin). L'efficacité du blocage dépend du dosage du comprimé et du moment où il est pris. Ceci est important à connaître en cas d'oubli de prise de pilule, nous en reparlons plus loin.

Les minipilules ou pilules œstroprogestatives

Elles sont composées d'œstrogène et de progestérone. Elles sont contre-indiquées pendant l'allaitement.
• Il y a les pilules « monophasées » : tous les comprimés de la plaquette sont de la même couleur et contiennent un dosage identique d'œstrogène et de progestérone. Les comprimés sont donc interchangeables : vous pouvez avoir une ou deux plaquettes de secours (au bureau ou dans votre sac) pour pallier un oubli. L'essentiel est la prise régulière.
• Il y a les pilules « bi et triphasées » : la plaquette comporte des comprimés de couleur différente correspondant aux deux ou trois dosages d'œstrogène et/ou de progestérone différents ; ceci pour se rapprocher le plus possible d'un cycle sans pilule. Ce schéma convient bien à certaines femmes, moins à d'autres :
- ces pilules entraînent parfois des saignements irréguliers
- il n'est pas possible de remplacer un comprimé par n'importe quel autre de la plaquette : une ovulation deviendrait possible.
À noter : la femme prend un comprimé par jour, soit pendant au moins 3 semaines du cycle (21 jours), soit pendant tout le cycle (28 jours). En effet il existe :
• des plaquettes de 21 comprimés avec 7 jours d'arrêt
• des plaquettes de 28 comprimés (dont 7 comprimés ne contiennent pas de produit actif) : on commence une nouvelle plaquette dès le lendemain du jour où on a arrêté. Avec ce schéma, il n'y a pas d'arrêt de prise de pilule, et donc moins de risque d'oubli.
• des plaquettes de 25 comprimés (triphasées) avec 4 comprimés sans produit (donc inactifs) et seulement 3 jours sans prise.
Vous verrez avec le médecin ou la sage-femme le type de pilule qui vous convient le mieux.

Les micropilules

Elles ne contiennent que de la progestérone et pas d'oestrogènes. Elles sont prescrites pendant l'allaitement ou en cas de contre-indication aux oestrogènes. Elles sont parfois responsables de saignements irréguliers. Il existe deux types de micropilule avec des dosages différents en progestérone :

• l'une est faiblement dosée (Microval®) : le cycle n'est pas bloqué mais la glaire est modifiée, ce qui empêche les spermatozoïdes de passer le col et la muqueuse utérine ne permet pas la nidation. Le comprimé est actif pendant 27 heures, la prise doit être très régulière, avec moins de 3 heures d'écart d'un jour à l'autre.

• Une autre micropilule (Cérazette®) est plus dosée : elle bloque l'ovulation et agit aussi sur la glaire et la muqueuse utérine. Le comprimé est actif pendant 36 heures.

Les plaquettes contiennent toujours 28 comprimés, tous de la même couleur et tous actifs avec le même dosage de progestérone, à prendre sans interruption.

Que faire en cas d'oubli de prise de pilule?

Ou si la diarrhée ou des vomissements surviennent dans les 4 heures suivant la prise.

• Prendre le comprimé oublié (ou le comprimé suivant s'il s'agit d'un problème digestif) le plus tôt possible et vérifier sur le mode d'emploi la marge de sécurité existante. Avec la micropilule faiblement dosée, vous devez avoir moins de 3 heures de décalage. Avec la plupart des autres, vous avez 12 heures. Si vous êtes dans la marge de sécurité, vous reprendrez le comprimé suivant à l'heure habituelle, même si cela vous fait prendre deux comprimés de façon rapprochée.

• Si vous êtes au-delà de la marge de sécurité, et si vous avez eu un rapport dans les 5 jours qui précèdent l'oubli, le risque de grossesse dépend du moment du cycle.

Le risque est important dans ces 3 cas :
- vous oubliez de reprendre le 1er comprimé de la nouvelle plaquette
- l'oubli a lieu dans la 1ere semaine de la nouvelle plaquette
- l'oubli a lieu au début de la 3e semaine de la plaquette

Dans ces cas la pilule du lendemain est nécessaire. Dans toute la mesure du possible consultez le médecin ou la sage-femme.

Il n'y a pas de risque si l'oubli a lieu dans la 2e semaine de plaquette et en fin de 3e semaine :
- si vous étiez dans la 2e semaine, continuez votre plaquette, sans autre oubli et utilisez un autre moyen de contraception (préservatif, diaphragme, spermicides) pendant 7 jours. Au bout de 7 jours, sans oubli, le cycle sera à nouveau bloqué et vous serez à nouveau protégée ;
- si vous étiez en fin de 3e semaine, enchaînez directement avec la plaquette suivante, sans interruption et sans prendre les comprimés inactifs. Les comprimés inactifs n'existent que dans les plaquettes de 25 ou 28 comprimés avec des couleurs différentes.

• Si vous n'avez pas eu de rapport dans les 5 jours qui précèdent l'oubli de la prise de pilule, poursuivez votre plaquette en utilisant un autre moyen de contraception pendant 7 jours.

S'il vous est arrivé plusieurs fois d'oublier de prendre un ou plusieurs comprimés, ce moyen de contraception n'est peut-être pas adapté à votre façon de vivre. Parlez-en au médecin ou à la sage-femme.

MINIPILULE ET MICROPILULE

Vous pouvez avoir des rapports sans risque dès le premier jour de pilule (prise le premier jour des règles). Et vous êtes à l'abri d'une grossesse même pendant les 7 jours d'interruption entre deux plaquettes.

Si vous commencez la pilule après le 21e jour après la naissance, et avant le retour de couches, vous ne serez protégée qu'après 7 jours de prise sans oubli. Si vous avez des rapports pendant cette période des 7 premiers jours, utilisez des préservatifs.

Vous pouvez prendre la pilule pendant plusieurs années à condition de faire pratiquer un examen médical de contrôle au moins une fois par an.

• Certaines pilules sont remboursées, d'autres non. Quelques régions ont mis en place un « pass contraception » qui permet un accès gratuit à la contraception, aux consultations et aux examens biologiques pour les jeunes de moins de 25 ans.

• Le **millepertuis**, utilisé par exemple en phytothérapie, peut diminuer l'efficacité de la pilule.

IMPLANT, PATCH, ANNEAU

L'implant ne contient qu'une seule hormone (la progestérone). Il s'agit d'un bâtonnet (une petite allumette) que l'on implante sous la peau du bras. L'implant reste actif pendant quatre ans et il est efficace à 100 %. Son inconvénient réside dans la possibilité (10 à 20 %) de saignements irréguliers et intempestifs. Comme toutes les contraceptions hormonales, il est préférable de ne poser un implant que quelques semaines après l'accouchement ; mais certains services de maternité acceptent de le poser avant la sortie.

Le patch contraceptif est identique au patch anti-nicotine. Il repose sur le principe d'administration d'hormones (comme la pilule œstroprogestative) mais qui s'absorbent par la peau et non par la bouche. Le patch se pose sur la peau, on le change au bout d'une semaine et cela pendant trois semaines. Ensuite, il y a un arrêt d'une semaine. Il est contre-indiqué pendant l'allaitement.

L'anneau intra-vaginal est placé par la femme dans le vagin et il est laissé en place trois semaines. Il s'enlève pendant une semaine (où surviennent les règles) et il est remplacé par un nouvel anneau après cet arrêt. Lui aussi repose sur la libération d'hormones absorbées par le vagin. Il est efficace, bien toléré et n'empêche pas des traitements locaux si nécessaire (infection vaginale par exemple). Il est contre-indiqué pendant l'allaitement.

• L'oubli du patch dans la 1ère ou la 3ème semaine, l'oubli de l'anneau dans la 1ère semaine, comportent les mêmes risques de grossesse qu'un oubli de pilule à ces périodes (voyez page précédente).

LES CONTRE-INDICATIONS À LA CONTRACEPTION HORMONALE

• Pour les produits contenant des oestroprogestatifs

- Le risque principal est **vasculaire** : si vous avez déjà eu une phlébite (thrombophilie), si vous êtes porteuse d'une anomalie génétique responsable d'une maladie thromboembolique – ou s'il y a un risque familial ; en cas d'hypercholestérolémie. Par ailleurs, le médecin ou la sage-femme tiendront compte des facteurs personnels pouvant aggraver le risque vasculaire : surpoids, tabagisme, sédentarité ; également avant une intervention chirurgicale imposant un repos allongé, et un long voyage en avion.

- Certaines cardiopathies, l'hypertension, le diabète, selon son stade d'évolution

- Certains traitements.

• Les produits ne contenant que de la progestérone faiblement dosée ne sont pas contre-indiqués en cas de risque vasculaires ou de diabète, mais le sont en cas de maladie de foie (hépatite en cours, par exemple).

QUE SE PASSE-T-IL À L'ARRÊT DE LA CONTRACEPTION HORMONALE ?

Le premier cycle qui suit l'arrêt de la contraception hormonale est souvent un peu plus long avec une ovulation retardée. Si vous ne souhaitez pas être enceinte, prenez d'autres précautions que les précautions habituelles. Ce sont d'ailleurs ces troubles de l'ovulation avec risques de grossesse qui sont à l'origine d'une légende : la femme serait plus féconde après arrêt de la pilule. Ce qui est inexact. On conseille généralement d'attendre deux cycles pour que l'appareil génital reprenne son fonctionnement normal mais aucune anomalie n'a été constatée quand la grossesse survient dès l'arrêt de la pilule.

La pilule du lendemain ou contraception d'urgence

La marque la plus utilisée en France (délivrée sans ordonnance) se prend sous forme d'un comprimé. Au-delà de 72 heures suivant un rapport non protégé, la pilule est inefficace. Il existe une autre contraception d'urgence, uniquement sur prescription médicale, inefficace au-delà de 5 jours. Quelle que soit la pilule utilisée, les effets secondaires sont souvent importants : nausées, vomissements, douleurs abdominales et saignements plus ou moins abondants pouvant faire croire que les règles surviennent. Il est préférable de faire un test sanguin de grossesse une semaine après le rapport. La pilule du lendemain n'est pas efficace à 100 %. Plus elle est prise tôt, moins il y a de risque que la grossesse se développe.

LA STÉRILISATION : UNE CONTRACEPTION DÉFINITIVE

La stérilisation à visée contraceptive est autorisée. Un délai de réflexion de 4 mois, avant la stérilisation, est obligatoire. Parmi les procédés de stérilisation, la technique Essure® est la plus utilisée depuis quelques années. Il s'agit d'un procédé de stérilisation par voie hystéroscopique, qui consiste à déposer des microimplants à l'entrée des trompes de Fallope. Cette technique se pratique en milieu hospitalier, public ou privé, et en ambulatoire (entrée et sortie le même jour), sans anesthésie générale et elle ne nécessite pas d'incision, donc pas de cicatrice.

En effet, le principe du procédé Essure® est le même que celui de la ligature des trompes : boucher les trompes pour empêcher la fécondation de l'ovule par un spermatozoïde. Mais au lieu d'accéder aux trompes en pratiquant une coelioscopie (p. 239), le médecin passe par les voies naturelles : le vagin, puis l'utérus, d'où le nom de stérilisation « hystéroscopique » (voir dans l'utérus). L'intervention ne dure pas plus d'une demi-heure et ne nécessite pas d'arrêt de travail au-delà d'une journée. Elle est prise en charge à 100 %. La contraception est alors définitive car le procédé est irréversible.

EN CONCLUSION

Vous l'avez vu, chaque méthode de contraception a des avantages et des inconvénients, et votre choix sera la conséquence d'un compromis. Le médecin ou la sage-femme vous conseillera et vérifiera s'il existe d'éventuelles contre-indications.

En fait, dans de nombreux cas, ce qui rend le choix difficile, c'est moins l'hésitation entre les avantages et les inconvénients des différents moyens de contraception qu'une certaine réticence à la contraception elle-même. Les causes de cette résistance sont nombreuses et complexes : crainte de la nocivité d'une ingestion régulière d'hormones, présence d'un « corps étranger » dans l'utérus, sentiment de culpabilité devant la possibilité d'avoir une vie sexuelle sans risque, convictions religieuses. Ces réticences existent chez toutes les femmes, à des degrés divers. C'est important d'en prendre conscience car ce sont ces réticences qui expliquent la plupart des échecs de la contraception. Ils tiennent, en effet, moins aux limites de telle ou telle méthode qu'à sa mauvaise utilisation. C'est ainsi que les grossesses survenues alors que la femme prend la pilule sont le plus souvent dues à un oubli (plus ou moins volontaire) ou à un arrêt de sa prise, par lassitude notamment. On voit alors que la question n'est pas celle de la meilleure méthode de contraception mais plutôt celle du degré d'adhésion de la femme et du couple.

À bientôt

Chère lectrice, cher lecteur, pendant neuf mois nous avons partagé avec vous cette merveilleuse aventure de la grossesse. Cette période si particulière de la vie d'une femme, d'un homme, est exceptionnelle, surtout lorsqu'il s'agit du premier enfant. Vos lettres, écrites avec chaleur et confiance, nous le disent tous les jours.

Maintenant votre bébé est né. Nous espérons vous retrouver autour de *J'élève mon enfant*, un livre écrit pour vous accompagner dans les premières années de la vie de votre enfant, pour vous parler de lui, semaine après semaine, pour faire avec vous sa connaissance, vous raconter ses possibilités. Vous les découvrirez, bien sûr, mais elles ne sont pas toujours apparentes, à telle enseigne que certaines n'ont été perçues que ces dernières années : votre enfant va reconnaître des sons qui lui étaient déjà familiers dans son monde utérin, votre voix, celle de son père, le bruit de la clé dans la serrure. Il s'était habitué à vos pas, au mouvement de votre corps montant l'escalier. Il va maintenant retrouver ces bruits, ces gestes, ce balancement, en étant dans vos bras.

Votre bébé va être dépendant de vous, dans tous les domaines, pendant de nombreux mois, et cette totale dépendance va vous bouleverser, vous attendrir et vous lier plus vite, plus fort que vous ne l'auriez imaginé. Et dans le même temps, il va témoigner d'étonnantes « compétences » à s'éveiller au monde et aux relations avec son entourage. Alors, nous vous laissons à votre joie, à votre bébé, à vos découvertes réciproques.

Au revoir et à bientôt !

17 Mémento pratique

Vous attendez un enfant
Les premières démarches,
les premières questions pratiques

C'est à toutes ces questions et à bien d'autres que nous allons répondre dans ce chapitre dont voici les principales rubriques :

● Un prénom bien choisi. Est-on libre de choisir n'importe quel prénom pour son enfant ? Quels sont les prénoms le plus souvent donnés aujourd'hui ? (pp. 419-420).

● Qu'emporter à la maternité ? (p. 421).

● Ce dont votre bébé aura besoin. Composition de la layette. Choisir le berceau, le lit, la poussette. Les produits nécessaires pour la toilette. (p. 422 et suiv.).

● Vous êtes enceinte : les démarches administratives et les formalités (p. 427).

● L'assurance maternité : comment en bénéficier ? La déclaration de grossesse et les visites médicales obligatoires. Le remboursement des frais de soins (pp. 428 et suiv.).

● À savoir si vous travaillez (p. 432).

● Les congés avant et après la naissance : congé de maternité, de paternité, d'adoption, le régime des exploitantes agricoles et des femmes exerçant une activité indépendante (pp. 434 et suiv.).

● Les formalités après la naissance (p. 438).

● Qui va garder votre enfant ? Assistantes maternelles, crèches, autres modes de garde (pp. 440 et suiv.).

● Si vous êtes seule (p. 444).

● La PMI joue un rôle important auprès des futurs parents et des parents (p. 445).

● Des informations juridiques : filiation et reconnaissance de l'enfant, nom de famille. Mariés ? Non mariés ? L'autorité parentale. En cas de séparation des parents. L'accouchement anonyme (pp. 446 et suiv.).

● Les prestations familiales (pp. 453 et suiv.).

● Quelques adresses (p. 461).

● Les lectrices et les lecteurs belges , luxembourgeois et suisses, ceux habitant au Québec et dans les pays du Maghreb trouveront pages 463 et suivantes des renseignements sur la protection de la maternité dans leur pays.

UN PRÉNOM BIEN CHOISI

Bien avant la naissance, le choix du prénom est un sujet très discuté dans les couples. C'est d'ailleurs une de leur première décision de parents. Certains se décident rapidement quand d'autres font des listes et hésitent jusqu'au dernier moment. Parfois l'entourage s'en mêle, donne son avis, plus ou moins bien accepté… La place que prend ce choix du prénom se comprend : celui-ci est un élément important de notre personnalité, il nous appartient, nous caractérise, il a une signification. Nous avons tous un avis sur celui que nous avons reçu (« Je l'aime beaucoup », « J'aurais préféré un prénom plus – ou moins – original …»). Ceratins parents, qu'ils connaissent ou non le sexe de leur bébé, préfèrent avoir un choix de plusieurs prénoms pour donner à leur enfant celui qui lui ira le mieux lorsqu'ils le verront.

Entre tradition et originalité

Les anciennes générations privilégiaient les prénoms classiques, traditionnels, familiaux, issus du calendrier, de la Bible ou de l'histoire du pays. On donnait le prénom du père, d'une grand-mère, d'un oncle disparu à la guerre, des parrains et marraines. La Révolution avait vu naître des Liberté, des Égalité, des Kléber, des Marceau, la guerre de 14-18 des Fochette, des Joffrette, et même des Verdun pour les garçons ! Après la seconde guerre mondiale, la libération a introduit la vague des prénoms américains. Mais les originalités étaient rares, l'officier d'état civil pouvait refuser à la déclaration d'un prénom qui lui semblait inacceptable.

Les choix d'aujourd'hui ont encore très souvent des liens **familiaux, amicaux, religieux, littéraires.**

• Certains parents sont heureux de donner le prénom d'un ami cher, d'un parent venu d'un autre pays, de se souvenir d'un événement heureux.

• Les familles catholiques privilégient des prénoms du Nouveau Testament : Pierre, Paul, Marie, Anne. Les familles protestantes et juives choisissent souvent des prénoms tirés de l'Ancien Testament : David, Simon, Sarah, Jérémie, Samuel ou Isaac. Les familles musulmanes s'inspirent du Coran, Aïcha, Zaynab, Mohammed, Bilal.

• En prénommant leurs enfants Oriane, Ysé, Manon, Tristan, Ulysse, Yorick, les parents manifestent leurs goûts littéraires.

• La vogue de l'écologie a mis à l'honneur les noms de fruits ou de fleurs et l'attachement à une région (Corse, Bretagne, etc.) suscite des petits Colomban et des petites Iseult ou Lorraine.

Les possibilités de choix sont aujourd'hui très grandes et bien des parents souhaitent donner à leur enfant un prénom original, voire excentrique : prénoms inventés, inspirés de célébrités, puisés dans la nature. On observe également un retour à des prénoms désuets, une autre forme d'originalité en quelque sorte. Le choix est immense, et pourtant sachez que seuls dix prénoms (pour chaque sexe) désignent entre un quart et un tiers des nouveau-nés, et que vingt ans plus tard, aucun de ces prénoms ne sera plus à la mode !

● Un prénom pour la vie

Votre enfant va porter son prénom toute sa vie : pensez-y au moment où vous faites votre choix. Il devra le prononcer et l'entendre des milliers de fois à l'école et plus tard. D'ailleurs aujourd'hui , à l'instar des anglo-saxons, on recourt facilement à l'usage du prénom, qu'il s'agisse de rapports individuels ou de relations professionnelles.

Le prénom est une sorte de cadeau que les parents font à l'enfant à sa naissance (les Anglais d'ailleurs disent *given name*, nom donné) et ce cadeau, il faut que les parents aient vraiment plaisir à l'offrir et que l'enfant soit plus tard heureux de l'avoir reçu.

Alors n'hésitez pas à en parler autour de vous, avant d'arrêter définitivement votre choix. Mais souvent, c'est la première idée, la vôtre, qui vous semblera la meilleure. Après avoir recueilli les avis des autres, faites confiance à votre propre jugement de parents.

● Un ou plusieurs prénoms ?

C'est une question de tradition et de pays. Il y a des familles où l'on donne trois prénoms, quatre, voire plus, et d'autres un seul. Le choix est souvent affectif, on est heureux de rappeler les prénoms des grands-parents, ou parfois amical, on donne le prénom de sa meilleure amie. Si les parents sont de nationalités différentes, cela permet de nommer l'une et l'autre..

Le choix et la loi

● **Tous les prénoms sont-ils admissibles ?**

Nous sommes loin de l'époque où seuls étaient autorisés les prénoms du calendrier, et où les prénoms d'origine étrangère n'étaient admis qu'à condition de justifier d'une origine familiale.

La loi du 8 janvier 1993 laisse une grande liberté dans le choix du prénom. Les officiers d'état civil ne doivent saisir le procureur de la République que s'ils estiment que le prénom choisi risque d'être ridicule pour l'enfant, soit à lui seul, soit associé aux autres prénoms ou au nom de famille. Le procureur pourra transmettre le dossier au juge aux affaires familiales qui décidera ou non de supprimer le prénom et même de le remplacer d'office si les parents ne le font pas.

Dès sa naissance, c'est ainsi l'intérêt de l'enfant qui est privilégié, comme toute mesure le concernant jusqu'à sa majorité. L'intérêt supérieur de l'enfant prime sur la liberté de choix des parents.

● **L'enfant pourra-t-il faire modifier son prénom ?**

Soit pendant sa minorité, par l'intermédiaire de ses parents, soit devenu adulte, le titulaire du prénom a le droit de présenter une requête au tribunal de grande instance, devant le juge aux affaires familiales, s'il estime que le prénom qui lui a été donné est tombé en désuétude, ou lorsqu'un prénom étranger a été simplifié ou francisé, ou plus généralement s'il justifie d'un intérêt légitime. Il convient cependant de prouver un usage prolongé et antérieur du prénom que l'on désire alors adopter.

Depuis la loi du 17 mai 2011, il est devenu possible de demander l'inversion des prénoms.

De plus en plus souvent les demandes de modification de prénom ont pour but de supprimer le second prénom ou les suivants sous prétexte que leurs porteurs n'en font pas usage et que ces prénoms, qui correspondent à ceux d'ascendants, sont devenus désuets voire ridicules.

Dans tous les cas, l'avis du procureur sera demandé : celui-ci peut ne formuler aucune observation ; le juge aux affaires familiales rendra sa décision au simple vu du dossier qui comporte attestations, justificatifs de l'usage, etc... Mais le procureur peut aussi estimer que ce changement peut être lourd de conséquences (suppression de tous les prénoms initiaux par exemple, retour à un prénom étranger après francisation du prénom, requêtes présentées par les parents au nom d'un enfant mineur en âge d'être entendu, etc.)

L'examen des demandes de changements de prénom soumises aux tribunaux révèle que certaines personnes ont successivement demandé la francisation de leur prénom puis le retour au prénom d'origine, ou l'ajout du prénom d'origine au prénom francisé. Après des délibérations permettant d'apprécier les intérêts de tous (intérêt du prénom d'origine et risques de discrimination par exemple), les décisions des juges s'efforcent de prendre en considération chacun des cas si bien qu'il est impossible d'indiquer une règle générale.

● Il peut arriver que l'administration de la maternité commette une erreur en inscrivant le prénom de l'enfant à sa naissance. La demande de rectification doit être faite auprès du procureur de la République, mais ne nécessite pas d'action judiciaire.

Ce que disent nos sondages

Nous avons fait des sondages pour savoir quels étaient en ce moment les prénoms le plus souvent choisis. La tendance est aux prénoms courts (deux syllabes, parfois une), se terminant par « a » chez les filles (Eva, Anna) et par « o » chez les garçons (Hugo, Enzo). Les prénoms composés deviennent rares.

● **Prénoms souvent donnés**

Pour les filles : Abigaël, Alice, Alienor, Anaïs, Anouk, Aurélie, Célia, Chloé, Clara, Emma, Eva, Flavie, Inès, Jade, Léa, Léna, Line, Lisa, Lola, Lou, Lucie, Maeva, Margaux, Manon, Marie, Océane, Pauline, Sarah.

Pour les garçons : Alexandre, Axel, Antoine, Baptiste, Benjamin, Clément, Enzo, Gabriel, Hugo, Léo, Louis, Lucas, Martin, Mathis, Maxime, Nathan, Nicolas, Olivier, Raphaël, Romain, Theo, Thomas, Tom.

● **Prénoms d'hier qui sont de nouveau à la mode**

Adèle, Angèle, Blanche, Céleste, Charlotte, Clémence, Garance, Hélène, Héloïse, Jeanne, Joséphine, Justine, Léopoldine, Louise, Léone, Léonie, Mathilde, Mélanie, Rosalie, Ursule.

Adrien, Anatole, Antonin, Armand, Arthur, Aubin, Auguste, Augustin, Balthazar, Basile, Casimir, Eloi, Emile, Eugène, Léon, Octave, Gabriel, Gaspard, Jules, Lucien, Marius, Max, Oscar, Paul, Victor.

● **Quelques prénoms mixtes** : Alix, Alex, Ange, Camille, Charlie, Clarence, Loïs, Maé, Mael, Noa, Noha

● **Quelques prénoms composés** : Anna-Charlotte, Anna-Lise, Marie-Amélie, Marie-Lou, Lou-Anne, Lisa-Marie ; Jean-Baptiste, Léo-Paul, Marc-Antoine, Pierre-Antoine, Pierre-Louis.

● **Prénoms d'héroïnes ou de héros de la littérature**

Alice, Bérénice, Cassandre, Élise, Eugénie, Fanny, Juliette, Ninon, Ophélie, Oriane, Pénélope, Roxane ; Achille, Hippolyte, Julien, Quentin, Robinson, Solal, Tristan, Ulysse, Virgile.

● **Prénoms venus d'ailleurs**

d'Espagne et d'Italie : Angela, Anna, Carla, Chiara, Laetitia, Lina, Lucia, Luna, Maia, Maria, Olivia ; César, Côme, Cristobal, Diego, Esteban, Lucca, Marco, Mateo ou Matteo, Nino, Paolo, Telmo, Timéo.

des pays slaves et de Grèce : Anastasia, Elena, Elsa, Helenka, Ludmilla, Nadia, Natacha, Sofia, Sonia, Sophie, Tatiana, Tania, Zoé ; Alexandre, Boris, Constantin, Cyrille, Dimitri, Sacha, Stanislas, Vladimir, Yannis.

du Maghreb et d'Afrique : Anissa, Kadi, Khadija, Leila, Malika, Nour, Norah, Oumou, Rachida, Yasmina ; Ali, Amine, Amir, Karim, Medhi, Mohamed, Omar, Rachid, Samir, Sofiane, Yacine.

d'Asie : Lien, Tan (garçon), Wenjuan (fille).

d'autres pays : Audrey, Emmy, Fiona, Jennifer, Gabriela, Linda, Leslie, Melissa ; Alistair, Allan, Bryan, Eliott, Ethan, Florian, Ilan, Jason, Joris, Kévin, Ryan, Soren.

Formes anglaises de prénoms français : Alison, Laureen, Priscilla, Tiffany ; Christopher, Geoffrey, Grégory, Jérémy, Michaël, Steven.

● Prénoms bretons : Anaëlle, Enora, Gwenola, Maëlle, Maëlys, Morgane, Nolwenn, Romane, Solenn, Tiphaine ; Alan, Corentin, Elouan, Erwan, Gwendal, Killian, Loïc, Maël, Malo, Tanguy, Titouan, Yann.

● Prénoms de la Bible : Esther, Eve, Judith, Marthe, Myriam, Rachel, Rebecca, Salomé, Sarah ; Aaron, Adam, Daniel, David, Élie, Ézéchiel, Jérémie, Jonas, Jonathan, Joseph, Joshua, Lazare, Luc, Marc, Nathanaël, Noé, Samuel, Simon, Timothée, Zacharie.

● Prénoms de fleurs : Anémone, Camélia, Capucine, Églantine, Fleur (Flore), Hortense, Hyacinthe, Iris, Jasmine, Lilas, Marjolaine, Marguerite, Rose, Valeriane, Violette.

● Prénoms de fruits : Cerise, Clémentine, Myrtille, Prune.

● Sur le prénom, voyez les fiches du ministère de la justice www.vos-droits.justice.gouv.fr

● Sur le nom de famille, voyez page 447.

QU'EMPORTER À LA MATERNITÉ ?

La tradition dans les maternités des hôpitaux voulait que le trousseau pour la mère et pour le bébé soit fourni par l'établissement. Cette habitude se perd. Comme les cliniques, les hôpitaux donnent presque toujours des listes de vêtements à apporter. Renseignez-vous à ce propos au moment de l'inscription. Si vous n'avez pas de liste précise, voici ce que nous vous conseillons de mettre dans votre valise et dans celle de bébé. Pensez à les préparer un mois avant la date prévue pour la naissance.

Votre valise

● Pour l'accouchement

• 1 chemise de nuit, 1 grand tee-shirt ou 1 veste de pyjama : vous mettrez ce vêtement à votre arrivée à la maternité et vous le garderez pendant l'accouchement, il ne faut pas que vous regrettiez de le voir taché avec un désinfectant.

• 1 gilet, 1 paire de chaussettes à mettre éventuellement pendant le « travail ».

• 1 brumisateur pour vous rafraîchir le visage.

• De la lecture, de la musique, pour le cas où l'accouchement serait un peu long.

● Pour le séjour à la maternité

• 2 pyjamas, tee-shirts ou chemises de nuit. Si vous allaitez votre enfant, prenez-les faciles à ouvrir devant ou assez larges pour les soulever et installer votre bébé dessous

• des soutiens-gorge s'ouvrant également devant ou assez larges pour pouvoir les soulever

• des petites compresses (en gaze) que vous mettrez dans votre soutien-gorge pour protéger vos bouts de seins, ou des coussinets ou des mouchoirs en coton

• des vêtements confortables si vous ne souhaitez pas rester en pyjama ou chemise de nuit pendant la journée

• des slips jetables

• des protections hygiéniques

• 1 peignoir et des pantoufles

• vos objets de toilette

• des mouchoirs, des serviettes de toilette.

À cette liste classique, vous pouvez ajouter :

• 1 taie d'oreiller colorée qui donnera meilleure mine à Maman et Bébé pour les photos.

• des petits coussins pour être plus confortable.

• 1 châle léger vous rendra de grands services, surtout si vous souhaitez allaiter dans la discrétion.

Mais n'emportez pas de bijoux. Et rangez et surveillez vos objets personnels (ordinateur, carte bancaire, chéquier, etc.). Ne gardez que ce qui est indispensable.

N'oubliez pas un appareil photo ; si vous avez une caméra, prenez-la également : votre enfant aura ainsi des souvenirs audiovisuels de ses premiers jours, ce qui l'amusera beaucoup.

Mettez également dans votre valise une enveloppe contenant : votre carnet de maternité ou de surveillance médicale, votre livret de famille (nécessaire pour la déclaration de naissance) ou, à défaut, une pièce d'identité, le reçu du paiement que vous avez effectué pour vous inscrire à la clinique, votre carte de groupe sanguin, de quoi lire et écrire. Certains établissements demandent que l'entourage soit vacciné contre la coqueluche (p. 225) ; il faut alors apporter les carnets de santé.

Enfin, si vous avez l'intention de tenir un cahier où vous inscrirez au jour le jour les renseignements concernant la santé, le développement et le régime de votre enfant, emportez-le pour noter les événements des premiers jours.

La valise de votre bébé

● **Pour la naissance**
• 1 body en coton
• 1 brassière ou 1 gilet chaud
• 1 pyjama
• 1 paire de chaussettes ou chaussons
• 1 serviette-éponge
• 1 petite couverture chaude
• 1 bonnet : dès la naissance, on le met au bébé pendant quelques heures.

● **Pour le séjour à la maternité**
• 4 ou 5 bodys ou brassières en coton
• 4 pyjamas
• 1 brassière en laine ou 1 gilet

• 2 ou 3 paires de chaussettes ou chaussons
• 4 à 6 couches en coton
• 2 serviettes de toilette.

● **Pour la sortie**
• 1 bonnet
• 1 nid d'ange ou 1 petit sac de couchage, il vous servira ensuite pour les sorties de bébé. Le nid d'ange se présente comme un sac, avec une fermeture éclair, qui sert à bien emmitoufler le nouveau-né : il s'y trouve comme dans un petit nid.

Le plus souvent les couches sont fournies par la maternité, mais renseignez-vous avant de faire la valise de bébé.

CE DONT VOTRE BÉBÉ AURA BESOIN

Si c'est la première fois que vous avez un enfant, qu'autour de vous, dans la famille, il n'y en a pas encore, il est possible que vous ne sachiez pas ce dont il aura besoin comme vêtements, pour sa toilette, etc. Voici une liste complète. Et si, au départ, vous ne voulez pas consacrer un vrai budget au trousseau de votre bébé, vous allez voir qu'en faisant le tour de vos amis et de la famille, votre enfant sera quasiment vêtu, couché, promené, au moins les premiers mois, sans achats.

La layette de votre bébé

C'est de la layette qu'il faudra vous occuper d'abord, car c'est elle qui doit être prête en premier lieu. Si votre enfant arrivait plus tôt que prévu, vous auriez toujours le temps de vous procurer le landau, dont il ne se servira que plusieurs semaines après sa naissance, ou le berceau, dont il n'aura besoin qu'au retour de la maternité. Mais, dès la première heure, il faudra l'habiller.

● **Au début, votre enfant va grandir et grossir très vite**
Et c'est parce que le poids et la taille d'un enfant changent si vite, que l'on divise les six premiers mois en trois tailles : 1 mois, 3 mois et 6 mois.

Pour faire vos achats, tenez donc bien compte de la croissance de votre enfant et n'achetez pas trop à l'avance pour ne pas risquer de vous retrouver avec des vêtements devenus vite trop petits.

Certaines marques proposent une taille « naissance ». Cette taille peut être bien adaptée à certains bébés, par exemple à des jumeaux qui sont souvent de petits poids. Mais cette taille « naissance » risque de ne pas servir longtemps à un bébé de poids moyen. Pour lui, il vaut mieux prévoir la taille « 1 mois ».

Quant aux **bébés prématurés**, on trouve dans les magasins de puériculture toute une layette adaptée à leur poids et à leur taille.

● **Voici la layette de base.**
Vous y ajouterez un paquet de couches pour ne pas être prise au dépourvu lorsque vous sortirez de la maternité. Et vous adapterez cette layette à la saison où naîtra l'enfant et à la région que vous habitez.

Vous pouvez compléter cette layette par un petit peignoir de bain, avec capuchon pour essuyer la tête du bébé. Et pour les sorties, un **nid d'ange** (petit sac avec capuche) ou une **combinaison-pilote** seront pratiques car ils enveloppent bien le bébé.

Le **body** est devenu l'incontournable de la layette du bébé : à manches longues ou courtes, façon débardeur ou à fines bretelles, blanc ou coloré, rayé ou à motifs, il devient un vêtement à lui tout seul lorsqu'il fait chaud. Toujours en coton, il est agréable à porter et couvre bien le ventre. On peut utiliser les bodys dès la naissance car certains se croisent et se ferment par des petits liens ou des pressions : on n'a pas à les enfiler par la tête, ce que n'aime pas un nouveau-né.

La layette de base	1 mois	3 mois	6 mois
Bodys en coton	6	6	6
Brassière de laine	1		
Pyjamas	4	4	4
Surpyjamas ou turbulettes	1	2	2
Combinaisons	2	4	4
Robes ou salopettes		2	2
Gilets en laine ou vestes en laine	2	2	2
Gilets en coton (molletonné)	2	2	2
Chaussons ou chaussettes	4	4	4
Serviettes (pour les repas)	3	3	3
Bonnet	1	1	1

La **turbulette**, ou gigoteuse, est un petit sac de couchage avec emmanchures et s'enfile sur le pyjama. Elle remplace la couette, déconseillée chez le bébé. Vous la choisirez plus ou moins épaisse, selon la saison. Le **surpyjama** est un peu plus chaud que la turbulette puisqu'il a des manches.

La **combinaison**, avec entrejambe à pressions qui facilite le change, est pratique en toute saison : avec ou sans manches, version longue ou courte, en coton léger ou plus épais. Elle peut être remplacée par un pantalon ou une jupe et une blouse, une barboteuse, une robe et un caleçon, ou un collant, etc.

● Ce que vous pourrez faire vous-même

Presque tout si vous aimez coudre, tricoter et si vous avez du temps : robes, salopettes, peignoir de bain, draps ; et tout ce qui est en laine : brassières, vestes, chaussons, bonnets, etc. Vous trouverez des modèles dans les albums de layette, ou dans les magazines féminins.

● Les vêtements et leurs composants chimiques

Avant de les faire porter à votre bébé, il est indispensable de **laver les vêtements**. Toutes les étapes de la fabrication et de la transformation des textiles impliquent en effet l'utilisation de nombreux produits chimiques. Il est conseillé pour les tout-petits de privilégier les vêtements ayant un label (*Confiance Textile, écolabel européen* - en forme de fleur -, *Naturtextil, GOTS*). Les **labels** sont donnés à des articles, objets répondant à des exigences supplémentaires par rapport à la réglementation de la même catégorie de produits. Les écolabels permettent en général de garantir des produits contenant moins de substances potentiellement dangereuses et ils distinguent ceux qui sont les plus respectueux de l'environnement.

Le berceau, le lit

Pour coucher votre enfant, vous aurez le choix entre le classique berceau, que vous achèterez tout garni ou que vous garnirez vous-même et un vrai petit lit en bois ou en rotin.

Si vous n'avez pas déjà un lit ou un berceau et que vous hésitiez à acheter l'un plutôt que l'autre, nous vous conseillons le lit. Dans un berceau, un enfant ne peut dormir que quelques mois ; dans un lit, il peut rester jusqu'à 2-3 ans ; mais si vous avez la possibilité qu'on vous prête un berceau, ne le refusez pas ! De tout temps, les berceaux ont bercé les bébés, et cela leur plaît beaucoup.

Une solution intermédiaire : le lit en toile monté sur tube métallique, qui est économique, facile à transporter, mais qui sert moins longtemps.

Quelle que soit la solution que vous adoptiez, choisissez un lit ou un berceau qui soit :
● d'un entretien aisé. S'il est en bois laqué, vous le savonnerez facilement. S'il est entièrement garni de tissu, il faut que la garniture soit détachable et facile à laver ;
● stable, et répondant à toutes les normes de sécurité.

Si le lit a des barreaux, l'espace entre ceux-ci doit être compris entre 45 et 65 mm (c'est la norme européenne).

Et si vous décidez d'avoir tout de suite un vrai lit, achetez-le avec de hauts barreaux (lit anglais) : c'est le lit classique, toujours pratique.

Comment coucher votre bébé ? Toujours sur le dos.

La literie

Dans les lits d'enfants, il n'y a pas de sommier, le matelas est posé directement sur un simple châssis de bois.

• Choisissez un **matelas ferme, bien adapté aux dimensions du lit** (pour éviter le risque que le bébé se coince entre le matelas et la paroi du lit).

Pour protéger le matelas, il y a deux solutions : l'alèze molletonnée en coton imperméabilisé, douce, pratique, qui est très confortable et qui se lave facilement, ou l'alèze en caoutchouc, que l'on recouvre d'un molleton et d'un drap de dessous.

• Ne mettez **pas d'oreiller** (le bébé risquerait d'y enfouir son nez)

• **Ni de couverture ou de couette** (le bébé pourrait glisser dessous).

Pour couvrir votre bébé, vous lui mettrez une turbulette ou une gigoteuse (petit sac de couchage avec emmanchures à enfiler par-dessus le pyjama), ou un surpyjama.

• Vous pouvez prévoir quelques couches ou langes en tissu : le bébé a de fréquentes régurgitations ; et une couche (pliée en deux) placée sous sa tête, sera plus facile à changer plusieurs fois par jour que le drap de dessous. Certaines maternités demandent d'ailleurs d'apporter, pour cet usage, des couches en tissu.

• Si votre enfant doit naître en été, prévoyez une **moustiquaire**.

● **Les matelas et leurs composants chimiques**
Les matelas subissent de nombreux traitements pour être conformes à la réglementation ou proposer des produits plus attractifs : anti-acariens, anti-odeurs, antibactérien, anti-feu, etc. Si possible, privilégiez les matières naturelles (bambou, coton biologique) et les labels qui donnent des garanties supplémentaires par rapport à la réglementation (par exemple la limitation ou l'interdiction de certains colorants, de certaines substances classées comme allergènes, cancérigènes, etc.). Voyez les labels conseillés page 423.

Sa chambre

Pensez à l'installer suffisamment tôt. Si vous avez des peintures à y faire, il faut leur laisser le temps de bien sécher. Si vous avez acheté de nouveaux meubles, installez-les bien avant la naissance. La peinture et les meubles peuvent dégager des substances toxiques pour le bébé. Il est raisonnable de terminer les travaux de rénovation et d'aménagement plusieurs semaines avant la naissance et d'aérer le plus souvent possible avant l'arrivée du bébé.

Pensez à l'âge où votre enfant sortira de son parc, se traînera à quatre pattes ou commencera à marcher : pour qu'il puisse le faire sans crainte et sans trop de dégâts, il faut que les angles de vos meubles ne soient pas trop aigus, les murs pas trop fragiles, les rideaux non plus, autant dire que dans la chambre tout doit être solide, lavable, sans danger, pratique et propre ! Pas toujours facile, mais voici quelques suggestions.

En installant la chambre de votre enfant pensez dès maintenant à déplacer les prises de courant placées trop bas. Pour être hors d'atteinte, elles doivent se trouver à 1,50 m du sol. Il existe des prises de courant dans lesquelles les enfants ne peuvent pas enfoncer les doigts.

Pour prévenir des réactions allergiques, surtout s'il y a une prédisposition dans la famille, évitez si possible tapis et moquette de laine ; installez plutôt un revêtement lavable ou du parquet.

Le meuble le plus important sera bien entendu le **lit** ou le **berceau**, que vous aurez pris soin de bien choisir puisque votre enfant y passera la plus grande partie de son temps pendant les premiers mois (voyez page précédente).

● **Pour changer votre enfant**
Vous avez plusieurs possibilités :

- une **table à langer** ; le modèle le plus simple consiste en un matelas à langer posé sur un support soutenu par des tubes métalliques ; si vous pouvez l'installer près d'un lavabo, ce sera plus pratique pour la toilette de bébé.

- une **commode** : soit spécialement prévue à cet effet (on en trouve dans tous les magasins de puériculture), soit une commode que vous possédez déjà. Les tiroirs serviront à ranger les vêtements de l'enfant. Et, sur le dessus, vous placerez le matelas à langer. Il en existe de nombreux modèles (rembourrés, avec des poches, etc.), dans des coloris variés.

Lorsque votre bébé sera sur la table à langer, **vous aurez toujours une main posée sur lui** : il suffit d'un instant d'inattention pour que le bébé, même tout petit, tombe. C'est une cause fréquente d'accidents.

Pendant les premiers mois, vous n'aurez besoin dans cette chambre que d'un lit et d'un meuble pour changer votre bébé. Mais si vous voulez, dès maintenant, meubler entièrement la chambre, mettez-y un parc, une chaise haute et transformable, un coffre à jouets.

Si vous ne disposez pas d'une chambre, réservez dans une pièce un coin qui sera celui de votre enfant. Vous y réunirez ce dont il a besoin (lit, meuble à langer). Installez ce coin dans la chambre la plus tranquille. Votre enfant aura besoin de calme. Mais, si dans la journée, il doit dormir dans votre chambre, il vaut mieux qu'il n'y reste pas la nuit au-delà des premiers mois. Roulez son lit dans une autre pièce. Votre sommeil et le sien seront meilleurs.

● **Pour la santé et le confort de votre bébé**
Installez-le dans une chambre saine : propre, sèche, régulièrement aérée. Et fraîche : pas plus de 19-20°. C'est aussi une pièce où on ne fume pas. D'ailleurs, on ne doit pas fumer dans un appartement où séjourne l'enfant car on sait que la fumée est nocive pour ceux qui fument mais aussi pour ceux qui les entourent.

Sa nourriture

Si vous n'avez pas l'intention d'allaiter votre enfant, voici le matériel nécessaire :
• des biberons gradués, à large goulot pour faciliter le nettoyage ; préférez les biberons en verre car c'est mieux de réchauffer dans du verre que du plastique.
• des protège-tétines
• des tétines : il en existe différents modèles. Le plus pratique est celui qui comporte une fente, mais vérifiez qu'il s'adapte bien au goulot de vos biberons
• 1 brosse longue appelée goupillon pour nettoyer les biberons
• 1 petit biberon (pour l'eau et plus tard le jus de fruit)

sera utile.

Si vous souhaitez stériliser les biberons, vous trouverez dans le commerce toute une gamme de stérilisateurs à tous les prix : électriques, à micro-ondes, à froid.

Vous rendront également service : un chauffe-biberon électrique, un thermos à biberon, un mixer, car il permet d'obtenir un maximum de finesse pour les purées, la viande, le poisson, etc.

Même si vous allaitez votre enfant, prévoyez un biberon, une boîte de lait et une bouteille d'eau minérale. Cela vous évitera de vous affoler si un jour vous n'avez pas de lait.

Sa toilette

Pour donner le bain, vous pouvez utiliser soit une baignoire pour bébé (il y a plusieurs modèles), soit simplement un lavabo — mais seulement les premières semaines car le lavabo sera vite trop petit. Pour éviter d'avoir mal au dos lorsque vous donnez le bain, au lieu de mettre la baignoire de votre bébé au fond de la grande baignoire, placez une planche suffisamment large en travers de la grande baignoire, et posez la petite baignoire sur cette planche.

En plus de la baignoire, vous pouvez avoir une petite cuvette double en matière plastique pour laver votre bébé lorsque vous le changerez.

Vous aurez besoin en outre pour sa toilette des objets et produits suivants :
• Savon en gel ou pain, sans parfum ni colorant. Vous pouvez utiliser le même produit pour le corps et le visage. Pour les premiers mois, choisissez plutôt un produit spécial pour nourrissons (en pharmacie ou parapharmacie). En cas de peau particulièrement sèche ou sensible, il existe des gels et pains sans savon.
• Pommade pour le siège
• Chlorexidine aqueuse (antiseptique pour nettoyer le cordon)
• Sérum physiologique

• Crème hydratante sans parfum
• Coton
• Les lingettes sont pratiques pour la toilette du siège de bébé lorsque vous vous déplacez. À la maison, utilisez plutôt l'eau et le savon ; certains bébés ont facilement de l'érythème fessier lorsque les lingettes sont utilisées souvent.
• L'huile d'amandes douces est aujourd'hui déconseillée à cause du risque d'allergie. Si besoin, mettez à votre bébé un peu de crème hydratante.
• D'une façon générale, évitez d'utiliser pour la peau de votre bébé des produits qui ne sont pas testés dermatologiquement (voyez l'étiquette).
Vous aurez également besoin de :
• Un thermomètre de bain
• Deux ou trois gants de toilette (on nettoie d'abord le visage, puis le reste du corps et le siège ; le gant sera lavé après la toilette)
• 2 serviettes-éponges suffisamment grandes pour envelopper votre enfant lorsqu'il sort de son bain.
• Une paire de petits ciseaux spéciaux pour couper les ongles.
• Une brosse à cheveux
• Un thermomètre médical (à utiliser si vous trouvez votre bébé grognon ou chaud).

Landau et poussette

Le grand landau classique a disparu de la panoplie des bébés : même s'il était très confortable, il était devenu trop encombrant et peu pratique pour la vie quotidienne. Aujourd'hui, pour faire des courses, aller à l'école chercher l'aîné, prendre l'air au jardin, rendre visite à des amis, passer une journée à l'extérieur, on emmène son bébé dans une poussette, sur laquelle peuvent se fixer, selon les modèles, une nacelle ou un siège-auto. La nacelle, qui transforme la poussette en landau, est très utile durant les premiers mois pour transporter le bébé en position allongée et lui permettre de s'endormir et se reposer facilement. Le siège-auto (« cosy ») fixé sur la poussette évite de réveiller le bébé quand on sort de la voiture.

Il y a aussi des modèles plus simples : une poussette dans laquelle le bébé peut être installé en position allongée au début, et qui, par la suite, se transforme en poussette classique. Ne l'installez pas trop tôt en position assise, cela ne sera pas confortable pour lui.

Vous choisirez le modèle selon vos besoins, notamment la fréquence des sorties, des trajets en voiture ou à pied, etc. Et selon votre budget.

Avant de choisir un modèle, assurez-vous qu'il tient bien dans le coffre de votre voiture, que vous pouvez facilement le ranger chez vous, et qu'il n'est pas trop encombrant pour pouvoir l'utiliser éventuellement dans les transports en commun. Le poids de la poussette et sa maniabilité sont aussi importants, notamment si vous habitez en ville.

● **Et le porte-bébé ?**

C'est une solution appréciée des parents. Ils sont heureux de porter ainsi leur bébé, de sentir sa chaleur, de lui communiquer la leur. Le porte-bébé permet de sortir facilement, sans être encombré par la poussette (quand il y a du monde, pour faire des petites courses, etc.) ; et également de bercer le bébé à la maison quand il est un peu énervé. Il est également pratique pour porter le bébé pendant que l'aîné est dans une poussette.

Quant au bébé, il se sent bien également. Être porté ainsi répond à ses besoins de proximité, « d'accrochage » ; il retrouve des sensations éprouvées avant la naissance, le balancement, la chaleur du corps et cette continuité le rassure. Lors de votre achat, assurez-vous que votre bébé sera bien blotti contre vous et que son menton ne sera pas penché vers sa poitrine - ce qui pourrait le gêner pour respirer. Il faut aussi que son dos soit bien soutenu et ses jambes suffisamment écartées, en "grenouille", pour qu'il n'y ait aucune tension sur ses hanches. Pour que le porte-bébé soit confortable pour vous, essayez le modèle avant de l'acheter.

On trouve dans le commerce des porte-bébés classiques, et aussi des écharpes, des porte-bébés hamacs, des porte-bébés adaptés au portage sur la hanche, inspirés de ce qui se fait dans d'autres cultures.

Les cadeaux de vos amis

Vous aurez peut-être des amis qui, avant de vous faire un cadeau, vous demanderont ce que vous aimeriez recevoir pour votre enfant. Si vous ne savez que répondre, car vous ne connaissez pas encore bien les besoins d'un bébé, voici quelques suggestions de petits et de plus grands cadeaux.

• Des chaussons ou chaussettes
• Pour mettre les premières photos de bébé, quelques petits cadres, ou un plus grand avec des aimants (pêle-mêle)
• 1 joli livre d'images que vous lui montrerez et qu'il appréciera plus tôt que vous ne pouvez l'imaginer aujourd'hui.
• 1 disque de berceuses : *Les plus belles berceuses du monde* (Mali, Japon, Russie...), avec le texte original et la traduction, un livre + CD (Didier)
• 1 Album-CD (*Chansons de France pour les petits*, Hervé Le Goff, Flammarion) pour retrouver des chansons d'enfance : *À la claire fontaine, Sur le pont d'Avignon...*
• 1 peignoir de bain avec capuchon
• 1 robe de chambre qui sera utile quand l'enfant saura bien marcher (par exemple, taille 2 ans)
• Des jouets : hochet, boîte à musique, mobile...
• 1 petit mixer

• 1 assiette et ses couverts
• 1 sacoche amovible que vous accrocherez au landau et où vous pourrez mettre tout ce dont un enfant a besoin pour sa promenade
• 1 pyjama
• 1 turbulette
• 1 écharpe pour porter votre bébé
• Pour emporter en promenade, un thermos à biberon
• 1 parc et 1 tapis pour le garnir
• 1 tapis d'éveil : votre bébé l'appréciera dès 4-5 mois
• 1 petit siège qui s'adapte à la voiture
• 1 chaise haute transformable
• 1 lit pliant pour le voyage, facile à transporter
• 1 petit siège inclinable qui permettra à votre enfant de passer en douceur de la position couchée à la position assise
• 1 bel album illustré pour noter les petits faits et les grands événements de la vie quotidienne de votre enfant : *L'Album de Bébé*, de Sophie Horay
• Enfin 1 livre bien complet sur votre enfant : soins, alimentation, psychologie, santé, etc. C'est d'ailleurs à votre intention qu'a été écrit *J'élève mon enfant.*

VOUS ÊTES ENCEINTE
Les démarches administratives et les formalités

Consultations, échographies, inscriptions, déclarations ...	
De 1 à 3 mois	1ère consultation obligatoire avant la fin de la 14e semaine Envoyez la déclaration de grossesse à la Sécurité sociale et à la CAF 1ère échographie prise en charge à 70 %
Le plus tôt possible	Inscrivez-vous à la maternité Inscrivez votre bébé à la crèche Prévenez votre employeur (pas de délai imposé)
4e mois	2e consultation obligatoire
5e mois	3e consultation obligatoire 2e échographie prise en charge à 70 % Certaines allocations ou services peuvent être attribués par la CAF (aide ménagère) Inscrivez-vous à la préparation à la naissance
6e mois	4e consultation obligatoire Prise en charge à 100 % par la Sécurité sociale de tous les actes et examens en rapport avec la grossesse Commencez à chercher une assistante maternelle
7e mois	5e consultation obligatoire 3e échographie prise en charge à 100 % Pour les couples non mariés, une reconnaissance de l'enfant à naître peut être faite
8e mois	6e consultation obligatoire Début du congé de maternité : envoyez à la Sécurité sociale l'attestation d'arrêt de travail Il est possible de reporter 1, 2 ou 3 semaines du congé prénatal sur le congé postnatal Préparez votre valise pour la maternité et celle de bébé : ne pas oublier un justificatif d'identité, votre carnet de maternité, votre carte vitale et d'assurance complémentaire, éventuellement votre livret de famille
9e mois	7e consultation obligatoire

Le détail de ces démarches et formalités est développé dans les pages qui suivent.
Consultez également le tableau *Votre grossesse mois après mois* (pp. 230-231).

LA PROTECTION SOCIALE : L'ASSURANCE MATERNITÉ

L'assurance maternité permet de couvrir une grande partie des frais que va entraîner la naissance d'un enfant.

● Il existe en France **quatre régimes** de protection sociale qui correspondent à quatre catégories de travailleurs.

• **Les salariés :**

- le régime des salariés du privé du commerce et de l'industrie qui dépendent de la Caisse Primaire d'Assurance Maladie (CPAM). Il constitue le régime général de la Sécurité sociale

- le régime des salariés du monde agricole qui dépendent de la Caisse de la Mutualité Sociale Agricole (MSA)

• Les **travailleurs non-salariés** dépendent du Régime Social des Indépendants (RSI) : commerçants, artisans, professions libérales, exploitants agricoles

• Les **agents de la fonction publique et les étudiants**

• Les **travailleurs frontaliers**. : salariés travaillant à l'étranger et résidant en France.

Le régime général de la Sécurité sociale est organisé en différentes branches, dont la branche maladie, maternité, paternité.

Qui peut bénéficier de l'assurance maternité ?

● À titre individuel
• La future mère assurée personnellement
• La femme bénéficiaire de la CMU
• L'étudiante affiliée au régime étudiant
• La femme titulaire d'une pension d'invalidité
• Les assurées volontaires.

● En tant qu'ayant droit
- La conjointe, la partenaire liée par un PACS ou la concubine d'un assuré social
- La femme à charge effective et permanente d'un assuré social avec lequel elle vit depuis au moins 12 mois
- La fille à charge d'un assuré social ou de son conjoint.

● Au titre de la CMU (Couverture maladie universelle)
En l'absence de droit ouvert à quelque titre que se soit, si vous résidez en France de façon stable et régulière depuis plus de 3 mois, vous pouvez bénéficier de la CMU. Elle est gratuite si vos revenus fiscaux sont inférieurs au plafond de 9 601 € par an. Une cotisation au taux de 8 % est demandée pour les revenus dépassant ce plafond.

L'affiliation prend effet le premier jour du mois qui suit la décision d'attribution. Lorsque la situation du demandeur l'exige, l'attribution débute le premier jour du mois du dépôt de la demande. La protection est interrompue si la vérification *a posteriori* montre que la personne ne remplit pas les conditions pour prétendre à la CMU.

La **CMU complémentaire** prend en charge le ticket modérateur. Elle est soumise aux mêmes conditions d'attribution que la CMU de base : conditions de résidence stable et régulière et des ressources fixées pour la période du 1er juillet 2014 au 30 juin 2015 à 8 645 € pour une personne seule. Ce montant varie en fonction de la composition du foyer. Un forfait de 61,12 € doit être ajouté à vos ressources si vous bénéficiez d'un logement à titre gratuit. Les conditions de ressources ne concernent pas les titulaires du RSA socle (les bénéficiaires exclus de tout emploi).

L'**aide complémentaire santé** (ACS) a été mise en place pour les personnes dont les revenus ne permettent pas l'accès à la CMU. Pour pouvoir prétendre à cette aide, les ressources ne doivent pas depasser pour une personne 11 670 €.

Les demandes sont à faire au Centre de Sécurité sociale du lieu de résidence de la personne.

À quelles conditions bénéficier du remboursement des soins ?

• Dès que vous êtes enceinte, vous devez **consulter** un médecin ou une sage-femme pour passer un examen prénatal afin de **déclarer votre grossesse** avant la fin des 14 premières semaines. Cet examen comporte, en plus de l'examen médical, des analyses de laboratoire, faites à partir d'une prise de sang ; celle-ci doit être effectuée avant cette date. La déclaration est à adresser à votre centre de Sécurité sociale sans qu'il soit nécessaire d'attendre les résultats des analyses.

• Lors de cette première consultation, le praticien (médecin ou sage-femme) précise la date théorique prévue de l'accouchement et vous propose le premier entretien prénatal précoce (p. 211) ; par ailleurs, il vous remet l'imprimé « Vous attendez un enfant » constitué de 3 volets de couleur, 1 rose et 2 bleus, ainsi qu'une feuille de soins de couleur marron.

Le volet rose et la feuille de soins sont à adresser immédiatement à votre caisse d'assurance maladie. L'envoi de ces imprimés atteste que l'examen obligatoire de la déclaration de grossesse, avant la fin des 14 premières semaines, a bien été passé. Votre caisse établit alors votre dossier de maternité et vous retourne soit un carnet de surveillance de maternité, soit une série d'étiquettes.

Le carnet de surveillance se compose de feuillets détachables correspondant aux visites médicales obligatoires, à adresser lorsqu'elles ont été passées à votre caisse pour vous faire rembourser des honoraires du praticien et des frais d'examens.

La série d'étiquettes remplit la même fonction. Lors de chaque visite médicale obligatoire, vous devez coller l'étiquette sur la feuille de soins remise par le praticien et l'adresser à votre centre afin de vous faire rembourser de tous vos frais médicaux.

Les deux volets bleus sont à adresser sans délai à votre caisse d'allocations familiales. Cette dernière vous versera, selon votre situation et si vous effectuez par la suite toutes les visites obligatoires et en temps voulu, les allocations auxquelles vous pouvez prétendre.

Par ailleurs, un **carnet de santé de maternité** est remis à la future mère : il lui appartient et les informations qu'il contient sont couvertes par le secret médical.

• La Caisse d'allocations familiales enverra directement au père un **livret de paternité** lui indiquant ses droits et ses devoirs.

• Sept **visites médicales** sont obligatoires. La première doit être passée avant la fin des 14 premières semaines de grossesse ; la déclaration de grossesse avant cette date conditionne l'envoi de la prime de naissance. Les autres examens seront passés tous les mois à partir du premier jour du 4e mois jusqu'à l'accouchement. Un autre examen médical obligatoire sera passé dans les 8 semaines qui suivent l'accouchement.

• **À noter**. Les examens obligatoires peuvent avoir lieu pendant le temps de travail, les absences qui en découlent sont considérées par le Code du travail comme du travail effectif.

• La **carte de priorité** pour les transports en commun permet d'obtenir une place assise. Elle est à demander à la CAF.

• Pour déclarer et faire suivre votre grossesse, vous pouvez aussi consulter un **service de PMI** (Protection maternelle et infantile) de votre département ; les consultations sont gratuites ; c'est la PMI qui vous enverra votre carnet de santé de maternité qui pourra être complété par les praticiens que vous verrez pendant votre grossesse. Si vous consultez en urgence, les renseignements contenus dans ce carnet feront le lien entre les différents intervenants.

Les examens médicaux peuvent donc être passés chez votre médecin habituel, dans un centre de PMI ou dans tous les établissements de soins agréés (hôpital, clinique, etc.).

Attention aux dates d'envoi des certificats médicaux remis après chaque consultation obligatoire : si vous ne respectez pas les dates, cela peut remettre en cause le versement des prestations familiales.

Quand et comment bénéficier de l'assurance maternité ?		
Prise en charge	Conditions	Formalités
Dès la 1ère visite de constatation de la grossesse Prise en charge à 100 % des frais engagés à compter du 1er jour du 6e mois de grossesse jusqu'à 12 jours après l'accouchement	1. Être affiliée à un régime de sécurité sociale à titre : personnel, ou d'ayant droit, ou de la CMU 2. Justifier depuis moins d'1 an de : - 60 h de travail salarié au cours d'1 mois civil ou de 30 jours consécutifs ; - ou 120 h au cours de 3 mois civils ou de date à date ; - ou 400 h au cours de l'année civile ou de date à date	1. Déclarer sa grossesse avant la fin de la 14e semaine 2. Passer l'ensemble des 7 examens prénataux obligatoires 3. Passer la 8e consultation postnatale obligatoire dans les 2 mois après l'accouchement

● **Examen médical du père**

Le futur père peut également, au cours du 3e mois, subir un examen médical complet qui lui sera remboursé à 100 %.

● **À votre sortie de la maternité**

L'établissement dans lequel a eu lieu votre accouchement vous remettra un certificat d'accouchement et un certificat de santé néonatal (1ère visite du nouveau-né) à envoyer à la Sécurité sociale, et éventuellement un certificat destiné à la CAF. Le certificat néonatal de 8 jours contenu dans le carnet de santé de l'enfant est adressé à la PMI par le médecin accoucheur.

Votre Centre de Sécurité sociale vous enverra un calendrier de surveillance de l'enfant, de la naissance à sa 6e année (vous en trouverez les détails dans *J'élève mon enfant*).

À la maternité on vous remettra également un **Carnet de santé** de l'enfant où tout ce qui concerne sa santé sera noté au fur et à mesure de son développement.

● **Dès votre retour chez vous**

La PMI est informée de la naissance au moyen du certificat néonatal de 8 jours qui lui a été adressé par le médecin accoucheur. Votre centre se mettra en rapport avec vous et vous proposera l'aide d'une puéricultrice pour tous les conseils dont vous auriez besoin.

● Sur la PMI, voyez p. 445.

Le remboursement des frais de soins

Le remboursement des soins dépend de votre régime d'assurance maladie, du secteur d'activité de votre médecin et du type d'établissement de soins choisi pour suivre votre grossesse et votre accouchement

● **Les soins remboursés**

L'ensemble des frais médicaux, pharmaceutiques, de laboratoire et d'hospitalisation résultant ou non de la grossesse, de l'accouchement et de ses suites, peuvent être remboursés par l'assurance maladie. Seuls les examens prénataux obligatoires et les séances de préparation à l'accouchement sont pris en charge par l'assurance maternité. A partir du 6ème mois et jusqu'au 12e jour après l'accouchement, les soins sont pris en charge à 100% par l'assurance maternité, qu'ils soient en lien ou non avec la grossesse. Sont notamment concernés : les honoraires d'accouchement, les séances de suivi postnatal, l'examen postnatal, les séances de rééducation abdominale et de rééducation périnéo-sphinctérienne.

Les frais de transport à l'hôpital ou à la clinique en ambulance, ou tout autre moyen, sont pris en charge sur prescription médicale.

Ces remboursements constituent ce que la caisse de Sécurité sociale nomme les **prestations en nature**.

La base de remboursement des honoraires médicaux est soumise au secteur auquel appartient le praticien consulté. La différence entre la base de remboursement et le montant du remboursement constitue ce qui est appelé le **ticket modérateur**. Si vous disposez d'une complémentaire santé, celle-ci peut le prendre en charge en partie ou en totalité selon la nature du contrat que vous aurez souscrit.

Taux de remboursement des soins de maternité					
Statut du praticien	Visites obligatoires	Visites supplémentaires	Échographies	8 séances de préparation à l'accouchement	10 séances de rééducation postnatale
Salarié établissement public	100 %	70 %	70 % jusqu'à la fin du 5e mois 100 % au delà	100 %. Attention toutes les méthodes ne sont pas remboursées	100 %
Salarié PMI	Gratuites	Gratuites			
Libéral Secteur 1	100 %	70 %	70% jusqu'à la fin du 5e mois 100 % au-delà	100%	100 %
Libéral Secteur 2	Dépassement d'honoraires	Dépassement d'honoraires	Dépassement d'honoraires	Dépassement d'honoraires	Dépassement d'honoraires
Libéral Secteur 3	Dépassement d'honoraires important	Dépassement d'honoraires important	Dépassement d'honoraires important	Dépassement d'honoraires important	Dépassement d'honoraires important

● **Les trois secteurs médicaux**

- Le **secteur 1** est constitué des médecins qui adhèrent à la convention de la Sécurité Sociale. Ces médecins sont soumis à des obligations tarifaires fixées par la convention et les remboursements sont effectués sur le tarif de la convention de la Sécurité Sociale. Ils ne peuvent qu'exceptionnellement demander un dépassement d'honoraires.

- Le **secteur 2** comprend les médecins conventionnés dont les honoraires sont fixés librement (HL) ou le dépassement autorisé (DA). Les tarifs de ces praticiens sont supérieurs aux tarifs des médecins du secteur 1, le remboursement des frais s'effectue sur la base du tarif de référence de la Sécurité Sociale inférieur à celui de la convention.

- Le **secteur 3** comprend les praticiens qui n'ont pas adhéré à la convention et qui ne sont donc pas soumis à l'obligation tarifaire. Le remboursement des frais se fait sur un tarif d'autorité extrêmement faible.

Quel que soit le secteur, les médecins ont une obligation légale d'affichage dans leur lieu de consultation ou d'exercice des tarifs de leurs honoraires. Les dépassements d'honoraires ne sont jamais pris en charge par la Sécurité sociale. Ils peuvent être pris en charge en totalité ou en partie par une assurance complémentaire santé.

Remboursement des frais d'accouchement	
Établissement public Clinique conventionnée	Honoraires d'accouchement, péridurale et frais de séjour pris en charge à 100% et remboursés directement à l'établissement par la caisse de Sécurité sociale - frais de confort (chambre particulière et télévision) restent à votre charge, voyez votre mutuelle
Clinique conventionnée pratiquant des dépassements d'honoraires	Une participation peut être demandée pour d'éventuels dépassements d'honoraires et pour les frais de confort (chambre particulière et télévision), voyez votre mutuelle
Clinique non conventionnée	Honoraires d'accouchement, péridurale et frais de séjour - dans la limite de 12 jours - remboursés à 100% sur la base des tarifs de l'assurance maternité mais **attention** ce tarif est bien inférieur au tarif conventionnel ; vous devez faire l'avance des frais et une partie reste à votre charge ou à celle de votre mutuelle, renseignez-vous auprès de celle-ci.

Le **forfait journalier** est pris en charge durant les 12 jours qui suivent l'accouchement et également en cas d'hospitalisation durant les 4 derniers mois avant l'accouchement.

Remboursement des médicaments et analyses			
Médicaments	Taux de remboursement	Analyses de laboratoire	Taux de remboursement
Vignette orange	15 %	VIH	Secteur 1 : 100 %
Vignette bleue	35 %	Amniocentèse	100 % si accord préalable de la caisse d'assurance maladie
Vignette blanche	65 %	VIH	Secteurs 2 et 3 : dépassement
Vignette blanche barrée	100 %	Amniocentèse	

● **Remboursements des mutuelles : assurance complémentaire santé dite « responsable »**

Depuis 2015, pour tout nouveau contrat ou lors du renouvellement de votre contrat, les remboursements d'honoraires des médecins sont plafonnés et la prise en charge de l'optique se trouve limitée.

En cas de **dépassements d'honoraires**, le contrat responsable assure un meilleur remboursement si le médecin est signataire d'un contrat d'accès aux soins.

Pour les **frais d'optique**, y compris la monture, le plafond est de 470 € en cas de correction simple ; il varie de 610 à 850 € pour une correction mixte complexe. Le renouvellement n'est possible qu'après un intervalle de 2 ans, sauf pour les enfants et les personnes dont la vue s'est modifiée.

● Sur les **prestations familiales** (les différentes allocations, comment les obtenir, leur montant, etc.), voyez pp. 453 et suivantes.

À SAVOIR SI VOUS TRAVAILLEZ

Si vous travaillez, un certain nombre de lois et de directives européennes vous protègent et vous aident

● **Vous cherchez un emploi**

L'employeur ne peut tenir compte de votre état de grossesse pour refuser de vous embaucher. Lors de l'entretien d'embauche (ou en réponse à un questionnaire), vous n'êtes pas tenue de révéler votre état. À l'issue de la visite d'embauche, le médecin du travail n'est pas autorisé à révéler votre grossesse à l'employeur.

Si vous êtes en période d'essai, celle-ci ne peut-être interrompue par l'employeur en raison de votre état de grossesse.

● **Quand déclarer sa grossesse à l'employeur ?**

Il n'y a pas d'obligation légale de date de déclaration, que se soit au moment de l'embauche (même pour un contrat à durée déterminée), pendant la période d'essai ou pendant la réalisation du contrat de travail. L'obligation existe uniquement avant de partir en congé maternité. Autrement dit, c'est vous qui décidez du moment où vous informez votre employeur, oralement ou par écrit, en précisant la date présumée de l'accouchement.. Mais vous avez intérêt à le dire le plus rapidement possible pour avoir droit à différents avantages (autorisations d'absence, protection contre le licenciement, etc.).

Vous avez également intérêt à prévenir sans tarder le **médecin du travail** pour bénéficier d'une surveillance médicale particulière.

● **Peut-on s'absenter pour les consultations ?**

La femme salariée a droit à une autorisation d'absence pour se rendre aux examens médicaux obligatoires dans le cadre de la surveillance médicale de la grossesse et des suites de l'accouchement. Ces absences n'entraînent aucune diminution de la rémunération et sont assimilées à des périodes de travail effectif pour le calcul de la durée des congés payés ainsi que pour l'ancienneté.

● **Le travail de nuit**

Il s'agit de tout travail effectué entre 21 heures et 6 heures du matin. Pendant la durée de la grossesse, l'employeur doit proposer à la salariée qui le demande, ou sur indication écrite du médecin du travail, un reclassement temporaire à un poste de jour. Le changement de poste n'entraîne aucune diminution du salaire.

En cas d'impossibilité de reclassement, le contrat de travail est suspendu et la salariée jouit d'une garantie de rémunération. Elle est composée d'allocations journalières versées par la caisse d'assurance maladie et d'un complément à charge de l'employeur. C'est à la salariée de transmettre à sa caisse, parallèlement à son arrêt de travail, l'attestation d'impossibilité de reclassement au sein de l'entreprise durant sa grossesse. L'allocation versée par la caisse d'assurance maladie n'est pas cumulable avec les indemnités journalières pour congés de maladie, maternité ou accident du travail, le complément d'éducation spéciale accordé pour une cessation d'emploi, l'allocation de présence parentale, ni le complément du libre choix du mode d'activité.

● **La protection contre les produits ou agents dangereux**

La présence sur le lieu de travail de certains produits ou agents dangereux (agents toxiques pour la reproduction, rayonnements ionisants, virus de la rubéole, etc.) entraîne un changement de poste ou une interdiction d'emploi des femmes enceintes et qui allaitent. Certaines professions sont particulièrement exposées comme le personnel soignant, ou intervenant auprès d'enfants, le personnel vétérinaire, ou les femmes exerçant dans des laboratoires, dans l'industrie chimique, l'imprimerie, la peinture, le pressing ou l'agriculture.

La salariée doit prévenir dès le début de la grossesse son employeur et le médecin du travail.

L'employeur est tenu de lui proposer un reclassement temporaire. Si cela n'est pas possible, le médecin du travail doit être averti par la salariée le plus rapidement possible. Un aménagement de poste ou une mutation doit être recherché avec l'employeur. En cas d'impossibilité, l'incapacité de travail est déclarée et la salariée bénéficiera des indemnités journalières et d'un complément à la charge de l'employeur. Les dispositions similaires à celles concernant le travail de nuit sont applicables (voir plus haut). Pour les femmes dont le maintien au poste de travail reste possible, le rythme et la nature de la surveillance sont de la responsabilité du médecin du travail qui doit veiller au bon état de santé de la femme et à un déroulement satisfaisant de la grossesse.

● **Travail debout, port de lourdes charges**

Lorsque l'activité professionnelle exige de rester debout, par exemple la vente dans les boutiques ou les magasins, un siège personnel doit être mis à la disposition de la femme enceinte. Les femmes enceintes ne doivent pas porter, traîner ou pousser des charges supérieures à 25 kilos.

● **Dérogations d'horaires**

La loi ne les prévoit pas. Néanmoins, il existe de nombreuses conventions collectives qui autorisent les femmes enceintes à bénéficier d'une réduction d'horaire.

● **À noter**

- Pendant la grossesse, la durée de travail ne peut excéder 10 heures par jour.

- L'employeur ne peut exiger de vous de travailler pendant les deux semaines qui précèdent votre accouchement et les six semaines qui le suivent (voyez toutes les informations sur les repos pré et postnatal pages suivantes).

- Lors de sa reprise d'activité, la salariée doit bénéficier, dans le cadre de la médecine du travail, d'une visite post-congé de maternité dans les 8 jours qui suivent son retour ; c'est une visite différente de la consultation postnatale.

● La salariée, après son congé de maternité, devra retrouver son emploi précédent ou, à défaut, un emploi similaire. Est « similaire » l'emploi qui n'a pas subi de modifications substantielles affectant un élément essentiel du contrat de travail (rémunération, qualification).

● **Pour plus d'informations** sur les risques professionnels, vous pouvez vous adresser aux représentants du personnel, à une organisation syndicale, à la Direction départementale du Travail, ou à l'Agence Nationale pour l'Amélioration des Conditions de Travail (www.anact.fr Tél. : 04 72 56 13 13), ou à Info Travail Service 0 821 347 347.

● **Une femme enceinte peut-elle être licenciée ?**

Le licenciement d'une salariée enceinte est interdit par la loi. Toutefois, le code du travail accorde un caractère différent à cette protection selon la période envisagée.

Protection absolue. Pendant son congé de maternité, la salariée ne peut être licenciée.

Protection relative. Durant la période qui précède le congé de maternité et les 4 semaines qui le suivent, le licenciement est admis :

● s'il y a faute grave (par exemple : injures consécutives à un refus d'exécuter une tâche n'exigeant pas un effort incompatible avec l'état de grossesse)

● en cas d'impossibilité de maintenir le contrat de travail pour un motif étranger à la grossesse (fermeture de l'entreprise, compression de personnel, licenciement collectif).

Une rupture d'un commun accord est autorisée pendant le congé de maternité à condition que l'employeur ne fasse pas référence à la maternité comme motif de rupture du contrat de travail.

Par ailleurs

● Le licenciement d'une salariée est annulé si, dans un délai de 15 jours à compter de sa notification, l'intéressée envoie à son employeur (par lettre recommandée avec AR), un certificat médical justifiant qu'elle est enceinte.

● Si vous avez un contrat à durée déterminée, vous bénéficiez de la même protection contre le licenciement que les titulaires d'un contrat à durée indéterminée. Le non-renouvellement du contrat (si celui-ci contient une clause de renouvellement) ne doit pas être dû à la grossesse.

● **Peut-on démissionner sans préavis ?**

Les femmes en état de grossesse médicalement attesté peuvent démissionner sans réaliser de période de préavis, donc sans avoir à payer une indemnité de rupture. En revanche, la mère ne bénéficiera pas du droit à réintégration prévu au terme du congé pour élever un enfant.

Si la demande de reprise d'activité par la salariée intervient dans l'année suivant la rupture (elle a précédemment mis fin à son contrat de travail pour poursuivre sa maternité), la femme bénéficie d'une priorité de réembauchage pendant un an pour le même emploi correspondant à ses qualifications. Elle retrouve aussi tous les droits sociaux acquis avant son départ.

● **Allaitement et travail**

Les salariées qui reprennent leur travail alors qu'elles continuent d'allaiter leur enfant disposent d'une heure par jour à prendre sur les heures de travail et ceci pendant un an à compter de la naissance. En principe, cette heure est fractionnée en 2 périodes de 30 minutes, l'une le matin, l'autre l'après-midi. Cependant l'employeur peut permettre à la salariée de quitter son travail une heure avant l'horaire réglementaire. Légalement, cette heure n'est pas rémunérée, mais de nombreuses conventions collectives en prévoient le paiement.

● **Congé de maternité et ancienneté**

Le congé de maternité est assimilé à une période de travail effectif, d'une part pour le calcul des congés payés, et d'autre part pour déterminer les droits que la salariée tient de son ancienneté dans l'entreprise. Mais cette disposition n'interdit pas à l'employeur qui institue une prime de fin d'année, et pratique un abattement à partir d'un certain nombre de jours d'absence, de réduire cette prime en raison de l'absence pour congé de maternité.

Le congé d'adoption est assimilé au congé de maternité : il est considéré comme une période d'activité et donne les mêmes avantages d'ancienneté.

● **À noter pour les pères** : ils sont autorisés à s'absenter sans perte de salaire pour assister à 3 examens de maternité (dont font partie les échographies). Ils sont protégés contre le licenciement durant les 4 semaines qui suivent la naissance de l'enfant, sauf s'ils sont responsables d'une faute grave.

LES CONGÉS
AVANT ET APRÈS LA NAISSANCE

Le congé de maternité

Avant et après l'accouchement, vous pouvez arrêter votre activité professionnelle et prendre un congé de maternité

La durée du congé varie en fonction du nombre d'enfants déjà au foyer ou à naître*. Dans le cas le plus simple, cette durée est de 6 semaines avant la naissance et de 10 semaines après, soit en tout 16 semaines. Il est possible de demander le report d'une partie du congé prénatal, dans la limite de 3 semaines, sur le congé postnatal. Ce report est fait en accord avec le médecin traitant. Pour l'obtenir, vous devez adresser un certificat médical du médecin ou de la sage-femme à la CPAM, attestant que vous pouvez continuer à exercer votre activité professionnelle. Cette demande doit être faite au plus tard la veille de la date à laquelle votre congé prénatal doit débuter. Il est possible de reporter directement les 3 semaines ou de reporter de semaine en semaine.

* Nous répondons à une question posée : oui, un enfant né après 15 semaines d'aménorrhée mais décédé compte dans le nombre d'enfants qu'on a eus. L'État civil établit un acte d' « enfant sans vie » sur production d'un certificat médical. L'extrait de l'acte figure sur le livret de famille si les parents le demandent, même si cet acte a été établi antérieurement à la délivrance du livret de famille. La déclaration afin d'obtenir un acte d'enfant sans vie et sa transcription en marge du livret de famille ne peut se faire qu'à la demande des parents.

Durée du congé de maternité				
Selon les cas		Période prénatale	Période postnatale du congé	Durée totale
Grossesse simple	l'assurée (ou le ménage) a moins de 2 enfants (4)	6 semaines (3)	10 semaines	16 semaines
	l'assurée (ou le ménage) assume déjà la charge d'au moins 2 enfants ou a déjà mis au monde au moins 2 enfants nés viables	8 semaines (1) (3)	18 semaines	26 semaines
Grossesse gémellaire		12 semaines (2) (3)	22 semaines	34 semaines
Grossesse de triplés ou plus		24 semaines (3)	22 semaines	46 semaines

(1) La période prénatale peut être augmentée de 2 semaines maximum sans justification médicale. La période postnatale est alors réduite d'autant.
(2) La période prénatale peut être augmentée de 4 semaines maximum sans justification médicale. La période postnatale est alors réduite d'autant.
(3) Possibilité de report de 3 semaines sur le congé postnatal.
(4) Dans les familles recomposées, les enfants à charge de chaque parent sont pris en compte.

Le congé de paternité

Les pères qui travaillent ont droit à un congé de paternité

Le congé de paternité se compose de deux volets :
• **une autorisation exceptionnelle d'absence** de 3 jours : elle est accordée par l'employeur pour chaque naissance ou adoption survenue au foyer du salarié. Ce congé rémunéré doit être pris à la naissance de l'enfant sur présentation d'un acte de naissance remis à l'employeur.

• Le **congé de paternité et d'accueil** de l'enfant
Peuvent en bénéficier : les salariés ; les demandeurs d'emploi lorsqu'ils sont indemnisés par l'Assedic ; les stagiaires de la formation professionnelle continue ; les pères chef d'entreprise ou d'exploitation ; le conjoint collaborateur s'il se fait remplacer par du personnel salarié.

● **Durée du congé**

Elle est de 11 jours (samedis, dimanches et jours fériés compris) ; maximum 18 jours en cas de naissances multiples.

Le congé peut succéder aux 3 jours ouvrables accordés par l'employeur, ou à des congés annuels, ou à des jours de RTT.

Il doit débuter avant les 4 mois de l'enfant. Cependant il existe des situations exceptionnelles où il peut être reporté : en cas d'hospitalisation du nourrisson, le salarié peut demander le report à la fin de l'hospitalisation. Dans ce cas, le congé doit être pris dans les 4 mois qui suivent la fin de l'hospitalisation.

● **Formalités**

Le salarié doit avertir son employeur au moins un mois avant la date choisie. L'employeur remplit l'attestation de salaire pour le congé qu'il transmet, accompagné d'une copie d'un extrait d'acte de naissance ou du livret de famille, à la caisse de Sécurité sociale. Le salarié peut aussi transmettre lui-même ces documents.

● **Indemnités**

Le montant des indemnités est calculé de la même manière que celui des indemnités maternité (p. 436).

• Il existe le même droit de congé pour l'enfant adopté.

Les congés de maternité particuliers

Que se passe-t-il si l'accouchement a lieu plus tôt que prévu ? Ou plus tard ? Si votre bébé est hospitalisé après la naissance ?... Tous ces cas, et d'autres, donnent lieu à des congés particuliers. Les voici :

Les congés de maternité particuliers				
Situation	Type de congé	Durée du congé	Moment de prise du congé	Formalités
État pathologique de la mère	Congé pathologique	14 jours, consécutifs ou non	À partir de la déclaration de grossesse et avant le début du congé prénatal	Sur prescription médicale Remise d'un arrêt de travail et d'une attestation de l'employeur
Accouchement prématuré	Congé maternité	Durée totale du congé non réduite	Congé prénatal non pris reporté en postnatal	Certificat d'accouchement Acte de naissance
Accouchement prématuré plus de 6 semaines avant la date théorique prévue de repos prénatal et hospitalisation de l'enfant dans un service de réanimation néonatale	Congé maternité	Durée équivalente au nombre de jours compris entre la date réelle d'accouchement et la date de début du congé prénatal théorique ; plus la totalité du congé prénatal et du congé postnatal	La totalité du congé est reportée en post-natal	Certificat d'accouchement Bulletin d'hospitalisation de l'enfant Acte de naissance
Accouchement tardif	Congé maternité	Totalité du congé prénatal prolongé et du congé postnatal	Congé prénatal prolongé jusqu'à l'accouchement et sans incidence sur la durée du congé postnatal	Certificat d'accouchement Acte de naissance
Hospitalisation de l'enfant plus de 6 semaines et reprise de l'activité de la mère	Congé maternité	Durée normale du congé de maternité	La période de la fin du congé postnatal est prise lors du retour au foyer de l'enfant si la mère a repris son travail après un congé de maternité d'au moins 8 semaines	Bulletin d'hospitalisation de l'enfant Acte de naissance

Indemnités ou allocations de l'assurance maternité

Le bénéfice des indemnités de repos concerne l'ensemble des femmes, quel que soit leur régime de protection sociale : le régime général, la MSA, le régime des exploitants agricoles ainsi que le régime des travailleurs indépendants. Pour le régime général, il s'agit des **prestations en espèces** de l'assurance maternité.

Les indemnités de congé maternité		
Régimes de protection	Personne assurée	Prestations dues
Général et MSA	Salariée	Indemnités journalières de repos
Exploitants Agricoles (AMEXA)	Exploitante agricole	Allocation de remplacement
Indépendants (RSI)	Femme chef d'entreprise	Allocation forfaitaire de repos maternel et indemnité forfaitaire d'interruption d'activité
	Conjointe collaboratrice	Allocation forfaitaire de repos maternel et indemnité de remplacement

Comment bénéficier des indemnités de congé maternité ?

Les salariées du régime général et de la MSA	
Conditions	Formalités
• Avoir été immatriculée 10 mois à la CPAM ou la MSA à la date présumée de l'accouchement	• Adresser à votre employeur une attestation sur l'honneur indiquant la date de votre arrêt de travail
• Justifier de 150 h d'activité avant le début de la grossesse ou du repos prénatal (*)	• Soit votre employeur adresse à votre caisse par voie électronique le montant de votre indemnité journalière
• Ou avoir cotisé sur un salaire équivalent à 1015 fois le SMIC horaire(7,47€) au cours des 6 mois précédant la date de début de la grossesse ou du repos prénatal (*)	• Soit votre employeur vous remet une attestation papier que vous adressez à votre caisse
• Respecter un arrêt de travail de 8 semaines dont 2 avant l'accouchement	• Si votre salaire maintenu est au moins égal au montant des indemnités journalières, c'est votre employeur qui les perçoit et vous les reverse
	• Si votre salaire maintenu est inférieur au montant des indemnités journalières, vous les recevez directement de votre caisse

* En cas d'adoption c'est la date d'arrivée de l'enfant au domicile qui est retenue

• Le montant maximum de l'indemnité journalière est de 82,33 €.
• Si vous êtes au chômage et percevez une indemnité, ou si vous avez bénéficié au cours des 12 derniers mois d'une allocation chômage, c'est votre activité avant l'indemnisation chômage qui définit les règles d'attribution et le montant de votre indemnité journalière maternité. Vous devez déclarer au Pôle emploi-Assedic le début du congé de maternité dans un délai de 72 heures. Le versement de l'allocation sera interrompu pendant votre congé maternité et l'indemnité journalière maternité prendra le relais.

Les exploitantes agricoles : l'allocation de remplacement		
Conditions	Formalités	Montant de l'allocation de remplacement
1. Etre affiliée à l'AMEXA 2. Participer à temps partiel ou complet aux travaux de l'exploitation 3. Cesser son activité au moins 2 semaines entre une période de 6 semaines avant la date d'accouchement et 10 semaines après 4. Etre effectivement remplacée	Aviser 30 jours avant la date d'arrêt de votre activité votre caisse qui vous informera sur les modalités de votre remplacement	Egal au montant des frais engagés

Il n'y a pas d'indemnités en espèces sauf si la maternité contraint l'exploitante à employer une personne pour la remplacer.

• Les femmes exerçant une activité indépendantes (RSI)

Les indemnités diffèrent selon le statut de la femme (chef d'entreprise ou collaboratrice de conjoint). Chacune peut bénéficier d'une allocation forfaitaire de repos maternel et d'une indemnité fofaitaire, sous certaines conditions.

Les indépendantes : allocation et indemnités			
Nature de la prestation	Femme concernée	Conditions	Montant
Allocation forfaitaire de repos maternel	Femme chef d'entreprise Conjointe collaboratrice	1. Etre inscrite au registre du commerce ou au répertoire des métiers 2. Etre à jour du versement des cotisations URSSAF 3. Interrompre son activité	3 170 € Versé en 2 fois : première moitié à la fin du 7e mois ; l'autre moitié après l'accouchement. 1 564,50 € à l'arrivée de l'enfant adopté au foyer
Indemnité forfaitaire d'interruption d'activité	Femme chef d'entreprise	Avoir interrompu son activité au moins 44 jours consécutifs dont 2 semaines avant l'accouchement (1)	2 292,40 € pour 44 jours
Indemnité de remplacement	Conjointe collaboratrice	Un remplacement d'au minimum une semaine comprise entre la 6e semaine avant la date de l'accouchement et 10 semaines après l'accouchement (2)	Égal au coût réel du remplacement dans la limite de 52,05 € journalier

(1) L'arrêt peut être prolongé de deux périodes de 15 jours. Pour le montant, voyez auprès de votre organisme
(2) Remplacement dont la durée peut varier en fonction du nombre d'enfants attendus ou adoptés et de l'état de santé pendant la grossesse

• En cas de **difficultés** dans votre vie personnelle et celle de vos ayants droit, certaines aides peuvent vous être accordées au titre de l'action sanitaire et sociale de votre organisme de protection.

Le congé parental d'éducation

Le congé parental d'éducation est accordé aux parents naturels ou adoptifs. Il s'adresse à chacun des deux parents. Il peut être pris à temps partiel ou à temps complet. Les parents peuvent le prendre ensemble ou séparément. Pendant le congé parental, le contrat de travail est suspendu et les droits à la protection sociale sont maintenus.

Ce congé est **non rémunéré** mais vous pouvez bénéficier d'une **allocation** versée par la CAF (voir p. 456 *La prestation partagée d'éducation de l'enfant*).

• Quand faire la demande de congé parental ?

Avec un enfant, le congé parental doit être demandé à la fin du congé de maternité si c'est la mère qui le demande, ou à la fin du congé de paternité si c'est le père.

Avec deux enfants et plus, vous avez la liberté du choix du moment et de la durée du congé parental dès l'instant qu'il s'agit de la période précédant les 3 ans de l'enfant.

La demande doit être faite auprès de votre employeur un mois avant la fin du congé de maternité par lettre recommandée avec accusé de réception. Vous devez justifier d'un an d'activité dans l'entreprise à la date de nais-sance de l'enfant ou de son arrivée dans le foyer en cas d'adoption. La demande de renouvellement doit être faite un mois avant la fin du congé précédent et selon les mêmes modalités.

• Durée du congé

• Si vous ne demandez pas à bénéficier de la prestation partagée d'éducation de l'enfant (PREPARE), le congé initial qui a une durée maximum d'un an peut être renouvelé 2 fois jusqu'aux 3 ans de l'enfant, que vous ayez un, deux ou plus d'enfants.

• Si vous bénéficiez de la PREPARE (p. 456) :

- avec un enfant vous pouvez demander un congé parental d'une année sous réserve que chacun des parents suspende séparément son activité durant 6 mois ;

- avec deux enfants et plus, le congé est de 24 mois si les parents le prennent ensemble, et il dure jusqu'aux 3 ans de l'enfant s'ils le prennent successivement.

En cas d'adoption, le congé est de 12 mois si l'enfant adopté a plus de 3 ans.

Le congé d'adoption

Toute personne qui travaille (salarié, indépendant, etc.) et accueille un ou plusieurs enfants dans sa famille a droit à un congé d'adoption

● Durée du congé

Elle varie en fonction du nombre d'enfants adoptés et du nombre d'enfants à charge, et selon que le congé est partagé ou non entre les parents adoptifs (tableau ci-dessous).

Lorsque le congé est partagé par les deux parents, il est augmenté de 11 jours pour l'adoption d'un enfant et de 18 jours pour deux enfants. Si le congé est pris séparément, la période la plus courte ne peut être inférieure à une durée de 11 jours. S'il est pris en même temps par les deux parents, la somme totale des deux périodes de congé ne peut pas être supérieure à la durée légale du congé d'adoption, soit par exemple 10 semaines et 11 jours pour un enfant.

Le congé d'adoption peut débuter soit le jour de l'arrivée de l'enfant dans la famille, soit 7 jours avant la date prévue de cette arrivée.

● Formalités

• Pour l'adoption d'un enfant en France, vous devez transmettre à la CAF l'attestation de mise en relation du service départemental de l'adoption indiquant le début de la période d'adoption ou l'attestation de placement de l'enfant.

• Pour l'adoption d'un enfant à l'étranger, vous devez transmettre la photocopie du passeport de l'enfant ou le document officiel sur lequel est présent le visa accordé par le service d'adoption internationale (SAE). La date du visa représente la date de placement de l'enfant. Ce visa est indispensable pour percevoir les indemnités journalières de votre caisse d'assurance sociale.

● **Indemnités journalières, ou allocation forfaitaire et indemnité forfaitaire**

Voyez pages 436-437.

Durée du congé d'adoption			
Enfant adopté	Enfants à charge	Enfants après adoption	Durée du congé en semaines
1	0 ou 1	1 ou 2	10
1	2	3	18
2 ou plus		2 ou plus	22

LES FORMALITÉS APRÈS LA NAISSANCE

● La déclaration de naissance

Dès la naissance de votre enfant, le médecin ou la sage-femme vous remettra un certificat attestant la naissance. Votre mari muni du livret de famille et de ce certificat, déclarera à la mairie de la commune où a lieu l'accouchement, la naissance de votre enfant.

La déclaration de naissance représente un événement important dans la vie d'un couple. Même si la maternité propose de s'en charger, bien des pères tiennent à accomplir eux-mêmes cet acte. Ils ont raison, cette déclaration représente la naissance juridique de l'enfant, son entrée dans la citoyenneté.

C'est à cette occasion que vous pourrez éventuellement, par une déclaration conjointe, choisir le nom de votre enfant en décidant, par exemple, de lui donner le nom double de ses deux parents (p. 447).

La déclaration de naissance doit obligatoirement être faite dans les 3 jours qui suivent la naissance, et sera portée sur le livret de famille. Le jour de l'accouchement n'est pas compté dans ce délai et, si le troisième jour est férié, le délai est prorogé jusqu'au premier jour ouvrable suivant.

Passé ce délai de 3 jours, l'officier d'état civil n'a plus le droit de dresser l'acte de la naissance avant qu'un jugement du tribunal ne soit intervenu, ce qui entraîne des formalités longues et coûteuses.

Il faudra faire des photocopies (au moins 4) du livret de famille qui seront nécessaires pour vos démarches ultérieures, carte de priorité, allocations familiales, etc.

Si les père et mère de l'enfant, ou l'un des deux, ne sont pas désignés à l'officier d'état civil, aucune mention ne doit être faite à ce sujet sur les registres de l'état civil.

À signaler : la simple mention de la mère sur l'acte de

naissance suffit à établir la filiation maternelle (p. 446).

Sur le **congé de paternité**, voyez p. 434.

Sur la **reconnaissance de l'enfant**, voyez p. 446.

Sur les **prestations familiales**, voyez p. 453.

● **La surveillance médicale de l'enfant**

Au cours de la première année, 9 examens sont obligatoires : dans les 8 jours qui suivent la naissance, avant la fin du 1er mois, et au cours des 2e, 3e, 4e, 5e, 6e, 9e et 12e mois.

Au cours de la 2e année, 3 examens sont obligatoires : ceux des 16e, 20e et 24e mois. Enfin, au cours des 4 années suivantes, un examen est obligatoire tous les 6 mois.

Parmi ces examens, 3 donnent lieu à l'établissement d'un certificat de santé (ceux des 8e jour, 9e ou 10e mois et 24e ou 25e mois). Et de l'envoi de ce certificat de santé à la Caisse d'allocations familiales dépend le paiement de la PAJE et des allocations familiales.

Si vous faites suivre votre bébé dans un centre de PMI, il est bon que le médecin de votre quartier le connaisse, car c'est lui que vous appellerez lorsque l'enfant sera malade : le centre de PMI n'est pas un centre de soins ni de traitement, et il n'est ouvert qu'à certaines heures. Le carnet de santé, s'il est bien rempli, fera le lien entre les différents médecins que vous serez amenés à voir. Le **carnet de santé** est envoyé par la Caisse de sécurité sociale. Mais, le plus souvent, il vous sera remis à la sortie de la maternité.

Après la naissance		
	1ER mois	**2E mois**
Votre santé	• Pour être rapidement en forme, reposez-vous vraiment après la naissance • Si vous travaillez, vous avez droit au minimum à 8 semaines de repos. • Si vous allaitez, pensez à votre régime • Dès le 2e jour, vous pouvez faire quelques exercices	• Faites les exercices de rééducation périnéale, les abdominaux ce sera pour plus tard • Pour retrouver rapidement votre ligne, ayez un régime léger et équilibré
Examens		• Examen postnatal : examen général et gynécologique
Formalités Séc.Soc. et AF.	• À la sortie de la maternité, envoyez à la Sécurité sociale : - le certificat d'accouchement - le certificat de l'examen néonatal du bébé - le reçu des frais d'accouchement. • Envoyez à la CAF le certificat qui lui est destiné	• Remettez à la consultation ou envoyez à la Séc.Soc. avant la 8e semaine la feuille de maladie correspondant à l'examen postnatal • Envoyez à la Séc.Soc. l'attestation de reprise ou de non-reprise de travail
Formalités diverses	• Dans les 3 jours déclarez la naissance à la mairie • Faites renouveler à la mairie votre carte de priorité • Si vous désirez prendre un congé sans solde, prévenez votre employeur par lettre recommandée avec A.R • Pour les couples non mariés : la reconnaissance de l'enfant peut être faite avant ou après la naissance	
Votre bébé	• Au cours des deux premières années, 3 examens sont obligatoires : au 8e jour, 9e mois et 24e mois	

QUI VA GARDER VOTRE ENFANT ?

Il existe deux modes d'accueil des enfants auxquels vous pouvez recourir selon vos besoins, votre budget et la disponibilité de l'offre : les services d'accueil familial (assistantes maternelles, garde à domicile, garde partagée, employée polyvalente) ; et les établissements d'accueil collectif (crèches, haltes-garderies, etc.).
Nous vous conseillons de vous en préoccuper dès que votre grossesse est confirmée

L'accueil individuel

• L'accueil par une assistante maternelle

Il représente le mode de garde le plus répandu. L'assistante maternelle accueille à son domicile, ou dans une maison d'assistantes maternelles, des enfants âgés de 2 semaines à 6 ans. Elle a pour mission d'assurer les soins d'hygiène, l'alimentation et la sécurité de l'enfant, de contribuer à son développement et à son éducation. Avant d'accueillir un enfant, elle doit obligatoirement être agréée par le Président du Conseil général de sa résidence. Pour obtenir cet agrément, elle doit suivre une **formation** de 120 h dont 60 avant tout accueil d'enfant.

Le nombre d'enfants accueillis ne peut dépasser 4, y compris son enfant de moins de 3 ans. L'assistante maternelle peut faire partie d'un relais d'assistantes maternelles, lieu d'information et d'échange de pratiques professionnelles.

Les parents peuvent **recruter** directement l'assistante maternelle (adresses données par la mairie ou la PMI, bouche à oreille, etc.), ou bien ils peuvent avoir recours à une association agréée ou une entreprise habilitée ; les parents sont alors l'employeur. L'assistante maternelle peut aussi être salariée d'une crèche familiale (p. 441).

Lorsqu'elle est salariée du parent qui l'emploie, sa rémunération est fixée par la convention collective du travail des assistantes maternelles du particulier employeur. Si vous souhaitez trouver des exemples de rémunérations, consultez le site Internet www.assistantematernelle.biz

Le **contrat de travail** doit être écrit et répond à des normes précises tant dans la présentation que dans son contenu. Afin de vous aider à sa rédaction, voyez le modèle annexé à la convention. Enfin, l'assistante maternelle doit être affiliée à la Sécurité Sociale et avoir souscrit une assurance responsabilité civile pour les dommages causés ou subis par les enfants confiés.

• La garde à domicile par une auxiliaire familiale

L'auxiliaire se consacre à l'éveil et au bien-être de l'enfant, elle l'accompagne à son rythme et en toute sécurité. L'auxiliaire assure toutes les tâches relatives aux soins courants et à l'hygiène de l'enfant : repas, change, toilette, sieste, rangement et nettoyage du matériel de puériculture.

L'auxiliaire familiale peut être recrutée directement par les parents, ou en ayant recours à une association ou une entreprise agréée. Dans ces derniers cas, l'association doit être agréée par le Conseil général et l'entreprise par le Préfet.

• La garde partagée à domicile

Il s'agit de la même forme de garde pour l'enfant mais, dans ce cas, les parents ont fait le choix de partager avec une autre famille l'activité de leur auxiliaire familiale. La garde s'effectue en alternance chez l'une et l'autre famille. Les tâches réalisées sont les mêmes dans chacune des maisons et adaptées à l'âge des enfants. L'avantage pour les familles est le partage par moitié du coût de la garde et pour les enfants d'être à deux plutôt que seul. Ce mode de garde exige par contre une entente entre les deux familles, des horaires similaires et une proximité géographique.

• Pour toute question sur l'emploi direct à domicile, vous pouvez consulter www.particulieremploi.fr

• L'employée polyvalente

La garde de l'enfant est assurée par une employée qui a aussi en charge l'entretien de la maison de la famille.

• L'activité de ces trois professionnelles fait partie du secteur des **services à la personne** et relève de la convention collective nationale des salariés du particulier employeur. La convention définit notamment les modalités du contrat de travail, de la rémunération, de la protection sociale. Elle peut être consultée sur le site internet www.legifrance.gouv.fr.

• Le jeune stagiaire au pair

La jeune fille ou le jeune homme au pair – ou jeune stagiaire familial – est une solution possible pour garder un enfant à temps partiel. Le jeune, qui vient en France pour perfectionner son français, doit avoir entre 17 et 30 ans, être célibataire et sans enfant. La durée du séjour ne peut être inférieure à 3 mois ni supérieure à un an. Le jeune au pair doit s'inscrire à des cours de français.

Avant son arrivée un accord sera signé entre le jeune et la famille d'accueil. L'accord définit les conditions d'accueil, de logement, les tâches demandées par la famille (elles relèvent essentiellement de la garde des enfants), les horaires laissés à disposition pour lui permettre de suivre ses cours, les repos hebdomadaires, dont au minimum une journée complète par semaine, et le montant de l'argent de poche qui peut varier entre 250 et 300 € par mois.

La famille doit immatriculer le jeune à la Caisse de Sécurité sociale du lieu de résidence et le déclarer à l'URSSAF comme employé de maison. Elle prend en charge les frais de transport pour se rendre à ses cours.

• L'emploi d'un jeune au pair ne permet pas de bénéficier de la réduction ou du crédit d'impôts pour emplois familiaux, ni de la PAJE.

• Pour toute question vous pouvez contacter Eurojob contact@eurojob.fr

L'accueil collectif

Il est constitué des crèches collectives (crèches d'entreprise, crèches parentales, crèches familiales, micro-crèches), des haltes garderies, des jardins d'éveil, des jardins d'enfants et des établissements multi-accueil.

Les différents modes de garde collectifs ont pour mission de veiller à la santé, à la sécurité, au développement et au bien-être des enfants qui leur sont confiés. La prise en charge des enfants est assurée par une équipe pluridisciplinaire composée notamment d'éducateurs de jeunes enfants, d'auxiliaires de puériculture, sous la direction d'un médecin, d'une puéricultrice. Pour avoir des adresses, demandez à votre mairie : elle vous indiquera les coordonnées des différents services (sociaux, PMI, associations) qui les connaissent.

● **Les crèches collectives**

Elles reçoivent un maximum de 60 enfants de 2 mois et demi à 3 ans. Elles sont gérées le plus souvent par une collectivité territoriale (mairie ou département), plus rarement par des associations ou des mutuelles.

Elles sont conçues et aménagées pour recevoir de façon régulière des enfants de moins de 3 ans. Elles regroupent les crèches traditionnelles de quartier et de personnel, et les crèches parentales.

• Les **crèches de quartier**, proches du domicile des parents, ont une capacité d'accueil limitée à 60 places. Elles sont ouvertes de 8 à 12 heures par jour, fermées la nuit, le dimanche et les jours fériés.

• Les **crèches de personnel** sont régies par l'employeur. Elles sont implantées sur le lieu de travail des parents, elles adaptent leurs horaires à ceux de l'entreprise. Leur capacité d'accueil est identique aux précédentes.

• Les **crèches parentales** sont gérées par des parents regroupés en association et qui s'occupent à tour de rôle des enfants avec le soutien d'un personnel qualifié. La capacité d'accueil de la crèche est de 20 places (exceptionnellement de 25 places). Leurs locaux doivent être conformes aux règlements de sécurité et permettre une surveillance des enfants. Pour connaître les crèches parentales proches de votre domicile, vous pouvez vous renseigner auprès de l'Association des Collectifs Enfant Parents Professionnels, tel. : 01 44 73 85 20, ou sur leur site ACEPP.

● **Les haltes-garderies**

Elles accueillent ponctuellement les enfants de moins de 6 ans. Elles permettent d'offrir aux enfants de moins de 3 ans des temps de rencontre et d'activité communs avec d'autres enfants, les préparant progressivement à l'entrée à l'école maternelle. On distingue les haltes-garderies traditionnelles offrant au maximum 60 places et les haltes-garderies parentales de taille limitée à 20 ou 25 places.

● **Les jardins d'enfants**

Ils accueillent de façon régulière des enfants de 3 à 6 ans. Ils sont conçus comme une alternative à l'école maternelle. Ils peuvent recevoir des enfants dès l'âge de 2 ans. Leur capacité peut atteindre 80 places.

● **Les structures « multi-accueil »**

Elles proposent différents modes d'accueil des enfants de moins de 6 ans au sein d'une même structure : ce peut être des places d'accueil régulier de type crèche ou jardin d'enfants, des places d'accueil occasionnel de type halte-garderie ou des places d'accueil polyvalent utilisées tantôt à l'accueil régulier, tantôt à l'accueil occasionnel. Elles sont gérées soit par les collectivités territoriales soit par les parents.

● **Le jardin d'éveil**

C'est une structure intermédiaire entre la famille, la crèche ou l'assistante maternelle et l'école maternelle et qui est adaptée aux enfants de 2-3 ans. La capacité d'accueil recommandée est de 24 places. Le jardin d'éveil fonctionne au moins 200 jours par an. L'accueil se fait à mi-temps et pour une durée de 9 mois, 18 mois étant une durée maximale sauf pour les enfants porteurs de handicap. L'encadrement est assuré par des éducateurs de jeunes enfants, des puéricultrices, des infirmières, des psychomotriciennes et des auxiliaires de puériculture. Les enfants peuvent ne pas être propres.

● **Le service d'accueil familial, ou crèche familiale**

Il emploie des assistantes maternelles agréées qui gardent à leur domicile jusqu'à 4 enfants âgés de moins de 4 ans. L'ouverture d'une crèche familiale dépend d'une autorisation délivrée par le Président du Conseil général après avis des services de la PMI.

Ce service peut être géré par une collectivité territoriale, une entreprise, une association ou une mutuelle. Il est dirigé par une puéricultrice, un médecin ou un éducateur de jeunes enfants. Ceux-ci assurent l'encadrement et l'accompagnement professionnel des assistantes maternelles. Plusieurs fois par semaine, les assistantes maternelles se rendent dans les locaux du service d'accueil afin de favoriser les échanges et la socialisation des enfants.

En ce qui concerne la participation financière, il faut vous renseigner directement auprès du service d'accueil familial retenu et vous informer sur l'option qu'il a choisie : soit une aide destinée à couvrir une partie des frais de fonctionnement qui lui est versé par la CAF, soit un financement reposant sur le complément du libre choix du mode de garde (vous le percevez et votre participation sera calculée selon des modalités propres au service d'accueil).

● **Les maisons d'assistantes maternelles** accueillent les enfants dans une maison extérieure à leur domicile. Elles répondent à la demande d'accueil des jeunes enfants en milieu rural et avec des horaires atypiques.

● **Des aides particulières**

Lorsque les parents rencontrent des difficultés liées à la naissance, ils peuvent être aidés.

● Les **techniciennes de l'intervention sociale et familiale à domicile** (TISF, anciennement appelées travailleuses familiales) ont pour fonction de relayer ou de seconder la mère de famille dans les tâches quotidiennes du foyer, lorsque celle-ci se trouve dans l'incapacité momentanée de les effectuer (maternité par exemple). En général, l'intervention de ces personnes est limitée (1 ou 2 semaines en moyenne), mais elle peut durer plus longtemps dans des cas particuliers.

● Les **aides ménagères** assurent les travaux ménagers que la mère de famille ne peut assurer momentanément (si la situation ne justifie pas la présence d'une TISF). Elles viennent 1 ou 2 jours par semaine, ou par demi-journée.

Pour ces aides familiales, la **participation financière** de la famille est fixée d'après les revenus de la famille et le nombre d'enfants. En cas de naissance multiple (triplés et plus), ou de jumeaux si la famille compte un enfant de moins de 3 ans, la gratuité est accordée pour un certain nombres d'heures. Votre Caisse d'allocations familiales vous donnera tous les renseignements. La mairie, les services de PMI, vous donneront également des adresses d'organismes privés pouvant vous procurer une aide familiale.

Les dépenses pour la garde de l'enfant

Les dépenses pour la garde de l'enfant vont dépendre du choix du mode de garde, des ressources et du nombre d'enfants de la famille ; elles vont dépendre également des diverses aides de la CAF, des collectivités locales, de l'État, et éventuellement des employeurs. Quel que soit le mode de garde choisi, vous bénéficierez de l'aide de l'État sous la forme d'un avantage fiscal.

Les dépenses selon le mode d'accueil			
Mode d'accueil	Assistante maternelle	Garde à domicile	Crèche collective
Salaire ou participation financière	Dépend de la convention des assistantes maternelle et maximum 36,89 € net journalier pour bénéficier du complément mode de garde	Variable et fonction de la convention du particulier employeur. Salaire horaire minimum 8,10 € net	Variable en fonction des ressources, de la composition de la famille et du quotient familial référé au barème national
Congés payés	10 % du salaire sans condition d'ancienneté	10 % du salaire	
Indemnité d'entretien	Ne peut être inférieur à 2,99 € / jour		
Coût des repas	Environ 3,50 € / jour		
Cotisations sociales	Pas de cotisation si le salaire ne dépasse pas 36,89 € net / jour	Déduction partielle des cotisations	
Part restant à charge des parents	15 % minimum	15 % minimum	15 % minimum

Les aides financières pour la garde de l'enfant

Vous pouvez bénéficier pour l'accueil de votre enfant de deux aides financières : celle de la CAF, ou de la MSA, sous la forme d'une prise en charge partielle des dépenses de garde et d'une prise en charge des cotisations sociales, variable selon le mode de garde ; et l'aide de l'État sous la forme d'un crédit d'impôt ou d'une réduction d'impôt. Pour percevoir ces aides vous devez répondre à certaines conditions et remplir diverses formalités qui varient en fonction du mode d'accueil choisi.

Les aides financières selon le mode d'accueil		
Nature de l'accueil	Aides de la CAF ou MSA	Aides de l'État (avantage fiscal)
Employeur direct d'une garde au domicile	- Prise en charge partielle du salaire de l'employée (Cmg*) - Prise en charge partielle des cotisations sociales enfant de – 3 ans : 50 % dans la limite de 445 € par famille enfant entre 3 et 6 ans : 50 % dans la limite de 223 € par famille	- Crédit ou réduction (1) d'impôt Maximum : 50 % des dépenses engagées avec un plafond de 12 000 € majoré à 15 000 € la première année - Limite de 6 000 € par famille 7 500 € la première année d'imposition avec cet avantage. - Les aides dont le particulier a bénéficié (aide de son entreprise) doivent être déduites des dépenses engagées.
En ayant recours à une entreprise agréée	Mêmes avantages que ci-dessus mais obligation de 16 h de garde mensuelle	Même avantage fiscal que ci-dessus
Employeur direct d'une assistante maternelle	- Prise en charge partielle du salaire de l'assistante maternelle (Cmg*) - Prise en charge totale des cotisations sociales	Crédit d'impôt : 50 % des dépenses engagées dans la limite d'un plafond de 2 300 € par enfant. -Maximum 1 150 € par enfant - Si résidence alternée maximum 575 € par enfant
Crèche collective	Versement d'une aide au gestionnaire (PSU) si l'établissement applique le barème national des participations familiales fixé par la CAF	Crédit d'impôt dans les mêmes conditions que pour l'accueil par une assistante maternelle

* Cmg : complément de mode de garde (p. 455)
(1) Conditions pour bénéficier du crédit d'impôt : exercer une activité professionnelle ou être inscrit comme demandeur d'emploi durant 3 mois au moins au cours de l'année du paiement des dépenses de garde de l'enfant. Si vous n'êtes pas imposable le crédit d'impôt vous est remboursé.

Paiement des frais de garde au moyen de Chèque Emploi Service Universel (CESU)

Quel que soit le mode de garde choisi, auxiliaire familiale, assistante maternelle, ou structure apparentée à la crèche collective, vous pouvez payer les frais de garde par virement, en espèces ou avec un chèque emploi service universel (CESU). Le CESU est un titre de paiement destiné à vous faciliter l'accès aux services à la personne en vous simplifiant les formalités administratives et déclaratives du particulier employeur. Lorsque l'employeur et la salariée optent pour le CESU l'employeur n'est pas tenu de délivrer un bulletin de paye.

Pour tout renseignement www.cesu-urssaf.fr

● www.mon-enfant.fr

Ce site, crée par la Caisse d'allocations familiales, regroupe les informations sur les solutions d'accueil du jeune enfant (crèche, micro-crèche, multi-accueil, assistante maternelle, etc.).

SI VOUS ÊTES SEULE

Vivre seule sa grossesse est pour certaines un choix, pour d'autres une obligation. Quelle que soit votre situation, il existe un certain nombre de services et d'associations capables de vous apporter les aides morales et matérielles dont vous pouvez avoir besoin. Il ne faut pas hésiter à vous informer et à les contacter.

Pour connaître des adresses d'associations, demandez à une assistante sociale (à la mairie, à la PMI, dans votre entreprise). Dans certaines maternités, les sages-femmes mettent en rapport les mères seules, dans le cadre de la préparation à l'accouchement, et l'on voit peu à peu se constituer des groupes, s'échanger des adresses, et une vraie solidarité s'instaurer entre les futures mères.

• La femme seule bénéficie des prestations en nature et en espèces de Sécurité sociale pour elle et ses ayants droit si elle exerce une activité professionnelle salariée ou non salariée, mais seulement des prestations en nature si elle est bénéficiaire de la CMU (p. 428).

• Les mères seules à charge d'un assuré social (dans la limite d'âge prévue par la loi) bénéficient des prestations de Sécurité sociale comme ayants droit d'un assuré social.

• En ce qui concerne les femmes divorcées et les femmes veuves, les prestations de l'assurance maternité continuent à leur être versées pendant un an (après la transcription du divorce, ou le décès du conjoint), ou jusqu'au 3e anniversaire du dernier enfant.

• **Les aides de la CAF** (Caisse d'allocations familiales)
Vous pouvez bénéficier d'une allocation spécifique (allocation de soutien familial) et des autres allocations versées sans ou avec conditions de ressources (p. 453 et suiv.). Ces dernières ont été revalorisées pour le parent seul soit la sous la forme d'une majoration de l'allocation, soit d'une majoration du plafond de ressources ou bien d'une minoration du revenu professionnel exigé.

• **Allocations d'aide sociale à l'enfance**
Les futures mères dépourvues de ressources ou disposant de ressources insuffisantes peuvent bénéficier de diverses allocations d'aide sociale à l'enfance, et être admises dans des **maisons maternelles**.

Une aide financière peut être maintenue après l'accouchement ou accordée à la mère qui n'a pas assez de ressources pour vivre. Elle est cumulable avec les allocations familiales (Aide sociale à l'enfance, p. 460).

Les hôtels maternels reçoivent les mères après le congé de maternité lorsqu'elles rencontrent des difficultés de logement et de ressources, pour une durée supérieure à 3 mois et, en principe, au maximum pour 1 an. Les frais de séjour sont en partie à la charge de la mère, en fonction de ses possibilités financières.

Aide à la garde des enfants pour parents isolés (AGEPI)
Il exister une aide à la garde des enfants de moins de 10 ans dont vous pouvez bénéficier lorsque vous retrouvez une

Parent seul : revalorisation des allocations sous conditions de ressources		
Allocations	Majorées	Majoration plafond des ressources
Prime naissance		Oui
Allocation de base		Oui
Complément du libre choix du mode de garde		Oui de 40 %
Prestation partagée d'éducation de l'enfant (PREPARE)	Oui	
Allocation journalière de présence parentale (AJPP)	Oui	Oui
Complément de l'AJPP		Oui
Complément familial	Oui	Oui
Complément de l'AEEH (éducation enfant handicapé) si recours à une tierce personne	Oui dès le 2ème complément si le parent ne perçoit pas de pension alimentaire	
RSA [1]	Oui pour le parent et pour l'enfant	
Aides au logement APL, ALF	Oui	
Prime au déménagement	Oui	

(1) Vous pouvez le percevoir si vous êtes en congé sabbatique sans solde ou en disponibilité

activité en CDD ou CDI d'au moins 2 mois, ou si vous suivez certaines formations d'une durée d'au moins 40 heures dans le cadre d'un projet personnalisé d'accès à l'emploi (PPAE). Vous ne devez pas percevoir d'indemnités de chômage. Le montant de l'aide est variable en fonction de la durée du travail ou de formation. Cette aide n'est pas imposable sur le revenu.

L'aide fiscale : la prime pour l'emploi (PPE)

La prime pour l'emploi, ou crédit d'impôt, est versée à la personne dont les revenus d'activité ne dépassent pas un certain seuil. L'activité peut être exercée à temps plein ou partiel, salariée ou non. Ce seuil est majoré pour le parent seul qui a la charge d'un ou plusieurs enfants. Pour les personnes imposables, la prime est déduite de l'impôt, pour les personnes non imposables, elle est versée par chèque ou virement du Trésor public. Par ailleurs tout contribuable bénéficie d'une demi-part supplémentaire par enfant élevé seul.

Les diverses aides au logement

L'APL (Aide personnalisée au logement) et l'ALF (Allocation de logement familial) sont accordées sous conditions de ressources. L'aide, quelle qu'elle soit, prend en compte la situation familiale, le coût du loyer et des charges. Elle est plus élevée pour les familles monoparentales. A titre d'exemple, en 2012, le montant moyen mensuel de l'aide est de 207 € pour un couple avec 2 enfants et de 289 € pour une famille monoparentale, de 265 € pour un couple avec 3 enfants et de 381 € pour une famille monoparentale.

• Vous pouvez prendre contact auprès des associations des familles monoparentales en vous adressant à la Fédération Syndicale des Familles Monoparentales, 53 Rue Riquet, 75019 Paris, tél 01 44 89 86 80
www.csfriquet.org

LA PMI
Protection Maternelle et Infantile

La protection maternelle et infantile (PMI) est un service départemental à la disposition des familles. La prévention occupe une place centrale dans sa mission. Le service de PMI accompagne les femmes enceintes pendant leur grossesse. Il répond aux demandes des familles sur la santé et le développement des enfants de moins de 6 ans et soutient les parents dans leur rôle éducatif.

La PMI a également une mission de protection de l'enfance en danger ou à risque. Elle a la responsabilité de l'agrément des assistantes maternelles et des établissements d'accueil de la petite enfance. Elle contribue au dépistage du handicap chez l'enfant avec le concours des services adaptés. Par le biais des centres de planification et d'éducation familiale, la PMI met à la disposition des couples des espaces de consultations gratuites, conjugales et gynécologiques.

• L'équipe de PMI

Pour mener à bien ses activités, le service de la PMI est constitué d'une équipe pluri-professionnelle qui a pour mission un accompagnement médical mais aussi psychologique. L'équipe est composée généralement :

- d'un **médecin** chargé de suivre, lors des consultations, le bon développement de l'enfant, de vérifier les vaccinations ; il agrée et évalue les assistantes maternelles en collaboration avec les puéricultrices et la psychologue ;

- de **puéricultrices**, qui assistent le médecin dans les consultations. Lors des consultations ou des visites à domicile, elles accompagnent les parents dans la compréhension des soins et des besoins de leur bébé, en apportant des réponses à leurs questions, sur l'alimentation, le couchage, le bain, les mesures de sécurité à prendre dans la maison, etc.

Si après la naissance, vous êtes inquiète pour votre retour au domicile, contactez votre centre de PMI, et indiquez leur votre date de sortie : une puéricultrice peut vous assister dans les premiers jours, une travailleuse familiale peut également vous aider ;

- d'une **psychologue** qui écoute les préoccupations des parents, comme les troubles du sommeil ou les pleurs fréquents du bébé, et leur apporte un soutien ;

- d'**éducatrices de jeunes enfants** : leur fonction est d'accueillir les enfants avec leurs parents ou leur assistante maternelle. Lors de ces séances d'accueil-jeu, elles donnent des conseils sur les jeux et l'éducation de l'enfant, elles favorisent la confiance en soi des enfants en les encourageant par des activités manuelles, de langage, de motricité...

- de **sages-femmes**, auxquelles sont confiés la surveillance et le suivi de la grossesse qu'elles assurent lors des consultations au centre et/ou au domicile de la future mère. Elles accompagnent le passage entre la maternité et le domicile. Elles guident les mères qui souhaitent allaiter. Enfin, elles réalisent des séances de préparation à l'accouchement.

• Les réseaux de périnatalité

Ils ont été créés afin d'améliorer la prévention, le bien être, la qualité des soins et la sécurité tout au long des 9 mois de la grossesse, lors de l'accouchement et après la naissance. Ils favorisent la coordination des actions à mener autour de la femme enceinte, la cohérence du suivi de la grossesse et le soutien à la parentalité.

LA FAMILLE : QUELQUES INFORMATIONS JURIDIQUES

Au cours des siècles, la famille a profondément évolué. De patriarcale, constituée autour du chef de la lignée, elle est devenue nucléaire, rassemblée autour du couple. Dans les temps plus récents, cette évolution s'est poursuivie avec l'accroissement du nombre des familles monoparentales et recomposées, plus récemment encore, avec l'émergence des familles homoparentales. De ce fait, le droit de la famille est devenu de plus en plus complexe et nous ne pouvons énumérer dans ce livre que quelques notions essentielles. Pour chaque cas particulier, une information complète nécessite la consultation d'un professionnel, notaire ou avocat, ou d'une association spécialisée.

Des barreaux ont organisé des services de consultations gratuites (se renseigner auprès de l'ordre des avocats). Il existe des maisons du Droit dans de nombreuses communes (se renseigner auprès des mairies). Les assistantes sociales sont à même de vous communiquer les coordonnées d'associations compétentes (voyez quelques adresses page 461).

La filiation et la reconnaissance de l'enfant

La mention du nom de la mère sur l'acte de naissance de l'enfant établit automatiquement la filiation à son égard

La filiation nous inscrit, elle inscrit chaque enfant qui naît, dans une famille. Sur le plan juridique, la filiation est l'ensemble des règles qui permettent de déterminer l'ascendance d'une personne, enfant ou adulte. Jusqu'à récemment, une seule famille existait : la famille légitime, issue du mariage d'un homme et d'une femme. En 1972, la loi a créé la notion de famille naturelle pour prendre en compte les enfants nés hors mariage. Aujourd'hui, les mots de « légitime » et « naturel » ont été supprimés du vocabulaire juridique dans un souci d'égalité des enfants. Et la loi du 17 mai 2013 a ouvert le mariage et l'adoption aux couples de même sexe.

Il existe trois modes d'établissement de la filiation : par la loi, par la volonté des parents, par un jugement.

• La filiation établie par la loi

La mention du nom de la mère sur l'acte de naissance de l'enfant la désigne comme mère de l'enfant et établit la filiation à son égard. Une seule exception : lorsque la mère a demandé à accoucher anonymement ; bien que son nom soit inscrit sur l'acte de naissance, la filiation sera effacée.

L'homme marié est présumé être le père de l'enfant né de son épouse. Cette présomption de paternité s'applique aux enfants conçus ou nés pendant le mariage. Cette présomption disparaît si le nom du mari n'apparaît pas en qualité de père dans l'acte de naissance de l'enfant, ou si ce dernier naît plus de 300 jours après une ordonnance de non conciliation ou un jugement amiable de divorce ou de séparation de corps.

• La filiation établie par la volonté des parents

La reconnaissance : lorsque les parents ne sont pas mariés, le père et la mère peuvent reconnaître leur enfant avant la naissance, ensemble ou séparément. La démarche se fait dans n'importe quelle mairie. Il suffit de présenter une pièce d'identité et de faire une déclaration à l'état civil. L'acte de reconnaissance est rédigé immédiatement par l'officier d'état civil et signé par le parent concerné ou par les deux en cas de reconnaissance conjointe. La reconnaissance peut être également établie par acte notarié.

Si cette reconnaissance prénatale n'a pas été faite par le père, celui-ci doit la faire, selon les mêmes modalités, après la naissance pour établir la filiation paternelle. La mère n'a pas de démarche à faire du moment que son nom figure dans l'acte de naissance.

Le père d'un enfant dont la mère a accouché anonymement peut reconnaître l'enfant avant la naissance ou le placement de l'enfant en vue de son adoption.

• La filiation établie par un jugement

• C'est tout d'abord le cas de l'**adoption plénière** : un jugement donne à l'enfant une filiation qui se substitue à sa filiation d'origine. La loi de 2013 a facilité l'adoption de l'enfant du conjoint et ouvert le droit d'adopter aux couples mariés de même sexe. Toutefois l'enfant ne pourra pas être considéré comme issu de deux hommes ou de deux femmes.

• La filiation établie par un jugement concerne également la **recherche de maternité ou de paternité**.

Tout enfant peut rechercher sa **mère** en justice, qu'elle

soit mariée ou pas. Il doit prouver qu'il est celui dont la mère a accouché, sauf s'il a été placé en vue de son adoption ou s'il a déjà une filiation légalement établie. La mère peut s'opposer à cette recherche si elle a demandé à bénéficier de l'anonymat lors de l'accouchement.

Les **pères** ne peuvent pas se soustraire à une action en recherche de paternité. Des expertises génétiques (tests ADN) sont alors ordonnées par la justice. Les tests que l'on peut réaliser soi-même, notamment à l'étranger ou par l'intermédiaire d'internet, sont sans valeur probante en France.

Un père ne peut être contraint par la force à se soumettre à une expertise biologique. Mais divers moyens de l'y obliger existent, par exemple des astreintes financières.

• Ce que la loi appelle **« possession d'état »** permet d'établir une filiation, par exemple lorsqu'un homme s'est comporté aux yeux de tous comme un père, en pourvoyant aux besoins de l'enfant, à son entretien, son éducation.

● L'accouchement anonyme

L'accouchement anonyme, ou accouchement secret, ou encore accouchement sous X, est une spécificité française : la femme dispose du droit d'accoucher sans donner son nom et sans qu'il soit possible à son enfant de l'identifier dans l'avenir. Aucune pièce d'identité ne peut lui être demandée et aucune enquête ne peut être menée. Cette priorité donnée aux droits de la mère prend en considération la détresse de cette dernière lors de son accouchement. Mais la loi a cherché également à tenir compte du droit de l'enfant à connaître ses origines. C'est pour cela que le Conseil national pour l'accès aux origines personnelles (CNAOP) a été créé. Cet organisme est chargé de recevoir les demandes à l'accès à leurs origines des enfants, les déclarations des mères autorisant la levée du secret de leur identité, ou encore celles de mères s'enquérant de leur recherche éventuelle par leurs enfants.

En pratique

Au moment de l'accouchement, la mère désirant accoucher anonymement est invitée à laisser, si elle l'accepte, des renseignements : sur sa santé et celle du père ; sur les origines de l'enfant ; sur les circonstances de la naissance ; elle peut aussi laisser, sous pli fermé, son identité.

À l'extérieur de ce pli seront mentionnés : les prénoms donnés à l'enfant et, le cas échéant, la mention du fait qu'ils ont été choisis par la mère, ainsi que le sexe de l'enfant, la date, le lieu et l'heure de sa naissance.

• Dès que la mère a manifesté l'intention de demander la préservation du secret de son admission et de son identité, elle est informée de ce qu'elle dispose, à compter de son accouchement, d'un **délai de deux mois** pour se rétracter et faire valoir ses droits.

Ce délai est strict et, au-delà, la filiation maternelle sera effacée et il sera impossible de la reconstituer.

• La femme est informée qu'elle peut à tout moment lever le secret de son identité. Il lui est également indiqué qu'elle peut, **à tout moment** aussi, donner son identité, sous pli fermé, ou compléter les renseignements qu'elle a donnés au moment de la naissance.

Toutes ces formalités (recueil du pli fermé lors de la naissance de l'enfant, information sur les conséquences juridiques...) sont effectuées par le correspondant du CNAOP.

L'accouchement secret n'existe qu'en France, mais divers pays étrangers ont instauré un dispositif qui permet aux mères de déposer en toute discrétion leur nouveau-né dans un lieu adéquat où il sera immédiatement recueilli.

• Pour des informations sur l'accès aux origines : www.cnaop.gouv.fr

Le nom de l'enfant

Le nom de famille a maintenant remplacé l'ancien « nom patronymique ». Cette nouvelle dénomination marque l'appartenance de l'enfant à une famille, en remplacement du seul nom du père. À présent, en théorie, il y a égalité entre les parents : le nom de famille peut désormais être transmis par chacun des parents

● Le nom : autrefois et aujourd'hui

Le « autrefois » n'est pas si loin : jusqu'en 2002, et à l'exception des enfants qui n'avaient été reconnus que par leur mère, toute personne portait le nom du père (patronyme).

• En 2002, premier changement, la loi introduit une possibilité de choix. Les parents peuvent par une déclaration conjointe à l'officier de l'état-civil choisir le nom de famille de leur enfant : « soit le nom du père, soit le nom de la mère, soit leurs deux noms accolés dans l'ordre choisi par eux dans la limite d'un nom de famille pour chacun d'eux » ; à défaut de choix, l'enfant prend le nom du père.

• En 2005, une ordonnance précise qu'en l'absence de déclaration conjointe mentionnant le choix du nom de l'enfant, ce dernier prend le nom de celui de ses parents à l'égard duquel sa filiation est établie en premier ; et il prend le nom de son père si sa filiation est établie simultanément à l'égard de l'un et de l'autre (c'est le cas notamment lorsque les parents sont mariés).

• La loi de 2013 a écarté la priorité par défaut du nom du père en cas de désaccord des parents : si l'un des parents formule un désaccord sur le choix du nom, l'enfant prend le nom de chaque parent, accolés par ordre alphabétique. Désormais, seule la non-intervention des parents (aucun choix commun ni manifestation de désaccord) donne la primauté au nom du père.

• **Rappel**:
- un seul des deux noms sera transmissible
- le nom choisi pour le premier enfant de la fratrie devra être retenu pour les suivants. Le non-choix équivaut à un choix et s'impose aux autres enfants.
• Il faut signaler que le nom du père est encore très majoritairement donné : selon l'Insee, en 2012, 82,8 % des enfants ont reçu le nom de leur père ; 6,5 % le nom de leur mère ; 6,9 % le nom de leur père suivi de celui de leur mère ; 1,6 % celui de leur mère suivi de celui de leur père.

• **Quel nom peut être choisi** ?
A la naissance de leur enfant, les parents peuvent choisir le nom de famille qu'il portera : soit l'un de leurs deux noms, soit les deux noms dans l'ordre de leur choix.

S'il y a déjà d'autres enfants, ce nom ne pourra pas être différent de celui porté par les aînés.

Si les parents n'ont pas fait de choix, l'enfant portera le nom de son père si ses parents sont mariés ou s'il a été reconnu par ses deux parents ; ou bien le nom de celui de ses pa-rents qui l'aura reconnu en premier.

Voici un **exemple** : Émilie Veymont et Laurent Mirari donnent naissance à Nathan. Celui-ci pourra s'appeler Nathan Veymont ou Nathan Mirari ou Nathan Veymont Mirari ou Nathan Mirari Veymont, en cas d'accord des parents. En cas de silence des parents, il s'appellera Nathan Mirari. En cas de désaccord des parents sur le choix du nom, il s'appellera Nathan Mirari Veymont.

L'officier d'état civil ne peut donner une appréciation sur le caractère éventuellement ridicule ou péjoratif de la composition choisie.
• Le nom du père est encore majoritairement donné : selon l'Insee, en 2014, 83,1 % des enfants ont reçu uniquement le nom de leur père ; 6,5 % le nom de leur mère ; 8 % le nom de leur père suivi de celui de leur mère ; 2,2 % celui de leur mère suivi de celui de leur père.

• **À quel moment le nom est-il choisi ?**
Les parents qui désirent user de cette faculté doivent faire une déclaration de choix de nom : soit au moment de la naissance de l'enfant : soit ultérieurement et pendant toute la minorité de l'enfant lorsque l'enfant, reconnu par un seul de ses parents au moment de sa naissance, est ensuite reconnu par l'autre. Le consentement de l'enfant de plus de 13 ans sera nécessaire.

La déclaration est constituée d'un document écrit, notarié ou simple acte sur papier libre. Les parents peuvent utiliser un formulaire qui leur sera remis par l'officier de l'état civil au moment des formalités de reconnaissance de l'enfant ou des démarches préalables au mariage. Ce nom sera le même pour tous les enfants de la fratrie qui ont la même filiation.
• En cas de naissance à l'étranger (d'un enfant dont au moins l'un des parents est français), les parents qui n'ont pas usé de cette faculté de choix du nom pourront le faire lors de la demande de transcription de l'acte, au plus tard dans les 3 ans de naissance de l'enfant.

• **Nom de l'enfant dont la filiation n'est établie qu'à l'égard d'un seul des parents**
Dans ce cas, l'enfant prend le nom de ce parent (celui de la mère si elle seule a reconnu l'enfant). Si par la suite, la filiation est établie à l'égard du père, les parents peuvent, à ce moment et pendant toute la minorité de l'enfant, faire une déclaration conjointe de changement de nom, soit en remplaçant le nom initial par celui du second parent, soit en lui donnant les deux noms accolés dans l'ordre choisi par eux.

Cependant, s'ils ont déjà un enfant né depuis le 1er janvier 2005 dont la filiation a également été reconnue en deux temps, ou ayant déjà bénéficié d'une déclaration de changement de nom, ils ne pourront donner à ce deuxième enfant que le nom du premier.
• Si aucune déclaration n'est faite, l'enfant conserve le nom de celui de ses parents qui l'a reconnu le premier.

• **À noter :**
• Dans tous les cas, le choix de nom effectué par les parents est irrévocable et ne peut être exercé qu'une seule fois.
• L'accord de l'enfant âgé de plus de 13 ans est indispensable.
• Nous n'avons parlé que des enfants nés après 2005, bénéficiant de la nouvelle loi sur le nom de famille. Lorsqu'il y a déjà dans la fratrie un ou des enfants nés avant 2005, les règles d'attribution sont différentes et varient selon les situations que nous ne pouvons toutes envisager.

• **Nom d'usage et nom de famille**
• Toute personne peut, dans la vie quotidienne, à titre d'usage, **utiliser le nom de ses deux parents**. Il suffit que l'acte de naissance fasse apparaître la double filiation (indi-

cation du nom des deux parents). Pour l'enfant mineur, ce choix doit être fait avec l'accord des deux parents.

• Après le mariage, chaque époux a la possibilité d'utiliser, à titre d'usage, le nom de l'autre. Cette utilisation est facultative et n'a aucun caractère automatique. Que vous soyez un homme ou une femme, vous pouvez choisir comme nom d'usage soit uniquement le nom de votre conjoint, soit un double nom composé de votre propre nom et du nom de votre conjoint dans l'ordre que vous souhaitez.

Le nom d'usage ne remplace pas le nom de famille qui reste le seul nom mentionné sur les actes d'état civil (acte de naissance ou de mariage, livret de famille....). En revanche, le nom d'usage peut être utilisé dans tous les actes de la vie privée (école par exemple), familiale, sociale ou professionnelle. Dès lors que la demande en est faite, c'est ce nom qui doit être utilisé par l'administration dans les courriers qu'elle adresse.

• À noter

- Il n'est pas possible d'utiliser comme nom d'usage le nom du concubin ou du partenaire de Pacs.
- Pour plus d'informations, reportez-vous à la rubrique "Papiers-Citoyenneté, Nom d'usage" sur le site
www.vosdroits.service-public.fr

● Le changement de nom

Le nom peut être exceptionnellement modifié lorsque la personne justifie d'un intérêt légitime : par exemple lorsqu'il s'agit d'un nom ridicule ou mal sonnant, ou de la francisation d'un nom étranger, ou encore, sous certaines conditions, pour éviter l'extinction d'un nom.

La demande est présentée par requête au ministre de la Justice. Le changement de nom est autorisé par décret. La mention des décisions de changement de nom est portée en marge des actes de l'état civil de l'intéressé et, le cas échéant, de ceux de son conjoint et de ses enfants.

• Pour plus de détails, voici les références des lois auxquelles vous pouvez vous reporter :
- sur le **nom de famille** et sur la filiation, loi du 4 mars 2002 , loi du 16 janvier 2009, loi du 17 mai 2013. Voyez aussi les fiches du ministère de la justice,
www.vos-droits.justice.gouv.fr
- sur le **changement de nom**, loi du 8 janvier 1993.
Un texte de loi peut se consulter au Journal Officiel (dans toutes les bibliothèques) ou bien sur Internet :
www.legifrance.gouv.fr
www.etat-civil.legibase.fr

Mariés ? Non mariés ?

Allons-nous nous marier ? Pouvons-nous nous « pacser »? Telles sont les questions que se posent certains couples lorsqu'une naissance s'annonce.

• Aujourd'hui, les couples n'envisagent plus nécessairement de se marier avant de mettre au monde un enfant. Les naissances hors mariage sont devenues majoritaires, franchissant le seuil symbolique des 50 %, et la tendance ne fait que se confirmer.

Depuis sa création en 1999, le PACS (Pacte Civil de Solidarité) a connu un essor considérable ; en 2013, ce sont plus de deux pacs qui ont été conclus pour trois mariages célébrés. Le nombre total de nouvelles unions (mariage ou pacs) entre personnes de sexe différent croît régulièrement, la diminution des mariages étant plus que compensée par l'augmentation des pacs.

• Les lois successives se sont adaptées à l'évolution de la société. Depuis 2006, qu'il s'agisse du nom de famille, de la filiation ou de l'autorité parentale, il n'y a plus de différence entre les enfants nés dans le mariage ou hors mariage. Les termes d'enfant naturel et d'enfant légitime ont disparu de notre vocabulaire et de notre code civil.

Des différences subsistent toutefois entre les couples mariés et non mariés. À titre d'exemple :

- Le père marié n'a pas de démarche à effectuer pour faire valoir ses droits sur son enfant.
- Le père marié transmet automatiquement son nom à son enfant, sans avoir à accomplir de formalité et si aucune autre démarche n'est effectuée pour ajouter ou substituer le nom de la mère.

• La loi de 2013 n'a pas seulement ouvert le mariage et l'adoption aux couples de personnes de même sexe. Elle a également créé la notion de « parent social » - concrètement le beau-parent : celui qui a résidé de manière stable avec l'enfant et l'un de ses parents, a pourvu à son éducation, à son entretien ou à son installation, et a noué avec lui des liens affectifs durables, est reconnu par la loi qui lui attribue des droits et des obligations. Et cette même loi a modifié les règles de transmission du nom (voir ci-dessus).

Voici quelques informations sur le mariage, le concubinage, le PACS, émises bien sûr en dehors de toute question de principe, morale ou religieuse, ou de désirs personnels, qui ne regardent que vous.

● Le mariage

Pour se marier civilement, il faut fournir à la mairie différents documents : copie intégrale de l'acte de naissance, preuve de domicile, certificat médical prénuptial, etc.

• Avant le mariage civil, il est possible d'établir un contrat chez un notaire afin de choisir le régime matrimonial du couple (principalement communauté ou séparation de biens). Ce contrat ou l'absence de contrat est spécifié dans l'acte de mariage.

À défaut de contrat, c'est le régime de la **communauté réduite aux acquêts** qui s'applique. Les biens que les époux acquièrent pendant le mariage leur appartiennent en commun. Les époux restent chacun propriétaire des biens qu'ils possédaient avant le mariage et des donations ou legs qu'ils reçoivent individuellement pendant le mariage, sauf les effets personnels (vêtements, livres, etc.). Ils seront tenus en commun des dettes contractées dans l'intérêt du ménage et l'entretien des enfants.

Sous le régime de la **séparation des biens**, chacun des époux reste propriétaire de ce qu'il possédait avant le mariage et de ce qu'il acquiert séparément pendant le mariage. Cependant des époux séparés de biens peuvent acquérir des biens en commun..

• Les époux ont l'obligation de nourrir, entretenir et élever leurs enfants. Ils se doivent mutuellement respect, fidélité, secours, assistance. Ils doivent contribuer aux charges du mariage à proportion de leurs facultés respectives et peuvent y être contraints en justice, même en dehors d'une procédure de divorce.

• On ne peut sortir du mariage que par une procédure de divorce.

• La loi du 17 mai 2013 prévoit la disparition de la condition de la différence de sexes pour contracter un mariage et pour adopter l'enfant du conjoint. Le principe est reconnu dès les premiers articles du code civil : « Le mariage et la filiation adoptive emportent les mêmes effets, droits et obligations reconnus par les lois, que les époux ou les parents soient de sexe différent ou de même sexe. » En ce qui concerne l'adoption, le Conseil constitutionnel a souligné que le texte ne reconnaissait pas un «droit à l'enfant», le principe à respecter pour tout agrément d'adoption devant être «l'intérêt de l'enfant».

• Pour des informations sur le mariage www.mariage.gouv.fr

● L'union libre

Un homme et une femme vivent ensemble sans formaliser cette union : l'union libre (ou concubinage) est aujourd'hui la situation la plus fréquente. Désormais il n'y a plus de différence entre les enfants nés dans le mariage ou hors mariage, qu'il s'agisse du nom de famille, de la filiation ou de l'autorité parentale,

Mais ne pas être mariés a des conséquences sur les for-

malités à accomplir lors de la naissance d'un enfant : le père doit **reconnaître son enfant** pour faire valoir ses droits ; la mère n'a pas à faire de reconnaissance puisque le simple fait de mettre au monde son enfant consacre la filiation (voir p. 446). La mère ne reconnaîtra son enfant avant la naissance que si elle souhaite pouvoir lui donner son nom.

● Le Pacte Civil de Solidarité (PACS)

Certains couples non mariés ont choisi de souscrire un PACS. Voici quelques informations pratiques à ce sujet (pour plus de détails, il convient de s'adresser à un notaire ou à un avocat).

Un PACS est un **contrat** conclu par deux personnes physiques majeures, pour organiser leur vie commune. Ce contrat, privé ou notarié, est déclaré devant le greffier du tribunal d'instance du domicile et figure sur les actes de l'état civil en indiquant le nom du partenaire. C'est le greffier du tribunal qui procède à l'enregistrement de la formalité et à sa transcription. Le rôle du greffier s'arrête à cette formalité. Il ne recueille pas les consentements ni ne donne de lecture d'articles du Code civil.

• Sur le plan **patrimonial**, le PACS produit des effets très comparables au mariage, mais il continue à présenter des différences sensibles en termes de succession et de solidarité pour les dettes courantes.

On peut mettre fin au PACS par simple déclaration conjointe, ou de façon unilatérale par une lettre recommandée, qui doivent être enregistrées au greffe du tribunal d'instance.

Avantages et droits sociaux. Le titulaire d'un PACS a le droit d'être affilié à la Sécurité sociale de son partenaire (assurance maladie, assurance maternité, s'il ne peut bénéficier de la qualité d'assuré social à un autre titre).

En ce qui concerne le droit aux allocations sociales et familiales, les titulaires d'un PACS sont assimilés aux conjoints et concubins. Les revenus des deux partenaires sont alors cumulés pour calculer leurs droits.

● En cas de difficultés

C'est le **juge aux affaires familiales** qui tranche toutes les difficultés qui peuvent naître de la séparation d'un couple, qu'il soit marié, « pacsé » ou en concubinage.

Il peut prendre les mêmes mesures concernant le logement ou les enfants, qu'il s'agisse d'un couple marié ou non, que ce soit au cours de la vie commune ou à l'occasion de la séparation. Cependant des différences et des difficultés de procédures judiciaires subsistent dont nous ne pouvons faire l'exposé détaillé ici. N'hésitez pas à consulter un avocat ou notaire.

L'autorité parentale

La législation sur l'autorité parentale donne les mêmes droits à tous les parents, qu'ils soient mariés, non mariés, séparés

Pendant des siècles nous avons vécu sous le régime de la « puissance paternelle ». Le père avait tous les droits sur son enfant, même s'il avait quitté la mère avant la naissance. Aujourd'hui, c'est ensemble que les parents exercent leur autorité : la loi ne parle plus de puissance paternelle mais d'autorité parentale.

L'autorité parentale désigne les droits et devoirs des parents ayant pour finalité l'**intérêt de l'enfant**. Cette autorité est exercée jusqu'à la majorité de l'enfant. La loi de mars 2002 donne les mêmes droits à tous les parents, qu'ils soient mariés, non mariés, séparés. De plus la loi du 17 mai 2013 donne des droits aux conjoints des parents - déjà reconnus par les juges - en organisant le statut des familles recomposées.

Les parents doivent veiller à la sécurité, la santé, la moralité, l'éducation de l'enfant afin qu'il se développe dans le respect dû à sa personne. Les parents doivent associer l'enfant aux décisions qui le concernent selon son âge et son degré de maturité. Les parents peuvent prendre des décisions importantes concernant l'enfant : inscription dans une école, sortie du territoire national, décisions à propos de sa santé, son éducation religieuse, son patrimoine...

• Lorsque les parents sont mariés, l'autorité parentale est exercée en commun.

• L'autorité parentale est également exercée en commun par les deux parents, même s'ils ne sont pas mariés, même s'ils ne vivent pas ensemble ; il suffit qu'ils aient chacun reconnu l'enfant dans la première année suivant sa naissance.

• Si la reconnaissance n'a pas été faite dans ce délai, l'autorité parentale appartient au parent qui a reconnu l'enfant en premier. Il est toutefois possible aux parents d'obtenir par la suite l'exercice partagé de l'autorité parentale. Pour cela, ils doivent faire une démarche auprès du juge aux affaire familiales (tribunal de grande instance).

• La loi reconnaît à l'enfant le droit d'entretenir des relations personnelles avec ses ascendants (**grands-parents**), et des tiers (par exemple un **beau-parent**). En cas de difficulté, c'est le juge aux affaires familiales qui fixera les modalités de ces relations, en attribuant, par exemple, un droit de visite et d'hébergement. Les droits des beaux-parents ont été renforcés par la loi de 2013. Ainsi la mère ou le père d'un enfant ne peut pas s'opposer à ce que le compagnon ou la compagne qui a élevé ses enfants comme les siens puisse les revoir après leur séparation.

• La séparation des parents n'a pas d'incidence sur l'exercice de l'autorité parentale. Mais le juge aux affaires familiales peut, à la demande de la mère, du père, du procureur de la République, modifier les conditions de cet exercice, en attribuant par exemple l'autorité parentale à un seul des parents.

• Une mère seule a automatiquement l'autorité parentale.

• Si un des parents décède, l'autre parent exerce seul l'autorité parentale.

L'administration des biens de l'enfant

L'administration des biens de l'enfant mineur est dite "administration légale pure et simple" lorsque les parents exercent conjointement l'autorité parentale.

Elle est dite "administrations légale sous contrôle judiciaire" lorsqu'un seul des parents exerce l'autorité parentale, l'autre parent en ayant été privé ou étant décédé. Elle est dans ce cas placée sous le contrôle du juge aux affaires familiales.

En cas de séparation des parents

Ainsi que nous l'avons évoqué, il arrive malheureusement que des couples se séparent très tôt, même pendant la grossesse. La future mère se retrouve seule à attendre son enfant. Qu'elle soit mariée ou non, il est important de réfléchir, de se donner du temps : **ne prenez pas de décision hâtive**. Agir sur un coup de tête peut compromettre l'avenir si, comme cela arrive parfois, le père revient à la naissance de l'enfant, ou même quelques années plus tard. Mais il est bien que vous sachiez ce que la loi a prévu dans votre situation.

Quelle que soit votre situation (mariés, partenaires de

PACS ou en concubinage), c'est le juge aux affaires familiales qui est dorénavant compétent pour connaître de l'ensemble de votre situation.

Lors d'une séparation, le parent peut faire valoir ses droits non seulement sur ses propres enfants mais également sur ceux de son conjoint, dès l'instant où il a participé à leur éducation et tissé des liens affectifs continus avec eux.

Pour les couples qui ne sont pas mariés, le juge aux affaires familiales peut être saisi des questions relatives à l'autorité parentale, aux mesures concernant les enfants (résidence et droit de visite, pensions alimentaires), et aussi sur l'attribution du logement.

• Vous êtes mariés

Il arrive que des femmes, blessées ou déçues, par le départ de leur mari, veuillent aussitôt demander le divorce. Attendez avant de prendre la décision si elle n'est pas réellement urgente. Une procédure de divorce est une épreuve, ce n'est pas le moment de l'affronter. Il vaut mieux essayer de vivre le plus sereinement possible cette aventure qu'est la grossesse, de se concentrer sur son bébé. La naissance de l'enfant peut aussi changer la situation. Par ailleurs, quelle que soit l'attitude du conjoint, il est et il restera le père légal de l'enfant. Si le mari se dérobe à ses obligations financières, la loi accorde la possiblité de demander une pension alimentaire, en dehors de toute procédure de divorce : c'est la contribution aux charges du mariage. Pour cela, il faut saisir le juge aux affaires familiales.

• Vous n'êtes pas mariés

La situation est différente selon que le père reconnaît ou non l'enfant avant la naissance.

Le père n'a pas reconnu l'enfant

En ce qui concerne l'autorité parentale, elle est systématiquement attribuée à la mère. Le père conserve néanmoins la possibilité, s'il reconnaît ensuite l'enfant, de demander au juge aux affaires familiales un exercice conjoint de l'autorité parentale, ainsi que l'exercice d'un droit de visite et d'hébergement, comme dans le cas de parents divorcés.

Vous aurez de votre côté la possibilité, par le biais de l'action aux fins de subsides ou en reconnaissance de paternité, de faire établir la filiation de votre enfant et d'obtenir éventuellement une pension alimentaire (p. 446).

Là encore, sauf en cas d'urgence, vous aurez bien le temps d'entreprendre cette action dans quelque temps. Ne gâchez pas les plaisirs de la grossesse par les désagréments d'une procédure.

Le père a reconnu l'enfant

Vous aviez reconnu l'enfant tous les deux, alors que vous viviez ensemble mais maintenant le père est parti. Juridiquement, vous vous retrouvez, vis-à-vis de votre enfant à naître, dans la position de parents divorcés : le père dispose de l'exercice conjoint de l'autorité parentale.

En ce qui concerne le nom de votre enfant, vous pourriez choisir ensemble, lors de la déclaration à l'état civil, le nom qu'il portera : celui de son père, ou de sa mère, ou les deux accolés dans l'ordre qui vous convient (p. 447). À défaut de déclaration conjointe, c'est le nom du père qui sera attribué, sauf si la mère l'a reconnu en premier.

Si vous viviez seule, et que le père s'est finalement décidé à assumer cette naissance qui s'annonce, il paraît plus prudent que vous reconnaissiez rapidement votre enfant : cette démarche aura pour avantage de vous conférer l'autorité parentale, et de vous permettre de transmettre votre nom à votre enfant même si le père le reconnaît par la suite. Dans ce dernier cas, il sera toujours possible, lors de la naissance, de déclarer ensemble l'enfant et de choisir le nom qu'il portera.
• Et si c'est la mère qui prend l'initiative de la séparation ? Le père, s'il ne l'a déjà fait, aura intérêt à reconnaître son enfant le plus tôt possible afin de faire valoir ses droits dès la naissance. Il lui faudra demander au juge aux affaires familiales l'exercice de l'autorité parentale.

• La médiation familiale

La justice a de plus en plus souvent recours à des médiations judiciaires. Celles-ci sont proposées dans des situations de blocage, lorsque le climat conflictuel rend impossible toute communication entre les parents. Les médiateurs sont des professionnels d'horizons et de formations diverses, désignés par les juges. Devant certains tribunaux, le système de la « double convocation » devant le médiateur et devant le juge a été mis en place pour pouvoir proposer le recours systématique à la médiation aux époux qui entament une procédure de divorce.

N'hésitez pas à solliciter une médiation, ou à accepter celle que l'on vous propose, pour éviter la radicalisation d'un conflit toujours préjudiciable à l'enfant.

Pour des informations sur la médiation familiale : www.apmf.fr

LES PRESTATIONS FAMILIALES

Pour percevoir une allocation :
vous devez la demander, compléter un imprimé, fournir les justificatifs nécessaires

Les prestations familiales sont les aides en espèces allouées aux familles en raison de la charge d'un ou plusieurs enfants nés ou à naître. Il existe 9 prestations ou allocations. Elles sont principalement attribuées par la caisse d'allocations familiales et la caisse de mutualité sociale agricole.

• Pour avoir droit à une ou des prestations, il faut résider en France et avoir à sa charge un ou plusieurs enfants résidant également en France. Il existe une exception à cette condition pour les travailleurs détachés à l'étranger. Les étrangers doivent posséder un titre de séjour justifiant de la régularité de leur séjour en France.

• Les enfants ouvrent droit aux prestations familiales jusqu'à la fin de l'obligation scolaire, soit 16 ans.
• Certaines prestations sont soumises à des conditions de ressources. Les ressources prises en compte sont celles des revenus nets imposables. Cette condition s'apprécie chaque année au 1er janvier.
• Les prestations sociales sont exclues des revenus imposables et de tous les prélèvements sociaux, RDS, CSG, etc..
• Le règlement de chaque prestation est mensuel.
• Les montants sont revalorisés au 1er avril de chaque année.

Ce tableau résume les conditions à remplir pour bénéficier des différentes prestations familiales.
Vous trouverez le détail de ces prestations dans les pages qui suivent.

		Prestations	Conditions à remplir
AVEC CONDITIONS DE RESSOURCES	PAJE	- Prime à la naissance ou à l'adoption - Allocation de base	Faire la déclaration de grossesse avant la fin du 3e mois Passer les examens médicaux obligatoires Adopter ou accueillir en vue d'adoption un (ou plusieurs) enfant(s) âgé(s) de moins de 20 ans
		Complément de libre choix du mode de garde	Avoir un enfant de moins de 6 ans Employer une assistante maternelle agréée ou une garde à domicile Avoir une activité professionnelle minimum
		Prestation partagée d'éducation de l'enfant (PREPARE)	Avoir un enfant de moins de 3 ans Avoir cessé de travailler ou travailler à temps partiel Avoir exercé une activité professionnelle minimum
		Complément familial (CF)	Avoir 3 enfants à charge de plus de 3 ans
		Allocation de parent isolé (API)	Vivre seule et avoir un ou plusieurs enfants à charge ou être enceinte
		Prime de déménagement	Famille à partir du 3e enfant (du 3e mois de grossesse au dernier jour du mois qui précède ses 2 ans) Recevoir l'AL ou l'APL
		Les aides au logement (AL)	Voir détail page 457
SANS CONDITIONS DE RESSOURCES		Allocations familiales (AF)	Avoir au moins deux enfants à charge
		Allocation de soutien familial (ASF)	L'enfant doit être à la charge d'un seul parent, orphelin ou abandonné
		Allocation journalière de présence parentale (AJPP)	Avoir un enfant malade dont l'état grave nécessite momentanément la présence d'un de ses parents auprès de lui
		Allocation d'éducation de l'enfant handicapé (AEEH)	Avoir un enfant avec un handicap de 80%, ou de plus de 50% nécessitant des soins de rééducation

LA PAJE
(Prestation d'accueil du jeune enfant)

La PAJE comprend : la prime à la naissance ou à l'adoption, l'allocation de base, la prestation partagée d'éducation de l'enfant, le complément de libre choix du mode de garde.

La prime à la naissance ou à l'adoption

● Conditions

Avoir déclaré votre grossesse avant la fin de la 14e semaine et avoir adressé l'attestation médicale délivrée à votre Caisse de sécurité sociale et à la CAF.

S'il s'agit d'une adoption, l'enfant doit avoir été confié par un organisme ou une autorité étrangère agréés et avoir moins de 20 ans.

Disposer d'un minimum de revenu annuel pour chacun des parents au moins égal à 5 036 €.

Les ressources perçues au cours de l'année 2014 ne doivent pas dépasser le plafond de revenus ci-dessous.

La prime est versée au 2ème mois civil suivant la naissance. En cas d'adoption, elle est versée le premier jour du mois de l'arrivée de l'enfant au foyer des parents.

La prime à la naissance ou à l'adoption			
Enfants à charge	Un revenu	Deux revenus	Montant
1	35 729 €	47 217 €	
2	42 875 €	54 363 €	1 846,16 €
3	51 450 €	62 938 €	
par enfant en plus	8 575 €		

L'allocation de base

● Conditions

Avoir un enfant de moins de 3 ans.

Disposer d'un minimum de revenu annuel pour chacun des parents au moins égal à 5 036 €.

Les ressources perçues au cours de l'année 2014 ne doivent pas dépasser le plafond de revenus ci-dessous.

L'allocation de base est versée le premier du mois civil suivant la naissance et jusqu'au mois précédent les 3 ans de l'enfant.

L'allocation de base			
Enfants à charge	Un revenu	Deux revenus	Montant
1	29 907 €	37 996 €	
2	35 300 €	43 389 €	184,62 €
3	40 693 €	48 782 €	
par enfant en plus	5 393 €		

● Formalités

Deux formulaires de la CAF doivent être complétés.

Pour la **prime à la naissance**, vous devez adresser à la CAF la déclaration de grossesse ou les photocopies de l'attestation d'adoption ou l'accueil en vue d'adoption.

Pour l'**allocation de base**, vous devez adresser une photocopie du livret de famille ou un extrait d'acte de naissance.

En cas d'adoption, l'allocation sera versée automatiquement si la famille perçoit la prime à la naissance.

Le complément du libre choix du mode de garde (CMG)

Les parents qui ont recours aux services d'une assistante maternelle ou d'une auxiliaire familiale au domicile peuvent sous certaines conditions percevoir de la CAF ou de la MSA le complément du libre choix du mode de garde.

Ce complément consiste en la prise en charge partielle des cotisations sociales et de la rémunération de la personne engagée pour garder un enfant de moins de 6 ans.

● Conditions

• avoir au moins un enfant de moins de 6 ans, né, adopté ou recueilli

• exercer une activité professionnelle

• pour les personnes non salariées, être à jour de ses cotisations vieillesse

• aucune condition financière : si le parent est handicapé et bénéficie de l'allocation pour adulte handicapé, s'il est au chômage et perçoit une allocation, s'il est bénéficiaire du RSA, ou si le couple est étudiant

• employer une assistante maternelle ou une auxiliaire familiale.

La rémunération de l'assistante maternelle ne doit pas dépasser un plafond journalier maximum égal à 5 fois le SMIC horaire, soit pour l'année 2015, 36,90 € net.

Pour la garde au domicile, l'employeur ne doit pas être exonéré des cotisations sociales dues.

CMG : nombre d'enfants, plafond de revenus, montants de l'aide			
Enfants à charge	Revenus 2013 inférieurs à	Revenus 2013 ne dépassant pas	Revenus 2013 supérieurs à
1	21 248 €	47 217 €	47 217 €
2	24 463 €	54 363 €	54 363 €
3	28 322 €	62 938 €	62 938 €
Montants de l'aide mensuelle			
Moins de 3 ans	460,93 €	290,65 €	174,37 €
De 3 à 6 ans	230,47 €	145,34 €	87,19 €

Une majoration de 10 % du montant du complément est appliquée si vous avez recours à un minimum de 25 h de garde le dimanche, les jours fériés ou la nuit entre 22 h et 6 h.

Le complément de libre choix (Cmg) est donné par enfant lorsqu'il s'agit d'un accueil par une assistante maternelle, il est attribué par famille lorsqu'il s'agit d'un accueil individualisé au domicile. Il est possible de cumuler deux Cmg si vous avez recours à une assistante maternelle et à une auxiliaire familiale au domicile.

Dans tous les cas, un minimum de 15 % du coût de la garde de l'enfant reste à votre charge.

CMG : prise en charge des cotisations sociales	
Garde au domicile	Assistante maternelle
La moitié des cotisations sociales mensuelles dues dans la limite de : 460,93 € jusqu'aux 3 ans de l'enfant 230,46 € entre les 3 et 6 ans de l'enfant	Prise en charge complète des cotisations sociales dues pour chaque enfant gardé

● Formalités

Vous devez compléter auprès de la CAF le formulaire de demande de Cmg dès le premier mois d'accueil de l'enfant. S'il s'agit d'un accueil au domicile, vous devez joindre un relevé d'identité bancaire ou postal et l'autorisation de prélèvement (qui est jointe au formulaire). Elle sera transmise à votre CAF pour lui permettre le calcul et le paiement de votre aide mensuelle.

La prestation partagée d'éducation de l'enfant (PREPARE)

Cette prestation remplace l'allocation du libre choix du mode d'activité. Elle concerne les enfants nés à compter du 1er janvier 2015. Elle est attribuée à l'un ou l'autre des parents qui cesse ou réduit son activité professionnelle pour s'occuper de son (ses) enfant (s).

● **Conditions**
• Avoir un enfant âgé de moins de 3 ans ou un enfant adopté de moins de 20 ans
• Avoir cessé ou réduit son activité professionnelle
• Avoir cotisé au moins 8 trimestres dans les :
2 dernières années pour un premier enfant,
4 dernières années pour un second enfant,
5 dernières années pour un troisième enfant.

Montants de la prestation selon le temps d'activité	
Temps d'activité	Montants
Arrêt complet de l'activité professionnelle	390,52 €
Activité maintenue à 50%	252,46 €
Activité maintenue entre 20 et 50%	145,63 €

● **La durée de versement**
Elle est allongée si les parents se partagent le temps de garde :
• pour un enfant, la durée est de 6 mois si les parents prennent le congé ensemble et de 12 mois (jusqu'au 1 an de l'enfant) s'ils le prennent successivement
• pour deux enfants et plus, la durée est de 24 mois si les parents prennent le congé ensemble ; elle dure jusqu'au mois précédant les 3 ans du plus jeune des enfants si les parents le prennent successivement
• pour 3 enfants adoptés simultanément, la durée est de 36 mois, que le congé soit pris ensemble ou successivement.

● **La date de versement**
L'allocation est versée :
• le mois suivant la naissance, ou suivant la fin du congé de maternité ou paternité

• le mois de l'accueil ou de l'arrivée de l'enfant adopté au foyer.

● **Les familles d'au moins trois enfants**
Il leur est possible de demander à bénéficier de la PREPARE majorée. Son montant est de 638,33 € par mois. La durée du versement est de 8 mois si les parents prennent le congé ensemble, et va jusqu'au un an de l'enfant le plus jeune si le congé est pris successivement.
Attention : le choix entre la PREPARE et la PREPARE majorée est définitif.

● **Formalités**
Compléter le formulaire de la CAF. Si les deux parents choisissent un arrêt simultané, deux formulaires doivent être complétés et adressés à la fin du versement des indemnisations de congé maternité, paternité, adoption ou maladie par la Sécurité sociale.

LES AUTRES ALLOCATIONS

Le complément familial, la prime de déménagement, les aides au logement, les allocations familiales sont soumises à des conditions de ressources. L'allocation de soutien familial, de présence parentale, d'éducation spéciale n'ont pas de conditions de ressources.

Le complément familial (CF)

● **Qui peut en bénéficier ?**

Les personnes résidant en France, quelle que soit leur nationalité, ayant ou non une activité professionnelle.

● **Conditions**

Avoir au moins 3 enfants de 3 ans et plus, et ne pas bénéficier du complément de libre choix d'activité de la PAJE.

● **Durée de versement**

Le complément familial est versé à partir du 3ᵉ anniversaire de votre plus jeune enfant. Le versement prend fin dès qu'il vous reste à charge moins de 3 enfants âgés de plus de 3 ans ou dès que vous bénéficiez de l'allocation de base de la PAJE pour un nouvel enfant.

● **Montant**

Le montant du complément familial varie selon les ressources de la famille, le montant de base est de 168,35 € et le montant majoré de 202,05 €

● **Formalité**

Vous devez fournir une attestation de ressources.

La prime de déménagement

C'est une prime à laquelle vous pouvez prétendre si vous avez la charge d'au moins 3 enfants nés ou à naître et si vous vous installez dans un nouveau logement ouvrant droit aux allocations de logement (allocation de logement familial ou APL).

Votre emménagement doit avoir lieu entre le 4ᵉ mois de grossesse et le dernier jour du mois précédant celui du 2ᵉ anniversaire de l'enfant.

● **Formalités**

Vous devez remplir un formulaire spécial et faire votre demande au plus tard 6 mois après la date du déménagement en fournissant à la CAF une facture acquittée d'un déménageur, ou des justificatifs de frais divers si vous avez effectué votre déménagement vous-même.

Prime de déménagement	Montants
3 enfants	974,90 €
Par enfant supplémentaire	81,24 €

Les aides au logement

Si vous payez un loyer, ou remboursez un prêt, ou si vous voulez accéder à la propriété pour votre résidence principale, et si vos ressources ne dépassent un certain plafond, vous pouvez bénéficier d'une des aides au logement suivantes : l'aide personnalisée au logement (APL), l'allocation logement (AL), l'allocation d'installation étudiante (Aline). Elles ne sont pas cumulables.

La plupart des conditions d'attribution sont identiques pour toutes ces prestations. L'APL est destinée à toute personne locataire d'un logement neuf ou ancien. L'AL concerne les personnes qui n'entrent pas dans le champ d'application de l'APL et qui ont des enfants (nés ou à naître), ou certaines autres personnes à charge ; ou forment un ménage marié depuis moins de 5 ans, le mariage ayant eu lieu avant les 40 ans de chacun des conjoints ; ou être étudiant. Les étudiants qui bénéficient d'Aline perçoivent ensuite l'AL.

Il ne nous est pas possible de donner ici tous les renseignements sur les conditions et formalités à remplir pour bénéficier de ces allocations. Mais vous pourrez trouver tous renseignements auprès de votre Caisse d'allocations familiales.

Les allocations familiales (AF)

Conditions

• Les allocations familiales sont versées à partir du deuxième enfant à charge.

• Ces enfants à charge doivent être soumis, s'ils ont moins de 6 ans, aux examens médicaux obligatoires.

Formalités

Si vous avez déclaré à votre CAF l'arrivée de votre 2ᵉ enfant, vous recevrez une déclaration de situation à compléter afin de percevoir les prestations. Si vous n'êtes pas déjà allocataire, retirez auprès de la CAF une déclaration de situation.

Durée

Les allocations familiales sont versées à compter du mois civil qui suit la naissance ou l'accueil d'un 2ᵉ enfant. Quand vous n'avez plus qu'un seul enfant ou aucun enfant à charge, les allocations sont interrompues à la fin du mois civil précédant ce changement de situation.

Les allocations familiales sont versées jusqu'à 20 ans si les enfants continuent leurs études.

Montant

Il existe désormais une modulation des allocations familiales en fonction des ressources de la famille.

Allocations familiales		
Nombre d'enfants	Plafond de ressources mensuelles	Montants
2	8 000 € et plus	32,31 €
2	6 000 € et plus	64,67 €
2	moins de 6 000 €	129,35 €
3	8 000 € et plus	73,76 €
3	6 000 € et plus	147,52 €
3	moins de 6 000 €	295,05 €
Par enfant en plus	8 000 € et plus	41,43 €
Par enfant en plus	6 000 € et plus	82,86 €
Par enfant en plus	moins de 6 000 €	165,72 €

En cas de résidence alternée vous pouvez télécharger un dossier de demande sur le site www.caf.fr

L'allocation de soutien familial (ASF)

Cette allocation remplace l'allocation d'orphelin.

Qui peut en bénéficier ?

Les personnes qui assument la charge :

• d'un enfant orphelin de père et/ou de mère

• d'un enfant dont la filiation n'est pas établie légalement à l'égard de ses parents ou de l'un d'eux

• d'un enfant dont les parents (ou l'un d'eux) ne font pas face à leurs obligations d'entretien ou de versement d'une pension alimentaire (1).

Cette allocation concerne les familles adoptives jusqu'à l'adoption plénière de l'enfant. Elle est faite pour les familles ayant un enfant à charge, ou en vue de son adoption.

Montant

Il est de 100,08 € par enfant à charge si vous élevez seul(e) votre enfant ; de 133,58 € par enfant à charge en cas d'absence de ses deux parents.

L'allocation de soutien familial est cumulable avec toutes les autres prestations, avec des conditions particulières pour l'allocation de base de la PAJE (enfant adopté).

L'allocation de soutien familial est supprimée en cas de mariage, de remariage, de concubinage ou de PACS de l'allocataire. Si l'allocation est accordée pour un enfant recueilli par des tiers, elle est maintenue, que la personne qui a la charge de l'enfant vive seule ou en couple.

1- En cas de versement partiel d'une pension alimentaire, vous pouvez recevoir une allocation de soutien familial différentielle.

L'allocation journalière de présence parentale (AJPP)

Revenu de substitution, l'allocation journalière de présence parentale est indissociable du congé de présence parentale.

● **Conditions**

Les salariés, les fonctionnaires, les demandeurs d'emploi indemnisés et les stagiaires rémunérés de la formation professionnelle peuvent bénéficier d'un congé de présence parentale et percevoir l'AJPP, si leur enfant est atteint d'une maladie, d'un handicap ou victime d'un accident grave rendant indispensable la présence soutenue d'un parent et des soins contraignants.

● **Formalités**

Vous devez déposer auprès de votre CAF une demande d'AJPP et le certificat médical détaillé sous pli confidentiel. Selon votre situation, vous joindrez soit une attestation de votre employeur précisant la date de début du congé, soit une déclaration sur l'honneur de cessation de versement des Assedic ou de cessation de formation rémunérée.

Une fois le droit ouvert, le bénéficiaire doit adresser chaque mois une attestation de son employeur indiquant le nombre de jours de congé qui ont été pris.

● **Durée**

Il est possible de fractionner les périodes de congés et de bénéficier d'un nombre maximum de 310 jours de congés, soit 14 mois environ, au cours d'une période de 3 ans pour une même maladie, accident ou handicap. Par ailleurs, le nombre d'allocations mensuelles versées ne peut dépasser 22 allocations.

● **Montant**

Voir le tableau ci-dessous.

Un complément forfaitaire mensuel de 109,90 € pour frais, égal ou supérieur à cette somme, peut s'ajouter à l'allocation. Il est soumis à un plafond de ressources maximum. La demande s'effectue par une déclaration sur l'honneur en indiquant le montant des dépenses engagées en lien avec la maladie, le handicap ou l'accident.

● **Cumul**

L'AJPP n'est pas cumulable avec les indemnités pour maternité, maladie, paternité ou adoption, pas davantage avec le complément du libre choix d'activité, le complément de l'allocation d'éducation de l'enfant handicapé, l'allocation pour adulte handicapé.

Allocation journalière de présence parentale	Montants
Personne seule	51,05 €
Couple	42,97 €

L'allocation d'éducation de l'enfant handicapé (AEEH)

Cette allocation et ses compléments sont destinés à aider les parents qui assument la charge d'un enfant ayant un handicap sans qu'il soit tenu compte de leurs ressources. Elle est accordée sur décision de la commission pour les droits et l'autonomie des personnes handicapées (CDAPH), qui appréciera l'état de l'enfant. Les détails de cette allocation sont donnés dans *J'élève mon enfant*.

LES PRESTATIONS
DE L'AIDE SOCIALE

L'aide sociale à l'enfance (ASE)

L'aide sociale à l'enfance est un service du département. Sa mission consiste à apporter un soutien matériel, éducatif et psychologique aux enfants mineurs et à leur famille, lorsqu'ils sont confrontés à des difficultés médicales, sociales ou financière.

Chaque département organise librement son service ; c'est pourquoi celui-ci dépend d'une direction qui a une appellation différente selon les départements (direction de la Solidarité, direction de la prévention, direction de l'action sociale, etc.). Plusieurs services participent aux missions de l'aide sociale à l'enfance : le service spécifique de l'aide sociale à l'enfance, le service social départemental, la protection maternelle et infantile (PMI).

• L'aide sociale peut proposer aux femmes enceintes :

Une aide à domicile : elle comprend l'intervention d'une technicienne de l'intervention sociale et familiale (TISF) ou d'une aide ménagère.

Une aide financière attribuée à la mère ou au père dont les ressources s'avèrent insuffisantes, soit sous la forme d'un secours exceptionnel, soit d'une allocation mensuelle, à titre définitif ou remboursable.

L'accueil des enfants et des mères isolées

L'aide sociale à l'enfance peut prendre à sa charge, sur décision du Président du conseil général, l'accueil de futures mères et de mères avec jeune(s) enfant(s) dans des établissements publics ou privés conventionnés.

Le RSA (Revenu de Solidarité Active)

Le RSA, qui a remplacé le RMI, garantit un revenu minimum aux personnes privées d'emploi et apporte un complément de revenu à celles en situation d'emploi précaire et disposant de revenus trop faibles pour assurer leur charge de famille. Il permet de cumuler sans limitation de durée une partie des revenus d'activité avec les revenus de solidarité.

● **Conditions**

La personne doit être âgée de 25 ans ou assumer la charge d'un ou plusieurs enfants nés ou à naître. Elle doit, quelle que soit sa nationalité, résider de manière stable et effective en France. Les ressortissants européens doivent remplir les conditions exigées pour obtenir un titre de séjour. Les autres ressortissants étrangers doivent être en possession d'un titre de séjour d'au moins 5 ans les autorisant à travailler.

Le **RSA jeune** est destiné aux jeunes de 18 à 25 ans qui peuvent justifier de 3 214 heures d'activité au cours des 3 années précédant la date de la demande. Ces heures doivent avoir fait l'objet d'un contrat de travail et de l'établissement de feuilles de salaire. Le dispositif est applicable aussi

aux artistes et travailleurs indépendants à condition qu'ils puissent prouver un chiffre d'affaire suffisant.

Sont exclus du dispositif : les étudiants ou stagiaires, les personnes en congé parental, sabbatique ou sans solde, ou qui ont choisi de se mettre en disponibilité.

● **Attribution**

Le RSA relève de la compétence du département dans lequel le demandeur réside ou à élu domicile. Le dépôt de la demande peut s'effectuer auprès du département, de la mairie, de la Caisse d'allocations familiales, de la Caisse de mutualité sociale agricole, des associations agréées ou de l'agence Pôle Emploi.

● **Droits et devoirs des bénéficiaires**

Le bénéficiaire dispose d'un droit d'accompagnement social et professionnel adapté et confié à un référent unique. En retour il doit, selon sa capacité, occuper immédiatement un emploi proposé, ou rechercher un emploi, ou entreprendre les démarches nécessaires à la création de sa propre activité, ou s'engager dans des actions d'insertion.

Montant du RSA			
Nombre d'enfants	Allocataire seul (hébergé à titre gratuit)	Allocataire en couple	Famille monoparentale
Sans	513,88 €	770,82 €	659,88 €
1	770,82 €	924,98 €	879,84 €
2	924,98 €	1 079,14 €	1 099 €
Par enfant en plus	205,55 €	205,55 €	219,96 €

De ce montant doit être déduit le forfait logement qui s'élève à 61,67 € pour une personne seule, 123,33 € pour deux personnes et 152,62 € pour trois personnes ou plus.

QUELQUES ADRESSES

● Des informations juridiques et sociales...

Vous êtes à la recherche d'informations concernant votre travail, vos déplacements, le droit de la famille, des questions sociales, juridiques, etc. Voici quelques organismes à votre disposition :

• **Centre national d'information et de documentation des femmes et des familles** (CNIDFF)
7, rue du Jura 75013 Paris.
Tél. : 01 42 17 12 00.
Il existe de nombreuses antennes en France intitulées : CIDF-CEDIFF-CIDFF. www.infofemmes.com

• **Le 39 39** (0,12 € la mn)
Ce numéro de téléphone, le 39 39, permet d'obtenir une réponse à toute question administrative concernant les droits et les démarches.

• **À noter** cette adresse internet :
www.service-public.fr pour toute démarche qui ne nécessite pas la présence physique de l'intéressé.

• **Confédération syndicale des familles**
53, rue Riquet, 75019 Paris.
Tél. : 01 44 89 86 81. Ce numéro vous indiquera votre antenne départementale.
www.la-csf.org

• **Inter-Service-Parents** (service téléphonique de la Fédération des écoles des parents et des éducateurs).
Une équipe polyvalente, spécialiste de l'écoute, composée de juristes, conseillères scolaires, conseillères conjugales, conseillères en vacances, loisirs... vous informe, dans le respect de l'anonymat.
Tél. : 01 44 93 44 88.
Fil santé jeune (numéro national pour les 12-25 ans)
Tél. : 0800 235 236
www.filsantejeunes.com et www.epe-idf.com

• **Santé Info Droits**
Service créé et mis en œuvre par le collectif inter associatif sur la santé.
Tél. : 0 810 004 333 ou 01 53 62 40 30, lundi mercredi vendredi de 14h à 18 h et mardi jeudi de 14h à 20 h.
L'équipe d'écoutants est composée d'avocats et de juristes spécialisés, soumis au secret. Leur objectif est de répondre à toute question juridique ou sociale liée à la santé.

• Paris - Aide aux victimes
Cet organisme vient en aide à toutes les victimes, quelle que soit l'origine de leur détresse, physique ou psychologique (accident de la circulation, agression sexuelle, etc.). Soit cet organisme prend en charge directement les personnes, soit il les oriente vers les services à même de les aider.
12 rue Charles Fourier, 75013, Paris.
Tél. : 01 45 88 18 00
www.pav75.fr
Il existe des permanences dans tous les départements. Renseignez-vous à votre mairie.

• Violences conjugales : 39 19
Appel anonyme et gratuit
Ce numéro est à la disposition des femmes confrontées à des situations de violences pour les écouter et les guider.
www.stop-violences-femmes.gouv.fr

• Les particuliers peuvent prendre contact, par simple lettre, avec le **juge aux affaires familiales** (en ce qui concerne l'autorité parentale, la pension alimentaire, le droit de visite, la résidence de l'enfant), ou avec le **juge des enfants** (maltraitance, assistance éducative, problèmes de délinquance). Ces juges siègent au tribunal de grande instance. En cas d'urgence, des procédures particulières sont prévues ; dans ces cas, il vaut mieux s'adresser à un avocat.

• Dans tous les tribunaux de grande instance, des consultations juridiques gratuites sont organisées par les **ordres des avocats.**

● Des lieux d'écoute, d'accueil, de rencontre...

• **Association française des centres de consultation conjugale**
44, rue Danton, 94270 Le Kremlin-Bicêtre.
Tél. : 01 46 70 88 44.
Chaque centre possède un réseau de spécialistes des problèmes familiaux. www.afccc.fr

• **Fédération nationale couple et famille**.
28, Place Saint-Georges, 75009 Paris.
Tél. : 01 42 85 25 98.
www.couples-et-familles.com
Elle s'adresse à tous ceux qui ont besoin d'être écoutés et aidés : couples en difficulté, femme en détresse, parents, adolescents, personnes seules. 40 associations en métropole.

• **IRAEC** (Institut de recherche appliquée enfant-couple).
41, rue Joseph-de-Maistre, 75018 Paris.
Tél. : 01 42 28 42 85.
www.iraec.com
Vous êtes enceinte ou vous êtes déjà parent ; vous vous posez des questions, vous pouvez aller au club parents-enfants. Vous y trouverez un lieu d'accueil et de jeu. (Adhésion annuelle).

• **REAAP (Réseau d'Écoute, d'Appui et d'Accompagnement des Parents)**
Ce réseau de soutien à la parentalité a pour but de mettre en commun, par le dialogue et l'échange, des actions mettant en valeur les compétences et les capacités des parents. Ce réseau existe en principe dans chaque département. Vous pouvez le consulter sur www.reaap en ajoutant le numéro de votre département .com

• **La Maison verte** (créée par une équipe avec et autour de Françoise Dolto) est un lieu d'accueil pour les enfants, les parents (et futurs parents). Les enfants y viennent accompagnés d'un adulte (père, mère, personne qui les garde) et sont accueillis dans un lieu convivial, avec la présence sécurisante de leurs parents. Dans chaque région, il y a des lieux d'accueils enfant-parents. Pour en savoir plus, vous pouvez vous adresser à la Maison verte,
13, rue Meilhac. 75015 Paris.
Tél. : 01 43 06 02 82.

• **La maison de l'École des Parents (maison ouverte)**
164, boulevard Voltaire, 75011 Paris.
Tél. : 01 44 93 44 76
mouverte@epe-idf.com
Ce lieu accueille les enfants de la naissance à 4 ans accompagnés de leurs parents, grands-parents, assistantes maternelles...

• **Le planning familial**
(Siège de la Confédération)
4, square Saint-Irénée, 75011 Paris.
Tél. : 01 48 07 29 10
www.planning-familial.org
C'est un lieu d'information et de documentation : contraception, conseil conjugal et familial, etc.

● **L'environnement de votre enfant**

• **Projet Nesting, WECF France**
Cité de la Solidarité Internationale
13 avenue Emile Zola
74100 Annemasse
WECF France dans le cadre de son projet Nesting *Créez un environnement sain pour votre enfant* publie des guides de poche pour vous aider à faire un choix éclairé sur différentes catégories de produits : cosmétiques femmes enceintes, cosmétiques bébés, produits ménagers, jouets, textiles et prochainement produits de décoration et de rénovation. Deux autres guides thématiques existent également sur les perturbateurs endocriniens et les champs électromagnétiques.
   Vous pouvez les commander auprès de WECF France (wecf.france@wecf.eu / 04 50 83 48 10) et les retrouver en ligne sur www.projetnesting.fr

● **Si vous partez habiter à l'étranger**

• **Maison des Français de l'étranger :**
Consultations sur place
48 Rue de Javel 75015 Paris
ou par téléphone au 01 43 17 60 79
ou voir sur le site
www.diplomatie.gouv.fr/fr/vivre-a-l-etranger/
Vous obtiendrez renseignements et informations.

BELGIQUE
LA PROTECTION DE LA MATERNITÉ

La protection sociale

En Belgique, l'assurance obligatoire des soins de santé et indemnités couvre : les soins de santé, les indemnités d'incapacité de travail et d'invalidité, l'indemnité maternité, de paternité et d'adoption. Tous les assurés disposent d'une carte d'identité sociale (CIS). Les montants des indemnités varient selon le régime dont dépend la personne.

● **Bénéficiaires**

Les travailleurs salariés, les travailleurs indépendants, les étudiants, les personnes handicapées, les résidents, ainsi que leurs ayants droit à charge.

● **Conditions d'ouverture des droits**

Il faut s'être affilié à un organisme assureur, ou s'inscrire à la caisse auxiliaire d'assurance maladie. Le droit à l'assurance est ouvert dès l'affiliation si le paiement des cotisations est à jour et il faut que ces cotisations aient atteint une valeur minimale. Si tel n'est pas le cas, une cotisation supplémentaire doit être payée pour conserver ses droits aux soins de santé.

● **Le remboursement des soins et produits pharmaceutiques**

L'assuré choisit librement son médecin. Il paie directement les honoraires au médecin et se fait ensuite rembourser par l'organisme assureur qu'il a choisi. Le taux de remboursement est fixé en moyenne à 75 % du tarif de responsabilité belge.

Pour les spécialités pharmaceutiques remboursables, la participation de l'assuré est fonction de leur utilité sociale et thérapeutique.

● **L'assurance maladie et indemnités en espèces**

Les salariés et les chômeurs indemnisés peuvent prétendre aux prestations en espèces de l'assurance maladie à condition d'avoir été assurés depuis au moins 6 mois et d'avoir totalisé 120 jours de travail.

● **Congé de maternité**

Il donne lieu à une indemnité spécifique, l'**indemnité de maternité** ; celle-ci est attribuée aux personnes salariées, chômeuses et en invalidité, affiliées depuis 6 mois, qui ont exercé leur activité plus de 30 jours entre le dernier jour de travail et le début du repos prénatal.

Le congé de maternité débute au plus tôt 6 semaines (8 semaines en cas de naissance multiple) avant la date présumée de l'accouchement et se termine 9 semaines après l'accouchement, soit 15 semaines (17 semaines en cas de naissance multiple).

● **Montant de l'indemnité pour le salarié du régime général**

Le montant est différent selon le statut de la personne.

- La personne salariée perçoit durant les 30 premiers jours 82 % de son salaire non plafonné. À partir du 31e jour et en cas de prolongation, le taux se trouve réduit à 75 % de son indemnité plafonnée à 98,70 € par jour.

- La personne au chômage perçoit durant les 30 premiers jours 60 % de sa rémunération plafonnée et une indemnité complémentaire plafonnée à 19,5 % de sa rémunération plafonnée, soit un maximum de 104,62 € ; et à partir du 31e jour à 15%, soit 98,70 € maximum. .

- Pour les salariées en incapacité de travail, l'indemnité s'élève à 79,5 % durant 30 jours, maximum 104,62 €, puis 75 % de ce montant à partir du 31e jour, soit maximum 98,70 €.

● **Congé de paternité des travailleurs salariés**

Il est de 10 jours et doit être pris dans les 4 mois suivant l'accouchement, de manière continue ou non. Pour les 3 premiers jours, le travailleur perçoit son salaire et pour les autres jours, une indemnité est payée par son organisme assureur dans la limite d'un plafond. Le montant maximum de l'allocation est de 107,91 €.

● **Congé d'adoption**

Il peut être pris par le père ou la mère. Il est de 6 semaines pour l'adoption d'un enfant de moins de 3 ans et de 4 semaines pour un enfant entre 3 et 8 ans. Ces durées sont doublées si l'enfant est handicapé. Les 3 premiers jours sont à la charge de l'employeur et les autres jours sont rémunérés par l'organisme assureur. Un chômeur ne peut prétendre à cette prestation.

Le montant du congé est fixé à 82 % de la rémunération. Le montant de l'allocation est de 107,91 €.

● **Organisme belge de Sécurité sociale**

Assurance maladie maternité
Institut National d' Assurance Maladie Invalidité (INAMI)
Avenue de Tervueren, 211
Tél : 02 739 71 11
Courriel : bib@inami.be

● **CLEISS**

Centre de Liaisons Européennes et Internationales de Sécurité Sociale - Bruxelles Tél: 00 32 2 528 60 11

Ce centre de documentation vous donnera des informations précises sur toute la protection sociale en Belgique.

Les prestations familiales en Belgique

Il existe trois régimes de prestations familiales : travailleurs salariés, travailleurs indépendants, personnel du secteur public. Pour les personnes sans profession qui ont des enfants à charge, il existe un autre régime dit de prestations non contributives sous conditions de ressources.

● **Bénéficiaires**

Pour pouvoir bénéficier des prestations familiales, il doit exister un lien entre le bénéficiaire et l'enfant et celui-ci ne doit pas avoir plus 18 ans, 25 ans en cas d'apprentissage ou de poursuite d'études supérieures. Pour les apprentis, la rémunération brute mensuelle ne doit pas dépasser : 520,08 €. Par ailleurs, l'enfant doit en principe être élevé en Belgique. Si ce n'est pas le cas, se renseigner auprès de la caisse d'allocations familiales sur les différents accords existants.

● **Allocations familiales**

Elles sont versées mensuellement à partir du premier enfant et varient en fonction du nombre d'enfants.
premier enfant : 90,28 €
deuxième enfant : 167,05 €
troisième enfant et chacun des suivants : 249,41 €

Selon l'âge, différents suppléments sont prévus sous certaines conditions : se renseigner auprès de sa caisse d'allocations familiales.

- Une majoration sociale est attribuée lorsque les revenus ne dépassent pas : 2 230,74 € pour une personne seule et 2 306,94 € pour un couple.

- Enfants de pensionnés ou de personnes au chômage depuis plus de 6 mois :
premier enfant : 45,95 € ; deuxième enfant : 28,49 € ;
troisième enfant : 5 €

- Enfants de personnes invalides ou handicapées actives :
premier enfant : 97,88 € ; deuxième enfant : 28,49 € ;
troisième enfant : 5 €

- Il existe une majoration pour famille monoparentale :
premier enfant : 45,96 € ; deuxième enfant : 28,49 € ;
troisième enfant : 22,97 €

● Une allocation supplémentaire est prévue pour :
- l'enfant handicapé de moins de 21 ans ; elle varie de 382,73 € à 447,86 € selon son degré d'autonomie ;
- un supplément pour l'enfant atteint d'une affection variable, selon la gravité de l'affection de 74,60 € à 497,36 €.
Se renseigner auprès de sa Caisse d'allocations familiales.

● **Allocation orphelin**

Les orphelins bénéficient d'allocations familiales majorées si le père ou la mère ne s'est pas remarié(e), ou ne vit pas en couple. Par enfant : 346,82 €

● **Allocation de naissance**

première naissance : 1 223,11 €
deuxième naissance et chacune des suivantes : 920,25 €
naissance multiple (chaque enfant) : 1 223,11 €

● **Prime d'adoption** : 1 223,11 €

● **Prime de rentrée scolaire** : un supplément annuel d'âge- appelé anciennement prime de rentrée scolaire - est attribué pour tous les enfants âgés au maximum de 24 ans et pour lesquels un droit aux allocations familiales est ouvert. Le montant varie en fonction de l'âge et de la situation des parents : chômage, invalidité, parent isolé, enfant orphelin ou atteint d'un handicap.

● **Adresse de l'organisme des prestations familiales**

Office National d' Allocations Familiales pour Travailleurs Salariés (ONAFTS). Cet office dispose de bureaux provinciaux.
Rue de Trèves, 70 - 1000 Bruxelles
Tél : 02 237 21 12
Courriel : info.mediation@rkw-onafts.fgov.be

● Les parents peuvent obtenir **conseils et informations** auprès de :
L'Office de la naissance et de l'enfance ww.one.be,
Le délégué général aux droits de l'enfant www.dgde.cfwb.be,
La ligue des droits de l'enfant www.ligue-enfants.be
La Ligue des familles www.citoyenparent.be
Le site de soutien à la parentalité www.parentalité.cfwb.be

LUXEMBOURG
LA PROTECTION DE LA MATERNITÉ

La gestion de l'assurance maladie-maternité et de l'assurance dépendance est assurée par la Caisse nationale de santé. Elle regroupe l'ensemble des régimes de protection sociale, c'est-à-dire la caisse maladie des salariés du secteur public, la caisse maladie des salariés du secteur privé et la caisse maladie des non salariés.

Toute personne qui exerce une activité salariée est obligatoirement protégée contre les risques : maladie, maternité, dépendance, vieillesse, invalidité, survie (survivants), accident du travail, maladies professionnelles, chômage. Les étudiants qui ne sont plus bénéficiaires de l'assurance maladie de leur famille, compte tenu de leur âge, sont également assurés.

Il existe, par ailleurs, un droit à l'assistance pour les personnes qui ne disposent pas de ressources. Pour les personnes sans protection sociale, il y a des possibilités d'assurances facultatives.

● Assurance maladie

Les prestations en nature

L'assurance maladie prend en charge :

- Les frais de consultation médicale. Le malade a le libre choix de son médecin et dispose de la liberté de consulter un spécialiste. Il participe financièrement à hauteur de 20 % pour une consultation sauf pour celles en rapport avec une hospitalisation, la chimiothérapie, la radiothérapie ou pour celles liées à la maternité qui sont prises totalement en charge.

- Les soins dentaires sont pris en charge à 100 % jusqu'à concurrence d'un montant annuel de 60 €, et à 80 % au-delà de ce forfait.

- Les médicaments figurant sur une liste sont pris en charge selon leur classe, à 100, 80 ou 40%.

- Pour une hospitalisation, 3 classes sont prévues. Les assurés participent aux frais à raison de 20,93 € par jour d'hospitalisation en chambre de 2ᵉ classe, dans la limite de 30 jours. Il existe un forfait journalier de 4,20 € pour les médicaments.

- Les actes réalisés par les professionnels paramédicaux inscrits à la nomenclature sont pris en charge à 100%.

Les prestations sont accordées dès le 1ᵉʳ jour d'affiliation pour le régime d'assurance obligatoire. Le droit est maintenu pour le mois en cours et les 3 mois suivants en cas de cessation d'affiliation, si l'assuré bénéficiait d'une protection pendant les 6 mois immédiatement précédents.

Les prestations en espèces. Elles sont accordées dès le 1ᵉʳ jour à condition de justifier d'une affiliation antérieure de 6 mois. Les indemnités sont égales à 100 % du salaire dans la limite d'un plafond ; elles sont versées pendant un an au plus. En règle générale le salaire est maintenu pendant 77 jours par l'employeur.

Pension d'orphelin. En cas de décès, si les parents remplissaient les conditions de 12 mois d'assurance dans les 3 ans qui précédèrent le décès, les enfants reçoivent une pension d'orphelin de père ou de mère jusqu'à l'âge de 18 ans, ou de 27 ans en cas de poursuite des études ou d'invalidité. L'orphelin de père et de mère a droit au cumul des deux pensions. Si pour les deux parents il existe un droit à pension d'orphelin mais d'un montant différent, c'est le montant de la pension la plus élevée qui est doublé.

● Assurance maternité

L'assurance maternité prend à sa charge les soins médicaux et les soins requis par la grossesse et l'accouchement.

Afin de bénéficier des **prestations en espèces**, la personne assurée doit justifier d'une période d'activité de 6 mois dans les 12 mois qui précèdent le **congé de maternité**. La durée de ce dernier est de 8 semaines avant la date prévue de l'accouchement et de 12 semaines après.

Le **montant** de l'indemnité est identique à celui de l'indemnité maladie, soit 100 % du salaire sans toutefois pouvoir dépasser 5 fois le montant du salaire social minimum. Par ailleurs, il est accordé à l'assurée dans les mêmes conditions de durée de stage et de montant, une indemnité en cas d'adoption d'un enfant non encore admis à la première année d'études primaires. Si l'assurée renonce à son droit, son conjoint peut faire valoir son droit à sa place.

Les prestations familiales au Luxembourg

Les prestations familiales sont délivrées aux familles qui résident au Luxembourg, ayant des enfants à charge âgés de moins de 18 ans, 27 ans en cas de poursuite d'études, et sans limitation si l'enfant présente un handicap.

● Les allocations familiales ordinaires

Le montant des allocations est fixé par enfant, quel que soit le nombre. Le montant de base par enfant augmente progressivement en fonction de la taille de la famille.

Les allocations sont majorées pour les enfants de plus de 6 ans (16,17 €) et de plus de 12 ans (48,52 €).

Nombre d'enfants	Montant
1	185,60 €
2	440,72 €
3	802,74 €
4	1 164,56

● Allocation spéciale supplémentaire

Tout enfant âgé de moins de 18 ans et présentant un taux de handicap d'au moins 50% a droit à une allocation supplémentaire d'un montant mensuel de 185,60 €.

● Boni pour enfant

Le boni pour enfant est une mesure fiscale attribuée sans conditions de ressources à tout parent qui a la charge d'au moins un enfant pour lequel il perçoit des prestations familiales. Le boni est versé mensuellement, le paiement se fait indépendamment de celui des allocations familiales. Son montant est de 76,88 €.

● Allocation de maternité

Il est attribué à la future mère, ou aux parents adoptifs, une allocation de maternité d'un montant de 194,02 € en l'absence de droit aux indemnités maternité, ou en complément lorsque son montant se trouve inférieur à cette somme. Cette allocation est versée pendant 16 semaines à partir de la 8e semaine avant la date présumée de l'accouchement. En cas d'adoption, elle est accordée pendant 8 semaines à compter de la date d'arrivée de l'enfant dans la famille.

● **Allocation de naissance**

C'est est une prestation forfaitaire versée à toutes les familles qui résident au Luxembourg à condition que la grossesse soit surveillée médicalement ; il est versé autant d'allocations que d'enfants à naître. Elle est divisée en trois parties (prénatale, naissance, postnatale), payées individuellement et soumises à des conditions distinctes. Chaque versement est de 580,03 €

Allocation prénatale. L'assurée doit se soumettre durant la grossesse à 5 examens médicaux obligatoires et à un examen dentaire. Le 1er examen doit avoir lieu dans les 3 premiers mois de la grossesse ; un seul des 4 autres examens non passé peut entraîner le non versement de l'allocation.

Allocation de naissance. L'accouchement doit avoir lieu sur le territoire luxembourgeois ; et la mère doit avoir effectué un examen postnatal dans un délai de 2 à 10 semaines après la naissance.

Allocation postnatale. L'enfant doit être élevé de façon continue sur le territoire et il doit passer les 6 examens médicaux obligatoires. Elle est versée lorsque l'enfant a 2 ans.

● **Allocation de rentrée scolaire**

Elle varie selon l'âge des enfants et la composition de la famille : de 113,15 € à 274,82 € pour les enfants entre 6 et 11 ans.

● **Allocation d'éducation**

Elle est versée aux parents qui cessent ou diminuent leur activité pour élever leur enfant.

Le montant est le même quel que soit le nombre d'enfants élevés. Il est de 485,01 € à taux plein et de 242,51 € pour un maintien d'activité à mi-temps. La durée du versement intervient à partir du 1er jour suivant la fin du congé de maternité. Elle varie avec le nombre d'enfants, allant de 2 ans pour une famille de 2 enfants à 8 ans pour une famille comptant 4 enfants adoptés par un même acte d'adoption.

● **Indemnité de congé parental**

Elle permet aux parents d'interrompre leur activité professionnelle pendant 6 mois ou de la reduire à mi-temps pendant 12 mois pour élever leurs enfants âgés de moins de 5 ans pour lesquels sont versées les allocations familiales. L'indemnité mensuelle est de 1 778,31 € pour une interruption totale et de 889, 15 € pour un congé à temps partiel. Elle n'est pas soumise à l'impôt. Elle n'est pas cumulable avec l'allocation d'éducation versée pour le même enfant.

SUISSE
LA PROTECTION DE LA MATERNITÉ

La protection sociale

En Suisse, les assurances sociales obligatoires pour la maladie, la maternité, le chômage, la vieillesse et les survivants, l'invalidité, les accidents professionnels et non professionnels sont prévues au niveau fédéral et gérées par une pluralité d'assureurs. Les caisses reconnues sont les caisses maladie publiques, les caisses privées, les institutions d'assurance privées soumises à la loi du 17 décembre 2004. Enfin, il existe une institution commune qui assume les coûts afférents aux prestations légales à la place des assureurs insolvables.

● **Affiliation**

Toute personne résidant en Suisse doit contracter une assurance pour les soins ou être assurée par son représentant légal dans les 3 mois qui suivent la naissance ou l'installation en Suisse. L'assurance prend effet immédiatement.

La participation aux frais pour l'assuré est composée d'une franchise annuelle de 300 FS et d'une quote-part des dépenses qui représente 10% des frais dépassant la franchise, dans la limite de 700 FS pour les adultes et de 350 FS pour les enfants. Il existe aussi des franchises à option. Les primes peuvent alors être réduites.

● **Assurance maladie maternité**

L'assurance maladie comprend l'assurance soins, qui est obligatoire, et l'assurance indemnités journalières, qui est facultative. La personne a le libre choix du médecin, du pharmacien, du laboratoire, de l'hôpital.

L'assurance soins comprend, entre autres, la maternité et couvre la grossesse, l'accouchement et la convalescence de la mère. Les prestations spécifiques de la maternité comprennent les examens de contrôle, effectués par un médecin ou une sage-femme (7 examens lors d'une grossesse normale), une contribution aux cours de préparation à l'accouchement, les frais d'accouchement à domicile, dans un hôpital ou dans une institution de soins semi-hospitalier, ainsi que l'assistance d'un médecin ou d'une sage-femme, les conseils en cas d'allaitement – le remboursement est limité à 3 séances – (art. 13 à 16 de l'OPAS). Aucune participation n'est demandée lorsque la grossesse se passe bien.

● **Congé de maternité**

La durée est de 16 semaines dont au moins 8 semaines après l'accouchement.

● **Assurance indemnités journalières**

Elle est attribuée à toute femme qui a exercé une activité professionnelle pendant au moins 5 mois et qui a été affiliée à l'assurance vieillesse et survivant (AVS) pendant les 9 mois précédant l'accouchement. Le montant s'élève à 80% du revenu exercé avant le début de l'allocation, avec un maxi-mum de 196 FS par jour ou de 7 350 FS par mois. L'allocation est versée pendant 14 semaines après la naissance.

● **Adresse utile**

Office Fédéral des Assurances Sociales (OFAS) Effingerstrasse 20 CH- 3003 Berne

Tél : 0 31 322 90 11

Si vous souhaitez obtenir un aperçu des primes d'assu-rance de base pour votre canton, vous pouvez téléphoner au : 0 31 324 88 02.

Les prestations familiales en Suisse

Le régime des allocations familiales est désormais unifié. Les allocations mensuelles doivent être versées pour chaque enfant dans tous les cantons.

Allocation pour enfant : 200 FS versés à partir du premier enfant jusqu'à 16 ans révolus.

Allocation de formation professionnelle : 250 FS pour les enfants de 16 à 25 ans révolus. Il s'agit d'un minimum.

L'allocation de naissance et l'allocation d'adoption sont variables selon le canton.

● **Bénéficiaires**

- les salariés

- dans certains cas les personnes sans activité lucrative ayant un faible revenu

- dans certains cantons les personnes de conditions indé-pendantes.

Pour les allocations à la discrétion des cantons, la limite d'âge de l'enfant à charge varie de 16 à 18 ans révolus.

Dans certains cas, les allocations peuvent être versées lorsque l'enfant ne réside pas en Suisse.

● **Pour plus de renseignements**

Vous pouvez consulter le site Internet de l'Office Fédéral des Assurances Sociales (www.bsv.admin.ch).

- Accord entre la Sécurité sociale et la Suisse, 11 rue de la Tour des Dame 75436 Paris cedex 09 -Tél: 01 45 26 33 41

- CLEISS

Ce centre de documentation vous donnera des informa-tions précises sur toute la protection sociale en Suisse. www.cleiss.fr

Avant votre départ pour un autre pays européen

Les déplacements professionnels sont fréquents à l'inté-rieur de l'Union Européenne et nombreuses sont les familles concernées. Afin de faciliter la circulation des per-sonnes, la législation européenne garantit une continuité de la protection sociale et une égalité de traitement des familles passant d'un état membre à un autre. Les ressor-tissants des pays tiers, Islande, Lichtenstein, Norvège et Suisse font l'objet de dispositions spécifiques.

Il existe des prestations familiales pour les enfants dont vous avez la charge dans tous les états européens, quelle que soit votre situation : seul, en couple ou famille monoparentale. Le montant et les conditions d'attribution varient d'un état à l'autre.

Quel est l'état compétent pour verser les prestations ?

- En priorité, c'est l'état dans lequel vous exercez votre activité et où les cotisations sont acquittées.

- Si votre conjoint ou concubin exerce son activité dans un autre état membre, le pays compétent est celui dans lequel résident les enfants.

- Si ni vous ni votre conjoint ou concubin n'exercez d'acti-vité, et si l'un de vous deux bénéficie d'une pension, c'est le pays qui vous alloue cette pension qui est compétent pour vous servir les prestations familiales.

- Si vous n'exercez pas d'activité professionnelle et ne percevez pas de pension, c'est l'Etat de résidence qui est compétent pour vous verser les prestations familiales.

Il existe de plus des situations où les deux parents tra-vaillent chacun dans un état différent ; ou bien l'un des parents est actif dans un pays membre, l'autre ne perçoit pas de pension et est inactif et réside en France avec les enfants ; ou bien les deux parents sont inactifs et résident dans deux états membres différents alors que les enfants sont dispersés sur les deux territoires. Ou encore, les deux parents sont pensionnés chacun dans un pays membre et les enfants sont dispersés sur deux, voire trois états. Enfin les deux parents travaillent chacun dans un état membre et les enfants résident dans un troisième état.

La législation étant complexe, si vous êtes concerné n'hésitez pas à demander conseil à votre CAF par télé-phone au 0819 29 29 29 (prix d'un appel local depuis un poste fixe) ou par Internet :

www.caf.fr/sites/default/files/caf/741/europe_et_pf.pdf

● Voici deux sites pouvant vous donner informations et conseils :

Conseil économique et social européen

www.eesc.europa.eu

Maison des Français à l'Etranger

www.diplomatie.gouv.fr/fr/vivre-a-l-etranger/

QUÉBEC
LA PROTECTION DE LA MATERNITÉ

Au Canada, en matière de protection sociale, l'administration fédérale intervient sur le plan législatif et financier et gère directement certains programmes.

• Assurance maladie

Le gouvernement québécois est responsable de l'exécution des programmes d'assurance maladie. Il est administré par la Régie d'assurance maladie du Québec (RAMQ). L'assurance maladie est financée par l'impôt.

Affiliation

Pour bénéficier des soins de santé, il faut être considéré comme résident au Québec. La personne autorisée par la loi à demeurer au Canada, qui vit au Québec et y est ordinairement présente, est un résident du Québec. Il faut, par ailleurs, être inscrit à la RAMQ. Une fois inscrit, une carte d'assurance maladie est délivrée.

Des précisions complémentaires peuvent être obtenues sur le site www.ramq.gouv.qc.ca.

• Assurance parentale

Ce régime a été mis en œuvre afin de permettre aux parents de concilier leur vie professionnelle et leur vie familiale. C'est un régime d'assurance contributif et obligatoire. Les cotisations de l'assurance parentale couvrent les prestations maternité, paternité, parentale et d'adoption et sont perçues par le Revenu du Québec.

• Affiliation et Bénéficiaires

Pour bénéficier du RQAP, il faut être parent d'un enfant né ou adopté depuis le 1ᵉ janvier 2006, résider au Québec, avoir cessé de travailler ou avoir connu une diminution d'au moins 40 % de son revenu habituel, avoir un revenu d'au moins 2 000 $ au cours des 52 dernières semaines et verser les cotisations.

Les parents peuvent choisir entre deux régimes : le régime de base et le régime particulier. Voir le tableau ci-dessous.

Les **prestations de paternité** sont versées au père à l'occasion de la naissance d'un enfant. Si le père ne les utilise pas, il ne peut pas les transférer à la mère.

En revanche, les **prestations parentales** et les **prestations d'adoption** peuvent être prises par l'un ou l'autre parent, simultanément ou successivement.

La RQAP envisage une majoration des prestations pour les familles à faible revenu (inférieur à 25 921 $).

Type de prestations	Régime de base		Régime particulier	
	Durée en semaines	% du revenu	Durée en semaines	% en revenu
Maternité	18	70 %	15	75 %
Paternité	5	70 %	3	75 %
Parentales	7	70 %	25	75 %
	25	55 %		
Adoption	12	70 %	28	75 %
	25	55 %		

Les prestations familiales au Québec

• La prestation de soutien aux enfants

Il s'agit d'une aide gouvernementale versée à toutes les familles qui ont des enfants à charge âgés de moins de 18 ans.

Le montant est variable d'une famille à l'autre car il tient compte du revenu familial net, du nombre d'enfants et du type de famille (monoparentale ou non).

Pour bénéficier de cette prestation, il faut avoir un enfant à charge de moins de 18 ans, résider au Québec et avoir produit une déclaration de revenus au Québec.

Le seuil de revenu pour les familles biparentales est de 46 699 $ et de 35 000 $ pour les familles monoparentales.

• La prestation supplément pour enfant handicapé

Le supplément pour enfant handicapé est versé pour aider les familles à assumer la garde, les soins et l'éducation d'un enfant dont le handicap physique ou mental est important.

Le montant est le même pour tout enfant reconnu handicapé par la régie des rentes. Le montant de l'allocation est 187 $ par mois, il est versé quatre fois dans l'année.

• Allocation orphelin

Il existe une allocation mensuelle forfaitaire de 512 $ pour l'enfant à charge du conjoint survivant, jusqu'à l'âge de 18 ans.

• Des précisions complémentaires peuvent être obtenues sur www.rrq.gouv.qc.ca

LES PAYS DU MAGHREB
ALGÉRIE

La protection sociale

Les personnes qui exercent une activité salariée ou non, ou qui sont en formation, quelle que soit leur nationalité, sont obligatoirement affiliées. Pour les salariés, il existe deux caisses : la Caisse Nationale des Assurances Sociales des Travailleurs Salariés (CNAS) et la Caisse Nationale de Retraite (CNR) placées sous la tutelle du ministre chargé de la Sécurité sociale. Pour les non salariés : la Caisse de Sécurité sociale des Non Salariés (CASNOS).

● Assurance maladie

Afin de pouvoir prétendre aux prestations en nature, il est exigé du salarié une période d'activité d'au moins 15 jours ou 100 heures au cours des 3 mois précédant la date des soins.

Pour les prestations en espèces, les périodes d'activité exigées varient de 60 jours ou 400 heures s'il s'agit d'un arrêt de travail inférieur à 6 mois, et de 180 jours ou 1200 heures au cours des 3 années qui ont précédé l'arrêt de travail s'il est supérieur à 6 mois.

Le salarié perçoit du 1er au 15e jour des indemnités d'un montant représentant 50 % de son salaire. Au-delà, il perçoit l'intégralité s'il s'agit d'une maladie de longue durée ou d'hospitalisation.

● Assurance maternité
Congé de maternité

Un congé de maternité d'une durée de 14 semaines (6 semaines avant l'accouchement et 8 semaines après) est accordé à l'assurée salariée. Les cotisations sont à la charge pour partie par l'employeur et par le salarié.

Prestations en nature

Pour bénéficier des prestations en nature, les conditions sont les mêmes qu'en maladie. Les frais de la grossesse, de l'accouchement et de ses suites, ainsi que les frais d'hospitalisation pendant une durée de 8 jours de la mère et de l'enfant, sont remboursables à 100 % des tarifs fixés par voie réglementaire.

Prestations en espèces

L'assurée salariée en arrêt de maternité a droit à une indemnité journalière dont le montant est égal à 100 % du salaire soumis à cotisation, après déduction des cotisations de la Sécurité sociale et des impôts.

Les prestations familiales

Pour percevoir les prestations familiales, les enfants doivent être à la charge du travailleur. La limite d'âge est de 17 ans, et de 21 ans en cas de poursuite des études.

● Allocations familiales

Pour un allocataire disposant de revenus inférieurs ou égaux à 18 000 Dinars algériens
- du 1er au 5e enfant : 600 DA par mois et par enfant
- à partir du 6e enfant : 300 DA par mois

Pour un allocataire disposant de revenus supérieurs : 300 DA par mois et par enfant, quel que soit son rang.

● Allocation de scolarité

Il s'agit d'une allocation annuelle versée en une seule fois pour chaque enfant scolarisé à partir de 6 ans jusqu'à 21 ans.
- Pour un allocataire disposant de revenus mensuels inférieurs ou égaux à 15 000 DA
- par enfant, du 1er au 5e : 800 DA
- à partir du 6e enfant : 400 DA
- Pour un allocataire disposant de revenus mensuels supérieurs à 15 000 DA
- 400 DA par mois et par enfant quel que soit son rang.

MAROC ET TUNISIE

La protection sociale

Il existe au Maroc et en Tunisie plusieurs régimes de protection sociale qui se trouvent gérés par des caisses différentes: pour les salariés du secteur privé, public, pour les travailleurs indépendants.

● Affiliation

Les employeurs sont dans l'obligation de déclarer leurs employés dans les 30 jours suivant leur embauche. Les contributions sociales sont à la charge de l'employeur et du salarié.

Pour pouvoir prétendre aux prestations en espèces de l'assurance maladie, une période de cotisation d'une durée de 54 jours dans les 6 mois précédent l'arrêt est requise au Maroc et de 50 jours en Tunisie. Il existe un délai de carence de 3 jours au Maroc et de 6 jours en Tunisie. Les indemnités peuvent être versées durant 52 semaines au cours de 2 années consécutives qui suivent l'arrêt de maladie au Maroc et dans la limite de 180 jours en Tunisie.

● Assurance maternité

Un droit au **congé de maternité** existe au Maroc comme en Tunisie. Au Maroc, 14 semaines de congé sont accordées, dont 6 semaines minimum après l'accouchement. En Tunisie, ce congé est de 30 jours sur production d'un certificat médical, et peut-être prolongé par période de 15 jours sur justificatifs des certificats médicaux.

Dans les deux pays, l'assurance prend en charge pendant toute la grossesse l'ensemble des prestations requises par la maternité : visites médicales, radiographies, analyses biologiques mais à des taux différents ; en totalité au Maroc ; à 70 % pour les visites médicales et à 85 % pour les médicaments en Tunisie.

Les **prestations en espèces** : au Maroc, si l'assurée peut justifier de 54 jours de cotisations pendant les 10 mois précédant la date du début du congé de maternité, elle bénéficie d'indemnités journalières. En Tunisie, l'assurée doit justifier de 80 jours de travail pendant l'année civile précédant la date d'accouchement.

● Congé de paternité

Le père a droit à un congé de naissance de 3 jours qui est remboursé directement par la CNSS à l'employeur. L'indemnité ne peut pas dépasser le montant maximum de 692,30 dirhams.

Les prestations familiales

Pour bénéficier des allocations familiales, le salarié doit justifier de 108 jours de cotisations pendant 6 mois d'immatriculation et percevoir un salaire minimum mensuel, les enfants doivent être à la charge du travailleur et résider à son domicile. Le versement est limité aux 6 premiers enfants.

La **limite d'âge** au Maroc est de 12 ans, 18 ans si les enfants poursuivent des études, et de 21 ans s'ils les poursuivent à l'étranger. En Tunisie, la limite est de 14 ans ou de 16 ans pour ceux qui poursuivent des études ou pour les filles remplaçant leur mère au foyer ; sans limite d'âge pour les enfants handicapés. Les travailleurs indépendants n'ont pas droit aux prestations familiales.

À côté des allocations familiales, il existe en Tunisie, une **majoration pour salaire unique** pour les familles ayant droit aux allocations familiales et dont un seul membre du couple exerce une activité salariée ; une allocation limitée à un jour financée par l'employeur pour le père sur les 7 jours de congé de paternité. Enfin, une **contribution aux frais de crèche** peut être accordée aux mères actives dont le salaire ne dépasse pas un certain montant. L'âge des enfants doit être compris entre 2 mois et 3 ans et l'enfant doit être inscrit dans une crèche agrée par le Ministère chargé de l'enfance.

● Montant mensuel au Maroc des prestations familiales

- 200 dirhams pour les 3 premiers enfants et pour chacun
- 36 dirhams à partir du 4e enfant et pour chacun.

● Montant mensuel en Tunisie des prestations familiales

Premier enfant : 7,320 dinars par mois

Deuxième enfant : 6,506 dinars

Troisième enfant : 5,693 dinars

● Adresses utiles

- CNSS, 649, Boulevard Mohamed V -B.P. 10726 Casablanca, Maroc. Tél : 022 24 40 44.

Site Web: www.cns.ma

- Caisse Nationale de Sécurité Sociale

49 avenue Taïeb M'hiri 1002 Tunis belvédère. Tunisie.

Tél : (216) 71 796 744.

Fax: 00(216) 71 783 223.

Site internet: www.cnss.nat.tn

Nous remercions le CLEISS (Centre des Liaisons Européennes et Internationales de Sécurité sociale) qui nous a fourni la documentation et les informations nécessaires à la réalisation de ces mémentos destinés aux lecteurs belges, luxembourgeois, suisses, québécois et du Maghreb.

INDEX

INDEX

INDEX

INDEX

INDEX

INDEX

LE COURRIER DE
J'ATTENDS UN ENFANT

Avez-vous des suggestions à faire ?
Une question à poser ?
Souhaitez-vous faire part de votre expérience ?
N'hésitez pas à nous écrire !

Vous êtes nombreux à le faire et, grâce à Internet, notre courrier se développe et prend plus d'ampleur. Nous vous répondons comme nous répondrions à des amis, le plus vite possible et de notre mieux. Un échange constructif et enrichissant s'instaure car vous réagissez souvent à ce que nous vous écrivons, pour ajouter un commentaire, préciser votre demande, ou tout simplement nous dire que vous avez apprécié notre conseil. Ce courrier nous fait vraiment plaisir. Ecrire un livre est un long monologue, recevoir une lettre, un courriel, le transforme en dialogue et montre qu'il a atteint son but. Ces témoignages nous permettent de répondre au mieux aux attentes de nos lectrices et lecteurs. Ils sont pour toute l'équipe de *J'attends un enfant* un encouragement à poursuivre un travail qui chaque année s'amplifie.

Voici notre adresse mail
lpernoud@horay-editeur.fr

et notre adresse postale
Laurence Pernoud
Éditions Horay
5, allée de la 2ᵉ Division Blindée
75015 Paris

Si vous y pensez, précisez le prénom de votre enfant, son âge, l'endroit où vous habitez. Nous aurons l'impression de mieux vous connaître.

Votre enfant est né. Vous avez apprécié

J'attends un enfant

Nous vous proposons de lire maintenant la suite

J'élève mon enfant

qui répond à toutes les questions que se posent
les parents. Voici un extrait du sommaire.

1 Un enfant entre dans votre vie

Et soudain tout change...
Des moments privilégiés.
Des instants parfois difficiles.
Le père et son nouveau-né.

Le bien-être de votre enfant
La toilette, soins et changes,
la layette, le bain, le berceau,
le lit, la chambre.

2 Bien nourrir votre enfant

L'allaitement maternel
Allaitement maternel ? Allaitement au biberon ? Comment
choisir ? Combien de temps allaiter ? Le régime de la maman.
J'ai trop de lait. J'ai des crevasses. Et les autres questions
que vous vous posez. Le sevrage.
L'enfant nourri au biberon
Quel lait donner ? La préparation du lait.
Horaires et rations. L'heure du biberon
Réponses à quelques questions.

Comment peu à peu un enfant apprend à manger de tout
À quel âge commencer la diversification ? Ce qu'apportent
les différents aliments : céréales, viande, poisson, lait...
Des menus pour tous les âges.
Quelques difficultés possibles de l'alimentation
Pourquoi pleure-t-il ?
Comment faire accepter les changements.
Votre enfant ne veut pas manger : que faire ?
Deux situations particulières : obésité et allergie

3 La vie d'un enfant

Une journée bien remplie
Comment aider l'enfant à avoir un bon
sommeil. Les repas. Lorsqu'il pleure.
Les sorties. Les jeux et les jouets. Les écrans : télévision,
tablette, etc.
Le goût de la lecture se prend tôt
Quelques idées de livres.
Attention danger !
Dans la maison, hors de la maison, dans la nature. Des

mesures de prévention. La sécurité des piscines.
Voyages, vacances, nature
Bon voyage : nourrir, distraire et changer
l'enfant. La sécurité en voiture. L'enfant transporté sur un
vélo. Bonnes vacances : à la mer, à la montagne, à la cam-
pagne. Le soleil : bienfaits et dangers. L'enfant et l'animal.
La vie à la crèche
De plus en plus autonome
L'enfant apprend à manger seul, à s'habiller seul, à être propre.

CREDIT

Dessins

François Crozat 100 - 102h - 103 - 105 - 106 - 140 - 144 - 152 - 153 - 166 - 167 - 177 - 286 - 287 - 289hgd - 290 - 291 - 292 - 293 - 294 • Editions Horay 21 - 22 - 40 - 50 - 101 - 102b - 113 - 136 - 137 - 145 - 268 - 270 - 287 - 289bd - 291 - 336 • Siudmak 345 à 351

Couverture : iStock

Photographies

Age Fotostock : 10 • BSIP : 125 • Photononstop : 14 • iStock. : 25, 186, 377 • Stockbyte : 17, 31, 43, 56, 77, 83, 96, 112, 171, 175, 189, 218, 222, 235, 245, 267, 326, 340, 343, 352, 370, 389, 391 • PhotoAlto : 28, 35, 44, 47, 74, 143, 168, 199, 226, 232, 252, 264 • Getty PhotoDisc : 59, 382 • Fotolia : 88, 99, 157, 207, 339, 358, 367 • Raith/Studio X : 148, 151, 165, 364 • Ruffier/Studio X : 331, 334, 357 • Czap : 162 • GARO/PHANIE : 202 • IAN HOOTON/SPL/PHANIE : 205 ; AG : 278, 363, 385 • Valérie Winckler/Gamma rapho : 282 • Getty/Eyewire : 285 • Caty Jan/Tendance Floue : 308, 309 • Digital Vision : 316, 361, 375, 389, 403 • VOISIN/PHANIE : 329 • Dr Steiner : 372, 373 • Getty/Eyewire : 395 • Graphic Obsession : 416

CONCEPTION GRAPHIQUE : PHILIPPE MARCHAND / OLOEDITIONS
CONCEPTION COUVERTURE : NICOLAS MARCHAND ET PIAUDE DESIGN GRAPHIQUE
RÉALISATION : NICOLAS MARCHAND

IMPRIME EN DECEMBRE 2015 PAR LOIRE OFFSET TITOULET
N° D'IMPRIMEUR : 201509.2519
N° D'EDITEUR : 2015_1224
DEPOT LEGAL : DECEMBRE 2015